《灵魂的喜剧》

辽宁大学出版社　2000

《美女危险论——孙绍振幽默作品选》

作家出版社　2003

《愧对书斋——孙绍振心灵自述》

中国青年出版社　2011

孙绍振文集

灵魂的喜剧

海峡出版发行集团 | 海峡文艺出版社

图书在版编目(CIP)数据

灵魂的喜剧/孙绍振著. 一福州:海峡文艺出版社,2025.6
(孙绍振文集)
ISBN 978-7-5550-2998-4

Ⅰ.①灵… Ⅱ.①孙… Ⅲ.①散文集一中国一当代 Ⅳ.①I267

中国国家版本馆 CIP 数据核字(2023)第 072237 号

灵魂的喜剧

孙绍振 著
出 版 人 林 滨
丛书统筹 林可莘
责任编辑 林可莘
编辑助理 陈泓宇
出版发行 海峡文艺出版社
经　　销 福建新华发行(集团)有限责任公司
社　　址 福州市东水路 76 号 14 层
发 行 部 0591-87536797
印　　刷 上海盛通时代印刷有限公司
厂　　址 上海市金山工业区广业路 568 号
开　　本 787 毫米×1092 毫米 1/16
字　　数 530 千字
印　　张 26.25 **插页** 1
版　　次 2025 年 6 月第 1 版
印　　次 2025 年 6 月第 1 次印刷
书　　号 ISBN 978-7-5550-2998-4
定　　价 130.00 元

出版说明

孙绍振先生是我国著名的文艺理论家、文学评论家、语文教育理论家、作家，是“闽派批评”的旗帜性人物。

他学贯中西、思通古今，全面梳理中国传统文艺理论中的重要命题，对当代西方文论进行了系统的分析和批判。他的文学研究贯穿着“实践真理论”的世界观和辩证方法论。他以一个“文学教练”的矫健身手，在“文学创作论”和“文学文本解读学”的坚实理论基础上，进行海量的经典文本分析，洞察小说、诗歌、散文等文类的艺术奥秘。由此，他建构了富有原创性的中国特色文学理论话语体系，在理论和实践结合方面发出中国声音。

他以先锋姿态投入“朦胧诗”大论战，业已留下重要的历史文献；以创新思维和精准表达，体现文学批评的力量与高度。

在语文教育改革中，他以犀利的思想拨乱反正，为语文教育的学科建设做出独特的贡献。其成就不仅深刻影响祖国大陆语文教育学界，还辐射至宝岛台湾，有力助推两岸学术、文化与教育交流。

作为一个作家，他钟情于诗歌、散文创作，产出丰硕的成果。其演讲体散文，卓尔成家。

为了全面展示孙绍振先生的研究成果和学术成就，我社组织出版“孙绍振文集”（20册），汇编其迄今为止的全部代表性学术著述和文学作品，涵盖文学理论建构、文艺评论、演讲、语文教育、文学创作等诸方面内容。希望这套文集能全面展示孙绍振先生的理论成就、评论成果和文学创作的整体风貌，呈现中国学派崛起的绰约风姿及其在世界学术话语体系中日渐突出的自主地位。

海峡文艺出版社

二〇二五年六月

目　录

第一辑　幽默文化

第二辑　心灵自传

第三辑　异域回眸

附录

第一辑　幽默文化

国人之吃

中国文化整个就是“吃的文化”：谋生叫糊口，工作叫饭碗，靠积蓄过日子叫吃老本，混得好叫吃得开，占女人便宜叫吃豆腐，女人漂亮叫秀色可餐，受人欢迎叫吃香，受到照顾叫吃小灶，不顾他人叫吃独食，没人理会叫吃闭门羹，有苦说不出叫吃哑巴亏，嫉妒叫吃醋，理解不透叫囫囵吞枣，深刻叫吃透精神，广为流传叫脍炙人口，负担太重叫吃不消，犹豫不决叫吃不准，负不起责任叫吃不了兜着走，想要见你一定要说何时请你吃饭……①

一

古人云：“食、色，性也。”在那生活条件很简陋的年代，能把吃饭和性事坦然地当作人生两大支柱肯定下来，这本身就是对人性的一种深刻的洞察。不知道为什么，这么简单的道理，在孔夫子死后几千年，就一直弄不清楚。直到五四运动期间还要劳鲁迅的大驾庄严地宣告一番：一要生存，二要发展。生存，就是吃；发展，就是性。但是，孔夫子是有些矛盾的，他偏偏要把对于女性的爱好和道德对立起来：“吾未见好德如好色者也。”圣人说了，凡人当然不敢违抗。在很长一段时间里，中国人对女性，尤其是美人是高度警惕的，对于性爱最爱做出一种厌恶的样子。所谓“万恶淫为首”者是也。但是，对于人性的另一种需求——吃，中国人却十分宽容。民以食为天，世界上最重大的事情就是吃饱肚子。不懂得这一点，就不懂得中国。毛泽东比起他的战友和敌人来，高明之处就是深刻理解这一条道理。早在五四时期主编《湘江评论》的时候，他就坦言说：“世界什么问题最大？吃饭问题最大。”君不闻，谚云：开开门来七件事，柴米油盐酱醋茶。与口腹之欲有关的，才与人生之真谛和革命之大业有关。

不能领悟这条最普通的真理，就不能洞察中国的人情世故。

① 自网络。

吃这个字，从口，本来是表意的，本义是口腔，有发声和进食两种功能。但是中国人好像更重视吃的功能，100 天不说话无所谓，10 天不吃饭，就活不成。早在甲骨文中就有“口井”，计口分田，井田制。到了第一部字典《说文》中就干脆把发声功能排除了：“口，人所以言食也。”实际上在许多圣贤典籍中，口就等于是人了，《孟子 · 梁惠王上》：“百亩之田，勿夺其时，数口之家可以无饥矣。”于是就有了一个举世无双的词语创造：人口。人就是口，口就是人。好像人只剩下了一张嘴，除了嘴巴什么都没有了，连脐下三寸都成了空白。

从“人口”这样意味深长的构词法引申开来，顺理成章，就产生了“户口”这样的词语。这就是说，吃饱肚子，不仅仅是单个人的头等大事，而且对于维系家庭、巩固社会秩序也是根本大计。中国人向来是讲究含蓄的，在这里却并不羞羞答答，对于胃肠功能的急迫感丝毫不加遮掩。连夫妻两个都叫作“两口子”，在英语中，husband 和 wife 与 mouth 是八竿子都打不着的。中国人把什么事情都和吃联系在一起。一般草民，问他什么职业，回答说：吃 ×× 饭的，好像除了吃饭什么也不干似的。旧时上海一些流氓，坦然宣言自己是“吃白相饭的”。“白相”，是上海话，就是无所事事，整日游逛，当然是没正经的意思，但是一和“吃饭”联系起来，就有正经职业的意味了。西方留学生在中国学中文，总是弄不明白，为什么用大碗吃饭，叫作“吃大碗”，到食堂吃饭，叫作“吃食堂”。他们的想象力不行，无法解释食堂被数千乃至上万大学生咬噬多年，仍旧傲然挺立。他们更不能理解的是：家住农村，青山绿水之妙不在养眼，空气新鲜之优越不在养肺，而是有利于口腹之欲，叫作“靠山吃山，靠水吃水”。吃水的样子还马马虎虎可以想象，无非是嘴巴张得大一点，比之抿嘴一饮那样，不够文雅一点。吃山的姿态，就真有点可怕了，恐怕连恐龙都不可企及。

这不能说明中国人特别馋，相反，吃在汉人心目中，绝对不仅仅是口腹之欲，而是与人的生命质量息息相关的。精神品位档次最高的人物，叫作不食人间烟火。屈原的品质是高贵的，所以他吃的东西就不一样：“朝饮木兰之坠露兮，夕餐秋菊之落英。”妖怪要成精，要食日月之精华。品质特别恶劣的人叫作“狗彘不食”，而特别凶残的人，叫作“吃人不吐骨头”。

我小时候，在上海的青浦读小学，对于极其厌恶的家伙，喜欢在墙壁上写标语加以愤怒声讨，最常用的一条是：“某某某吃卵三百只！”这个卵，不是鸡蛋的意思，而是男性生殖系统中最突出的一部分，《水浒传》上和闽南话中都写作“鸟”，粗话叫什么，大家都知道，不便写入文章。现代汉语中，近来，有了一种昵称，叫作“小鸡鸡”，或“小鸟鸟”，正如，小哥哥、小妹妹一样。汉语的单音词语，一旦重叠起来，就有幼小、可爱的意味，排排坐，吃果果，改成排着坐，吃水果，就煞风景了。当然，任何规律都有例外，花花公子、花花太岁、花花世界，就是例外。当然，昵称在俄国人中也通行，只有在很亲近的人之间才通用。例如，列宁同志的全称是弗拉基米尔·伊里奇·乌里扬诺夫，伊里奇是他的父名，乌里扬诺夫是他的姓，他自己的名字叫弗拉基米尔·乌里扬诺夫，家里人的昵称就叫他“伏洛加”，正式场合的尊称是弗拉基米尔·伊里奇。可惜当时我们没有多少文化，想象不出文明的爱称的各种花样，以至于这种以数量上要达到“三百只”才满足发泄私愤的口号，居然从男生普及到女生中去。不过女生并不确切了解其中关键词的外延和内涵，却也常常偷偷地写在厕所里，男生则冠冕堂皇地写到对方的大门上。但是，这也并不完全是孩子的淘气、野性，而是有中医中药的根据：胃有病，胃壁溃疡要吃鸡的胃内壁，学名叫作“鸡内金”，阳痿要吃动物的外生殖器，中药学上的正式名称是：牛鞭、鹿鞭；据说，更有效的是老虎的那一鞭，但是不如狗鞭，可是，据说虎鞭是带钩子的。

吃不但意味着人的生理功能，而且可以阐释人的心理素质，胆子大叫作“吃了豹子胆的”。所以到了拼老命的生死关头，往往就和吃有联系。例如，义和团攻打使馆区东交民巷，勇士们的豪情就这样表现：

吃面不搁酱
炮打交民巷
吃面不搁醋
炮打西什库。

献身革命，意志坚定，也与吃有关，20世纪30年代在红色根据地，有民歌曰：

要吃辣子不怕辣，
要当红军不怕杀。

革命者视死如归的英风豪气和吃的联系一目了然。这种革命胆略，永远是不会褪色的。到了20世纪70年代末期，思想要解放，要冲破“两个凡是”。有些当年吃过辣子不怕杀的革命干部，却失去胆略。据当时吉林省委宣传部长宋振庭同志对于缺乏思想解放勇气，前怕狼、后怕虎的战友，十分藐视，他追问说：“你怕什么？怕他咬了你的鸡巴！”话说得虽然粗了一点，但是，却符合汉语的集体无意识中把人的精神状态与食物联系在一起的规律。当然，“咬”还不等于吃，但是，肯定是吃的一种前奏，而且在用力的程度上，也就是在情感的强度上要比吃动作性更大一点。

最富于情感的成分要算“吃醋”，男女都吃，但是女人吃得更认真，有时把小命都吃掉也不后悔。林黛玉的大部分审美情操，都由吃醋而来，自我折磨，自我摧残，这才叫作美。不吃醋的薛宝钗，虽然身体健康有利于生儿育女，从美学意义上说，是空洞的。

吃不仅仅有关虚无缥缈的情感，而且是全部生命的体验。在艰难的条件下工作，叫作吃苦；空想改变现状，不切实际，叫作癞蛤蟆想吃天鹅肉。癞蛤蟆没有翅膀，不能飞，当然吃不到，但不排除意外的好运，有歇后语形容曰："癞蛤蟆吃糖鸡屎——笑眯眯的。"这种"糖鸡屎"并非真的有糖，而是鸡拉的稀，不过颜色像是调了红糖的。

在汉语里，阐释人的命运也由吃来承担了。苏南地区1949年前，有谚语云："牛吃稻草鸭吃谷，各人自有各人福。"牛的劳作是艰辛的，但只能吃草，而什么劳动也不会的鸭子，明明是二流子，却一心想当歌唱家，不择场合练嗓子，以折磨人的耳神经为职业，却吃得比较高级。这种命运的不公，是以吃为衡量标准的。而鸭子虽然成天歌唱，但，总有一天，要抹脖子，其精心包装在椭圆的壳里的后代要被拿到油里去煎、水里去煮，就不在比较之列了，因为这与他们所吃的食品无关。

因为吃与命运有关，所以吃的语义就和人的一切成败得失关联在一起。外部形势严峻，或者手头的钞票不够用，叫作吃紧。吃一堑，长一智，用吃来形容倒霉与智慧之间的正比关系。对于外来的横逆，威武不屈，叫作不吃这一套。吃香，吃得开，说的是广泛受到欢迎和尊重；通吃，则已经超越了赌场上的含义，成为全盘胜利的概括；而吃亏和吃瘪，不但是遭遇挫折，而且是丢脸了。

二

这可能是因为中国汉人属于农业民族，又有强调子孙繁衍的传统，人口增长迅速，土地不堪重负，满足饮食生理需求的压力相当大，吃饱肚子的问题解决起来很不容易。在西方人看来，中国的饮食文化，特别奇怪，什么都吃。饥荒年月，树皮、草根、观音土，都是果腹的佳肴，平时连蛇和蝎子都不放过，婴儿的胎胞和癞蛤蟆的卵巢都是补品。

就连小便，也是可以吃的。这一点我有非常深刻的记忆。

那是抗日战争期间，我家逃难到乡下。有一天，吃完晚饭，我被叫到房间，一向严厉的爸爸，破天荒让我站到桌上去，并且拿了一个相当精致的瓷碗放在我面前，要我把小便拉在里面。当时我四五岁，已经模模糊糊感到代表男性尊严的那一器官，是要严格保密的，不能示众的。不能像小狗那样在大庭广众之间，随便抬起腿来方便，只能偷偷地在墙角。突然间，要我当众把它挖出来，众目睽睽之下，岂不羞死我也。然而，父命不可违，而且那么多人的眼睛，都放射出期待的光。我勉为其难迟迟疑疑挖了出来，但是，就是拉不出。父亲鼓励再三，仍然无效。最后还是妈妈理解我，说：孩子害羞，大家把眼睛闭上。这一下真是有如神助，碗里顿时就满了。

后来我才知道，这是给一个很可敬的叔叔吃的，他得了一种病，中医开了一帖药，要有一种药引子，叫作"童便"。我不能想象，那位可敬的叔叔在喝我的小便时，有什么感觉。但是，我得到了解释，因为儿童，具有绝对的童贞，故有救命之功效。我当时并不担心，我的童贞被他吸收了，对自己会造成什么影响。而是想到有朝一日，自己长大了，也得了这样的病，不知又要去喝什么样的小孩子的尿。这种恐惧已经够呛，更可怕的事还在后面。有一次上公共厕所，那时没有冲水设备，小便池里臭气熏得眼睛都睁不开，池里积了一层厚厚的垢。突然一个农民模样的中年人，挑了一担水来，三下两下把小便池冲洗得干干净净。我不禁对此人投以崇敬的目光。他却目不斜视，只顾用一只蛤蜊壳去小便池里刮，每刮一下，那壳里的尿垢就满了。我问他这是干什么，他说这是药引子，叫作“人中白”。我不免像水浒英雄们那样“倒抽一口冷气”。没有想到过了几年，听一位中医说：还有一种药引子，叫作“人中黄”，是大便的积垢。那时，我已经从母亲那里获得一鳞半爪的人生是作孽的佛学，起初总是有点怀疑，得知这一切以后，才真正体会到佛学的精深。

然而，这还不够深深震撼我的灵魂，等到阅读能力提高可以读点古文的时候，才知道，在最为严重的饥荒年岁，吃人肉的事情也是有的。春秋战国时代，易子而食，析骨而炊，在历史上是有记载的。项羽抓住了刘邦的父亲，要把他煮成羹汤，逼迫刘邦就范，从这里可以看到一点吃人肉的习俗。直到唐代，在白居易的《秦中吟》中还提到“是岁江南旱，衢州人食人”。灾荒年头如此，平时是不是就绝对不沾人肉呢？《水浒传》上就有一位女英雄，丈夫名叫菜园子张青，看来是个老实巴交的农民，可就是这位农民的老婆，绰号母夜叉，开饭馆，专门卖人肉包子，还差一点把打虎英雄武松给放翻了。幸亏武松机灵，才避免了一身结实的肌肉变成她的瘦肉馅。

我在一本英文的读本上看到一个英国人感想，她说，英国自从光荣革命以来，300 年来就没有国内战争，而在中国几千年的历史上，几乎每一个封建王朝都是在农民战争的烽火中倒塌下去的。我想此话有理，差不多每一次农民起义，都是为争夺土地而流血。为了满足胃的需求，不惜把脑袋丢掉。插起招军旗，不怕没人来吃粮。故李闯王造反时，民谣曰：“吃他娘，穿他娘，闯王来了不纳粮。”而太平天国的《天朝田亩制度》不过是开了一张空头支票“无处不均匀，无人不饱暖”，竟能建立王朝，开基立业，横行在大江南北十余年。而 20 世纪 50 年代拍摄的《宋景诗》，属于其支流黑旗军。在进攻地主土围子柳林团之前，黑旗健儿们唱道：

打垮了柳林团哪，
有吃又有穿哪，
黑旗小子穷光棍儿，
娶个媳妇不作难哪。
先杀王二香哪，

再杀韩鸣谦哪，

东家财主，

齐呀么齐杀完哪，

过个太平年哪。

这就充分表现了杀气腾腾的英雄气概和吃饱肚子有直接的关联。但是，这位英国女士的意见，我想也不太全面，问题还有另外一面，中国又是一个文明礼仪之邦，特别讲究饮食文明。钟鸣鼎食，悠扬的庄严音乐，把血淋淋的凶残推向幕后，像《左传》中描述的那样，跪、拜、登、受，一套套规矩，把本能的争夺转化为精神的殿堂。推杯换盏，多少杀机因此而遮蔽，勾心斗角的胜负，全在举杯的分寸之中。就是严峻的军事斗争，人头落地在须臾之间，饮宴的仪式也不越规矩。鸿门宴上，项庄舞剑，表面上是娱乐助兴，但意在沛公的脑袋，樊哙本是对项羽杀气腾腾，刀光剑影，都因饮宴的仪式而错过了杀机。项羽反而赏赐给他一大块生猪肉，这位壮士，就拿自己剑割着大啖。饮宴仪式以中规中矩为特点，多少钩心斗角的伎俩变得文雅而神圣，血淋淋的历史，反而成为千古佳话。唐太宗李世民与太子李建成你死我活地争夺皇位，李建成阴谋杀死李世民，想出来的办法仍然是老一套：在出兵时阅兵的饯行仪式上，于饮宴之中，“使壮士拉杀之于幕下”。结果，未及等到仪式开始，李世民先发制人，兄弟相残，亲手射死了亲兄弟，血溅玄武门，令司马光为之扼腕不已。至于赵匡胤登了大宝，为了防止功高盖世的大将兵权太重，重演唐末藩镇割据、军阀混战的悲剧。如果鲁莽地把大将们的兵权一把撸了，可能引起一场混战，他却来个“杯酒释兵权”，和哥们儿来一场盛大的宴会，文文雅雅地把隐患给消除了。到了元朝，在关汉卿的笔下，关云长飞舟过长江去东吴单刀赴宴，面对那滔滔的长江，他不禁感慨：

这也不是江水，（唱）：二十年流不尽的英雄血。

饮食的仪式性，使得饮食的口腹之俗具备了一种高雅的装潢，这可能是汉族人的特点。而满族就不同，他们入关为主，建筑承德避暑山庄，和关外的少数民族会盟，主要就不是吃喝，而是狩猎，是在与大自然的搏斗中达到情感的沟通。而汉族人不但用酒肉和政敌周旋，就是对仙逝的祖先，最隆重的也是以热气蒸腾的猪头三牲奉献。西方基督教世界扫墓，多用鲜花，而中国人则祭以食物。清明节墓台上红烧鱼与香蕉并呈，白米饭共巧克力相叠。说是祭祖，实际上是自祭。《孟子》中的齐人，就钻了这个空子，到人家坟间去吃人家祭祀的食品，满嘴油光光的，居然能混到了两个老婆。在明清之际，清明扫墓简直就成了美食节。张岱在《陶庵梦忆》中说：“扬州清明，城中男女毕出，家家展墓；虽家有数墓，日必展之。故轻车骏马，箫鼓画船，转折再三，不辞往复。监门小户，亦携肴核纸钱，走至墓所。祭毕，席地饮胙。”这里的肴核，是菜肴的总称。而饮胙，则是一种古礼，饮是祭神的酒，而胙则是祭神的肉。不管是神还是祖先，绝对是不吃任何一点东西的，不管多么丰盛的菜肴，最后都进入了自己的肚子。饮祭神的酒，叫作“饮福”，吃祭神的肉，叫作“受胙”，都是承受福荫的意思。

以饮食的仪式来沟通冥冥之间的妙招，不但在后代与祖先之间，而且在人与神佛之间。祥林嫂视为性命交关的“福礼”，其实就是一条大鱼而已。家神吃得痛快，才有好心情保佑你发财发福。中国人很重视过年，从腊月二十四就过“小年”，首先要祭的是灶神。这个神，不但日日监视你家的伙食，而且每年要回到天上去汇报，对你一家的品德行为作出评价。为了贿赂一下这位玉皇大帝派在身边的特务，在他即将上天汇报的时刻，给他狠狠地吃一顿。临了还给他吃一块灶糖，其实就是一块麦芽糖，很黏的，让他到了玉皇大帝那里，就是有坏话，也讲不出来。可是，我父亲，偏偏又写了一副对联：

上天言好事，下界保平安。

我想，既然嘴巴被灶糖黏住了，坏话讲不成了，好话，不是也不能讲了吗？后来，又想可能是到讲好话的时候，就把糖吐出来，或者赶紧把它咽了，好话就滔滔不绝地讲个没完没了。但是，吃人家的东西嘴软，形同受贿，岂非有负于玉皇大帝的信任？

我怀疑，这和西方基督徒有点异趣。基督教每周的“主日”（即周日）有这样的聚会，叫“擘饼聚会”，意思是纪念基督的死与复活。基督徒吃的面团，象征神的身体，饮的酒代表神的血液。《圣经》上是这样说的：

他们吃的时候，耶稣拿起饼来，祝福，就擘开递给门徒，说：“你们拿着吃，这是我的身体。”又拿起杯来，祝谢了，递给他们，说：“你们都喝这个，因为这是我立约的血，为多人流出来，使罪得赦。”

如果在教堂的神坛上，将中国祭祖宗的猪头供上，不知基督是否宽恕亚当后代的罪行？

这个问题，我不敢问。因为父亲早就警告过，小孩子，过年时期，胡言乱语，是要破坏神佛的情绪，影响一年的运气的。父亲对我的嘴巴，不大信任，写了一预防性的条幅贴在墙上：童言无忌。但是，到了年三十，我还被强制性用上厕所用的草纸，擦了一下嘴巴。也就是请神佛把我的嘴巴当作肛门，我讲的话，当作肛门里放出来的臭气。但我并不服气。我所讲的话无不出自我的童心，不论是按李贽还是卢梭说的，都是最纯洁的。而灶王爷，却是吃了人家的东西，就报喜不报忧，品德上多多少少是有些污点的吧。发自纯洁的童心的话语，如巴金所追求的讲真话，反而是放屁，而贪吃的下放神仙，却享有神圣的尊荣。这世道真是让我满腹狐疑。

三

中国人对于吃的豪情和对于女色的警惕成正比。

《三国演义》《水浒传》《西游记》中的英雄对女性不是没有兴趣，就是有些仇恨的。不管什么盖世英豪，什么错误都可以犯，但是但凡犯了一个色字，就一世英名丧尽。故关公、武松、孙悟空乃至诸葛亮、吴用对异性一概没有什么感觉，不管是什么档次的英雄，一旦沾上了女色，就显得十分可笑可悲。猪八戒一见女性就流口水，吴承恩利用一切机会让他出洋相，这还不算，还给了他一副猪脸，让他应了一句俗语，叫作丑人多作怪。但是，中国古典传奇中的英雄在色方面受到压抑，往往就向吃喝方面发泄。武松景阳冈打虎，英名盖世。为了表现他超人的神勇，先让他一口气喝了 18 碗酒，外加几斤牛肉。武松醉打蒋门神，不吃不喝不见英雄本色，吃喝而不醉，更不能现出武艺高强。关公斩华雄，如果没有那杯砍了人头还没有凉的酒，肯定是大煞风景。

有多大的食量和酒量，就有多大的英雄气概。二者的正比关系，是经过文学经典一再不嫌重复地加以证明的。

这在西方人看来，还真有点隔膜。他们中世纪的英雄，主要是骑士，其英雄气概和把生命献给美女的自觉程度是成正比的。在他们看来，如果一味吃，而忽略了美女，是野蛮的。他们不会像中国人那样把那么多的时间花在做饭上。正是因为这样，快餐、汉堡包，马马虎虎、大大咧咧地吃，才充分表现他们的民族性。而在中国人，尤其是圣人之徒看来，这么简单草率，简直是荒唐。孔夫子云：“肉不正，不食。”所以中国的厨师，讲究“刀工”，显示其富有圣教的文化底蕴。

把吃看得很庄严，这是中国文化的光辉传统。

虽然中国文化发源于北方黄河流域，但是，对于饮食的考究，南方人却是青出于蓝。广州人在爱情上，至少到目前为止，并没有特别表现出骑士精神，但是，全中国都知道，北京人什么都敢说，广州人什么都敢吃，这实在令北方人肃然起敬。可惜的是，吃到果子狸，吃出非典，弄得北京、上海、福州、杭州、南京，公共汽车上人烟稀少，而广州大马路上依然是熙熙攘攘，一个个面不改色，心率正常；其慷慨的程度，不亚于水泊梁山上去聚义厅赴宴。比起广州人来，福州人胆子小一点，但是，一生花在做吃上的时间，消耗掉的生命，可能是北方人的好几倍。福州人和广州人一样讲究美食，美在吃出花样来，以至于食本身倒无所谓，要义在超越口腹之欲，升华为一种美学。光是口腹之欲，就是好吃鬼、贪吃婆，超越了，就有一个挺文雅的说法，叫作美食家。福州人一讲起锅边糊，一讲起蛎（方言读 de）饼，就流口水，这不是馋，而是对于乡土文化的热爱。乡土感情，是从娘胎里带来的，就是到了美国，在纽约定居了两三代，还是不改。在唐人街，早上可以用福州话买到蛎饼。虽然广州话在纽约比英语还难懂，但是广州人的自豪在旧金山，在餐馆里，用广州话可以买到蛇羹。当然东北人，一听到蛇，就想起那黏滑的皮，还有那毒牙，不免有点汗毛竖起来的感觉，更不要说吃了。但是，他们那里的猪肉炖粉条，也是一绝。以赵本山为代表的东北老乡坚信，一吃了这玩意儿，就能成为活雷锋。这是有一首流行歌曲为证的：

这就是所谓乡土风味，一说到乡土，感情成分就浓烈了。有道是：月是故乡明，猪肉炖粉条是家乡的美。

虽然英国人发明了一个专门的词语叫作：nostalgia，翻译过来叫作怀乡病，但是，他们没有明确说怀念家乡的什么，可是我们中国人，就很坦诚，怀乡就怀念家乡风味的食物。当然，生活在天堂里的苏州人，正如孔夫子所说的，食不厌精，脍不厌细，再加上食品的名堂用吴侬软语那么一叫，正如霓裳羽衣曲一样令人飘飘欲仙。东北老乡的猪肉炖粉条就太土了，但是，苏州人也洋不到哪儿去。早在晋朝，阊门出了个张翰，在洛阳做官做得好好的，突然秋风起来了，想起了家乡的鲈鱼莼菜，口水就流了下来，连官也不要做了，回家吃鲈鱼莼菜羹去了。

中国人的乡土观念特别重，别以为这是一种纯粹的感情，这里边包含着口腹之欲。吃的最大特点是怀旧，鲁迅从东洋归来以后，又到北京，吃了多少山珍海味，居然在《故乡》中坦然宣言他儿童时代吃的罗汉豆最好吃；郭沫若从日本冈山医学院毕业，来到上海，成了大诗人，最令他念念不忘的居然是四川凉薯。

可见所谓怀乡实际上是一种怀旧癖。

和口腹之欲相比，性欲的动作就有点粗鲁，谈不上多少怀旧的诗意，肢体语言则更简洁明快。但是性欲的特点不是怀旧，而是求新，未见任何一个人的乡土观念是固定在一个女人身上的。拜伦在欧洲旅游，每到一个地方，都会陷入一段如痴如醉的爱情，不断地更换新的恋爱对象。歌德到了 80 岁还不断在恋爱方面求新。喜新厌旧成了中外男性的通病。如果要评比的话，克林顿会成为当之无愧的代表。这可能是因为，食物之美，可以历年不变，而异性之青春却与年龄的递增成反比，美色难以永葆。

不过人性总是进化的。这几年，据中国大城市某些敏感的女性观察，人性又有了发展，她们的先生，已经摆脱了传统的喜新厌旧的恶习，以喜新不厌旧的姿态，在新与旧之间取得平衡。有诗为证：

外面红旗飘飘，家中红旗不倒。

2004 年 7 月 18 日初稿，8 月 6 日修改

潇洒骂一回

人生乐事良多，最乐为三五知己难得相逢，于书斋中，闭门饮茶，将平日最恶心之事、最讨厌之人，痛痛快快、潇潇洒洒骂1小时。

茶必须是酽浓的，不酽不浓不足以催生醉意，亦不能从日常的礼貌、法度，尤其是潜意识里藏着的怯懦、自卑中解放出来，抒发天然真性情、纯心态。

杯必须是水泊梁山式的，闽南工夫茶那样蚕豆大的杯子趁早扔出窗外。不拿出喝啤酒的豪情来牛饮，则疯劲不足以丧胆，狂态难称潇洒，而平日奈何不得的东西们不能在你的眼底里显出其卑琐，憋在心头的气不能倾泻，驾驭语言的灵感不能喷发。茶过三巡，便亦可大骂。骂贪污腐败、人欲横流，骂精神猥琐、数典忘祖，骂出卖朋友、叛变爱情，骂歌星偷税、捞尽不义之财，骂文痞耍滑、意在躲避崇高。总而言之、统而言之，一塌刮子所有违反人文精神、毫无终极关怀者，都在横扫之列，所用语言，必须刻毒。如嫌不足，可夹以纷飞的口沫。为加强感情色彩，偶尔杂入脏话也可，脏话含毒，不吐则污染内脏。日积月累，难免心气受损、肝火郁积，邪火攻心、伤及脾肺，则有中风、癌变之虞。

脏话一吐，则使恶气得以宣泄；再吐，则令我心志澄明；三吐，则神思飞越，骂人妙语如珠，潇洒感油然而生。

骂人的姿态亦须潇洒，其精彩在于自由、自在、自如、自得。做慷慨赴死、义无反顾状亦可，做白眼看人、藐视群小状亦可，做诗人激情爆发状、锦心绣口状、字字珠玑状亦可，做大法师参禅状、偶发一言、机锋无限亦可，挥当头棒亦可，做狮子吼亦可。

或叫、或闹、或争辩、或独白亦可。

或笑、或哭、或顿足、或拍案亦可。

赤膊亦可，掷鞋亦可，捶胸亦可。

唯一不可者乃不除平日之面具，包括人格面具、角色面具、职务面具、资格面具，一句话，一切假面具。

一切假面具之可恶、可恨、可诛、可唾者，乃使人丧失表情，等于木偶，不如小丑。

除去面具乃大痛快、大觉悟，和脱去裤子完全不同。脱去裤子露丑，除去面具则露心。露心则露真、露善、露美。

人同此心，不难心心相印。

人同此理，不难理理相通。

潇洒骂人有理，潇洒骂人有益。潇洒骂人可以拯世，可以防癌，可使老气横“春”者，恢复天真，可使精神污染得以清除。

此时，关门亦好，开门亦好……

有人惊诧，有人窃笑亦好；有人报警，有人骂神经病亦好。

人生难得，知音难得，骂人骂得潇洒、有飘飘欲仙之感更难得。

潇洒骂人之忌在于浅骂辄止。浅骂则不能淋漓，不淋漓则难以沟通泯灭的良知和性灵。不骂则已，一骂惊人；不惊则已，一惊八方。直骂到金乌西坠、皓月东升，潇洒人并不开筵宴客，仅执手临门，依依难舍。

相约来日，叹有飒飒秋风染鬓；挥手兹去，惜无潇潇斑马和鸣，乃将通俗歌曲《潇洒走一回》之词，改作《潇洒骂一回》，高唱三遍之后，和衣蒙头沉沉睡去，进入黑甜香，享受人间至高幸福。

不到日晒屁股，不知东方之既白。

晨起仔细认真梳洗完毕，昨日之豪情早已忘尽，仍循惯性恢复一本正经的面孔，十分庄严地、更加潇洒地开始稀里糊涂、浑浑噩噩的一天。

愧对书斋

有人给我出个题目：我的书斋。显然，包含着看得起我，把我当作学人的意思。但是，我隐隐感到“书斋”这两个字有一点夸张。为什么叫作“书斋”，而不叫作书房？不叫作工作室？这个“斋”字，高雅得有点可疑。斋，从示，是祭坛的象形，和祭祀有关。斋者，戒也，指祭祀前整洁身心，翻译成英语，就是fast，有绝食、禁食之意。如果为了读书、写书就要绝食，我可不干那种傻帽的勾当，就是以某种神圣的献身精神包装，也有不负责任的嫌疑。我的女儿、我的学生怎么办？再说饿肚子的感觉，并不好玩。每顿都要算计着口袋里的饭票，不让自己的馋劲过分满足，以免下一顿闹饥荒。这样的感觉，我曾经体验了十多年。普希金说：那过去了的一切，将变成亲切的怀恋。我却没有这样体会，这种事情，就是在回忆中也毫无诗意，谈不上什么审美价值。当然，“斋”字并不意味着严格戒食；大乘佛教只禁肉食，以素食为斋。如果不吃肉不喝酒，是短期的，马马虎虎可以忍受，但如果是“长斋”，就有点自我折磨了。当然，如果限于这么一点，还是可以妥协的，但是，“斋”字中还有更为严酷的意味。例如，斋宿，进入书房要有一种虔诚的心境，提前一日斋戒。戒什么？不吃荤腥，这不太困难；沐浴更衣，也不太麻烦，当然，要有条件，比如，遇到停电、停水，要通情达理，允许例外。以上种种不管多难，毕竟还是可以努力的，只是还有一条，就没有把握：斋戒之前，不与妻妾同寝。这就有点不合情理，而且，还得有一定的客观条件，如增加一间卧室。

在我们老祖宗看来，书斋并不仅仅是读书的地方，而且是修身养性的所在，所谓“养心斋”之类的匾额，就透露了这样的秘密。圣人要我们修炼到严肃而谨慎的样子（斋如）；达到无所不明，无所偏颇（斋明），严肃庄敬（斋庄），专一庄敬（斋肃）的境界。达到这样的标准的“书斋”，肯定不是一般的斗室，而是很豪华的，要花一大笔银子。唐代元稹在《遣悲怀》中透露：“今日俸钱过十万，与君营奠复营斋。”在经济上阔气，才能保证在心境上高雅。但是，这一切可能只适合著作等身、财源滚滚的金庸那样的大师，一般平头百姓，以为只有在这样的书斋里，才能出好人格、好文章，就未免有点傻乎乎了。

就我而言，最令我骄傲的文章莫过于那篇已经进入当代文学史的《新的美学原则在崛起》。1980年末，写这篇文章的时候，一家三口，吃喝拉撒睡，就在一间14.5平方米的小房间里，并没有刘禹锡的“苔痕上阶绿，草色入帘青”那样的景观。整个房间，只有一张直径1米的桐油油的桌子，兼饭桌和书桌双重功能。通常是堆满了杂志、书籍、来信和讲义。有时，次要书籍和草稿，上不得台盘，就屈尊于地板上。久而久之，不用眼睛导引，脚尖也有探索空间准确性的特异功能。吃饭的时候，用我太太当时的话来说，就是在乱纸堆中，刨一个坑；写作的时候，就再刨一个坑。稍稍有异者，孩子坐到痰盂上，空气中就弥漫着某种气味，然而，身如菩提，心如明镜，入芝兰之室，久而不闻其香，入鲍鱼之肆，久而不闻其臭。胸罗锦绣，笔落惊风，心中自只有南风之熏，鼻中哪有污浊之气。《新的美学原则在崛起》，5000文字，一气呵成。开头一两百字，还记得要分段，剩下的4800字，长达3页，就懒得费心，让它一段浑然。

刘禹锡以其“陋室”中“谈笑有鸿儒，往来无白丁”而自豪，可在我那时，造访斗室的却一概是白丁，厦门灯泡厂女工舒婷，福建师大助教宋峻（后来当了省人大常委会副主任）、厦门老知青汪毅夫（后来当了副省长）。身无分文，心忧天下，指点江山，激扬文字，试看明日之域中，谁是弄潮精英？

20世纪80年代初期，分得套房。卧室遂与6平方米“饭厅”分治；而书房仍告阙如。《文学创作论》《论变异》《美的结构》100余万字，一字一句，一笔一画，均完成于衣橱前半平方米的翻板之上。夏日炎炎，既无空调，亦无电扇，晶莹汗水，如珠、如溪、如川，虽贤妻打扇，亦不能止。无书斋之雅，而文章质量并不稍逊，学术生涯中奠基性著作大抵均完成于此时。参与论战的文章，则写成于旅途之上。那篇写得很刻薄的、批评陈涌的文章，在半平方米的木板上，只写了个开头，在杭州的旅馆里，续写了几千字，最后完成于烟台宾馆的床铺上。

20世纪90年代中叶发起全集资建房，乃有120平方米之“豪宅”。老同学张炯自北京来，赞曰：部长级宫殿也。遂拥有8平方米之书室：两面书架直顶天花板，一面供凭窗远眺，正面空调、电脑、扫描仪、打印机一应俱全，坐拥书城之豪情油然而生。借互联网之便，驭信息高速公路之风，“寂然凝虑，思接千载，悄然动容，视通万里”，坐享刘彦和神往之境界，俨然有文化南面王之感。

感恩科学技术，坐如此豪华之平台。老妻得免于抄写之劳，自家又免于遗失稿件之痛。写作之速度空前提高，年近从心所欲，蓄养胸中浩然之气，作少年不平之鸣。于斗室中，发出“孙大炮”的呐喊，一炮，轰统一高考；二炮，轰四六级英语统一考试。所喜，均非空炮。高考分省自主命题，英语四级考试与大学生学士学位脱钩，于国于民皆有裨益。一日遇福建省教委领导，频频示谢。曰余于某大学任领导职务之际，一生来自农村，全家节衣缩食，供其完成学业，然英语四级不能及格，乃无学位证书。其父惊魂，自乡间奔来，下跪求情。终不得果，洒泪而去。于今，英语四六级考试与学位脱钩，功德无量，功德无量。

每思及此，于心常沾沾自喜焉。

书城颇大，藏蓄亦丰。研究资料，辄能自足。巡视架上，圣贤、大师拱立待命；检索电脑，当代思潮谱系胸前。生为读书人，与书为伍，为友，为臣，为仆，为命。日日读书，享人生之至乐，饮生命之醍醐，自撰格言曰：读书之乐乐于当大官。

然多年来，疲于应命，性命耗于作文者几倍于阅读，中夜常叹，壮志未酬。壮志者何？青年时代，聆何其芳先生教，有计划缺课，顺序读文史楼参考书架，未半，为“大跃进”运动所阻。又羡马克思每年重读莎士比亚之乐，乃重读《沫若文集》，又中断于下放山区。至今有闲之日在望，然又逢信息爆炸之时，知也，千倍于庄子时代之无涯，而生不加多。自家藏书，伸手可触，曾有此生重阅一过足矣之想。然，书店购进，故人赠送，出版家奉献，昔日门生，素昧平生者之作，源源不绝，一周之内，几及等身，书城膨胀至客厅，至茶桌，至电脑旁，至沙发下，至沙发上，至书桌上，至座椅后，至座椅旁，至座椅前，至书桌旁，至书桌中。于是20年前之旧状重现，当其饮食、作文之时，又复从书堆中，作兔子扒窝状，刨一小坑。重阅架上之书，殆成空想。何况，电脑尚存有鲁迅全集、二十五史、四部备要、四库全书等等，遂悟生也有涯，嗜书之欲也无涯，乃人生一大矛盾，一大悲哀。乃有愧对“书斋”之叹。

愧对书架上的历代圣贤，从孔夫子到司马光，愧对蔡伦后嗣，愧对北大方正，愧对激光排字；愧对电脑软件，愧对爱迪生，愧对让我占有着比乾隆皇帝更多资源的高科技时代，愧对生命，愧对有限的时间。唯一不感到愧对的是一本20世纪50年代出版的《西厢记》。“文革”期间，被强制做清洁工，从资料室窃取。隔离审查，整整7个月，除《毛泽东选集》（四卷精装本）以外，就只有此书与我为伴，舍不得一口气看完，用写交代的纸张，逐字抄写。唯恐抄写太快，遂用仿宋体，一笔一笔描出印刷的效果。

当其时也，书是有限的，纸是有限的，一切都是有限的，只有时间，在我年轻的感觉中，我的生命，是无限的。

回想起来，好不令人神往也。

2006年7月1日初稿，11月14日修改

幸亏我不是严羽

几次接到邵武方面的邀请，说是参加一个笔会。但是，与另一会议冲突，满足了这一头，必然得罪了那一头，两全其美是空话，“两全其难”才是实情。一直在寻找借口，构思谎言，可惜说谎功夫不及格，所说均不够雄辩，不够严密，不够友人反诘。传来消息，马建荣先生对付我的动摇，运筹帷幄，指挥若定，小车一辆不够，又安排一辆。问其故，曰：“恐驾驶者突然感冒也。”短信，一则又一则，有如金牌，只是未达十二道之历史纪录。面临“威逼”加上“利诱”，犹豫乃是一种持久的、无声的煎熬。“两难其全”，难在难以分辨是无奈的自我安慰还是甜蜜的自我欺骗。忽闻友人说起严羽，邵武人也，乃有醍醐灌顶、豁然开朗之感。余致力于诗歌，凡 40 余年，大凡诗人行踪所至，如但丁之狭窄僻巷、歌德之木结构故居、杜甫之草堂，乃至舒婷鼓浪屿红砖小楼，均颇带沧桑感（或残破相）之老屋，莫不以到此一游为美好回忆并夸耀之资。思及于此，决计弃两全之空想，躬逢邵武之盛会，与严羽作思接千载之神交。

从福州到南平，高速公路曲折得很艺术，其“高”不在“速”，而在路基“高”出云表。看不尽山起山伏，似作太空柔软体操，云起云飞，一如天风拂羽。默对车下浮云，明明身在高处，却无不胜寒之感。遥想严羽当年，《沧浪诗话》初写了！悟谈间，默对此等美景，当如诗入神品，禅达妙悟。

天成奇峡、九曲流水实乃武夷九曲之浓缩版，想武夷君等闲来此列坐，效王羲之诸人曲水流觞，神思飞越于山光水色之间，则武夷九曲、泰宁上清与天成奇峡息息相通，三位浑然一体矣。可是，奇峡不为世人所奇，盖因世人不解其奇在何处。

初入时只觉得奇在远离尘寰之静穆。

一湾湾曲径通幽，一曲曲山光水色，心里是连续不断的惊异、惊讶，乃至惊叹，恰如乐曲的“模进”。音乐是有声的，心灵的惊异只是默默，不能不想起徐志摩所说，悄悄才是最美的笙箫。

悄悄才有超凡脱俗的禅韵。

每入一曲，便增一分深邃幽韵，挟着严羽式的禅意，沁脾荡胸而来。千姿百态的雄奇峻秀，呼吸着无心的云涡。众鸟飞尽，孤云独闲，寒波淡淡，白鸟悠悠，相对无言、无厌。山岭之华巅、丹霞之灵秀，碧峰之青霭、苍苔之翠薇、怪石之峥嵘、横崖之古拙，远离尘嚣的幽远静穆，把心灵从狭窄的两岸空间引向女娲补天的时间起点。正是这样的水土、这样的山水，才养育出严羽的灵化的慧根。当年的顿悟，都融入耳边无声的风中，心灵与大自然对话，在无声的默契中才有妙悟："羚羊挂角，无迹可求。"一切阐释都是花言巧语。严羽音容犹在："不涉理路，不落言筌者，上也。"身如菩提，心如明镜，即使菩提非树，明镜非镜，皆妙在默会，无需言传。

身在筏上的感觉，当为严羽的感觉。此身与万物为一，真是好一个禅字了得。

山崖把一亿年前地壳运动的熔岩刹那凝固的波浪奉献到眼前，一亿年的幽静和安谧，一亿年的沉思默想，不能让语言来污染。"此中有真意，欲辨已忘言。"严羽的境界和陶渊明遥遥相对，息息相通。

如此宁静，连静静的时间都屏息了。

山的庄严不变，水的清澈不变，鱼把黑色的影子留在白色的卵石上，也不变。而身在筏上的人却在变，川流不息。从 13 世纪起，一代又一代，修短随化，俯仰之间，已为陈迹。

严羽的躯体已经化为尘土了，信奉严羽的人却代代无穷。"后之视今，亦如今之视昔"，这在王羲之看来，是引发伤感的，在严羽看来，伤感却多余，人生妙处，全在诗之意会："透彻玲珑，不可凑泊：如空中之音，相中之色，水中之月，镜中之象。"怏然于怀，就太拘泥了。最好是任筏上之身，随山转进，与水云浮，把躯体、精神、想象都交给水中的月亮，交给山峰的倒影。信由大自然流放，躯体轻盈，不知人是沉在透明的水下，还是被透明的空气托起。梦幻的感觉，物我两忘的感觉，就是天成奇峡的感觉，就是庄周梦蝶的感觉。

这是诗的境界，也是哲学的境界。正是因为是哲学的，就不可能仅仅是中国独有的。在西方也有所见略同者，布莱克（William Blake）诗曰：

Then am I

A happy fly

If I live

Or I die

无论我活着，还是我死去，都是一只，快乐的大苍蝇。生命的体验，无所谓高级、低级，无所谓蝴蝶还是苍蝇。

进入严羽的境界，胸怀澄澈，此心与流水俱净。

然而，我的澄澈，持续并不太久。

回来以后，读到《邵武府志》《福建通志》《闽书》中的严羽传记，不免互相抄袭，均称严羽“隐居不仕，自号沧浪逃客”。不同作者，异口同声，把他定位于一个逃避现实的隐士。但是，最新研究资料证明：这个朱熹的三传弟子，这个为李纲立祠的志士，并非一味沉溺于禅宗非理性的“妙悟”之中，他还是一个叱咤风云、壮怀激烈的英雄。他“秉性忠耿，极重名节，不屑仕途，勤学好剑，文武双修”。这个文武双全的形象，和我心目中的严羽，俨然是两个人。不仅仅是文章风格上，而且在实践中均判若两人。他有过相当长期的军旅生涯，青少年时期与弟弟严仁一起随祖父和父亲从军西北，在玉门、碛西镇守边关长达 10 余年。37 岁还应聘军幕，当了两年军事参谋，39 岁受命持兵解扬州之围，大败元军而凯旋。后来文天祥开府南平，他又离家投军。

这哪里是一个仅仅把生活看成是镜花水月的隐士！

这里有另外一个严羽，一个义无反顾、立马临风的将军。其英雄气概至少不亚于“八百里分麾下炙”的辛弃疾啊。

一方山水养一方人，严羽之奇，正是天成奇峡之奇，英雄之奇。

我不得不二度为邵武惊讶、惊异、惊诧。

面对英雄气概的严羽，我在游历天成奇峡时，对他的种种赞美，是不是对他的唐突，甚至是对他的歪曲呢？

也许，正是因为有这样另外一个严羽，他才完整，才配得上是天成奇峡养育的儿女。

也许，他的归隐是在抗元失败以后，他的“空中之音，相中之色，水中之月，镜中之象”，仅仅是这个时期心情的写照。也许，他笔下的“盛唐气象”，他的豪迈之气，并不是晚年的归隐时期的心境，而是他早年，正是他戎马倥偬的心灵记录。而这方面，并不仅仅是推测，而是有他的诗作为证的，当时的诗人戴复古就把他的诗作和杜甫与陈子昂并称，现存的诗作，的确有当之无愧的气魄：

负剑辞乡邑，弯弓赴国仇。

……

报主男儿事，焉论万户侯！（《从军行》）

战骨连营漫不归，空流烈士中宵泪。(《四方行》)

如果真是这样，后世对他壮怀激烈的英雄气概的忽略是偶然的吗?

如果不是偶然的，那就是不同时代必然的选择。

也许，在南宋国家危亡的当年，他的诗论和他的英雄壮举相比，微不足道，而到了后代，他的英勇搏击，却发生了价值的水土流失。随着时间的流逝，在众多抗金英雄业绩中，他的作为，显得平淡了；而他的审美理论却超越历史，历久弥新，发生了价值增值。这就使得一代又一代的学者，满足于对他以禅论诗的理论击节赞叹，居然忘记了他还是一个英雄。

那么，天成奇峡，究竟奇在何处呢？如果奇在禅宗的妙悟，隐士的闲适，那就应该是王维式的空灵静默的诗境；如果奇在英雄豪杰之气，那就应该在九曲流水之中，有李白式的不可羁勒。当我第二次登上沧浪阁，望着阁下洋洋的流水，两个严羽栩栩如生出现在目前，不禁感到一阵心虚：

假如我是严羽，对后世在天成奇峡，一味发沧浪逃客、镜花水月的妙悟，我会接受吗?

假如我是严羽，对后世在天成奇峡，一味作中流击水、弯弓射月的雄姿，我会认可吗?

也许，这对我是一个“两全其难”。我给自己出了一个难题。

幸亏我不是严羽。

满脸苍蝇

我年轻的时候，以记忆力过人而自豪，一堂俄语课上下来，单词记住了，课文也背上了。可一上了年纪，就爱忘事，明明跟人家约好的事过一两天就忘了，事后忙不迭地道歉，也很难平息负疚感。有时记忆惨到莫名其妙，昨天才读的书，今天拿起来翻翻，竟好像没有读过一样。有一次，在自己的讲义中读到一张夹在里面的字条，其中文字、观念均十分精彩，我在课堂上引用时，大为赞叹了一番。可下课后，一个学生悄悄走来告诉我，那段引文，就是我自己的，出自我的某著作、某页。学生说时，凑近我耳边，声音放得很轻，好像很顾我的面子似的；但我看出来，他的眼中有狡黠的笑意。

仔细钻研一下他的笑意，是很叫我难为情的，我多么希望他仅仅是笑我健忘啊。

但是，在我的记忆失去活力的时候，也还有一些事情牢牢地记在我心头，哪怕岁月流逝，那鲜明的印象也不会暗淡下去。相反，记忆的世界里，消退的烟云越是众多，那顽强的、稀有的记忆之星便越是闪光；时光隧道越是黑暗，那远方的灯火越是生动。

那是 1958 年，我才二十出头，正是充满幻想的年纪，不过那时的幻想不同于 20 世纪 90 年代之处，是充满了政治上的浪漫主义。对于当时流行的豪言壮语，我不但倾心相信，而且甘愿为之献出青春和生命。

我记得当时，最鼓舞人心的一个信念就是小麦亩产万斤。我参加了对北大生物系某教授的批判，他居然逆革命群众运动之潮流而动，说什么小麦亩产万斤绝对不可能。这个教授在我看来是太可怜了。几年洋墨水一喝，就中了崇洋媚外的毒，以致双脚跨进毛泽东时代快 10 年了，他的脑袋还留在资本主义、帝国主义的代言人摩尔根老头子那里。

我对他又是气愤又是同情，我想，“批判的武器毕竟不能代替武器的批判”，最有说服力的不是理论，而是秋天地里长出的麦子。

我就是怀着这样的英雄主义情怀来到北京郊区平谷县东皋村的。我们一班二十几个人，进村第二天就每人拿一把新洋锹和农民一起去挖地。当时的要求是“深翻一尺五”，故不能用犁，得先一锹一锹挖出一尺五的泥土来，然后把马粪等等的肥料和进去，再填平。

我第一次真刀真枪地劳动，才挖了几下腰就酸得不是滋味。干了半个小时以后腰就好像断了一样，又不好意思愣站着休息，便只好满头大汗地苦撑。幸而团小组长看出了我不中用，就走过来和我并排挖土。他提议，我们一起挖五下，然后直直腰，接着再挖五下。对于这样低的要求，我自然很快适应了，后来逐渐加到六下、七下……甚至十五六下。经过一天劳动，晚上上床人好像硬木头一样。过了几天，早上起床，发现手指变得异样的肥大，只要稍微使劲拧毛巾，就疼得要命。同学们互相交换着这种又新鲜又痛苦的感觉，但是没有一个人提出请假。

到了地里，问题更严重了，手握不住铁锹，稍稍抓紧一点就疼得不行，每挖一锹都要咬紧牙关。但是挖了十几分钟以后，疼痛的感觉就消失了，手关节上有一种温暖而灵巧的感觉。可到了第二天一早，肥大的手指变得攥不紧毛巾了，直到咬着牙挖上十几分钟地，才恢复正常。

我深深体会到这就叫作“锻炼”，怪不得“锻炼”的“炼”字是火字旁。你不是老为没赶上抗日战争、解放战争的壮丽人生而遗憾吗？你不是老为红旗上没有染上你的鲜血而痛苦吗？过分安逸的生活不是使你经常感到惭愧吗？如今你所向往的考验来了，你的灵魂能不能在这考验中变得透明，就看你自己了。经过几个星期的自我磨炼，我的腰显然有了长进。一早下地的时候，我可以挖上20分钟才直一下腰，但是一个上午毕竟有好多个20分钟，弄到后来，我虽然没有直起腰来休息，但是脚下手上却虚浮无力了。实际上，到了下午，我基本上是在那里苦熬苦撑。但是整个田野的劳动气氛是十分热烈的。那边农民，尤其是姑娘们又是说笑，又是唱歌，而小伙子们则与她们展开了半是调情的比赛。我们是夹在他们之中分组的，谁愿意落后、做集体的绊脚石呢？一种现场的荣誉感支持着我，我超常地发挥着体力，在一段时间里我几乎是忘了疲劳和痛苦。但是到了几天以后，我发现上工时腿像灌满铅一样沉重，不仅是腰，而且每个关节都钻出一种说不出来的刁钻的疼痛，我竭力掩饰着，勉强和农民小伙子说笑。有个小伙子让我去休息，我口头上坚决拒绝，可拒绝后又后悔，想下一回他们再让我休息，我就去地边上那高粱秆子堆上躺一下。可恨的是那以后再没有什么人提议我去休息，而我浑身的酸疼却在无情地扩散着。我渐渐感到无数痛苦的锥子把我顶起来，我双脚离开了地面，眼前冒着金星，好像在但丁的炼狱中。不知从何时起，小伙子和姑娘们的笑声越来越遥远了，汗珠挂在我眉毛上滑下来是冰冷的，终于我的手脚不听话了，我一头栽倒，下巴磕在铁锹上，这时我感到整个世界和我一起往海底沉下去。

等我醒来的时候，我正躺在那高粱秆子堆上，只有头和脚还存在，腰好像是一段空白。从周围乱糟糟的大呼小叫中，我知道自己是晕倒了；我勉强地睁开眼睛，只见小伙子姑娘们还有我班上的团小组长大大地松了一口气。

接着是许多人七手八脚把我抬起来，原来是一辆胶轮大车在旁边，他们把我放上去之后，大车就颠簸起来，没命地摇晃，把我一会儿摇到大车这边，一会儿又摇到另一边。一位老大娘拿来一床棉被垫在我身旁，我就不再像萝卜在菜篮子里一样滚来滚去了。

老大娘如雪的头发和深深的皱纹、和善的笑容和慈祥的眼神都使我想起电影里敌后根据地老大娘的传统形象，我突然体验到一种深深的感动，这颠簸的大车，这蓝花被子，唤醒了我心灵深处的浪漫情致，我不是享受着当年老百姓对八路军伤员的崇高的感情吗？

我浑身的疼痛此时慢慢退潮，取而代之的是一种美妙的幸福。

从大车粗糙的栏杆中间，我可以看到我们翻过的土地上正腾起淡淡的雾霭。太阳落在地平线上，那么圆，那么大，那么辉煌，又离我那么近，仿佛伸手就可摸到，不由人不产生一种亲切之感：这伟大的星座从来都是高高在上，永远灿烂得叫我不敢正视，面对着它的光华，我从来都是不由自主地自惭形秽的，现在却和我平等相对了。我可以从容地欣赏它那像生蛋黄一样柔软地颤动着的面容了。更精彩的是西边地平线上丰满的太阳还未落下，东边地平线上浑圆的大月亮早已升起：月亮没有太阳那样热烈的色彩，但却袒露出透明的、纯净的鹅黄。月亮带着母性把光辉泻落在飘着淡色雾霭的田野上。太阳和月亮的光仿佛融合成一片淡淡的、玫瑰色的透明溶液，一切都变得晶莹了，连村边的一片柏杨、榆树和枣树的树干都变得透明了，连脸边的大车的栏杆都透明得像初生婴儿的手指。

我想，如果在这样透明的境界中死去，即使没有墓碑，该是多么过瘾，在这样美丽的死亡中，如果脸上不挂着微笑该是多么煞风景。

就是在这样幸福的感觉中我又晕了过去。

当我醒来的时候，已是在平谷县医院“病房”里。我第一眼就看到墙壁下端长着发黑的青苔，房间里没有地板，完全是不甚平整的泥土地，一个十一二岁的男孩光着屁股在我身边转悠，这在当时还很贫困的北京郊区是司空见惯的。我一醒来，站在我身边的团小组长就赶那孩子：“走走走！”那孩子赖着不走。我没有力气说话，但却使尽全力问团小组长：“我刚晕过去的时候，嘴角上有没有挂着笑容？”

团小组长听不懂，没有回答，却让我吃药，我不吃，又问：“有没有笑容？”团小组长被我问傻了。

而那孩子却非常严肃地说：“什么笑容，一脸的苍蝇！”

这句话使我出了一身冷汗，而且有恶心之感。也许我的脸上流出了什么颜色可怕的液体，发出了什么浓重的气味，才吸引了那么多苍蝇吧。

直到今天我都无法把那透明的玫瑰溶液中东西对称的、圆圆的太阳和月亮的图景和我满脸苍蝇的形象统一起来。也许正因为这样，30 多年的时光都没有使这幅对比十分鲜明的图画在记忆中褪色。

和美国女权主义者抬杠

地点：美国南俄勒冈大学英语系

时间：1992 年暑假前夕

我：Sandra 女士，在我和你见面之前人们就警告我说，你是一个女权主义者，而且是很有进攻性的（aggressive），或者用我们中国人的话说是很泼辣的。他们说，跟你说话要很小心，一个不留意，就可能冒犯你，说到你们女权主义者敏感的问题上，可能给我一个下不去的。

Sandra：你看我像那样的人吗？

我：如果我认为你正是那样的可怕角色，我今天就不会这样坦率地对你这样说了。你在香港生活过 8 年，我们又在这所大学英语系一个课堂里教过中国现代文学，我想你是比较热爱中国文化的。

Sandra：我非常感谢你在这么短暂的时间里就把我当作可以谈心的朋友。我这样说是非常真诚的。因为在我们美国，不是非常好的朋友不能谈心，就是极其熟悉的同事，认识了十年二十年的也一样，人们之间都早已习惯了隔膜。

我：我也有这种感觉，你们美国人的礼貌，尊重人的隐私使得人与人之间好像有一堵透明的墙，除了在正式场合下交换意见以外，在私下里谈谈天，抬抬杠，简直是太稀罕了。可是我是典型的中国人，我习惯于生活在朋友中间。不是一般 friend，而是哥们儿；这个口语词在英文中很难找到对应的字眼，勉强用你们很古雅的 bosom friend 来翻译，你大约可以从中想象到一点意味。我喜欢在哥们儿中间，也就是智商相当的朋友中间高谈阔论，这就得像我国古代诗人所提倡的那样不拘形迹，也就是把平时的文人的礼貌呀，教授的架子呀，都扔在一边。最好是抬抬杠，争它个面红耳赤，这样才能互相激发潜在的智慧。这在绝大多数美国人中是行不通的，很高兴，经过长期的观察，我认为你是一个例外。所以，我今天要和你抬抬杠。题目就是女权主义，我得到的信息是你是很 radical（激进）的分子。

Sandra：很荣幸，能得到你的理解。你大概知道，我在西部这所大学里，由于我的坦诚，很是得罪了一些人的。没有人和我抬过扛，可是我却遭到了暗算，弄到学校听证会上去，真是像你们中国人说的满城风雨，原因就是我所坚持的女权主义。

我：请原谅我的直率，对你们的女权主义中有很多东西我很难以理解。首先，你们在文字上大做文章，那就是有点小题大做。

Sandra：这一点我不能同意。这涉及我们女性在潜意识里受男人统治的现实。这种统治不但使女性麻木，而且使男性麻木。比如说，chairman，你们叫主席，一向是男人做主席倒也罢了，而今的现实是明明有时女性当了主席，还是叫 chairman，难道，你不觉得滑稽吗？

我：自然有点滑稽。但是你们把它改成了 chairwomam（女主席）或者 chairperson（暂时男女不分的主席），并没有解决什么问题。任何一种理论的生命，都在于其系统性和彻底性。你们改了 chairman，但是你们拿 history（历史）怎么办呢？你们不能把这个 his story（男人的故事）改成 her story（她的故事），也不能把它改成 their story（他们的故事）。

Sandra：这正证明了在文化领域中男人的统治太深了，以至于我们今天不管多么 radical 都无法改变男权的统治，我们只能忍受男权沙文主义的屈辱。

我：我想，这实在是一种滑稽戏。人类虽然是理性的，可也干了数不清的滑稽勾当。但是我们作为理论家，可以站在文明的历史文化制高点上，就像大人看小孩子的幼稚一样，在小孩子是天真，而我们自己却觉得是很幽默的。这并不是只有英语中才有的现象，就拿汉字来说，至今仍然存在许多和英语一样的野蛮现象。比如说，在汉语中，“女”字本来在甲骨文中就是一个人被一根绳子捆着的样子，有人说是一个人在舞蹈的样子（我在一张纸上画给她看）。

Sandra：（欢呼起来），哦！这太妙了，这不正说明女人至今在潜意识里被当作奴隶吗？我能请求你把这张宝贵的纸送给我吗？这对我们女权主义的理论研究太有价值了。

我：当然，我不但可以把这个字送给你，而且可以给你提供更多的例子。比如说，汉字中有许多带贬义的词是带女字旁的，如“奴”字，它本来就是一个被捆绑着的女人边上再加上一只右手的意思。这是因为在造字的那个时代，女人大概是最容易沦为奴隶的。

Sandra：这太精彩了！女人就是性奴隶，自古以来就是如此，我们一直找不到确切的证据，感谢你为我们的事业做出了贡献。男人一向习惯于当性的奴隶主，至少在那个时候——你不觉得我在冒犯你吗？

我：这是科学，不存在冒犯不冒犯的问题。但是我并不认为这是由于男人都是奴隶主，事实上男人并不都有幸去当奴隶主。因为那毕竟是少数，绝大多数的男人大概连当奴隶的幸运都没有。当时的部族战争是很残酷的，一旦失败，几乎所有的男俘虏都难免遭到杀戮，而女人却留了下来。

Sandra：这是为什么呢？

我：这是因为人类那时太脆弱了，部族间一旦发生战争死亡率是很高的，受了一点伤都可能有生命危险。再加上大自然的严酷，干旱、洪水，野兽的进攻，疾病的流行。那时，既没有盘尼西林，也没有医疗保险公司，种族绝灭是经常发生的。人的再生产和生活资料的再生产是同样迫切的，所以不得不把女人留下来以延续人种。但是，这些被俘虏的女性是要逃跑的，于是她们就被绳子捆了起来，这就产生了一种景观：凡是被绳子捆着的就都是女性，而这些女性也就都是奴隶。这在汉字上留下了痕迹，这自然是很残酷的。但是后来产生了男奴隶，直到今天，我们写奴隶两个字的时候，奴字仍然是女字偏旁。当我们说到古罗马的斯巴达克斯奴隶起义的时候，我们可能会想象钉在十字架上的人是有胡子的，但是，我们还是把奴写成女字偏旁。难道你不会感到有一点幽默吗？

Sandra：由于语境的不同，血腥成了幽默，但是不管怎么说，这总是女性的耻辱的历史。你认为它已经是淹没在潜意识之下了，不值得一提了，这是不公平的。你刚才告诉过我，至今在汉字中，不少含贬义的词仍然是女字偏旁的。

我：是的。例如，“娱”字，是女旁，这暗含着女人是男人娱乐的工具的意思。“妖”字，“媚”字，“妒”字，“奸”字，都包含着对女性歧视的意思，好像妖怪，邪气，谄媚，妒忌，这些令人讨厌的品质都是女人的专利品似的。最令人难以容忍的是“奸”字，明明当汉奸、民族叛徒的绝大多数是男人，可偏偏是女字旁。更可笑的是明明有了男妓，在你们那里已经创造出一个专门的字（gigolo）来了，跟妓女毫无关系，可我们这里，还是一律写成女旁。

Sandra：这正是令我们十分气愤的原因之一。

我：可是，这却正是令我觉得非常幽默的地方。

Sandra：可是，你在心灵深处是我们的同志，你不像一些男性，他们拒绝对大男子沙文主义的历史和现实的检讨。

我：我可能没有你想得那么好，从根本上说，我之所以感到幽默，还因为看到了问题的另一个方面。汉字中不仅残留着男性沙文主义的成分，而且也保留着女性沙文主义的成分。比如，“好”字，就是女和子的结合，女人抱着孩子就是好，男人抱着孩子，就不成其为字。而且这个“子”在古代，并不一定是男人，在《诗经》《论语》《楚辞》里常常是女人的意思。女人是好的，男人不是太丧气了吗？还有“妙”字，少女是美妙的，少男就构不成任何一个字。此外还有“姣”“姝”“娉”“婷”都是把美好的性质和女性联系在一起的。正因为这样，我才觉得，我们的汉字中的这种历史的遗迹，和你们英语中的一样是一种宝贵的文化遗产。它向我们提示：女性也有过统治男性的历史。例如，我们中国人很讲究的姓氏的“姓”字，就是女字和生字的结合，也就是女人生的意思。我如果像你们那样发出抗议，难道生孩子我们男人就一点功劳都没有吗？如果真是这样，那就让你们女人自己去无性繁殖好了。

这就太缺乏幽默感了。

我之所以不愤怒，是因为知道，这是历史，是母系社会的遗迹，因而，在我们汉族最早的、显赫的姓氏中就不少是女字偏旁的，如“姬”字，“姜”字，却绝对没有男字偏旁的。甚至在我们汉族的原始神话中，创造人的功勋并不属于男人，而是一个叫作女娲的女人，并不像你们的《圣经》上所说的那样上帝是一个男人。在英译本《圣经》中大凡提到上帝都是“他”（he），这是表示男性的。不管是斯拉夫语族，还是日耳曼语族的《圣经》都是这样的。托尔斯泰在写《复活》时，描写到妓女马斯洛娃忏悔时，突然来了一个开头字母表示男性的第三人称，这就是表示上帝，连我这个中国人都毫不费劲地理解了。而在我们中国则恰恰相反，我们最早的诗集——《诗经》中，记载着一个氏族的最早祖先叫“姜”，是女的。我们中国土生土长的宗教——道教，甚至有女性崇拜的特点，西王母就是这样的女性神话人物。也许它曾经是古代男性的卑屈的遗迹，但是它绝对不是今天男性的耻辱。在我看来，所有这些字，不但不应当轻易改革，相反，应当珍惜，这是一座伟大的博物馆。但是，它不但不用门票，而且随时像影子一样，追随着你，以袖珍的形式，隐藏在你的书架上、口袋里，随时为你提供服务。随便改变它，无异于破坏文物，这不论在中国还是在美国都是要受到法律的严厉惩罚的。

你们美国人非常珍爱历史，60年前的日用品，就算是文物了，连20世纪30年代的玻璃花露水瓶子都陈列在西部小镇的小酒店的墙壁上，却把这么古老的文物以如此粗暴的态度去加以破坏，这实在是不可思议！请原谅我的直率。许多在你们看来做很自然的事，在我们看来却是很可笑的，或者用你们美国人所常用的说法叫作是很幽默的。

Sandra：可是在我们美国人看来，把代表过去的东西和自己眼下的生活联系起来是很抒情的；但是，我还是听出来了，你对我们的批评——你是说，我们美国人把现实的利益看得比历史更为重要。

我：如果你这样理解，我也不反对。问题就在于，在你们看来是一本正经的抒情，可在我们看来，很可能连幽默也够不上，只能是很滑稽的。

Sandra：你说得很雄辩，你们国家伟大的文化传统帮了你很大的忙。我们没有你们国家那么悠久的文明，因而我不得不承认，我们的女权运动缺乏历史感。因而，我们视为庄严的运动在你们看来是一场滑稽戏。

我：对于人类历史发展过程中幼稚的阶段，我们不能像你们那样傻气地看待。其实，这是人类历史的共同特点。如果从当代的高度来看，人类在文明进化的过程中做了多少蠢事，对于这些东西是把它从历史上抹掉比较可爱，还是把它们保留下来比较精彩呢？比如，成人看自己童年的照片，对于穿开裆裤，露出日后必然要重点遮挡起来的部位，是感到害羞还是感到可爱？你们女权主义都是感到害羞的，所以要把它改掉，而我却觉得大可不必。人类本身的进化过程就是充满了幽默感的。为了表明我的真诚，我在这里也举一个我们中国比较可笑的例子。你知道，我们中国人是很崇拜祖先的。但是恰恰就是这个祖先的“祖”字，从今天中国人的眼光来看，大大地丢了中国人的脸。因为这个祖字，它左面的偏旁是表示祭坛的意思；而它的另一个组成部分却是男性生殖器的形象，当中的两横，就是包皮。流行于东南亚的石笋崇拜就是这种原始民俗的具体表现。由此看来，我们从古以来视为神圣的祖宗牌位，原来不过是生殖器。当中国汉唐的开国君主在宗庙里被封为“太祖”，并没有人望文生义地把它理解为是“第一生殖器”。当我们说着“祖国”这个神圣的字眼时，一点也没有亵渎的感觉，也没有什么人发疯，要改掉前面那个可能引起种种不妥联想的字。

Sandra：你是不是说，从这个意义上来说，不仅在英语里，而且在中国的语言文字里，都大量保存着人类进化过程中的滑稽的现象，这种现象是如此普遍，所以是认真不得的，太认真了，就有点傻气了，是吗？

我：对于这种现象，与其用傻里傻气的眼光去认真修改掉，还不如用幽默的眼光去欣赏它。事实上，人类至今还是在幼年阶段。因而其天真幼稚的表现，从一个富有幽默感的人类文化学者来看，实在是非常有趣的。只有毫无幽默感的人才认为这种保留在文字中的文化历史，是某种荒唐。不可理解的是，你们那么强调幽默感，你们的《纽约时报》上说，美国的男人宁愿承认自己是装了假眼，患了艾滋病，都不愿承认自己缺乏幽默感。如果在缺一条腿和缺乏幽默感之间作一选择的话，他们宁愿选择缺一条腿。可是，你们居然在文字上，这样违背你们民族的特性。就拿你们的英语来说，和汉语一样，也是非常富有文化历史价值的。当你们说到猪的时候，你们用的是一个日耳曼语族的词（pig），但是当你们说到猪肉的时候，你们用的却是一个法语词（pork）。英语史告诉我们，这是因为法国人曾经统治英国数百年，养猪的是英国人，所以猪用英国土话说，而吃猪肉的是法国人，所以猪肉用法国话说。这样的民族屈辱至今留在你们的口头上、广告上，为什么不去改一改呢？事实上你们的词汇表中有 40% 的词，而且是文雅的书面词语，是来自法语的。当你们说“对不起”（pardon），你们用了法语字眼，不过用的英语发音，说“政变”（coupd'etat）的时候，你们干脆就用了法语的词语，连语音也模仿了过来，你们这样做时，只感到高雅，一点也没有委屈之感。即使有这么一个头脑特别清醒的人发觉这样有损民族尊严，要想换一个你们美国自己的字，其结果只可能是说的人结结巴巴，听的人糊里糊涂。

Sandra：我不得不承认你说得有一些道理，但是你混淆了历史和现实，你在运用一种普罗塔哥拉的诡辩术，在我认识的中国学者中，很少有你这样的怀疑论者。

我：我不是怀疑论者。我只是喜欢辩论，也就是 debate，但是我也不是没有理论根据的，我的理论基础就是：第一，语言是一种符号，这是从德·索绪尔、乔姆斯基到布隆非尔德都认同的理论。它记录着人类的伟大智慧，同时也记录着人类的愚昧，特别是它表现着人类从野蛮走向文明正义的痛苦历程，在坎坷道路上，人类歪歪斜斜的脚印清晰地留在了文字上。等到人类长大了，成熟了再看这种现象，就像看孩童时期的开裆裤照片，是很美丽的，如果想把它修改得更“合理”些那就太傻气了，或者，请原谅我，说句不太礼貌的话，太缺乏幽默感了。

Sandra：你说得很精彩，虽然我并不能完全同意。因为，一说到历史我就无法和你抗衡，可是我们的女权运动主要是一个现实的、政治的 campaign，要真正把问题辩论清楚，我们还得回到现实中来。

我：我承认我对历史的执着，但是从方法论上来说，历史的方法，是研究任何一个问题的基本方法。至于现实的女权主义，我们还是找另外一个时间再抬抬杠吧。

Sandra：好极了，谢谢你对我这么坦诚。下一次，我希望你能像今天一样雄辩。

我：你这样说，可能并不是令我最开心的称赞，如果你把雄辩改成幽默，我就更高兴了。

Sandra：今天我才体会到，你们中国人和我们美国人一样也是把幽默当成一种荣誉的。

论谈恋爱的“谈”

一

孔夫子说三十而立，立什么呢？古人讲究立功、立德、立言，一般升斗小民，只能指望成家立业。先成家，还是先立业呢？当然是先成家。立业是一辈子的事，真要到火候足了，再成家，结局也就惨了。不孝有三，无后为大，这是大成至圣的圣训，等到七老八十，即便孩子能生出来，也难免种性退化，弄不好，就是自己属龙，生个孩子，也可能像闽西的特种食品老鼠干一样皱巴巴的。

在古人看来，成家实在简单。只要一间房子，是自己的就好。不要什么金碧辉煌，用不着现代化的装修。所谓金窝银窝，不如自己的狗窝。老子说“鸡犬之声相闻”，说的是凡有人家的地方，就有这两种人类最为忠实的朋友。可是，说到成家，鸡犬就没有什么重要性了。养上一条狗，见了你就摇尾巴，见生人就大呼小叫，把唱摇滚乐的劲头都拿出来。这算不算有了自己的家了呢？非也。老祖宗没有把狗看得那么重要。

最为重要的是不是娶一房媳妇呢？非也。你拿什么去吸引人家进入你那个洞（房）呀？家里什么也没有，喝西北风吗？

最好的办法是弄一头猪来。

为什么不是牛呢？西方人不是吃牛肉，吃得个子高大威猛吗？但是，汉人觉得不妥，宝盖底下一头牛，就变成了“牢”。至于说，弄一头马进去，门里面一头马，就成了“闯”，就休想安宁了。

为什么不来头羊呢？汉字里不是以“羊大为美”吗？

不行，美是一种远距离的欣赏，真正要动口，如狼似虎，就把美给破坏了。伊索寓言里狼和小羊的故事，狼吃了羊，留下了千古骂名。

还是猪比较实惠。猪肉，不论从营养角度，还是从审美角度，都是上佳的选择。

正是因为这样，“家”，在我们老祖宗心目中，就是宝盖头（房子）底下一头猪。

这就提示了一条万古不灭的真理：在成家立业艰难历程中，猪比女人更重要。

当然，光有经济基础是不够的，没有个女人，一个人吃饱了一家子不饿，关起门来饿不死小板凳。这么一种活法，不过瘾。晚上没有个伴，心里还是七上八下。圣人修改过的《诗经》上不是说过吗？连“君子”都有患单相思，严重失眠的：

窈窕淑女，寤寐求之。

求之不得，辗转反侧。

这说得还比较文雅，用俗气一点的话来说，就是“饱暖思淫欲”。淫欲，这两字，似乎是见不得人的，可是，那是仓颉先生死了以后好多年的事。在仓颉看来，这倒是光明正大的。所以汉字里，宝盖头底下有个女字，就是“安”字，家里有个女人，就平安了。

这个“安”字成了中国传统的理想。连皇帝祭天的时候，都念念有词：“风调雨顺，国泰民安。”在中国历史上最为辉煌的平安年代，要算唐朝的贞观之治了。原因何在？可能是因为唐太宗有一个好老婆。每当唐太宗脾气失控的时候，她总有办法，让他安定下来。有一次，李世民从朝廷上归来，又火了，说：“魏征老是顶撞我，有损我的天威。总有一天，我要把这个乡巴佬给杀了（会须杀此田舍翁）。”他的老婆，长孙皇后就马上把吉衣朝服穿起来，以正规化的礼仪对唐太宗进行祝贺，说：“君明则臣直，魏征敢于公开顶撞你，说明你是一个明君。”唐太宗的气马上就消了。贞观盛世，天下太平，这位皇后有大贡献，司马光在《资治通鉴》中，对之大加赞赏。直到这位皇后临终，唐太宗问她有什么要求，她说：“唯一的要求是，你把我亲哥哥长孙无忌的宰相给撤了。”这位皇后很有远见，伴君如伴虎，她在世的时候，亲兄弟掌权有个什么闪失，她还可以保一保，她不在了，弄不好就是身首异处，甚至满门抄斩。唐太宗听了她的话。可是太宗死后，唐王朝内部矛盾加剧，阴差阳错，又把他请出来，结果是挡了别人的道，终于没有个好下场。和长孙皇后可以比美的另一个皇后，是汉朝的马皇后。她的警惕性更高，有一次，她经过自己娘家门口，看到车子和马，排成了长龙。她不但不感到开心，相反感到可怕。连忙给家里捎话，不要这样“车如流水马如龙”的，过分张扬，没有好结果。这个女人早已化为尘土了，她的名字，除了学者，知道的人不多，可“车水马龙”的成语却生命永恒。当然也有品性不这么高雅，有点毒辣的，像汉高祖的太太吕后。战时和萧何一起为高祖筹措粮草，后来趁高祖出巡，她设计把迟早要造反的韩信逮住了，事情虽然表面上做得有点悖人情，但是，汉朝免去了军阀混战的隐患。这和蒋介石的夫人宋美龄的外交才干可以有得一比。这还是正史上的，至于在传奇小说和戏剧里，韩世忠的夫人梁红玉、杨业将军的遗孀佘太君、杨宗保的夫人穆桂英、许仙的太太白娘子、董永的贤妻七仙女等等都是有口皆碑的。

这也可以证明：每一个成功的男人背后都有一个女人，作为社会伦理学的定律是如何的深刻。可惜的是，许多皇帝，号称天资英聪，口中念念有词国泰民安，可是怎么个安法，他们大多是小和尚念经，有口无心，以致乱用、滥用了这个伟大而神圣的字。别的不说，光看地名吧。把首都称做“长安”，长安，长安，就是不能长治久安的地方，就在唐朝，长安就曾被胡人安禄山占领，唐玄宗带着杨贵妃落荒而逃。秦始皇、汉武帝封禅泰山，把泰山之侧的县治称为泰安，什么叫作泰安？就是安定到极点。其实山东一带向来就是不安定的，响马极多，最著名的强盗窝，水泊梁山，就在山东。国民党时期，长安变成了西安，可是恰恰在西安，蒋介石当了俘虏。如果没有背后那个女人的八面玲珑的斡旋，性命难保都说不定。

二

人的本质，过去说是会制造工具的动物。后来就发现，有一种海龟，它肚子朝上，躺在那里，等到有什么贝壳类的生物附着它，就用它的蹼抓起一块石头，把贝壳砸碎，然后大啖一番。这种海龟，所用的石头可能相当于人类旧石器时代的工具。有一种新学说，说人类的本质特征是会说话，用声音来唤醒经验，象征意义，达到交流的目的。这个说法可能更加有道理。

人是要交流思想的，尤其是和异性，不交流，不讲话，就不大像人了。就是三个月不知肉味，突然一个人，在自己的屋顶底下，孤零零地吃烤乳猪，没有个知心人在旁边，肯定没有滋味。这时，就需要另外一张口。不单是和他一起吃，而且要和他一起交流感觉。

房子底下有了两个口，就成了“两口子”。我非常惊叹中国人造词的天才。“两口子”，并没有说明一男一女，但是，成家立业，生儿育女，小日子红火的意味尽在其中。不管你的房子是草棚，还是泥窝，宝盖头底下有了两个口，就成了宫殿的“宫”字了。

口的功能不仅仅为了吃饭，还有一个用途：谈话。汉人对于这门学问也有深邃的洞察，“搞恋爱”的“搞”，是一大发明，我已经做过文章。“谈恋爱”则是又一大发明。谈的妙用，真是不着一字，尽得风流。换一个同义词，把谈恋爱改成“说恋爱”“讲恋爱”“唱恋爱”就一点味道都没有了。还不如美国人把恋爱叫作跌到爱里去（fell in love），这容易引起只有身体动作，手忙脚乱的联想，不太雅的。中国人把恋爱整个的过程概括为一个谈字，真是生动无比。这不是谈判的谈，那太不讲感情。直截了当地问人家，你爱不爱我呀，肯不肯当我的老婆，在一个锅里吃饭呀？是肯定要砸锅的。我们的老祖宗在造恋爱的“恋”字的时候，其设计的合理性，无与伦比。这个字的繁体字是“戀”，当中是一个言字，两边都是绞丝，底下一个心字。恋爱是以言为中心，以心为基础，恋爱的言语，是缠绵曲折的、如丝如缕的。越是强烈的感情，越是吞吞吐吐，越是谈不清楚；越说不清道不明的，不合逻辑的，不讲理的，就越是动了真格的，所以谈恋爱是含含糊糊、缠缠绵绵、迷迷糊糊、卿卿我我、唧唧哝哝、期期艾艾、哭哭啼啼、吵吵闹闹的。

谈不清楚，还是要谈，谈得清楚呢，更是要谈。

谈的过程就是爱的过程，享受生命美好的体验的过程。

恋爱本是双方的需要，一见钟情，生死不渝，应该是正大光明的事，可是，偏偏要躲躲闪闪。这就是人性，早在《诗经》中就表现得相当精彩了。

爱而不见，搔首踟蹰。

明明是约定了的，为什么找不到人呢？

这个问题和陈景润终生没有解读完毕的哥德巴赫猜想差不多，没有人能够回答。但是，《诗经》毕竟是圣人所修订的，言有尽而意无穷。这个“爱”字，表面上是恋爱，实际上是藏起来的意思。这是学者考证出来的。这就是说，我们的老祖宗，早就发现了一个全世界各民族都忽略了的真理：真正的爱情和人的身体一样，不是赤裸裸的，而是带着伪装的。

但是，真是躲起来，直截了当，老娘不干了，倒也简单，可是就怕你溜了，又千方百计地吸引男人的注意。用的不是有声语言，而是用身体语言。躲起来，不是远走高飞，而是暗示你远在天边，近在眼前。

女人为什么在头发上玩那么多的花样？连花木兰这样的英雄都要“当窗理云鬓，对镜帖花黄”。还把头发盘起来，“城中好高髻，四方高一尺”，多麻烦的事！为的是把脖子露出来，以下部分让你去想象。后来，把头发披下来，用泡花水，用桂花油，用火，用电，做成千奇百怪的花样，甚至于把脚缠得只有三寸，说是走路如步步莲花。西方女士还把腰束得那么细，又用鲸鱼骨把裙子撑得那么大，就是为了把胸脯突出来让男性去幻想。非洲某些部族的女士们把门牙打掉，用铜圈把鼻子穿起来……这么多花样的战略、如此丰富的战术，也真亏女士们想得出来。

目的就是让你目不转睛地盯住她。

这和“爱”而不见，是绝对矛盾的。

这哪里是安定？完全是破坏人心的安宁。

我这里，辗转反侧，得了相思病，失眠、心悸，你那里还要和我捉迷藏，吊胃口，这不是浪费时间吗？鲁迅说过，无端地浪费别人的时间无异于谋财害命。但是，一个愿意谋，一个心甘情愿让你谋。好事多磨，注意这个磨字下面是一个石字，就是把人的神经拿石头来磨的意思，是互相折磨，也是自我折磨。这就是人，是人就要得一种病，这病叫作爱情，爱情就是感情生了怪病。科学发达到如今这个水平上，还没有发明出治这种病的方法，唯一的方法，就是谈，没完没了地谈。

英国人说布丁的证明就是吃。毛泽东说，想要知道梨子的滋味，就要亲口尝一尝。我说，你要享受恋爱的幸福吗？你就去谈。

不要以为这个谈字，是一般的说说话。谈字是言字偏旁带上两个火字，一把火还不够，两把火才烧得起来。费翔唱的《冬天里的一把火》那么轰动，其实是不太确切的，应该是《冬天里的两把火》。

笛卡尔说，我思，故我在。那太古典了。当代哲学家说，我思，故我不在，因为我用的话语是别人的，我的心被遮蔽了，就没有火了。但是，太露骨了。用阿 Q 对吴妈的话"我要和你睡觉"，当然不行，把人家吓跑了。要谈，星星之火可以燎原，要让人家自己火烧火燎地烧起来；罗密欧那样的多情种子，第一次见到朱丽叶，一张口就是："啊，我的太阳！"那是诗剧。莎士比亚用五步抑扬格写的，在舞台上还马马虎虎，在日常生活里也这样教条主义地照搬，人家不给你一个白眼才怪。

应该用自己的话语来点火，最新哲学命题应该是，我谈，故我在。人的证明就是谈，在恋爱方面应该是，我谈，故恋爱之火在。

郭沫若虽然和莎士比亚同样是诗人，他就不用莎士比亚的语言去谈恋爱。当他还是医科大学生，早在来到日本之前，家里就给包办了一个太太。他的朋友得了肺病死了，他来到东京一家医院里。他看到一个护士，谈了几句话，就有了一点火种，但是他不能随便点火。护士安娜也不露声色，只是言谈之间，对他表示无限同情，他对安娜表示无限感谢。后来，他到医院里去取朋友生前的 X 光片。安娜说，一下子找不到，说以后找到了，邮寄给他好了。片子准时来了，信，也就是书面言谈也来了。安娜再次对他表示无限同情，郭沫若抓紧机遇，再次对她表示无限感谢。这时，两个人的信是用英语写的。为什么不用日语？是郭沫若日语不够水准，还是安娜的英语超过母语？有待文学史学家们去考证。

这种笔谈，再加上双方用的都是外国语，当然不够过瘾，因为英文的谈（talking）中是没有火焰的，不但没有火，按流行的说法"坠入爱河"，水是灭火的。于是一到暑假，郭沫若就千里迢迢，跑到东京去面谈，也就是去放火。他说："你这样富于同情心的人在世界上是太稀罕、太珍贵了。"她说："我是献身于上帝的。"郭沫若就说了："献身于上帝，光当个护士，是不是太可惜了？为什么不到大学去念书，更好地为上帝服务呢？"安娜说："我立志为上帝服务，受到家庭反对，是和家里断绝了关系的。"郭沫若说："那没有关系，你到我那里去复习功课。我有房子，还有公费，80 大洋，我们兄妹相称。"他觉得自己谈得很神圣，对方的额上有圣洁的光辉，一点烟火气息都没有。安娜就傻乎乎地被他一路谈到冈山去了。

谈的结果是：第一，助产士学校考取了；第二，孩子也生下来了。

谈是甜蜜的，但是结果却是相当苦的，这叫作“苦恋”，苦到有点活不成的程度。

1916 年，郭沫若陷入了双重婚姻的困境，不时有一种自杀的冲动，还写了诗：

出门寻死去，孤月流中天。

寒风冷我魂，孽恨催吾肝。

茫茫何所之，一步再三叹。

画虎今不成，刍狗天地间。

偷生实所苦，决死复何难。

痴心念家国，忍复就人寰。

归来入门首，吾爱泪汍澜。

过了一年，1917 年，他在另一首五言古诗中又写道：

有国等于零，日见干戈扰。

有家归未得，亲病年已老。

有爱早摧残，已成无巢鸟。

有生不足乐，常望早死好。[①]

但是不能死，他死了，老婆孩子谁来给他养？

为了养活老婆孩子，郭沫若不得不加紧笔耕，可是孩子吵得不行，郭沫若火了，打了他一记耳光。孩子没命地哭了。郭沫若心碎了，就打了自己一记耳光，试试疼不疼。

最后是五四运动救了他，原来是封建婚姻害的。他就写了一首经典的诗歌《凤凰涅槃》，说是把旧我和旧世界一齐烧了，他自己就像凤凰一样从火中复活了。

我谈，故我的恋爱在。郭沫若这样谈恋爱，尝尽了酸甜苦辣的滋味，青春才没有白过，人生才够过瘾。

鲁迅为什么总是拒绝和他的合法妻子朱安同床共枕呢？主要原因就是没有共同语言。后来为什么和许广平在上海同居了呢？因为他们谈得来，当年的空气振动已经不复存在，但有经典的笔谈《两地书》为证。

如果不是人，而是动物，看见异性，用得着这么多啰里巴嗦吗？该怎么样，就怎么样，付诸行动就是了。

如果动物有哲学，那应该是：我不思，故我在，我不谈，故我在，只有果断地采取行动，故我在。

---

① 以上两诗均见《三叶集》，上海亚东图书馆 1920 年版，第 9 页、第 10 页。

由此可见，恋爱而不谈，就成了畜生。

俗话说，有情人皆成眷属。其实这是空想，无情人成为眷属的绝对不比有情人少。这是因为人们还没有解开爱字的密码。

这个“爱”字，上面有一撇，下面三点，是爪子，或者手的意思。原来，秃宝盖下面，还有一个心字，现在简化掉了。要用手去捕捉心，本来就难，而心又是给一个秃宝盖挡住了，就更难办了。幸亏下面保存了一个“友”字，也许是说，心没有抓住，恋爱谈不成，就做好朋友。

如果真是这样，这世界可真是平安了。

可是人偏偏爱和自己作对。

如果那些“爱而不见”的美人，不管你单腿跪，还是双腿跪，坚决拒绝，像鲁迅在《我的失恋》中所写的，再好的礼品，也只回他一条赤练蛇，早就可以在爱情领域达到贞观之治了，但是，女性的特点是，表面上不管你是吓死还是吓半死，最后还是像安慰小猫一样来抚慰你。女人谈起恋爱来，对于语言的想象力是无穷的，她们什么“陌生化”的话语都说得出。男人的忍受力也是无穷的，比赤练蛇更厉害的也无所谓。最耐人寻味的是，明明爱得昏天黑地，如痴如醉，却用最可怕的字眼去损人家。鲁迅的小说《风波》中，七斤进城以后，辫子给剪了，他的太太认为这是性命交关的大事。可是等七斤回来，她第一句话，并不像现代女性那样关切地抚慰他：“亲爱的，没有关系。头发像韭菜，上帝保佑，今天剪了明天长起来，咱们照样爱。”而是说：

你这个流尸流到那里去了。

七斤嫂讲话的狠毒，恰恰表明她爱得深沉。

这正是“爱而不见”的矛盾修辞的杰出表现。

在这样的语境下，七斤怎么不“搔首踟蹰”呢？

搔首踟蹰，就是不安的表现。女人就是不安的制造者；光是在家里不安，不过是小喜剧，要是弄到社会上去，就要祸国殃民。女人是祸水，之所以成为定律，就是这个原因。亚当要不是听信了他老婆的话违背上帝的旨意，人类就不会被驱逐出乐园，咱们也就不用受今天这些苦难了。在希腊神话里，潘多拉的丈夫千叮万嘱，不让她打开那个盒子，可是她还是打开了，于是人类最邪恶的感情，什么妒忌啦，贪婪啦，什么凶残啦，毒辣啦，就永远污染了人类的心灵世界。

汉语对恋爱的辩证法的深邃的洞察是举世无双的。如今世道不古，不是把热恋之中的男女干巴巴地叫作“对象”，就是赤裸裸地叫作“爱人”（据说，这个说法从孙中山时代就用开了）。这都是中了西方哲学和语言的毒，哪里赶得上把爱人叫作冤家，把丈夫叫作杀千刀精彩。我在项小米的《英雄无语》中看到，她的祖母从来没有正式叫过他的祖父的名号，不论是小名还是职位都好像不存在，而一概称之为“死鬼”。

英语中的矛盾修辞法能表达这么丰富的感情吗？

海德格尔说，语言是存在的家园，也就是生命的家园，情感的家园。我们的语言表层语义与深层语义反差那么悬殊，我们精神家园的苍穹比之西方人高多少，我们精神的地平线要比西方人远多少，聪明的读者自己去想象好了。

在英语国家，太太给丈夫盛了一碗饭，丈夫要说声谢谢。在德语国家，光这样还不太够，还要加上一点形容，非常感谢。在中国，对家里人这样客气，叫作见外，不是有了外遇，心虚了，就是感情疏远了；而把最可怕的谩骂，当成了最可亲的沟通，才是爱情与日俱增的表现。

家庭的关系是最亲密的，丈夫打老婆，在西方都是犯法的，可是汉语里却有一条不证自明的公理：打是情，骂是俏，不打不闹不地道。

打情骂俏是谈恋爱的最高境界。

“谈”这个字眼里包含这么多的文化密码，简直可以说是一座文化的富矿，可供我们用老愚公的方法，挖山不止，世世代代，子又生孙，孙又生子，子子孙孙，无穷匮也。

2002年6月10日初稿，19日修改

论“搞腐化”的产生和消失

一

据说，“搞”原来是四川方言。普通话中和其他方言中的“搞”多多少少有点贬义，上海话中的“搞七念三”，是做事没有头绪、头脑不清醒的意思；广东话“有没有‘搞错’”，有误会很大、近于离谱的含义。

在普通话中，“搞”和“拌”有点接近，但是“拌”是中性的，而“搞”却有一点暧昧的联想。例如，小葱“拌”豆腐是“一清二白”的。若是小葱“搞”豆腐，不是葱太软，什么也搞不成，就是乱来，“搞”得个一塌糊涂。“搞”还和普通话中的“搅”有点接近，“搅”的动作有旋转性。光是旋转，对于翻天覆地的事业来说，是不够的。“搞革命”，是全方位的，四海翻腾，五洲震荡。

正是因为这一点，“搞”字获得了雷霆万钧的声势。

我们只能说“搞”革命，而不能说“搅”革命。

虽然“搅”和“搞”，同样能引起“混”“乱”和“浑”的联想。

然而，中国人在潜意识里是崇拜翻天覆地的伟大革命的。农民革命，也是历史的杠杆，能把封建王朝一个个撬翻，无非是牺牲大一点。谚云：“黄巢杀人八百万——在劫难逃。”不过是乱了敌人而已。至于老百姓，是不怕乱的，有道是：杀头不过碗大个疤。民歌更有豪言曰：杀头好比风吹帽，坐牢好比游花园。大革命时期，上海民歌则更为豪迈：舍得一身剐，敢把皇帝拉下马。什么叫作剐？就是把活人的肉一片一片地割下来，断了气还要割，直到薄得刀下不去为止。

形容英雄的常用语是视死如归，其实是不够的，在中国，真正的英雄应该视剐如仙。

这是搞革命的前提条件。

革命原来是革“天命”的意思，“天命”，就是上天注定的，不言而喻的信条。越是天经地义，老子就越是不买账，阿Q“革他妈妈的命”，此之谓也。用文言来表达，叫作“反正”，用毛泽东口语化的说法，叫作“造反”。不管是“造反”还是“反正”，这个“反”字，是全部精华之所在。平时是“正”，顺理成章，一到搞运动，就把逻辑搞“反”过来。平时刘少奇是革命的，可是运动一搞，逻辑“颠狂”起来，他就成了叛徒、内奸、工贼。平时，牛头是在牛尾巴前面的，到了搞运动，牛尾巴就到了牛头前面去了。中国人在20世纪50、60年代，是最有魄力的，全部魄力集中在“搞”字上。人民公社，通向共产主义的金桥，一天等于20年，跑步进入共产主义，当然要“搞”。“文化大革命”则更是触及灵魂的，不搞它个天昏地暗，怎么能显示史无前例的气概！

“搞”的话语，凝聚了传统文化义无反顾的、英雄盖世的光辉。

要跟得上时代，不当保守派，不当观潮派，唯一的办法就是把极端古老的文化传统弄得和西方极端的现代派诗歌一样——扭断逻辑的脖子。

明明是“浩劫”了，可仍然是“损失最小、最小、最小，成绩最大、最大、最大”。

这是当时声势显赫的一位将军所宣扬的“搞”的逻辑，也可以说是一种“搞”的哲学。可惜他后来和飞机一起摔在温都尔汗沙漠了，为他颇为壮观的生命画上了“最小最小最小”的、冒烟的惊叹号。

二

这位将军后来失败了，他推行的“搞”的逻辑哲学就灰飞烟灭了吗？

浩劫之后，许多深刻的学问都经受了八级地震，唯一安然无恙的就是潜在的“搞”的哲学。“搞”仍然是汉语中最活泼、使用频率最高的词，其语义仍然在扩张，大有淹没一切动词，取代其全部功能之势。

神圣的革命事业可以“搞”，世俗的恋爱也可以“搞”。这是理所当然的，革命征程和爱情历险，同样艰难曲折、福倚祸伏、惊心动魄、荡气回肠、九死一生、绝处逢生，不搞怎行？

干革命，“干”字太平淡；谈恋爱，“谈”字太苍白。革命和恋爱丰富的内涵，用李清照句式套一下，岂一个“干”字了得，岂一个“谈”字了得。光是干，拼了老命干也罢，光是谈，拿出吃奶的力气来谈也罢，谁能保证成功？不拿出“搞”的气概来，先搞混、搞浑、搞乱，甚至搞烂，更不怕搞惨，不拿出上海人所说的“搞七念三”，广东人所说的“搞错”，也就是勇担风险的气魄来，做什么都没有希望。

而且，一个人没有搞人的气魄，可能被人搞臭。

“搞”虽然是革命的精神所在，和一切旧传统观念作彻底的决裂，却蕴含着古典文化的雍容大度、兼容并包的精神。用一般的修辞方法，还真有点难以概括，实在要形容一下，只能到自然科学术语中去寻找。自燃的氢和助燃氧“化合”为灭火的水，可能是最好的喻体。“搞”字可以把最不相容的理念和谐地“化合”为一体。比如说，“搞人”和“搞鬼”，表面上看来，应该是相反的，搞的对象毫无共同之处。但是，人和鬼一旦和搞“化合”在一起就差不多了。“搞鬼”是搞阴谋的意思；“搞人”是整人的意思，同样也需要搞明谋的艺术。汉语也真有点奇妙，不管正面还是反面，肯定还是否定，常常水乳交融：“差一点跌倒”“差一点没有跌倒”，“不可战胜的”“不可战败的”，意思是没有区别的。

不过，搞人和搞鬼可能有点例外。

整人远比搞鬼庄严。如果觉得搞阴谋太麻烦，公开搞一点“阳谋”，则气势更为浩然。

只要名义是神圣的，没有什么是不可以“搞”的。

借着搞字的光辉，许多不便明言的事，都有了体面的名义。

发横财，太可疑了，叫作经济上“搞活”，就精彩多了。贪污，太难听了，改成“搞一点灰色外快”，就理直气壮了。通奸怀孕，也不太“雅听”，说成“把肚子给搞大了”，就可能令人同情。佣人，多少有点不尊重人的意味，说成是“代搞家庭卫生和烹调”，就提高了档次。小偷，太难听了，说成“在别人口袋里搞没本钱生意”，其神通，就会令人肃然起敬。

“搞”字的功能很多，其中最为奇妙的就是现象学所说的“遮蔽”作用。用老百姓的话来说，就是颠倒作用。“搞死”是坏事，“搞活”在字面上和它相反，应该指称好事。但是，事实上恰恰相反，搞死并不坏。如果你向一个女孩子求婚，她老是不理睬你，经过一番努力，突然她说了：“真是的，再不答应你，真要把人都搞死掉。”——你的幸福之神就降临了。

而搞活，却并不简单。

俺们当大学教授的，常常为学生从中学带来的僵化和教条而头痛。佛祖讲学，最佳效果是，天花乱坠，顽石点头。可是忍受过全国统一高考所谓“客观题”“标准答案”紧箍咒酷刑的学生们，虽然有顽石一样的表情，却无顽石一样的灵性。高考录取分数线，一届比一届高，可是石头们却是一届比一届顽，弄得教授们常有九斤老太“一代不如一代”之叹。要是发明化学元素周期表的门捷列夫在世，肯定把他们塞到“惰性元素”一族中去。大学教学的宗旨，就是要把学生的思想搞活。试尽千方百计，常常难以奏效。终于有一天，一位先生石破天惊的话语，让我比之从孔夫子到鲁迅那里学到的还多。

他说，搞活就是搞乱，不把他们那些所谓的客观题标准答案，统统搞乱，怎么能活？

这使我突然想起了陶渊明笔下的那个误入桃花源的幸运儿的感觉：豁然开朗。

《文心雕龙》作者刘彦和先生云：“思接千载，视通万里。”诚哉，斯言。

我不但在教学上受益匪浅，而且在待人待物方面也大有长进。是啊，不搞活，就是死水一潭。一潭死水，哪怕清可见底，能打到几头鱼呢？“清水无大鱼”，这是文明古国的智慧的结晶。要把水搞浑，大鱼才能有藏身之处。浑水摸鱼，才能干大事业，成大气候。这叫作：不破不立，不塞不流，只有死水大浑，才能油水大捞。

这里有个哲学道理，叫作对立面的转化，坏事在一定条件下能变成好事。

“搞”字里有这么大的学问，真是始料不及，我一下子想起了被并非纯种的上海人所瞧不起的江苏北部的人表示惊叹的口头禅：乖乖隆的冬，韭菜炒大葱！

三

“搞”革命时代过去了，对“搞”的崇拜心理却青春常在。在一切职业之前都加上个“搞”字，搞运输的，搞基建的，搞三陪的，依然时髦。不管什么职业行为，你不把它搞乱、搞僵，不搞死搞活，不搞七搞八，能出成就吗？就是搞哲学的西方大师也一样，结构主义才搞了没有多久，解构主义不是就把真善美都统统搞成火葬场上的一道青烟了吗？

把一切日常活动都弄成“搞”的宾语，这是中国人的创造，也是汉语能指的伟大胜利。

搞点饭吃，搞点外快，搞点幽默，无疑有潇洒风度，相反，说煮点饭吃，拿点外快，来点幽默，就显得呆头呆脑、小里小气，缺乏想象力了。什么都可以“搞”，具体的可以“搞”，抽象的也可以“搞”，连“搞”个屁，也算“搞”。有名堂要“搞”，没有名堂也要“搞”，连鬼名堂都能“搞”。搞不出什么名堂，就泄气了吗？

NO！

要坚持搞，总有一天，会搞出名堂。

在我国 20 世纪革命创造的词语中，“搞”字词组含有贬义的极少，“搞腐化”算是一个。虽然有点煞风景，但却令人神思飞越，可以自由联想到腐烂的动物躯体，蛆虫成团地翻滚，令人翻肠倒肚的气味。对于“搞”字的革命光辉，这真是煞风景。

改革开放了，人们心智得到启蒙，男女之间躯体发生接触，在分子运动和热量传导的意义上，这和握手是相同的，摩擦生电，在物理学原理上也是一样的，不过是部位不大一样而已。有必要大惊小怪吗？于是汉民族的集体无意识一致以心照不宣的方式，通过无声的决议：为了保持“搞”字的纯洁性，把“搞腐化”改为“婚外恋”。20 世纪 80 年代以来，全体汉人一起遵照执行，没有人表示过任何异议。

英国诗人布莱克（William Blake）说，从一滴水可以看大海，这太天真（他也的确写过《天真之歌》）——麻姑，则老辣得多，她从沧海看到的不是浩淼的 H_2O，而是桑田。

光从一个“搞”字可以看出历史的沧桑。

四

这不仅是命名不同。

腐化如果真搞是要受到法律惩处的，有一位诗坛泰斗在20世纪50年代中期就吃过苦头，不过是所谓“监外执行”（如今叫作“缓刑”）。

搞字的功能可分两类：丑的则遮蔽，不丑的则美化，可谓有美皆备，无丽不臻。

但是，任何话语都不可能是万能的。“搞”字也一样，碰到有些语境，就显得不尴不尬。

有一个故事，男主人公是我敬爱的一个诗人，我在大学期间，曾经如痴如醉地听过他的报告。我相信他在道德上是很纯洁的；但是，纯洁的人，也不可能在一生的任何一分钟都一样洁白无瑕。20世纪50年代中期，诗人在长江中游一所大学讲学。那时，诗人的地位号称人类灵魂的工程师，头上是戴着光圈的。比之今天的以痞为荣的文人，不可同日而语。当他出现在讲台上的时候，那从四面八方投射过来的目光比之今天的追星族投给影视明星的要虔诚一万倍。掌声自然如四起的鸽群，崇拜者的欢呼几乎把屋顶掀起，上下左右伸过来的手掌，如飞溅的浪花，不管是诗人还是听众都有一种梦纪之感。当时身临其境的人，有些如今已经过世，据说，在临终弥留之际，这个场面是最后的记忆。

当诗人在单身宿舍里回想这一切的时候，不禁独自微笑起来。

就在这时，门响了。进来的当然是倾慕者，一个妙龄女郎，身穿当时流行的俄式“布拉吉”，用今天的话说，就是连衣裙。少不了一番无限崇拜的诉说。这是诗人所习惯了的，但是这一次不同，女郎竟不断地把美国诗人惠特曼所说的“带电的肉体”向诗人做无限度的靠拢。诗人写过多少纯洁得像清亮的、没有云影的山泉一样的爱情，但是，此时，诗人的躯体立即有了带电的感觉。起初是靠近姑娘的一面，手臂瘫痪了，后来，他的躯体失去了活动的力量。他开始怀疑历史上最为纯洁的男人柳下惠，那坐怀不乱的故事，是不是虚构的呢？当然，诗人是学哲学出身的，他对康德的“头上的星空，胸中的道德律”有过钻研，道德理性并不是那么容易崩溃的。他想，至少，关云长在与义兄的二位太太近在咫尺的时候，秉烛读春秋，肯定是真实的。试想，一手拿着圣人手订的《春秋》，一手拿着蜡烛，即使有美女坐在怀中，也不可能有所作为。而柳下惠的双手都空着，才是危险的根源。

自己实在是太愚蠢，没有关公的先见之明，早就该让工友点上一支蜡烛，等美女一来就让蜡烛占着一只手，另外一只手里应该拿着马克思的《资本论》。为什么要念《资本论》？不念不行啊，心乱了。心这玩意，实在脆弱，它并不一定成套地乱，只要乱上一点点，所谓方寸之乱，整个人就晕晕乎乎的。

冷静下来，面对洛伽山的楼宇，他想起了哈姆雷特那著名的台词：活下去，还是去死，这可是个问题。不过他即兴改动了一下：相信自己，还是不相信自己，这可是个问题。他的结论是谁也不能相信自己。

提起柳下惠的故事，谁不能倒背如流?

圣人的教诲，千年的文明传统，还有当时甚为流行的《钢铁是怎样炼成的》，保尔在监狱中，拒绝女郎（她的名字叫作赫里斯金娜）奉献“处女宝”，都一下子变得虚无缥缈，活人不是钢铁，它没有那样重，相反倒是像云一样浮了起来，飘了起来。

万籁俱静。月亮和星星都闭上了眼睛。全世界只剩下两片嘴唇。

也许数学家要质疑：2 加上 2，应该是 4，而我仍然坚持 2 加上 2，等于 2。

……

回到北京，诗人无限自谴，决心断绝孽缘。不久以后，晴天霹雳，信来了，女孩子怀孕了。

诗人记起了苏联最高苏维埃主席加里宁的《论共产主义道德》，主动要求负担这个小生命的一切生活费用。从那以后，他从那也许并不丰厚的工薪中，每个月抽出 50 元来寄往南方。要知道，这个数目不算小，相当于当时一个大学毕业生每个月的工资，足够两个甚至三个人的小康生活。

到了“文革”浩劫期间，诗人横遭抄家。厚达五寸的汇款存根引起了造反派的警觉，诗人坦白交代了自己的“罪行”，其结果，被扣上了“搞腐化”的帽子。

掌权的工人宣传队，外出调查的结果甚为惊人，那个孩子并不具备诗人的遗传基因，是另外一个小伙子留下了孽种，逃之夭夭。女孩子苦于无力抚养，乃出此下策。

当时，最苦的还不是诗人和那个未婚妈妈，而是掌权的工人宣传队，反复讨论，要不要给这位诗人重新定性。

结论是一致的，当然应该。

然而，除了“搞腐化”以外，不存在任何相应的语词。这时人们才发现我们伟大的汉语在这一点上，竟是如此贫乏。

到了运动后期，给诗人下结论的时候，用了什么样的措辞，只能去查阅档案，而档案是国家的机密，又是个人的隐私，悬案只能是悬案，笔者只能请读者原谅。但是，有一点是可以肯定的：定案回避了“搞腐化”这样可怕的道德和法律话语。

事情过去已经 20 多年，我们伟大的汉语早已从浩劫的灾难中更新。“婚外恋”一词的发明，大大丰富了汉语词汇系统，解决了不问青红皂白一律扣上“搞腐化”的帽子的难题。但是，仍然没有解决一切语言所难以回避的漏洞。就诗人此等个案而言，能不能说是“婚外恋”呢？似乎不能。

那位为了获得孩子抚养财源的女性，对于诗人是一种欺诈，而诗人的表现，分为两个阶段：起初是低层次的生理冲动，而后来则是高层次的道德忏悔。

既不是搞腐化，也不是婚外恋，那是什么呢？用《秋菊打官司》里的话，总得给一个“说法”吧。圣人云，名不正则言不顺；按西方话语学说，在语言以外，没有思想。难道我们伟大的民族能够忍受没有思想这样的恶毒推论吗？不行。

于是有人提出，既然难以进行概括性的总体命名，就应该用马克思主义最活的灵魂——进行具体问题具体分析。

对于那女孩子来说，既不是搞腐化，也不是黄昏恋，不过是达到了目的。这样的事情，在“搞”字话语体系中，有一个现成的说法，叫作“搞掂”（或者搞定）。当她接到诗人寄来的汇款的时候，她心头响彻的就是这个清脆的声音。

对于诗人来说呢？他本没有什么目的，既不是搞腐化的道德败坏，更没有达到婚外恋的层次。在无限丰富的汉语中，还没有一个词语来概括这件事情的性质和相应的联想和暗示。

人类的智慧是有限的。

伽答默尔说，语言是沟通心灵的桥，同时又是阻碍心灵交流的墙。就诗人这方面而言，这不是一般的墙，而是一堵透明的墙。透过这堵墙，我们可以感觉到，但是却说不出。言不尽意，意不逮物，可以意会，不可言传。这是我国古典文论上的话，用来形容诗人的行为，好像还是不太恰切。

诗人的事，也许只能从诗论中去寻找话语：

羚羊挂角，无迹可求。

——严沧浪

不着一字，尽得风流。

——司空图

这好像是禅宗，不立文字，也好像是偈语，机锋无限。不管是什么，都在启示我们，不要白费劲，要给人类的一切都加以恰当的命名是不可能的。相传佛祖讲学，提出一个问题，弟子们做了聪明的回答，佛祖并不满意，只有迦叶尊者，一言不发，只是拈花一笑，佛祖却表扬他深得精义。

让我们模仿这位智商超群的尊者，也去采一朵花，放在嘴边，微微一笑吧。

2001年1月12日，因94岁高龄老母病情反复而中断，

完成于2月20日，母亲逝世之后4日

写不完的“不亦快哉”

中国古代文人不管写诗还是写散文，一般是以追求美化和诗化为主的，自我丑化，几乎没有。而金圣叹批注《西厢记·拷艳》一折，一连写了十几个“不亦快哉”，不追求美化和诗化，坦然自我“丑”化。看人家放风筝，线断了，不亦快哉！幸灾乐祸向来是不登大雅之堂的，却堂而皇之地写在文章里，这在幽默中属于“自我调侃”一格。再如：“闷热天气，前后庭赫然如洪炉，汗出如注，苍蝇纷飞。饭不能食，忽尔大雨倾盆，身汗尽收，苍蝇尽去，饭便得吃。”他率性高呼：“不亦快哉！”看来他很喜欢率性欢呼，猫抓了老鼠去，他欢呼：“不亦快哉！”私处有癞疮，以热汤澡之，他也欢呼：“不亦快哉！”这种事情本来似乎与诗意的美化距离很远，甚至有点“丑”，但他的率性却是真性情，可以说是一种丑中之美。真性情的自然流露，是抒情诗的特征，华兹华斯就是这样主张的。郭沫若在五四时期，就推崇这样的诗学。抒情是美化和诗化的，本来是与幽默的调侃搭不上界的。若是真性情流露到不怕丑的程度，就有点儿荒谬感，事情一旦荒谬，就有点好笑了，也就有了幽默的性质了，越是荒谬，越是好笑，也就越是有幽默感。例如，他说自己想当和尚，又怕吃不成肉，如果允许当和尚的吃肉，他就马上用快刀把头发剃个干净。幽默中的自我调侃，在美国的幽默理论中，是属于幽默的上品，其特点是把自己说得有点不堪，和常人自我美化的倾向形成反差，但这也显出了自己的坦荡和心胸宽广。

自我调侃，是一种以“丑”为美。关键是分寸感，不能太温，又不能太火，不管多煞风景的事，都不能有伤大雅，不能给人品质恶劣的感觉。他说：早上起来，听说城中一个人死了，大家都不免叹息，他就不但不感到悲哀，而且是感到“不亦快哉”。幸灾乐祸，如果是针对心地善良的人，就太恶毒了，但是，他事先问明了此人乃“一城中第一绝有心计人”，他的坦荡就能引起读者会心的微笑了。

金圣叹的又可叹之处，是把这种分寸感把握到十分惊险的程度：“身非圣人，安能无过。夜来不觉私作一事，早起怦怦然实不自安，忽然想得佛家有布萨之法，不自覆藏，便成忏悔。因明对生熟众客，快然自陈其失，不亦快哉！”这里所说的“私作一事”，我不得不做注解，显然是指手淫。身为封建士大夫，居然坦率到自我暴露的程度，把自己的私事，主动、公开地披露，并觉得由此而得到解放，这是要有一点勇气的。这种自我暴露，可以说是化“丑”为美了。也许正是这一点激起了后世文人的激赏。

梁实秋先生就模仿这种“不亦快哉”的笔法，在《来台以后十二大快事》中，一连写了 12 个“不亦快哉”。但是，梁先生毕竟是绅士，并不模仿金圣叹的自我暴露，而是继承他的自我调侃。其中有写到地上满是甘蔗渣的，不过梁实秋先生不是暴露世人的不知清洁，而是转而自我嘲讽：“于烈日之下，口干舌燥，遂于路旁，小摊之上，随手购得甘蔗一支，随嚼随吐，既可立解口渴，又可为扫地者创造就业机会。不亦快哉！”林语堂也有《不亦快哉》之作，不过不如梁实秋的潇洒。自此“不亦快哉”之风，遂风行海内，绵延不绝。李敖作《不交女朋友不亦快哉》《不讨老婆不亦快哉》，极尽嬉笑怒骂之能事，以玩世的姿态写他的愤世之情：

> 得天下之蠢材而骂之，不亦快哉！仇家不分生死，不辨大小，不论首从，从国民党的老蒋到民进党的小政客、小瘪三，都聚而歼之，不亦快哉！在浴盆里泡热水，不用手指而用脚趾开水龙头，不亦快哉！逗小狗玩，它咬你一口，你按住它，也咬它一口，不亦快哉！以快速放领袖万岁歌，以慢速放蒋经国演讲电影，笑不可仰，不亦快哉！看淫书入迷，看债主入土，看丑八怪入选，看通缉犯入境，不亦快哉！拆穿柏杨，指其忘恩负义，且为“丑陋的中国人”，不亦快哉！

李敖虽然不满柏杨，但是其幽默和柏杨有一点相同，那就是不怕丑加不怕赖。故意把自己写得很不堪（看淫书）、很顽劣（以快速和慢速放影碟）、很无聊（和小狗咬来咬去）、很散漫（用脚趾开水龙头），然而就是在这种无聊和顽皮中，显示了他在政治上和学术上的原则性和坚定性，以自己极其藐视世俗的姿态而自豪。他的幽默好在亦庄亦谐，以极谐反衬极庄。20 世纪末四川文艺出版社的多个编辑，发起《不亦快哉》征文，海内不乏名家响应，然而大多缺乏自我调侃之胸襟，且又无导致荒诞的气魄，惨不忍睹者有之，令人哭笑不得者有之。有贾平凹先生的散文集《长舌男》中之《笑口常开》，可谓得金圣叹之神髓，摘其一如下：

> 入厕所大便完毕，发现未带手纸，见旁边有被揩过的一片脏纸，应急欲用，却进来一个人蹲坑，只好等着那人便后，先走。但那人也是没有手纸，为难半天，也发现那片脏纸。如此相持许久，均心照不宣，后同时欲先下手为强，偏又进来一人，背一篓，拄一铁条，为拣废纸者；铁条一点，扎去脏纸，人走了。两人对视，不禁开口而笑。

自我调侃之要诀乃尽写自我之尴尬，越是把自己写得傻乎乎，越是显得心胸开阔坦荡，天真无邪之可爱，也就越是可笑；盖笑乃心灵间之最短之桥梁也，与读者心照不宣地相传于最短的桥梁上，越是能与读者心心相印，进入共享“不亦快哉”的境界。

不亦妙哉

1998年年底，沿海某学府，图书馆内，座无虚席。吾忽感内急，仓皇奔厕，而厕门紧闭。掌击之，头撞之，足蹬之，皆无反应。

乃问其故，曰：近日将迎文明校园检查团，厕所空前彻底打扫，地板洁净如校长办公桌，可席地而聚餐；玻璃如总务长太太之化妆镜，光可鉴眉发。楼内一改往日流溢于走廊之尿味，更喷法国香水，鲍鱼之肆遂为芝兰之室。

为使检查团先生第一印象强烈，故暂停使用，密闭数日，以免鞋印污染，且使香气流失也。

盖该校，前数年全市高校文明检查，以五分之差，与文明校园称号失之交臂，而兄弟高校文明校园之荣誉，已为老太婆的棉被——盖有年矣。

形势逼人，形势逼官。此番全校动员，大喇叭，小广播，豪言壮语，上下一心，不夺文明校园，则校长乌纱有损，书记雷霆之怒不可遏也。

于是有停课三日之豪举，学生于午睡之时，不得入宿舍，以免折成四角形之被褥之直线变曲，女同学以朱丽叶手帕醮法国香水细擦之地板，增光可鉴人之效果。走廊上，袖戴红布者，如临大敌，火眼金睛，稀稀拉拉分子股栗不已，大大咧咧先生威风顿减。

实验室日夜清扫、洗擦，前清皇帝恩师当年办学时留下极具古董价值的灰尘，不惜一扫而空。

吾闻之发噱，脱口云：不亦快哉！

吾乃学文科者，中学时，物理学基础虽不差，然笑前，未惶考虑虎克定律，肚腹体积固定，弹性有限，笑声与压力成正比，与肚皮强度成反比。笑愈炽，压愈剧，丹田之下，有如鼓如浪之声，决口之虞，遍及脐下各部。

本当以百米冲刺速度，奔馆外寻厕；然内急如火如荼，不意竟发现一物理学新定律：

此时奔速与决口概率成正比。是时，顾不得测试科学数据，以备他日问鼎诺贝尔奖之需，权且采取折中主义：放大步，高抬股，轻落地；弓腰身，展四肢，减震动；如蛙泳，仿蝶泳，或单腿脚尖着地，或双脚平行移动，跳跶如西藏舞，缓行如秧歌舞；绕文科楼数匝，如丧家之犬，而无丧家之犬于墙角抬腿减腹中压力之自由。不亦痛哉！

呜呼，人为万物之灵，礼义廉耻之重负，之可恶，之可恨，之可骂，之可杀，亦至于此，使吾不如癞皮犬、怀春猫内急时之旁若无人。

不亦痛哉！不亦遗憾哉！不亦窝囊哉！

忽见一墙角，有美人蕉之属，下有花圃，有玫瑰焉，有嫩草焉。情急无奈，顾不得许多，乃解衣释放腹中之压。事毕，且喜四处无人，轻吹口哨，飘然而去。

自此以后，敝人之重大发明，不胫而走，广为传播。数日间不闻厕所门备受锤击之声，亦不见楼边情急舞蹈之步。当月色皎洁之时，唯见楼下花丛树侧有人影匆匆焉。每当读书走神之时，临窗凭轩，看繁星闪烁，眺群山入夜，冥冥间似闻有异声起于下方，如小溪流水，忽作忽停，如苏东坡文“如怨如慕，如泣如诉”，如杜工部诗“随风潜入夜，润物细无声”。

待检查团光临，于图书馆印象尤佳，不独厕所香气四溢，且楼下鲜花红湿，肥硕异常。赞赏之，流连之，脱眼镜以嘴唇亲之，躬腰身以鼻闻之，遂一致决议：特加五分。

有人告余：正是这五分，使该校翻身，文明校园达标，校门前金字匾额闪闪有光焉。

余不禁赞曰：“积肥与美化两全其美，人物与植物生态平衡，不亦妙哉！不亦妙哉！”

吹牛有理论

和几个号称中国通的美国人在一起谈幽默是很有意思的。许多中国人都在不断说，中国人缺乏幽默感。我自己也常常有这样的感觉，倒是美国教授们不同意，他们对中国的相声和民间笑话简直是着了迷。一个叫克罗斯的教授拍拍我的肩膀说，其实我就很幽默，按照美国权威的幽默理论，我只要再放松一点，就可以进入不同凡响的幽默境界。我问他什么叫作放松（relaxation），他说就是不要谦虚，要敢于吹牛。

不久以后，一所大学请我去演讲。距约定的时间还剩下两天的时候，学生会来了电话，希望更改时间。原因是同一时间有一个青年歌手大奖赛，说在演讲的会场对面。但是我的时间表已经排满，无法更改，对方又不愿取消，逼得我只好按原定计划前往。

车子开进校门，远远看到外面围了一些人，可是会场里面的座位却空了不少。这时，我多少有一点发虚，我的自尊心是多么脆弱呀。我一边往会场里走，一边想：这些站在门外的家伙是我最大的敌人，他们的动摇性最大。只要我开头几句话抓不住他们，他们纷纷离去的脚步声就足以动摇会场里的听众的注意力，弄得他们交头接耳、东张西望，把会场中聚精会神的气氛迅速瓦解。这自然会打击我的自信，最后只能是惨败而归。

这时，我想到一些前辈学者常用的开场白。例如，本来是不想来的，对这个问题研究得不够，难免有错，好在可以抛砖引玉。这不但显得虚伪，而且是老一套。就在这个时候，我想起了克罗斯教授的理论：放松，吹牛。不要怕不如青年歌手漂亮，就是怕，也要做出一点慷慨赴义的姿态，千万不能流露出任何窝囊废的样子。

我灵机一动，干脆放开胆量大吹。首先要把那些个站在门外的动摇分子镇住。这时突然从遥远的记忆宝库之中，冒出了一串话，那还是在30年前，我还很年轻的时候，从一本书中读到的。这是一个著名的将军讲的一段话：

一上战场，就横下一条心，老子今天就死在这儿了，完蛋就完蛋！

在当时，我觉得只要把“战场”改成“讲坛”，“死”字改成“吹”字，就再恰当不过了：“一上讲坛，就横下一条心，老子今天就吹在这儿了，完蛋就完蛋！”

这么一想，我不但不紧张了，反而镇静下来，而且灵感也不知从什么地方飞来了。

沉吟未决的几种开场白不翼而飞，我的嘴已不由自主地吹了起来：“今天，我走进会场的时候，有一种感觉，那就是要特别感谢那些站在门口和走廊里的同学，因为他们是用躯体语言给我鼓气，宁愿站着，也要听我老头子讲完。而且，他们是经过慎重选择的：在老头子的美和少男少女的美之间，他们选择了老头子的美；在说的和唱的之间，他们选择了说的。因为他们相信：说的一定比唱的好听。”

我的话还没有说完，满场就欢腾起来。掌声真像一位台湾诗人所写的那样：“像鸽群四起。”而那些站在门外的动摇分子，也笑着涌进了会场。一些被掌声和笑声吸引过来的大学生，只好挤在门外，有的就爬到了窗台上。

一种和谐的气氛形成了，台上和台下互相交流、互相鼓舞的语境被创造出来了。以后，哪怕是我的一举手、一投足、一扬眉，乃至一次偶然的口吃，都引起了热烈的掌声和笑声，我的自我感觉达到了一种状态，真是如美国人本主义心理学家马斯洛所描述的那种“高峰体验”。在我记忆中，那是我几十年讲课、演说生涯中最幸福的享受。

后来，我把这个经历告诉了克罗斯教授，感谢他给了我这样有用的幽默理论，给了我这么精彩的启发。

他笑了笑说，其实他应该感谢我。因为他观察过我，每逢我认真严肃地讲话，总是很枯燥、很平淡。而每当我和好朋友一起高谈阔论，吹牛，骂人，造谣，放炮，我的语言就特别有趣，表情也特别生动。

“其实，”他拍拍我的肩膀，“美国也根本没有什么吹牛构成幽默的理论。”

幽默疗法

按：友人之子投考高中成绩稍逊，未达重点线。忍痛纳3万元方得就读重点中学。其妻痛其10年积蓄之失，愁眉不展，日见消瘦，玉容憔悴，日甚一日。友人忧之，求计于本人曰：美国大学有心理治疗之设，君闻之乎？余曰：岂但闻之，且见之也。友云：以君之见，疗效若何？余答曰：甚佳。友怅然叹：惜乎，囊中羞涩，不能往美利坚为吾妇疗疾，为夫之罪也。余曰：何用忧心如此？彼山姆大叔国中，有十余校，于心理疗法之中又独设一科，曰“幽默疗法”，本人擅长此道。何不求助于近？友面带犹疑，余遂作拂袖而去状。友乃恳求余一施奇技。余曰：诚则灵。但听吾言，不得插嘴。余乃口中念念有词，立时其妻愁眉为之一展。一日后容光焕发，二日后春风满面，三日后应聘为某公司做电视广告模特儿矣。

以下为余之幽默疗法真经：

为孩子念重点高中，花光老本，不能算你的晦气，应该算你的福气。（友妻欲争辩，当即被吾制止）莫说3万，说是30万，也不算晦气。世界上最大的晦气不是穷得叮当响，而是有钱没有办法花。（友妻又欲做争辩状，仍被制止）那些没有儿子的大款们，有为孩子倾家荡产的幸福吗？那才叫人生之大痛苦呢。你今天去学校排队交钱，人家问你干什么来的？你可以自豪地宣称：给我儿子交学费。多大的彩头！没有这个孩子，你就是有300万、3000万，有这个资格去排队吗？老实说，你连眼馋，去过过排队瘾的份儿都没有。不信，你拿上3万块钱去排在队里，等轮到你了，你把钱往人家面前送，人家问你干什么的，你说不为什么，就是为了过过为孩子排队交学费这个瘾。不被人家当成神经病才怪。（友妻苦笑）

再说，你家有了3万块钱，放在那里干什么，什么目的？难道是想当资本家？想发财？说到发财，那就得冒风险。你不看看那些买股票的，一下子发了，乐得像鸭子淘阴沟淘到了一条蚯蚓似的，直把翅膀拍得满是污水。可是，亏了呢？去跳楼？省了这3万块钱，就为了成天心悬悬的，考虑要不要跳楼的问题。总不能拿3万块钱买这种罪受吧？就算你鸿运当头，大吉大利，大赢大发，成千上万的钱流进腰包，总不是坏事，是吧？千万不要这样天真。俗话说，饱暖思淫欲。你先生成了大款，忙得半夜三更不归家，就算你相信他是个柳下惠，坐怀不乱，可是成日出入卡拉OK歌舞厅，免不了要和那些狐媚子小姐耳鬓厮磨，难免有个意志软弱，顶不住逢场作戏的时候。弄不好，过了十多年，你们更发了，却来了一大帮孩子，讲泰国话的、讲广东话的、讲上海话的，都来你家叫他爸爸，那份热闹才叫你没辙呢。就算你先生只是玩玩，没有在情感上陷进去，可也保不定得上个什么病的，尤其是眼下从外国传来的艾滋病等等的，不怕一万，就怕万一，那就不但是你先生的性命，而且你自己的名声也难保。俗话说，人无远虑，必有近忧，你先生的头脑保不住一时糊涂，被什么妖媚女郎缠上了，就是到这儿，没有闹到离婚的程度，这患难夫妻的情分的损失，也就够你操心一辈子的了。（友妻进入沉思状态）

你可不要说，我把事情想得太坏了。你既不想发财，又不想倒霉，就是想把钱放着，心里就是一份"保险"。可"保险"又是为了什么？还不是为了有朝一日，有什么急事。什么急事呢？最大的急事就是生了大病。什么是最大的病呢？无非就是癌症。都说人为财死，鸟为食亡，可你拼死挣来这笔钱，不是为了活得更滋润，却是为了等你大难临头，这不是拿着3万块钱等癌症吗？等不到，白等不说，可误了孩子的前程。就是等到了，能算你的运气吗？一到这个当口，就是3万块钱都派上了用场，还不等于水浇鸭背？你有今天交学费这份豪迈吗？心里那滋味怎么样？恐怕连找你孩子哭一场的脸都没有。（友人妻惊愣）

再说，这回你舍不得血本，弄得你孩子精神不振，保不定什么时候被什么小流氓勾引了去。你这3万块钱拿来走后门，够不够还成问题，要说给他往看守所送东西，怕是还得问我老兄借贷，少不了看我脸色。反过来，你们花大本钱把孩子调理出息了，将来出国留学，拿上个把博士文凭，先不说碰巧和克林顿女儿谈个恋爱，当上美国的驸马，光是那一口美国味的英语，说得溜溜的，也比那些三脚猫的土包子英语老师神气多了。这回亏得你们有战略眼光，下了这么大决心，让孩子有这么大个奔头，连我看了都眼红。要是你们没有这个魄力，错过了天赐良机，等克林顿的女儿让别人抢去了，你美国"第一亲家母"当不成，你那个后悔药就吃上一辈子了。人家伍子胥过昭关，一夜愁白头，那时候你的那份愁，就不是一夜半夜的问题了。那3万块钱就不是什么"保险"，反而成了一块心病，或者用医学术语说，就是肿瘤，哪怕是良性的，也经不住天长日久，肝气郁积，胃气不舒，转成个恶性的什么癌症，那时叫人笑话倒在其次了。（友人妻微笑，然掩口）

真的到了那个份上，你就是拿八抬大轿来请我来给你做幽默治疗，我也不敢来。对于幽默疗法来说，后悔是个绝症。今天你能够把我请动，就是因为你们还没有后悔。这本是吉星高照，你本该享受这份鸿运都来不及，干什么还这么愁眉苦脸？（友人妻忍俊不禁）

我们家乡有句话叫作“风吹鸭蛋壳，财去人安乐”，我把它反过来说，鸭蛋壳，不透风，财不去，人送终。你看哪个好呢？（友人妻笑而露齿）所以，你花这3万块钱，实在无异于是送瘟神。闽南话不是有“化钱消灾”之说吗？这也就是在你们家挖掉一个定时炸弹，因而应该隆隆重重开一个庆祝会。但是开大会，太麻烦，不是最好的办法。

友人妻问曰：什么办法才是最好的？

我说：当然是请敝人到西湖大酒店小酌。

（三人哈哈大笑）

好的，好的！

婚礼致辞

朋友们难得聚会，如果不是纯粹个人的，而是半正式、半团体性的，少不得要推个把人出来说几句话，喜庆一番。每逢到了这种互相推让的时刻，我就变得格外谦虚、胆怯，但是由于平时伶牙俐齿，信口胡柴是出了名的，少不得被揪到台上去。一上台，常常感到舌头上吊了个砣似的，虽然大家勉强给鼓了掌，却挡不住热闹的气氛变凉了的感觉。

我迷信书本，翻了许多参考书，从大英百科全书，到哈佛口才学，都没有得到什么法门。倒是自己反复失败以后，却悟出一些窍门来了。

许多人之所以失败，其根本原因是，总觉得要么不讲，要讲就要出水平，讲些个精彩的、深刻的、不平常的真理，给自己的形象增添光彩。可越是这么挣扎，越是折磨自己。这以后，我倒是体会到两条真理：一是心态自由，绝不指望自己能作牧师式的布道，讲伟大的道理。二是，就拿会场上现成的话题来往歪里发挥，和正理作对，歪理歪推，没有什么可怕的。

朋友女儿的婚礼，通知的时候，附带特殊要求：礼物千万不要带，只带一张嘴巴。除了吃以外，还要赋予一个功能：代表来宾讲话，要不同凡响。

本来吃饭、应酬早就成了苦差事，再加上要一面吃，一面构思讲话，还要不同凡响，实在是本世纪一大磨难。但老朋友的命令，难以违抗，当然，少不得又为自己受到这样的器重，感到得意。

婚礼进行得很热闹，一到新人的父母讲话，照例煞风景，老生常谈。这令我苦恼，又令我欣慰：我讲得再不行，也不会比那些从报纸上套来的口水话差。但是，新郎的朋友上来报告恋爱经过，讲得煞是精彩。我转而不胜忧虑，如果我想不出好点子来，讲得一塌糊涂，两败涂地，老面子上就惨了。

这位年轻人，显然机智而且幽默，话语精练，恰到好处。他不紧不慢，侃侃而谈："新娘和新郎，本是大学同学。新郎充当文体部长。一日进行一项重大活动，部长就说了：礼仪小姐由那个小女孩来当，怎么样？我就去问她：怎么样？她就说了：好——的。过了一些时日，部长心血来潮，说，我这个文体部长不当了，让那个小女孩来当，怎么样？我就去问她：怎么样？她说：好——的。后来毕了业，部长感到有话要说，就让我去问她：前部长想和你交个终身的朋友，怎么样？她说了：好 ——的，好——的。”

这个恋爱过程之所以引起欢笑声和掌声，关键在于他把那么复杂的过程集中在两个字上，在语言的提炼上，是很有魄力的。

朋友在我耳边上轻轻说，要我讲得比他更为精彩。

我却为构思讲话而苦恼。想了好多招数，等到上去了，才灵机一动，即兴说：

“前几天新娘的双亲让我来参加这场婚礼，让我讲话，问我：怎么样？我说：好——的。后来又说：要讲得不同凡响，怎么样？我说：好——的。现在我在台上，看到来的都是年轻的朋友，有男有女，但愿你们在有话要向对方讲的时候，得到的回答都是：好——的，好——的。但愿，在座所有的来宾，不管是想提拔，想升官，得到的回答都是：好——的。不过，太多好的，可又是不太好的。例如，有什么女孩子要对我这个婚龄已达数十年以上的人说，好——的，那我就只能说：好是好的，可是又是不太好的。”

底下掌声四起。

我接着说：“可是，你们把这么多的掌声给我，我此刻的感觉又不但是好的，而且是比新娘和新郎的感觉更好——更好的。”

答美丽的主持小姐

我对于目前大学生辩论赛有许多不满。新加坡国际大专辩论赛模式，陈述的时间太多，针锋相对的自由辩论才有四五分钟；而美国俄勒冈式辩论模式，一个陈词结束，马上就要应付对方的质询，氛围就紧张得多。自然，把美国法庭上的质询搬到大学生的辩论赛上来，难免胶柱鼓瑟。还有一个局限是：对于辩论队员的素质要求太高，在基层难以普及。

我本以为，作为一种训练口才的方式，辩论赛像许多时髦玩意一样，流行了一段时间以后就很快受到冷落。但是，几年过去以后，没有想到连比较小的大学每年都经常举行，就是功课最重的医学院的学生，居然也在一段时间里，把那几十本厚得像砖头一样的书丢在一边，投入各种各样的辩论赛。投入得火热自然是好事，但是，越是火热，各校之间的关系也就越容易紧张。每逢宣布胜负，气氛都有冰冻之感，事后都免不了一些不甜不酸、不咸不淡的议论。偏偏在这时，我还要上台去做总结。

在这种决定命运的时刻，上去做讲评很难。讲得太没有水平，辩手和拉拉队员会用叽叽喳喳来表示对你的蔑视；讲得太一本正经，他们会以懒洋洋的眼神和施舍性掌声来表示对于你的怜悯；以最简洁的语言打中要害，把他们镇住，又太冷酷，不够轻松，也可能使人家不耐烦。当我不得不走上台去讲评时，我给自己设定的任务是首先把他们从紧张的期待中解脱出来。但是一上台，我就感觉到：男大学生的好胜心由于女大学生们如花的笑容而空前高涨起来了。我决定用现场即兴的办法来调侃一番，我把所要调侃男大学生的精神状态勉强命名为“异性在场的自尊膨胀”。想清楚了，就拿它来开涮。

我说：“每逢演讲、辩论，都是女选手多于男选手。都说妇女半边天，男性自然也是半边天，互相平衡。可是在眼下这样的场合，常常有男性的半边天摇摇欲坠之感（笑声），这种感觉和我们看奥林匹克运动会的实况转播时相同。中国人拿了不少金牌，当然过瘾，但是一种阴盛阳衰之感实在不太美妙（鼓掌）。差不多每一回最佳辩手都是女性，这使我这样一个须眉男子感到莫名其妙的压抑（笑声）、自卑（笑声）、恼火（笑声）、脸红（笑声）、头皮发麻（笑声）、怒发冲冠（大笑声，鼓掌）。但是我作为男性也有可以自我安慰之处，那就是：女人会讲话（笑、掌声），但是，男人会做事（掌声四起）。何以为证？转头看看评委席，几乎所有的评委都是须眉男子，这使我心花怒放（大笑、热烈的掌声）。”

把年轻人的神经放松以后，我正经八本地把辩论双方的得失讲了一下。轮到要宣布胜负了，会场上气氛又紧张起来。

我把那张藏着评委投票结果的信封举了起来：“我知道，在你们看来，我的讲话轻于鸿毛，而这张信封，才是重于泰山（大笑）。要我来拆开这信封，本来也未尝不可。但是，这是非常残酷的。我不适合于做这样残酷的事，一来我生性懦弱（会心而笑），二来我是个革命的人道主义者（大笑，持久地鼓掌）。所以我和评委商议，还是让美丽的主持人小姐来宣布。因为，美丽的小姐经常做残酷的事（热烈鼓掌，笑）。”

等笑声和掌声停下来以后，我说：“谢谢你们的掌声，我们达到了完全的沟通。很显然，刚才鼓掌的男同学，对于美丽的小姐经常做残酷的事情——深有体会（鼓掌，欢呼）。”

当我走下台来的时候，一位大学生辩手对我说：“你好不残酷地调侃我们，可是我们却感到好不快活。”

会场上听众和演说者的情绪达到了高度的交融。

可是主持人小姐接下来的话却有些煞风景，她老实巴交地说：“现在只好由我来残酷地打开这个信封了。”她显然立刻感到了有点

不妙，但是却无能为力，只好干巴巴地说了几句套话，眼睁睁地让会场冷下来。

吃饭的时候，她正好和我坐在一起，她说：“你按你的幽默理论，把会场的气氛搞得浓浓的，可是我却傻乎乎地把气氛弄糟了。依你的理论，我要怎样才能幽默起来呢？”

我说：“我也不是想好了才上去的，幽默贵在即兴发挥，但是这并不排除事前多动脑筋。你接过我的信封以后，不要那么一本正经，可以轻松一点，关键在于要有讲点歪理的勇气，要有违背事实的魄力，你的心态要从日常的思路中解放出来。比如说你本来很漂亮，这是人所共知的，你乐于得到人们的欣赏，如果有人说你不漂亮，你会生气的，这很合乎常情，可就是没有幽默感。要幽默起来，你就得把事情和自己的情绪颠倒过来。比如说，你能不能设想一下，坦然宣称自己长得很丑，你敢于这样想了，这样说了，绝对不会减少你的仪表的漂亮，但却可能增加你内心的美丽，使你变得更加可爱。你接过信封，不要顺着我的思路，有没有魄力把我的说法顶回来？比如这样说：我并不同意教授的意见，当我撕开这个信封的时候，我一点也不感到残酷。相反，我感到很温柔，因为美丽的小姐才是残酷的，我并不美丽，所以我并不残酷。”

我说到这里，她笑了，好像有一点开窍的样子。她承认这样有一点幽默了。不过，还有点不够分量。她问我如何加足分量。

我说：“这也不难，只要再加上一句，火候就差不多了。”我看到她的大眼睛里充满了期待的光。

我沉吟了一下，说：“你可以这样说：平时，我最爱唱的歌是：《我很丑，但是我很温柔》。”

美丽的小姐灿然而笑。

贵在随机应变

20 世纪 90 年代初，我写了一本有关幽默谈吐的书，完全出乎意料的是这本书十分畅销。中央电视台的一位部门领导，在香港看到了，就让当时还不十分出名的导演张海潮把我追踪到了。那是 20 世纪末，1992 年，在中央电视台做了 20 集的“幽默漫谈”。那个节目应该说做得并不怎么样，但是，从此以后，我就被当成对于幽默有研究的人士，经常被一些单位请去做讲座。当然，随便讲讲有关幽默的知识和趣闻是并不困难的，但是，听众并不太关心幽默的学问，他们最关注的是：如何在日常生活中做到谈吐幽默。有时候，纸条递上来，问题很刁钻，而且要马上回答。有一次在一个商业高等专科学校的礼堂里，条子递上来是：如果，你母亲和你太太都掉下了大河，你是会游泳的，你是先救妈妈还是先救太太？请回答，而且要幽默。

这完全出乎意料，我只能承认，我无法回答，原因是我的幽默还没有遇到过这样严峻的考验。下面发出了一些笑声，虽然其中充满了谅解，但是却不能不使我感到遗憾。讲座结束以后，心里还有一点失落之感。

后来，我在一本西方的幽默书发现，我所回答不了的题目，原来是有现成答案的。

那就是：先救太太，因为妈妈会游泳。

从那以后，经过苦心钻研，我对于幽默逻辑错位有了更多的体会。对听众递上来的条子，就逐步比较有信心了。虽然时间很紧迫，但是只要放下一本正经的架势，歪理歪推，总能对付过去。

后来有一次，一张条子上的问题是：如果请女朋友吃饭，结账时，却发现没有带钱，怎么办？

我的回答是：你先使劲骂那些请女朋友吃饭而不带钱的家伙，骂得越凶越好，骂得差不多，叹一口气说，我今天全骂自己了。

事后，我想了很久，虽然当时听众都给我鼓掌了，还很热烈，但是总有些美中不足，做些修改才好。

似乎应该这样说：你骂这种人，是小气鬼、贪吃鬼，没有资格做人，连鬼都配不上，不要脸的鬼。骂得差不多，摸摸口袋，叹一口气：可是，你（指着对方），今天可真是碰见鬼了。我呢，也是，把自己骂成鬼了。

但是，幽默谈吐是口语的现场交流，事后不管你想出多么好的点子来，也是白搭。

从这个意义上说，幽默谈吐永远是随机应变。如果你能在几秒钟之内能够反应过来，不一定完美无缺，但是多少可以达到缩短心理距离的效果。事后不管想得多么完美，也是白搭，但是，事后多加思索无疑有利于随机的发挥。

有一次，在漳州师范学院（现闽南师范大学）演讲，我讲了一个故事：一个顾客来到一个咖啡馆，小姐给他端上啤酒，但啤酒杯里有一只苍蝇。故事说，如果这个顾客是个英国人，英国人是十分讲究绅士风度的，他就耸耸肩走了。如果这个顾客是德国人，德国人是很讲究科学的，为了避免别人再受害，就把啤酒倒掉了。如果这是个日本人，日本人是很讲究严格管理的，他就会把经理叫过来训一顿，要求他检查管理方面的漏洞。如果这个顾客是个俄国人，俄国人是很讲究实际的。他想，啤酒里面的酒精，是可以消毒的，苍蝇身上的细菌已经给杀死了。他就把苍蝇从啤酒杯里挑出来，把啤酒喝掉了。如果他是个美国人（这个故事大概是美国人编的），他就会把小姐叫来，说，以后再发现苍蝇在杯子里，我建议，把苍蝇和啤酒分开，一个杯子装啤酒，一个杯子装苍蝇，送给顾客。

听众大笑。

到了最后，一个听众，递上一张条子来：如果你是那个顾客，你会怎么说呢？

读完条子，思想跟着舌头自动化地活动起来。我说，我会指着苍蝇对着小姐说：小姐，我很荣幸，你把这样一只像你一样美丽的苍蝇奉献给我，我肯定，这一定是一种经过精心培育，最没有污染，既能排毒又能止泻，专治胃口不好、恶心呕吐的特效药。

台下的听众，为我热烈鼓掌。

前不久，福州一所军事通讯性质的高等学校，请我去讲幽默谈吐。

快结束时，递上来的条子是：如果我在听一位学者（或者领导）的报告，忍不住放了一个屁，很响，又很臭，怎么用幽默来化解我的尴尬？

我一点准备没有。读条子的时候，我还不知道怎么回答。但是，冥冥中有一种灵感冒出来，我一头念条子，一头就歪理歪推起来。

我说：你可以对坐在身边的朋友抱歉：对不起，报告很精彩，启发性很强，我突然觉得有许多想法想和他交流，但是，他老是讲个没完，不知不觉，实在是憋不住了。真是不好意思。

底下哄堂大笑。

又有条子递上来：这是什么方法？

我回答：自我调侃。

底下报之以鼓掌。

就在写这篇文章的前两天，我应邀到福建省经济管理干部学院（现已并入福建江夏学院）去做报告。

一个学生递上来一个条子，说：我们班主任今天本来布置我参加一个会，但是为了听你的报告，我没有去。如果你是我，如何向班主任交代呢？

不知从哪里来的灵感让我的舌头活动起来，我听见自己说：班主任，你也年轻过，当年你是不是也曾经有过为了一个好报告而逃会的历史记录？如果你从来没有，请允许我从明天开始向你学习；如果你也和我一样逃过会，那从现在开始，让我们交流既逃会又不让班主任生气的经验。

台下的听众，为我的思想的灵活转变而鼓掌欢呼。

在当时，我并没有细想这是为什么，直到我去查阅了我自己写的一些幽默谈吐的书，我才一一为它们找到了归属。这就涉及一个很幽默的问题：幽默是可以学习的吗？凭我的经验，应该是可以的。不要把幽默看得太神秘，只要会开一点玩笑，或者能听懂别人的玩笑，就有幽默的天赋。只要从平时一心一意美化自我的定势中解脱出来，敢于调侃自己，敢于讲歪理，人家的心灵就会心照不宣，就能和你会心而笑。

而笑是心灵最短的桥梁。

说不尽的狗

歌德曾作著名散文《说不尽的莎士比亚》，竟然引发我的灵感，作《说不尽的狗》。事非亵渎，实出无奈。香港岭南大学翻译系的陈德鸿博士请我为他们系作报告，我实在心怀惴惴，因为，在我看来，世界上的事除了中“六合彩”外，翻译最难。难不在字面上找到适当的对应，而在字面以外的文化意味，那几乎是不可言传，又很难意会的。比如说，英语中的 dog 粗看觉得很好翻译，狗也。但在英语中，狗是人的朋友，骂人的意思是很少的。“dog like”并不像汉语“狗样的”难听，倒是有忠实于主人的意思。“lucky dog”并不是走狗运，而是幸运儿的意思。

1990 年，我在德国看到有报道说，他们前一年全国增加 2 万人口，就认为是一伟大成就，乃大肆庆祝，原因是他们那里的人口老有负增长的纪录。我和一个德国教授探讨，他讲了一大车子话，怪新一代德国青壮年缺乏家庭责任感，根本懒得生孩子。我反驳说，他们还是有责任感的。

我看到许多家庭都有一条以上的狗，每天早上把狗尿盆上的小石粒倒掉，晚上带着狗去河边溜达，他们还像香港人培养孩子一样，挖空心思选择贵族化的名校，训练它们做各种乖巧动作，并且还有考试成绩。我的房东西蒙夫妇的狗菲力克斯以优异的成绩毕业，获得贵族狗校文凭一张，不过封面上的照片不是狗的，而是西蒙先生的。西蒙太太很为菲力克斯的文凭而骄傲，把它和自己的结婚证书一起放在一只镶满珍珠的古董盒子中。我大为惊异，突然想起一个波恩大学法律系的中国女留学生告诉我的一句话：德国人养的狗比他们养的孩子还多。我脱口而出复述了这句话后，深深为自己失言而脸红。然而西蒙大太不但没有怪罪之情，反而颇为自豪地说，这就是德国人可爱的地方。后来我到了美国，也到处是狗。我颇有雄心地想探究一下美国人养的狗是不是比他们的孩子更多，但查不到统计数字。雄心失落之后，跟着而来的是恶心，因为美国的狗更娇宠，你一进门，它就扑过来，对你显示那西方美人般的热情，把柔软的然而脏得发黑的前爪伸给你握，完全是一派古典浪漫主义的诗人风范。有时还不以用冰凉的鼻子摩擦你的面颊为满足，还要像契诃夫在《文学教师》中所写的那只狗那样，在你吃饭的时候把头搁在你的膝盖上，并且把它的馋涎毫不吝啬地留在你特为做客而买的名牌西服裤上。最令人恼火的是你不能粗暴地一脚把它踢开，因为早有同事告诫过你，做客时讨好女主人最好的办法是夸奖她家的狗比她家的孩子更聪明。好不容易把饭吃完了，摆脱了狗的浪漫友情，逃到沙发上喝咖啡。狗对我的热情大概已经表现过分，也许为了对女主人一碗水端平，乃去“猴”在女主人的大腿上。女主人也乘势将它如婴儿、如情人般搂在怀中，做包括亲吻在内的爱抚。我此时一身轻松，狗吐唾也好，狗腥味也好，反正是远观他人嗜痴，陡增自身爱洁之优越感，同时我又不无虚伪地称赞她家的狗很“热情”。回家以后隐隐感觉到自己身上有种可疑的狗腥气，虽把沾有狗唾沫的裤子换了，仍然无效。仔细钻研之后，乃明白原来那天做客时，我不幸穿的是毛衣，竟把朋友家沙发上的许多狗毛沾带了回来，花了几个小时才把毛衣上的狗毛肃清。

由于我虚伪地称赞了朋友的狗，此家美国朋友便真诚地来我的住处邀请我去做客。我出于礼貌把先生、太太让上我的沙发后，就感到恐怖，唯恐他们身上带着的狗毛留在沙发上，但又不得不做出虚伪的心花怒放的表情，欣然应允；然后绞尽脑汁，到临去前两天声称感冒。然而美国朋友说，可以开车来接我。我急中生智，即兴胡编说我侄儿的未婚妻与一印度的妇人同居，印度发生可怕鼠疫，此种病可通过空气传染，得赶紧帮她去检查消毒。自此以后看见那美国朋友就更虚伪地微笑，不过比较费劲就是了。

在虚伪的内疚被时间淡化以后，就不免狐疑起来。为什么爱洁成癖的德国、美国漂亮女人抱着狗亲吻而不觉其脏，而我这被柏杨先生斥为脏乱酱缸中“丑陋的中国人”竟然天生拥有一种身如菩提、如明镜的洁净感？细想起来，这可能是出于一种汉民族的集体无意识的历史积淀，狗在汉语的原始意味中就包括卑贱的意思。用不着什么形容，只要说“你这条狗”就是很带侮辱性的。至于说“狗东西”“狗家伙”“狗儿子”，那就更狠毒了。若是说“狗日的”，那就可能引起武装斗争了。在汉人潜意识中，不管什么东西，只要跟狗一发生联系就坏了，至少贬值了。比如说，你的脸长得慈眉善目的，头部像神佛一样，可是一旦和狗有一点点相似，被叫作“神头狗面”，那就很叫人自卑了，比獐头鼠目还低一等。汉人不知为什么那么恨狗，有时恨得专横，只要是不赞成的事加上个“狗”字就能把香的变臭：“狗主意”“狗德行”。有时则恨到狗的每一个部分，从头到脚——狗头军师、狗腿子；从眼到嘴——狗眼看人、狗嘴里吐不出象牙；从脑到肺——狗头狗脑、狼心狗肺。中国古代解剖学并不发达，但在诅咒狗方面却是大放异彩。庖丁解牛，世称绝技，而以狗骂人，没有一个不是天才，把狗的每一个零件都拿来损人，连狗尾也逃不过：狗尾续貂。最不堪的是，小时候曾见狗在街头巷角交尾，竟有人用竹竿把它们从中间抬起来，像听摇滚乐一样听其惨叫。

同为家畜，牛的名誉就好得多了，“牛脾气”说的是耿直，“狗脾气”说的是蠢劣。狗咬人，当然是该谴责，却被叫作“狗咬吕洞宾”。为什么老天注定狗咬的一定是吕洞宾呢？明明有许多警犬咬的不都是贩毒分子、车匪路霸啊？就算你一个个都是翩翩风度的吕洞宾吧，也不见得是什么好东西。他的拿手好戏就是性骚扰，有《三戏白牡丹》为证。退一万步说，这不算性骚扰，白牡丹是和他自由而公开地恋爱吧，对狗的态度也不公平。马咬吕洞宾、蛇咬吕洞宾、狼咬吕洞宾，也是妨碍自由恋爱，难道就应该给以诺贝尔奖金吗？

善良的汉人对狗的成见实在太深，而且毫无道理，完全忘了孔夫子的“忠恕”之道。就算狗有《圣经》上强调的“原罪”，也该允许救赎吧？不，偏偏有一句话，“狗性不改”。这还算是文雅的，还有一句粗俗的叫作“狗改不了吃屎”。哪怕狗抓了兔子，立了大功，其结果还是被放在锅里煮，叫作“狡兔死，走狗烹”。据第一个说出此话的人称，这是规律，那就是活该遭烹！至于狗倒了霉被主人家赶出了门，就被嘲笑为“丧家狗”。弄到了走投无路落了水，够惨的了，该可怜它一下了，但是还不能饶恕。对于落水狗不能手软，要打，而且要痛打，这是有现代文学经典文献作根据的。

这实在是中国的特殊国情。要是在欧美看到湿淋淋的、发抖的狗，如不把它抱起来亲个吻送到“动物流浪中心”去，不但要受到道德的谴责，而且可能受到动物保护法的追查。我揣想，不管中国什么人，如果跑到德国莱茵河上去打落水的狗，即使他有很大名气，也是要罚款的，甚至坐洋牢的。不要说狗，就是对被钓起来的鱼，如果有什么中国人在德国开饭馆，像在我国台湾地区、上海那样去活活地刮鳞，慢慢破肚，以至于放在油锅里还在跳，那是非被动物保护者把你的房子烧了不可的。德国的法令规定，凡钓到的鱼只许一锤子打死再杀，不许仿效《水浒传》中的阳谷县太爷处死为潘金莲、西门庆拉皮条的王婆那样，用凌迟法，即一片肉、一片肉地割到死。

话虽如此，汉人对孔夫子的“中庸”之道还是虔诚的，因而对于狗也不那么绝对地深恶痛绝。也许在汉语语义形成初期，狗不但和鸡鸭，而且和龙马都是平等的，是很受到宠爱的。它和德国人痛恨的龙同属十二生肖之一，即为雄辩的证据。全中国 12 亿人口，平均有 1 亿属狗。有多少属狗的当了大官，发了大财！有多少属狗的为国捐躯、为民请命！有多少属狗的是大慈善家！ 1994 年为狗年，这一年有 1000 多万中国孩子出生，其中将要出现多少英雄豪杰，这是谁也不敢怀疑的。正因为这样，不走极端的中国人，有时对狗比西方人更宠爱，比如把自己的孩子称为“阿狗”之类，存心超英赶美。你把狗当朋友，我却把它当骨肉。最为突出的是张贤亮《男人的一半是女人》中的一个看守所所长，他对一切所惹他喜爱的、令他高兴的人都称为“狗儿子”，连他自己的孙子也不例外。这一点很令我惊异，但这种惊异也并不太持久，因为我后来想起自己也曾把视若命根子的唯一的女儿叫作“小狗”，有时还叫作“小笨狗”以示特别亲热。这样一叫就是6年，直到第7年，我女儿突然反抗曰：“我是小狗，你是什么？”我这才如五雷轰顶，由此想到自己身为教授，而且钻研过因果律，居然不知道自己犯了差不多2000天的逻辑错误，也就是说，骂了自己2000天，而且骂得乐滋滋的。由此我也体会到一点：自己骂自己得有点如痴如醉，如同白痴，才有人伦之乐，一旦清醒了，因果律明确了，就只能像《水浒传》英雄初吃蒙汗药那样，“心中暗暗叫苦”。

话回到本题上来，光翻译一个“狗”字，就足以折腾半条命，还敢谈什么比较文学？钱锺书先生曾有浪漫之言：戈培尔博士说，谁要在我面前讲文化，我就拔出手枪来。钱先生说，我要说，许多人连中国语言、西方文字都没有弄清楚，就要什么比较文学，对于这种人，我也要拿出枪来。在场的杨绛女士顺手拿了一把裁纸刀给他说：没有枪，用这个也凑合。

当陈德鸿博士请我去讲比较文学时，我立刻想到钱先生的话，本想带刀去会场自裁的。但是，转而一想，我这么一死，就没有人在这个世界上大讲比较文学、比较文化之难了。

于是我决定，还是活着，不过把风度弄得比较悲壮一点。但既不能像王朔那样装痞子，也不能像某些一捞几十万金的歌星那样玩深沉。

1994年写于香港

猪鼠比美记

也许多数现代中国人都会认为，在十二生肖中，猪是最丑的，但是，我却觉得猪是最美的，因为我的太太——我的灵魂和肉体的同盟者是属猪的。这是原因之一，原因之二，我是属老鼠的，在她面前，我特别自惭形秽。

许多人虽然觉得猪丑，但是并不觉得可恶、可憎，而我自己却一看见老鼠就有一点生理上的厌恶。它那皮不皮毛不毛的，灰不溜秋的外表，总是令我想起浸过阴沟水的旧地毯。那鬼鬼祟祟的眼睛充满了对一切光明的怀疑和恐惧，尤其可恶的是那条长得超过身体的尾巴。美国19世纪的一位幽默作家说：这么长的尾巴，简直是极大的浪费。我觉得不仅是浪费，而且是弄巧成拙。松鼠的尾巴比身子还长还大，但是它有平衡的功能，使得松鼠在飞越树枝时有芭蕾舞的优雅。

在美国俄勒冈大学的校园里，我偶尔坐在草坪上，吃一点奶油爆玉米花，便有轻盈的松鼠用天真的眼光看着我手中的纸袋，那种神色和我那馋嘴的女儿孩提时一模一样。不过松鼠比我女儿还多了一点恰到好处的羞涩，不像我女儿那样看见好吃的东西就口角流涎，简直像野蛮人那样大呼小叫地伸手就抢。我十分欣赏松鼠那拉丁女郎栗色头发一样的蓬松尾巴，既有拉丁的浪漫，又充满了东方式的温文和贤淑。我把玉米花放在手掌中，它从容地吃光以后，我禁不住想，如果老祖宗把十二生肖中的鼠改成松鼠，那我可就帅呆了，就不会在太太面前老是自卑，落得一个怕老婆的名声了。

待女儿长大了，我和她谈起我的遗憾，她便安慰我说："老鼠也没有你说的那么可恶，也有很可爱的一面，米老鼠不是在全世界大受欢迎吗？"

我得到了很大的鼓舞，不免暗暗得意，心想，日后在太太面前下巴可以抬得高一点。

不料，这一切都被我太太听见了。她什么也不说，只拿一篇郭风先生的文章往我面前一摔，那上面说，在《西游记》中，最可爱的是猪八戒。

郭风先生是我服膺的前辈，他的说法，不能不引起我持续不断的反思。凭良心说，中国人创造的猪八戒比之美国人想象出来的米老鼠在艺术上要漂亮得多。米老鼠不过是调皮、天真、狡猾而已，全凭偶然性才没有在滑过来、滚过去、撞得飞上天、跌得落下海的历险中把小命丢掉。可是，他对朋友不忠，要阴谋诡计，这样的人，不要说娶来当老婆，结成灵魂的同盟，就是和他合伙炒股票，准被他坑了不可。

猪八戒就不同了，他是犯了“天条”，被罚下凡的，是个“下放”的高级干部，都怪吴承恩思想不解放。猪八戒原来也是很神气的，在天上是“天蓬元帅”，不过是和王母娘娘身边的女服务员，用上海话来说“吊吊膀子”，这算什么“错误”，就该把他罢官，把他仪表堂堂的将军风度丑化？他还真有一点硬气，即使这样，他也没有后悔，也没有检讨。看起来，他没有把禁欲主义那一套所谓的天条当一回事，他坚持他的自由心性。看见什么中意的女孩子，就不顾一切（包括脸皮）地去爱。即使勉强参加取经，他也首先声明：如果能成正果，自然大家有福；如果失败，我还要回到高老庄做女婿。他偷偷在猪耳朵里藏上二分银子，作为回家的路费。尽管如此，在取经途中，什么繁重的活都是一手承包。此等光明磊落，心胸坦荡，身体力行“克己复礼”，又能保持一片纯真的实干家，天底下打着灯笼也难找。

当然，他有时也偷懒，叫他弄吃的——化缘，他躲到草丛里去睡大觉。但是这也情有可原，完全是因为唐僧官僚主义，劳逸不均，赏罚不明所致。为什么老是把体面的活分配给孙悟空，而苦活、丢人现眼的活总是轮到老猪？猪八戒完全有理由罢工，这种维护自己尊严的勇气，那个永远没有自己主见的沙和尚当然没有，就是那么聪明伶俐的孙悟空，也缺乏他那种有理、有利、有节地闹事的气魄。

当然他到了盘丝洞，为女色所迷，是不忠于他太太的表现，应该适当教育，但这也是他本性被唐僧长期压抑的必然结果。孙悟空在那么多半裸体的女郎中间是没有一点本能的冲动的，孙悟空是没有性别的。在我看来，现代男性中绝大部分处在同样情况下，会更倾向于猪八戒的行为方式和心理逻辑。比起无性的唐僧、沙僧、孙悟空来，猪八戒更有男子汉味道，更有人情味，更具一片童心。

标准的中国人是很重视家的，传统的大家庭四世同堂。在这一点上，美国许多老年人羡慕不已。在美国人看来，“我要有个家”，并不像歌曲中那样，笨乎乎地意味着“一个不需要很大的地方”，而是有个孩子（have a baby），否则便等于同居，家庭就没有任何稳定性，双方也没有任何责任感。

按中国的汉字，“家”，就是宝盖头（房子）底下养着一头猪。中国人有了猪，就有了家。美国人认为夫妻关系并不可靠，孩子就是家庭稳定的保证。而我们中国人的老祖宗，则认为孩子倒无所谓，只要有了猪，家就有了稳固的基础了。

我很不同意杨绛女士在《干校六记》中对猪的贬抑，对狗的褒扬。

她写的是多年前的旧事。在河南农村，孩子拉大便还没有完，狗和猪就等着美餐了。不过狗很有君子风度，耐心地等着，而猪却性急，把孩子拱倒了。我看到的情况则大不相同。两个流派的美食家都很有风度地等着，猪似乎有谦让精神，相持不久，发几声含混不清的牢骚，先自飘然而去。

我年轻时，下乡劳动，每天早上起来拾猪粪，别人一早上拾得很多，而我却往往空手而返。后来小伙伴告诉我，不要东游西转，只要紧跟一只，表现出一种从一而终的执着，如果它还是不拉，你就用细竹枝（最好是带嫩叶的，发出竹叶的清香的）在它的臀部、尾巴两旁扫扫，不久它就和你默契配合了。

我试了一下，果然灵验，收获甚丰。自此以后，对猪有了好感，猪也对我报之以友谊。有时，不等细竹枝扫及它通便的敏感部位，一看见我，便很有哥儿们义气地等着，把后腿往下蹬。拉完了，有时体积不大，分量不足，只有两三小粒，它那小而多情的眼中便有惭愧的神色，不声不响地走了。有时拉下一大堆，望着那腾腾上升的热气，它便得意地哼着（也许是像母鸡下蛋后的凯歌吧），甩着尾巴，以一种英国绅士的庄严神态走了，连一声感谢的客气话都不要。

这是何等的憨厚个性啊，老鼠若和它相比，如果不自惭形秽，那就良心大大的不可救药了。

老鼠是自私的，美国作家亨利·肖说："老鼠无论在什么地方都有利可图。"我要补充说，除了在属鼠的人家里。

我太太和女儿忍受不了老鼠夜里磨牙的骚扰，在屋角放了一些毒老鼠的药，便安宁了许多。一两个星期以后，我女儿的房间里忽然有了一种奇异的、飘飘忽忽的恶臭，地板拖了几遍，仍然不见什么效果。终于发现，一只长尾巴的大老鼠死在书架背后。我太太惊叫一声，面如土色，差一点哭出声来。我走过去一看，原来老鼠已经开始腐烂，有些液体从腹中流出来了。我女儿看都不敢去看。此时我意识到，是我拿出猪八戒男子汉大无畏的气概来的时候了，就戴上口罩，用火钳夹着丢到楼下垃圾箱去。途经楼道，家家户户都皱眉掩鼻，真是老鼠过楼，人人喊臭。

从此以后，我就更加自卑。

尤其是那一年猪年来到之际，猪的形象大放异彩，纪念邮票上猪的憨厚善良之态可掬。本来猪就是六畜之首，这下子更有福将的神气。猪的好处自然更是广为宣传、颂扬：猪皮、猪鬃是出口换取外汇的，至于猪肉，自然是中国人特别喜爱的大众化的食品，营养十分丰富。只有美国人、德国人，还有一些欧洲傻瓜不敢多吃，说是脂肪太多，胆固醇高，吃了容易发胖，所以德国的猪蹄是经过提炼的，一点味道都没有，倒是烟味十足。尽管不吃猪肉，这些莫名其妙的洋鬼子，还是热衷于减肥。美国小城市的自行车道上，早晨、黄昏都有坚持不懈的跑步者；德国人则把自行车架在汽车顶上，到高低起伏的山坡上去骑，背上还负着重重的行囊，祈求上帝保佑他们皮下过多的脂肪化作汗水和蒸汽。风气所及，就连香港半山的林荫道上，不但白天有人练长跑，到夜晚七八点钟，路灯下仍然可以看到穿短裤的洋女士在跑步。她们这样苦心减肥，连巧克力都不敢吃，一心为了保持苗条的体型，可是上帝偏偏要惩罚她们。据一份欧洲报纸上的统计，全世界 10 个胖子大国，德国荣登榜首，就是屈居肥人国榜末的美国，其雌肥也不可小觑。到街上、大学校园去看看，一个个“胖然大物”，走起路来，巍巍然，颤颤然，咻咻然，吁吁然，看得人心里悬悬然，怯怯然，不知何时肉山将倒，肥国将倾。为避此等倾国倾城之祸，小民只能学汉武帝作诗望美人的姿态——远而望之。

中国人形容女人胖叫作“胖猪”，对于美国肥女，那可是美化了她们，应该把她们叫作大象才有点现实主义精神。不过，比喻都是蹩脚的，大象还从容地行走，美国胖女人，连走路都很困难。南俄勒冈州大学英语系的走廊上有两张长椅，看起来可供 4 个人休息，一个胖女生走过去往上一坐，椅子便发出痛苦的呻吟，两旁的空当绝对容不得像我这样并不算胖的人切入。我很奇怪，她一个人占据了 4 个人的座位，一点抱歉的神色都没有。一打听，原来，椅子专门为胖女人而设。将近 200 公斤的体重，压得她无法一口气走完一条走廊。

这是对不敢吃猪肉的美国女人的最大嘲笑。对这些女人，我如果能把她的体积缩小到像猪一样，我相信，她们会吻我，甚至舔我的脚后跟。但是，我虽有同情，却没有法术，而且大热天，她全身的汗气弄得走廊上好像桑拿浴的蒸汽房，我别无选择，只有远走高飞，以免窒息。

所有这一切都增加了我对属猪的崇拜，同时减轻了对于属鼠的自卑。老鼠再丑，常规走路的速度无与伦比，就是常人去不了的地方，上可做梁上君子，飞檐走壁，下可挖洞穿墙，于坑道学，术有专攻，就是偷油打翻了油罐子，溜起来留下一路精致的油脚爪印在洞口，也让馋嘴的猫望洞兴叹，比起美国大象来，是何等飘逸而潇洒。我的女儿很想在精神上彻底解放我，让我在太太面前更男子汉一点。有一天她告诉我，她看鲁迅的《朝花夕拾》，其中讲到鲁迅小时候，很喜欢一张年画叫作“老鼠结婚”，可见在传统民间艺术中，老鼠还是很可爱的。那张年画我见过，老鼠新郎戴着状元式的乌纱帽，很秀气的，但新娘却用红纱蒙着脸，不知长相如何。

女儿去问她妈妈，老鼠新娘为什么用红布遮着脸？我太太说：“那个新娘子，不是瞎子，就是长得千娇百媚，可心肠太软，顶不住老鼠甜言蜜语。加上胆子又小，不敢看老鼠那副尖嘴猴腮、可恨的样子！”

中国牛和英国牛的对话

英国牛：你们中国人的牛年到了，又该轮到你老兄在中国，乃至全世界大出风头了。不但你们中国的邮票上，而且美国的、澳大利亚的邮票上，充满了你阁下的光辉形象。阁下的知名度、阁下的广告合同和财富将源源而来，在此财源茂盛之际，请允许你的仆人约翰代表不列颠同族向你致以诚挚的祝贺！

中国牛：对于阁下的良好愿望，我表示万分感谢。但是，我不得不诚恳地告诉阁下，在此时刻，其实，我并不感到十分的荣幸。不管怎么在年画上、邮票上、漫画上为我牛族大加捧场，可是牛在中国人心目中糟糕的地位，在可以预见的未来，不可能有任何改变。在中国，用猪来骂人，是相当恶毒的，可是在下的地位还在猪之下，有一句经典的话，叫作猪为六畜之首。中国人不只是从娘胎里，而且是从老祖宗的骨头里，就对在下充满了歧视。牛字虽然在有些地方不如猪字那么令人恶心，但是在许多方面也和猪差不多。比如，你们英国人说一个家伙讲大话，不过说 brag、boast，这种不光彩的品质，完全和牛没有任何干系，可是敝国，就不知为什么要把这个家伙的吹气和我们牛族的阴性的生殖器联系起来，这完全是对我们牛族母性的无限期的性骚扰。

英国牛：在这方面我劝你不必过分计较，在文字上，不管哪个民族都有一些荒谬的现象，比如说在敝国的文字里也对于我们雄牲的歧视。你们欣赏一个男子汉的体魄和精神气概，可以用赞赏的口气说，这家伙壮得像一条公牛，可我们叫作 OX，其基本意思就是去了势的，也就是像你们国家伟大历史学家司马迁所遭受的宫刑，这种耻辱我们也忍受了好多年。在这方面，你们汉族对于我们公牛，就不但没有任何侮辱的潜意识，而且充满了崇拜。你并不是不知道，你们汉族的中医用的牛鞭，就是公牛的外生殖器，其作用是强壮你们男性的生殖功能的。而根据弗洛伊德的学说，性意识是一切创造力的原动力，这不是一种鲜明的对比吗？

中国牛：你这样说，是只知其一，不知其二。你想必不知道，这只是中国的民间的偏方，是难登大雅之堂的。或者用你们英国人的话来说，是缺乏经典性的。中国圣人很讲究造字的“六书”，才是经典的、神圣性的，可其中的“会意”，就流露出对于敝族的歧视。在宝盖头下面，也就是在一所比较像样的房子里，有一头猪，就是“家”字；可同样的宝盖头下面，换上了在下的名号，就变成了“牢”字。这就是说，同样的房子，在下一进去，就变成了牢房；而猪先生一进去，变成了温暖的家。在家喻户晓的《西游记》中，更是对吾族不公。那个好色的猪八戒，被说成是天蓬元帅出身，好吃、偷懒、经常想开小差，最后还成了正果；可是在下的族祖，就变成一个牛魔王。这样的种族歧视在世界各文明国家，都是违法的。就是在中国，从唐太宗开始就是讲究各族平等的，但是由于历史的惰性，不但中国的历代文化精英，而且今天的文字改革委员会都还没有考虑到这个问题。如果吾等牛族同胞有唯恐天下不乱的劲头，早就该在仓颉时代闹闹街头暴动了，但是我的同胞们向来遵循孔夫子的教导，讲究温良恭谦让，所以隐忍了好几千年。

英国牛：你这样说，是不公平的。其实中国人，对你们宠爱有加，就是在《西游记》中，中国人还是用了孔夫子的春秋笔法和司马迁的寓褒于贬的史家手笔，让你大走桃花运，给你安排了一个美满的家庭。你有一个美丽的女强人式的、绝对忠于你的妻子铁扇公主，连孙悟空那样有才华的英雄要去勾引她，都不能动摇她对于你爱情的坚贞。而猪八戒却被写成一个好色之徒，这位姓吴的伟大艺术家让他在情场上屡战屡败，屡败屡战，出尽洋相，完全是一个倒霉蛋、小丑，这样的嘲笑和蔑视难道不是一种可怕的惩罚？再说你的先祖以牛魔王的形象出现，毕竟是威武雄壮的，就是贵国地狱里的牛头马面，也比猪先生神气多了。猪先生不管怎样美化，都不可能有阁下这样的大将风度，这难道不足以说明中国人对阁下的深厚感情吗？再说，在汉语里猪不管加在谁的头上，都是骂人的话，说“这个人猪脾气”，这个就相当惨了，可是说“这个人牛脾气”，可能就包含着欣赏和表扬；而且，不管干什么事业，包括谈恋爱，有了猪脾气，则肯定惨败，可要有望成功，则非有一股子牛脾气不可。

中国牛：不管怎样，你们英国人总是比我们中国人更加尊重牛，现在全世界都把约翰牛作为英国人的象征。每当我看到那个穿着米字旗背心的英国绅士的时候，我就不禁想到英国牛的幸福。

英国牛：这话不假，但是，这个约翰牛并不是一个雄强的形象，而是可笑的小人物，尤其是在拿破仑战争期间，他是一个迟钝的、有点愚蠢的家伙，总是闷闷不乐。这可能是法国人强加给我们的形象，就是后来他成了名，也总是出现在一本叫作《愚蠢》的杂志上。他之所以叫作约翰，不过是因为从1712年以来画这种漫画的几个作者碰巧都叫作约翰。其实直到现在约翰牛仍然不是像你们的牛魔王那样充满了英雄气概，而是相反有点像猪八戒那样有点傻乎乎的。

中国牛：可是他毕竟在法国强加给你们这个愚蠢形象的50年后，变成了一个飞黄腾达的人物，不像猪八戒那样可卑，而是可爱的。尤其是经过两位John先生加工过的约翰牛，带着一条哈巴狗的约翰牛先生永远是愉快的、忠厚的，他以他的傻样赢得了世界人民的喜爱。

英国牛：但是，不管怎么可爱，我们当前所面临的已经不是什么形象的问题，也不是种族歧视的问题，而是大祸临头、种族绝灭的灾难。由于一个不负责任的什么科学家，提出了一个说法：人类患的一种大脑蜂窝式疾病是由我们之中极个别的疯病患者所传染的，因而就要把我们英国的牛族，成百万地杀掉。这样的屠杀，远远超过了希特勒时期对犹太人的种族绝灭。正因为这样，我们才特别羡慕你们中国同胞的好运。我们日日夜夜地祈祷上帝来解救我们于种族绝灭的危难之中。

中国牛：非常抱歉，我引起了你这样的伤心事，这可真是出乎我意料的大恐怖。好在天无绝人之路，你们不是虔诚地相信上帝吗？上帝是按照自己的形象创造人的，反过来说，人的形象就是上帝的形象，或者是，上帝是和人一个样的。既然人要杀你们，上帝又有什么办法？不过我记得古希腊的一个哲学家，叫色诺芬尼的，他说过一句很有名的话，说是如果牛会画画，给它一支笔，他画出来的上帝，就是一头牛。这可是人类自己泄露的一个秘密，如果他们承认，人有人的上帝，那么，我们牛也可以创造一个牛族的上帝。由我们的上帝给我们自己立法，如果这是可能的话，那么，我们就根本不用去理睬人类那一套，就让我们的上帝给我们族类创造一种理想的形象。

英国牛：噢，太伟大了！如果你这个方法能够实行那可真是太妙了。首先我就要求我们的上帝，为我们设计一种新的形体，主要是没肉的身体，我们没有什么肉供人类吃，就不存在疯病传染的问题，这样我们的种族灭绝问题就自然而然地解决了。你们中国人古老的智慧真是太精彩了。

中国牛：我提给上帝的第一个提案，和你的不同，我要建议我们的上帝，改变一下我们的鼻子。敝族的鼻子实在是我们受奴役的一大根源。别看我们一个个庞然大物，可只要一个小孩子来抓我们鼻子上的绳子，我们就得乖乖地跟他走。我小时候看过丰子恺一幅漫画，标题是“年丰牛亦乐，随意过村前”。画上的那头牛，没有人牵，可是鼻子上还拖着一条绳子。那就意味着，随时随地都可能有一个黄口小儿，轻而易举地把我们牵走。如果没鼻子，你想想看，他们能够奈何我们吗？能像抓狗一样，抓我们的耳朵吗？我们的身体像泰山一样沉重，而他们的手在我们身体上只能像蚂蚁一样替我们搔痒。中国人常说，牛蛮把鼻子穿起来，还说，牵牛要牵牛鼻子。这就在理论上启示我们，要把我们从人类奴役下解放出来，最根本的是，要让他们像蚂蚁对着大象一样。你别看人类诡计多端，其实他们不但体力是微不足道的，而且智慧也是有限的，对于没有鼻子的牛，他们的基因工程至今还没有什么绝招。

英国牛：在我看来，这还不够彻底，因为人类还可能因为要利用我们坚固的皮革而来屠杀我们。干脆我们联名提案，让我们的族类，成为没有皮的，那时人类就可能跟我们千秋万代地友好相处下去了。

中国牛：不过我担心，我们改变太大是不明智的。一来没有了鼻子，我们就不可能闻到青草的气味；二来没有了鼻子，我们如何和我们的孩子表示亲热？更严重的是，没有了肉，没有了皮，我们就不成其为牛，不但人类不能辨别我们，就是连我们自己也不能互相认识。我们唯一的去处就是博物馆里的玻璃橱柜，那无异于是一个可怕的僵尸。那岂不是白活了一场？而且，圣经上说得很清楚，上帝只能按照自己的形象创造他的子民。如果我们的上帝是牛，他怎么可能创造出和牛不同的形象来呢？

英国牛：如此说来，我们就只有一条路可走，那就是求人的上帝开恩了。

中国牛：可是人类的本性是疯狂的，他们把上帝创造的世界搞得乌烟瘴气。他们的妇女，把鸟类漂亮的羽毛拔下来插在头上招摇过市，他们都挖空心思把大熊猫、印度虎、水獭的皮毛扒下来穿在自己身上。他们甚至把大象的牙齿都扳下来，把蚌壳里的珠母都挖出来做成各种各样的名堂，恬不知耻地挂在自己的手腕上、脖子上。天上飞的，水里游的，地里埋的，甚至海鸟从嘴巴里吐出来喂它们小宝宝的唾沫都被他们弄来，用火烤，用水煮，用盐腌，用糖渍。最后，不管多么芳香、多么优雅、多么精致的东西，都被他们吃到肚子里去，带着阿母尼亚的气味，排泄出来，再度污染大地和空气，他们已经成为上帝创造的这个世界的杀手。物种平均以每年几万种的速度在消灭，江河在变得浑浊，空气在变得窒息，臭氧层在被捅破。他们明明知道在破坏自己唯一的家园，可是他们仍然不能控制自己的一时贪欲，仍然在用他们最精明的头脑发明出一些可怕的工具来更加快速地毁灭大自然。他们已经完全疯狂了，绝对不是上帝的力量所能改变的。我们《诗经》上有言，“时日曷丧，予及汝偕亡。”也就是说，你什么时候完蛋，老子和你一起死。具体来说，那就是牺牲阁下整个全族，来换取全世界的平安。如果你不见怪的话，我所说的办法就是，干脆让你们的疯牛症不事声张地、无限地发展，同时又让阁下的肌肉不是越来越瘦而是十分肥硕，让他们看见你们就禁不住口角流涎，让这个种族从疯狂走向更大的疯狂，最后导致灭亡。

英国牛：为了阻止上帝创造的这个世界遭到毁灭，此刻我充满了献身的崇高感。

美人出丑和丑人出美

经常听到一些朋友对于电视节目主持人长相不满的言论，对他们的鼻子、嘴巴、眼睛不满的评论不绝于耳。有的简直是十分刻薄，甚至毫无理性，说“一见到他那张脸就恶心”。这里也许有个乡土观念问题，一个地区的观众对于另一个地区的主持人特别挑剔，广州人、上海人对于北京的节目主持人就不一定很公平。广州的、上海的电视台节目主持人的长相是否胜于北京，也许暂时还没有条件加以研究，因为这里有个乡土感情无法加以定量的问题。但是节目主持人的长相在节目的质量中，应该占据什么地位，这个问题也许很值得探讨一番。

人都是爱美的，因而总是希望在电视、电影上看到比较漂亮的演员、主持人之类。但人又是很理性的动物，对于美的爱好，不可能只停留在视觉的表层。一般地说，总是从表层的漂亮，逐步进入深层的美的欣赏。如果一个主持人外表的漂亮和内在的美能够统一，那是最理想的了。但是完美的可能性极小，更多的是外表和内在的美有一点矛盾。在二者发生矛盾时，一般的观众往往对于外表漂亮的主持人，尤其是女主持人，给予了特别的青睐。这就造成了一种很矛盾的现象：对于漂亮而缺乏内涵的女主持人，起初是给予了过高的期待，等到后来，又由于长期的失望而厌倦甚至“恶毒攻击”起来。反过来说，对于不太漂亮的主持人，尤其是女主持人，则在开始时嗤之以鼻，再后来，即使逐步感到其谈吐确有不俗之处，可是在一段时间里，在感情上常常转不过弯来。

这也许是我们国家电视文化比较年轻的缘故。在西方国家，据我观察，倒是并不特别强调主持人的外部造型美。在美国走红的宗毓华、靳羽西都算不得美女。在德国汉堡，我曾问一个已经成为该国公民的老同学，德国出美女在欧洲是有一点名气的，为什么电视节目的女主持人虎碧·戈特里，长得倒并不怎么出色？那位老同学说，初到德国时，他也有这种感觉，到后来，才明白了，德国人就是不太注重主持人的外表是否漂亮的。在美国，自然有长相十分可人的女主持人，但是也有像“DONEIIUE”谈话节目那样的女主持人。她40岁左右，身材已经有点臃肿，半墨西哥半黑人的血统的脸部造型可以说不漂亮，但是，这个节目却是个名牌。最能说明问题的是，奥斯卡金像奖颁奖大会的女主持人，竟是一个已经年近50岁的黑人，皮肤已经开始干枯，连下巴都开始尖削起来了，无论如何是可以说比较丑的。但是我已经两次在电视上看到她主持奥斯卡金像奖典礼了。这位已经没有任何青春之美的资本的女性，却凭她的幽默和机智的语言征服了观众。

我们的电视文化还很年轻，我们的主持人可能比之我们的观众更不够成熟。在演艺界有所谓青春派、偶像派，都是把表层的漂亮过分看重的结果。这可能与电视文化是一种大众文化有关系，但是电视文化本身也是可以提高的。令人非常高兴的是台湾电视主持人、金马奖的获得者凌峰，得到我们广大观众毫无保留的欣赏。凌峰无论如何是算不上漂亮的，但是他能以机智的语言来把自己的不优越的长相，变为优越的幽默感。例如，对于他那并不漂亮的脸，他经常主动地加以自嘲，说“中国五千年沧桑都写在我的脸上”。他说过他的长相“使得长城内外、大河上下的女同胞忍无可忍”。在另一次晚会上，他在亮了他的光头以后，又说，他所到之处，他的长相使得大陆男同胞一个个“自命不凡”，下面男观众立即鼓起掌来，他马上指着那些鼓掌的观众说：你看这些自命不凡的家伙都来了。接着又说，但是他的长相还有一个好处，那就是使女同胞都“很有安全感”，下面不但男观众而且女观众也立即鼓掌起来。有一次他和一个很美丽的广东小姐同台主持金话筒晚会，他的外表的“丑”固然和那位小姐形成对比，但是他的幽默和机智，他内在文化修养的丰厚却使得那位女士相形见绌。有时那位女士对于他的双关语，毫无反应，弄得一脸傻相，简直可以说是出丑。

所有这一切都说明一个问题，主持人的长相虽然不可忽视，但是也不可过分重视。漂亮不一定是美，丑不一定是不美，丑人可以出美，美人也可能出丑。几乎所有主持人都希望出彩，但是光在化妆品和时装上投资，在所谓包装上下功夫，而不在文化素养上下长期的功夫，是很难奏效的。

美女危险论

1996 年 4 月的一天，我在福州大学科学报告厅做完演讲，照例留下一点时间回答问题。递上来的纸条足有 1 公斤，我只能随机挑选一点作答。那一天我印象最深的一张字条上字体娟秀，这样写着："读书使人变得充实，这好像并不中肯。生活中好像缺少了什么，你对大学生谈恋爱有什么看法？"

我的感觉是字里行间充满了对爱情的渴望。的确，对于这些从幼儿园到高中都把生命奉献给无休无止的考试的青年学生来说，缤纷的梦幻和单调的现实之间反差太大，残忍的考试使得许多孩子没有童年，很多青年失去了青春的风采。对这样的问题，我难以圆满地回答，最好的办法是尽可能轻松一点、幽默一点，用笑声来沟通陷于困境的心灵就行了。于是我就信口胡柴起来。

我说，此时此刻，我突然想起何其芳先生在《夜歌与白天的歌》中所写的诗句：没有爱情的人，为没有爱情而苦闷，有了爱情的人，又为有了爱情而苦闷。他忍不住要喊出一句口号："打倒爱情！"我的话显然有一点耸人听闻，有些小伙子开始鼓掌了。我说，这些鼓掌的人显然都是吃了爱情的苦头的。下面活跃起来，那些没有鼓掌的人幸灾乐祸地笑了。我说，你们不要笑，那些鼓掌的是因为吃的苦不大，所以还能从痛苦中解放出来；而没有鼓掌的，其中就包含着一些苦头吃得太大，以至于有永远失去笑容的可能。

鼓掌的继续鼓掌，没有鼓掌的也有一些开始鼓掌。

我说，我不知道你们这些新加入鼓掌派的人，究竟是为了我的演讲艺术还是为了你们的心灵得到解放，但是我注意到还有一些同学，特别是那些漂亮的，漂亮得耀眼的姑娘，根本就是按兵不动。于是小伙子们不但更热烈地鼓掌，而且像美国大学生那样欢呼、尖叫起来。

我请他们平静一下，然后说，我认为这些美丽的姑娘按兵不动是完全正确的。她们的策略不但证明她们是漂亮的，而且是成熟的。做一个美丽的少女最起码的自卫能力就是不为掌声和奉承所动，哪怕痴情的、讨好的、狗一样驯顺的目光都一概要硬着头皮顶住。

这下子轮到女孩子热烈地鼓掌了。

我说，谢谢你们，但是你们的鼓掌说明你们还不够成熟，还顶不住奉承。越是美丽的女孩子，越是不能轻易为人所打动。不管你内心如何，在外表上，都要绝对冷若冰霜。在金庸的小说里，这叫“冷艳”，要冷到像大政治家一样，喜怒不形于色。你们不但不能随便鼓掌，而且不能随便微笑。实在憋不住，也只能抿着双唇，绝对不能笑得很灿烂。你这么一灿烂，有些小伙子做梦就更灿烂了。（鼓掌）《女儿经》上说，“笑勿露齿”，其深刻的历史经验和传统的智慧至今还没有被我们理解。现代中国女性的智商，至少在这一点上，不如古人。也许你已经忘了自己曾经对什么人灿烂过，可那个什么人老是没完没了地对你灿烂，那对你来说就是灾难了，这时，你只能用满脸的冰霜去残忍地扑灭他的灿烂。这将是一场艰苦卓绝的持久战，不能心慈手软，不能有半点人道主义的同情心。面对他那可怜相，不管他是真的，还是装出来的，都要有战略家的果断，就像蒋介石炸毁黄河大堤所说的一样：不可有“妇人之仁”。

美丽的少女必须心狠手辣，快刀斩乱麻，一刀子下去，不管它三七二十一，面不改色心不跳。这才不愧是巾帼英雄。（女生鼓掌）这可以说是美女最理想的性格。如果你拖泥带水，看他太可怜了，形容憔悴了，就赏他一个微笑，突破一下《女儿经》上的规范，把你锦贝灿然的牙齿露一下，这只能导致他更大的空想，本来已经熄灭了的火，已经只剩下一堆冰冷的灰烬了，又可能重新燃烧起来。（笑声）

这样你就不但毁了他，而且可能毁了你自己。（鼓掌）首先你就被动了。你既然给了他一点颜色，他就更加厚脸皮，更加不要脸，更加耍花招了，（鼓掌）更加摸准你软弱的穴位。（笑声）其结果不是你重新变得心狠手辣起来，就是你不得不和他灿烂来、灿烂去，最后，造成既成事实，一面吃着后悔药，一面却不能不笑着和他一起去领结婚证。（笑声）

正因为这样，美丽的姑娘是危险的。（鼓掌）越是美丽，越是危险。（笑声）张洁在《方舟》中说过：女人长得丑陋是不幸的，长得美丽也是不幸的。中国有句古话，叫作“红颜薄命”，还有“巧妇常伴拙夫眠”，看来有点宿命论的色彩，其实很深刻的。

根据法国雕塑家罗丹的说法，一个女人最美丽的时刻是很短的，短到只有几分钟，几小时。这话说得有点过分挑剔，但女性的美最易凋零，这也是不争的事实。女孩子的青春期是最美的，但少女又是最单纯、最幼稚、最没有头脑的，心理防线也是最容易攻破的。（掌声四起）四面倾慕的目光的包围，更可能使她们失去正常的智商，甚至人格。

就是智商正常、人格健全的女性也很难抵挡住曲意逢迎，何况还有狗一样驯顺的目光。

自然，这些家伙并不都是花花公子、色狼、草包、绣花枕头，其中也有好样的。但好样的，常常自尊心较强，他们往往不会演戏，不会作多情科，不屑于到 19 世纪作家那里去抄形容词，写情书，更不习惯于做奴才状。他们是金子，常常被沙埋住了，即使拿水来冲，也是沉在底下；哪怕拿火来烧，也是积在炉底。而被鲜花和掌声、倾慕的笑容和驯顺的目光宠得没了心眼的女孩子，她们最大的缺点就是弄不清多情种子和花花公子的区别。她们怎么会有杜十娘那样饱经风月的老练，保留一个百宝箱，选择死亡的自由呢?

美女是危险的。西施因为美而被当作政治工具，而那个丑陋的东施却活得好好的。美是可以害死人的，海伦因为美而引起了特洛伊之战，死了 10 万人；那个打开了邪恶盒子的潘朵拉，把全世界的精神都污染了，自己反而没事。王昭君因为美而被弄到内蒙古插队，那些因为不够漂亮而落选的宫娥却能终老故乡。林黛玉的美毁了她的生命，而傻大姐却活得十分滋润。

我这样讲，本来是开开玩笑，信口开河、歪理歪推是我的拿手好戏。可没想到，越讲越感到歪理正在变成正理。我的思路突然从古老的故事向我亲身的经历过渡，我联想起一个人。

那个华侨大学中文系的女生，是 1960 年印尼排华时期回国的。那可是我们的系花，黑油油的眼睛里充满天真无邪的光彩，像童话中的白雪公主一样，只是比白雪公主多了两个酒窝。现在想来，她笑起来不但比眼下的那些女影星灿烂，而且比她们高贵、纯洁。20 世纪 60 年代是禁止大学生谈恋爱的，华侨大学禁令尤烈。校党委书记伍治之每次作报告都要警告恋爱“不得转入地下”。然而，还是暗潮汹涌。这位系花就被包围在汹涌的暗潮之中。羊一样，甚至狗一样的驯顺的目光像乱箭一样射来，她小小年纪，不可能身如磐石，心如枯井；也许春心不能自持，也许只是觉得好玩，她并不十分认真地、软弱地招架着。她知道只能选择一个，不能同时拥有多个，但是她又感到，以一个为主，多一两个作辅助，也挺好玩的。她满园里拣瓜，拣得眼花，选择的标准绝对混乱，不管是羊一样的、狗一样的，还是狐狸一样的驯顺她都接受。在她看来，这真是一场有趣的游戏。小伙子们不期而然地展开了“驯顺”的锦标赛，冠军就不断更迭。当然，所有这一切，都是在地下进行的。

到了“文化大革命”开始以后，地下的河流迅速泛滥到了地上。偷偷的游戏是有趣的，公开的游戏却失去了惊险的刺激。她有点厌倦了，想结束这种幼稚的调皮，终于她和我的一个朋友定情了。那时他们在福州华侨大厦参加武斗，两人各拿着一个手榴弹，对着月光发誓，日后谁变心，就用手榴弹把对方炸死。他们秘密交换了手榴弹。

虽然这还有点游戏性的残余，但却是走向成熟的一个契机，然而，克服顽皮的稚气是需要时间的。可在浩劫期间，道德的无政府状态却不可能给他们时间。带着灿烂的笑容，摄人心魄的魅力，她走出了校门，自然招来更淫邪的目光。出于轻信和无知，她和同派的一个有妇之夫去了漳州，回来以后，他们之间的关系就更没法说清了。少女的羞愧使她终日闭门不出，而另一个追求者又来安慰她，把她带回他的故乡，一个小镇，“休息了一个月”。等我的朋友回来时，她就更是无法说清了。她唯一的办法就是回避。

然而，在华侨大学那样一个小校园，她怎么可能和他不打照面？终于有一天，下午4点多钟，校园里惊天动地一声轰响，两个人同归于尽了。他使用了他们盟誓时的手榴弹。我是在两天以后才去现场的，为了入殓，必须为他们穿上较为整齐的衣服。

那白雪公主腹部炸空了，可眼睛却还睁着，只留下一片蓝膜，一只金头苍蝇从容地在上面爬来爬去。我可以想象得出，当那导火线嘶嘶作响时，她可能第一次体验到紧张和绝望。她手举过双肩，做投降状，手心朝天。我的任务是把她的手扳回，平放到两侧。那手彻骨冰凉，而且带着阴湿的地狱气息。我的手还是第一次触到这种死亡的冰凉，不免心头一颤，多少有点退缩的想法，然而又不愿失去大男子的自尊，愣是硬着头皮坚持着。

她的双手已经僵硬了，我用足了力气扳动她的手臂，关节里发出咯吱咯吱的响声。我立即想起童年时代听过的僵尸复活的故事，全身毛孔一根根竖立起来，每根都带着透入骨髓的冷气，那可真是不折不扣地魂飞魄散。

在我记忆中，那是我一生中最恐怖的一刹那。

至今，我还不明白那么美丽的女郎怎么会造成这么恐怖的震惊。从那以后，每当我回忆起这样的时刻，都不禁要想，如果那个女孩子不是那么美丽，也许我当时的恐怖就不至于那么强烈了。人们都习惯于认定美是幸福的，然而却闭眼不看美的悲剧。物质文明越是进步，有些人，尤其是一些女性，越是追求外表的美。每当我走过发廊，看着那些浓妆艳抹的女郎，每当我立在女性化妆品的广告牌下，都不禁为世间男女对容貌美的迷信而感到悲凉。

当我把这个故事对着报告厅里的大学生讲完了以后，那些平时很爱激动的青年男女全都怔住了，一个个都陷入了沉思。甚至在我宣布“我的报告讲完了”以后，他们还是没有反应，连礼貌性的鼓掌都没有。为了提醒他们，我加了一句：“谢谢大家！”

还是没有人鼓掌。

向来，我的演讲富有轰动效应，以结束时的掌声达到高潮。这是唯一的一次，没有任何一个人鼓掌，连礼貌性地鼓掌都没有。

论“美女”的威力及其局限性

美女的威力

绝世美女，究竟是对人类做出了贡献，还是带来了灾难，至今仍是千古之谜。

从西方人的眼光来看，美女绝对是上帝送给男人的精致花朵。没有女人，按照弗洛伊德的说法，男人就没有了创造力。据西方人统计，办公室里，如果没有女性，都是清一色的和尚、天主教神父，工作效率远不如有女性同在。有了女性，哪怕相貌平庸，经不起欣赏，但是，工作效率会提高许多个百分点。

男人从本性来说，是比较贱的。林语堂一语中的，几个月不见女人，看见老母猪都觉得秀气。

其实，女人本身也许并没有多大本领，但是她有一种鼓舞男人不要命的力量，还有一种左右男人去干蠢事的神通。这在游泳的时候，最为明显。中学时代看到一大堆男人，在河边上练习跳水，突然出现一个女性，几个男人马上勇气倍增，跑到桥上去作冒险表演，其中一个，为了在美女面前潇洒跳一回，就永远告别了上帝创造的世界。

美女是精彩的，其威力更加精彩。

三十六计，最主要的是美人计。反间计、拖刀计、苦肉计，有了美人更容易成功。英雄最忌迷上美人，这一点在《水浒传》中最为鲜明：凡是英雄，都是光棍，鲁智深、武松、李逵毫无例外。就是有了家眷的，像林冲那样，在老婆没有上吊之前，他总是窝窝囊囊，连老婆让上司的儿子调戏了，也不敢反抗。一定要让他老婆上了吊，他才显出大英雄本色，先是火并王伦，后来和李逵一起反对招安，至今在中国人心目中不减当年光辉。要是像矮脚虎王英那样，见了扈三娘就腿软，就流口水，就只有当俘虏，留下千古笑话的份了。

英雄总是崇拜美人的，要是斗胆和美人对抗，绝对是未战先溃，一败涂地。

英雄为何总是败北？因为武器不如。

英雄有青龙偃月刀，有丈八蛇矛，有禅杖，有狼牙棒，有青虹剑，但是美人却根本用不上《封神演义》里女将的法宝——浑元金斗（其实就是马桶）。她们和老子所见略同："兵者为凶器，圣人（应该是圣女）不得已而用之。"她们的武器，就是带电的目光，尤其是带笑、带磁性的目光，无形、无声，如带巧克力水果味的X光，能给英雄带来幸福的感觉，如痴如醉，欲仙欲死。就连屈原那样胸怀大志的政治家，都夸耀过如此这般秘密的、摄人心魄的体会："满堂兮美人，忽独与余兮目成。"那么多人在一个大厅里，她仅仅把眼神用来和鄙人调情。至于后果是什么，是亡国还是掉脑袋，是做主人还是做奴隶，男人是不屑一顾的。陈后主皇帝当得可算窝囊了，到了南京城破之日，他还舍不得自己的小蜜张丽华，和她一起跳了井。到隋朝大兵把绳子、筐子丢下去，从井里往上拉时，觉得特别重，原来是两个人一起坐在筐子里上来了。孟子曰：民为贵，社稷次之，君为轻。在孟子那里是老百姓最重，社稷也重，不过比较轻一点就是了，可是在隋朝大兵那里，什么都没有张丽华重。昏庸皇帝如此，文人又何尝能免俗？一个小丫鬟向大知识分子唐伯虎笑了"三笑"，唐解元就追踪而去，不惜卖身为奴，最后如愿以偿。故事流传大江南北，几百年不衰，为男性机会主义提供了经典心理档案。

男性爱神丘比特是盲目的，拣到篮里就是菜，就是像阿Q那样视死如归的男子汉，在吴妈面前，也不惜下跪。女人就不同了，她们的爱神维纳斯的眼睛是雪亮的，往往能表现出战略远见，她的目光即使射向叫花子，也拿准了对方将要中状元，甚至像薛平贵那样将来要贵为天子的。

她们的"目击"（请读者注意"击"这个字眼，不是一般的眼角一瞟，而是正面射击，要联想到子弹，闻到火药味才到位）越是情意绵绵，毁灭性越是彻底。就算你城池固若金汤，她只要掉转目光，回头一看，城墙就自动崩溃了。这种规律，早在汉朝，就有一个比较接近皇帝的、一本正经的诗人，把它写成诗：这叫作"一顾倾人城"。当然，如果城墙比较坚固，不像古代中国土木结构的，而是像古罗马的，全是用石头砌成的；一顾不行，她再"顾"，这么一下，城墙连同社稷就肯定松松垮垮地塌下来无疑：这就叫"再顾倾人国"。

威力的奥秘在于，她的目光有一种麻醉的功能，能让你感觉迷糊，神经一时错乱。本来比较有作为的君主，如李隆基，也在劫难逃。他第一眼看到杨玉环，白居易有诗为证："回眸一笑百媚生，六宫粉黛无颜色。"看过了杨玉环，再看其后宫的美人，错觉就来了，就一个个面色苍白了。

女人造成了这样大的灾难，男性会不会觉悟起来，后悔一番呢？否！理由是“宁不知倾城与倾国”（哪里是不知道倾城与倾国的严重性），不顾一切的原因是“佳人难再得”。怜香惜玉的气魄到如此惊人的地步，其奥秘何在？是中国盛产最大气度的色鬼，还是古人有极端女权主义倾向？这个问题恐怕到了地球毁灭也难以找到答案。过去我总以为，弗洛伊德之所以出在西欧，而没有出在中国，是因为欧洲人比较好色，欧美男人一天没有女人，就活不成，那危害是不出个人范围的，和中国好色之徒，置国家社稷、宗庙香火于不顾这样的气魄相比，实在是可怜得很。

美女的工具性

“天生丽质难自弃”，这是白居易发现的规律，意思就是大凡美女都有一个缺点，就是不能把握自己。美貌和自制的矛盾，就是悲剧的普遍根源。

男人好色，这是没有例外的，不分阶级、种族、贫富、文化背景，自古皆然，举世无别，莫不以一享美人香泽、肌肤相接为生命之最高奖赏。造物主的设计，总是很不美满：好色的男人多，自己长得漂亮的却凤毛麟角。自古至今还没有找到秦皇、汉武、成吉思汗能和西施、海伦比美的历史文献！好色的程度常常和男人的长相成反比，丑人多作怪，是一更加深邃的规律。

男性好色者众，而女性美艳者稀，而且美色与政权一样是以独享为原则的。皇帝、总统的宝座上和新婚的卧榻上一样，很难容得下两个男主人公共享。正因为此，争夺美女和政权成为人类生活一个不可缺少的部分。刀光剑影，血溅宫帐，反反复复，无休无止。而在民间，君不见，多少靓丽的小蜜，陈尸五星级饭店豪华套房之中；多少小家碧玉，血溅鸳鸯池畔，一缕香魂，飘游不散。君不见，古希腊史诗《伊利亚特》，为了争夺美女海伦，两个国家打仗，死了 10 万人，一旦海伦出现在特洛伊城头，那元老院里一个个看直了眼睛，禁不住赞叹：真是女神啊，为她打上 10 年的仗是完全值得的。

古语云：英雄难逃美人关。这说得不到位，应该说，老头欲逃美人关，更比英雄难。

不要说西施、杨贵妃、王昭君那样国家级的，海伦、维纳斯那样世界级的美人大腕儿，是危险的，就是罗敷那样地区级的小美人，也弄得耕田的忘了耕田，锄地的耽误了锄地，回得家来，互相埋怨，造成破坏安定团结的严重后果。古语云：女人是祸水。如果除去其中的封建意识，其深邃的睿智不能不令人击节赞叹。

也许女权主义者要抗议，说，这乃汝等自作孽，岂能怪俺们!

请女权主义看官息怒，且听在下慢慢道来。

第一，男人为什么好色？是因为你们长得太美。如果女人都是东施、无盐，也只能把男人吓走，李白诗曰：丑女来效颦，还家惊四邻。第二，男人好女色，如果你们也好男色，非潘安、宋玉、大卫和顾影自怜的那赛塞斯，眼皮不抬，不把躯体和感情交给他们，世界历史上的好多灾难也就不会发生了。美女悲剧的根源就是不好色，不计较男人的相貌，什么老瓢子、蛤蟆肚子、乌龟眼都投怀送抱。丑八怪男人之所以被你们接受，是因为在政治经济方面能有所补偿，这就把你们娇小的血肉之躯送进了争夺的齿轮。

说到底，美女的悲剧来自于一种残酷的专制体制。

《韩非子》开宗明义第一篇，就讲这个道理，君主最大的敌人，不在外部，“赫鲁晓夫”（不过，是女的，应该叫“赫鲁晓娃”——从俄语语法意义来说，就是“为赫鲁晓夫所有的”）就睡在自己的床上，天天和他一个枕头，一个被窝，干一些只有两个人才能知道的事（当然这最后一点，不是韩非子讲的，而是我补充的）。

人主好色是上帝赋予的本性，也许正是男人的光荣。如果不好色，就是生理上有缺陷，和太监差不多，钱锺书先生在《写在人生边上》中深深为太监叹息，身居如云美女之中，机会大大的，能力却小小的，比干脆没有机会的穷光棍更为可羞、可悲。但是，女人过了40岁，就要色衰，这可是铁的规律。妙龄美女，和年迈的皇后相比，自然一面是鲜花带露，一面是枯木如囊。有道是：造化不老，所以无欲；人生易老，因而多情。皇帝老公春秋日理，驾鹤西游指日可待，太子即位之时，屈指可数。小妃子虽然眼前得宠，但是前景暗淡；日月如梭，命运如丝，不知要织出一幅什么样的未来。那积怨毒于心的皇后，枯树根里早已吸取了老女人所特有的仇恨的毒汁。皇后一旦成了皇太后，嫔妃不成为她猫爪子下玩弄的一只小老鼠才怪。

与其坐等来日死无葬身之地，不如先下手为强，趁着皇帝还没有昏聩龙钟，枕头边做足功夫，让老瓢子把太子废黜掉算了。

在这种形势下，皇后最大的希望就是老头子赶快死，让儿子早早即位，而年轻的妃子却把宝押在搞掉太子上。但是，接班人是国之根本，本动则枝摇，破坏政治力量的平衡，引起宫廷政变，军阀混战，安定团结的局面的崩溃。其结果，美女不知不觉之间，就拿自己的生命作了政治的赌注。

政治的赌博，是冰冷的铁与血红的铁的对抗。这和恋爱不同；恋爱是带电波的目光与带磁性的笑的较量。因而在政治赌博中，磁性和电波不堪一击。最明显的例子是汉高祖刘邦的小老婆，枕头边上反反复复，功夫做足：刘邦何其英明，不是没有看到未来政治舞台上的腥风血雨，但是，仔细一推敲，太子已经“羽翼丰满”；连自己请不到的道德兼学术权威——“商山四皓”，都投靠了他的门下。他的政治路线已经有了强大的组织力量作保证，难以动摇了，只吟了一首没有任何实用价值的诗，不了了之，甩甩袖子，十分潇洒地去见了上帝。

到了太子即位，吕后成了皇太后，终于把这个没有成精的小狐狸以最违反人权的办法收拾了一番。先把她的四肢割掉，然后把她放在一个坛子里。慢慢地，这个小美女的细腰、三围消失了，整个人就长成了满满一坛子的肉，叫作“人彘”，还让当了皇帝的儿子去看，这就产生了一种翻肠倒肚的感觉，把吃的喝的，牛黄狗宝一点不剩地呕了出来。

美女的悲剧根源在哪里？第一，因为长得太美，如果不是那么美丽，能得到有权有势的主子的宠幸吗？第二，在许多人看来，美女的敌人，就是那些色鬼。其实，她们的敌人，不是别的，就是她们那张风情万种的脸。这张脸有一千条好处，用古话说：“千娇百媚。”但是，也有一条坏处：美貌是暂时的。罗丹甚至说，女人一生最美的时候，只有几个小时，甚至几分钟。从海伦到西施，风神各异，仪态万方，其结局却绝对相同：成为老太婆。法国象征主义鼻祖波德莱尔在他的《恶之花》中，对此有非常精辟的想象：所有的美人总归要变成骨骸，从鼻子、眼眶里长出青草来。

说句笑话，要避免如此煞风景的结局，唯一法门，就是在光彩照人之际，突然地、主动地制造某种事故，或者得了癌症，香消玉殒。在一本西方小说中，一个绝色美女，在临终的时候，非但不悲哀，反而因为早逝，在人们印象中，可葆永恒青春的形象而欣慰不已。如果美女的容貌是永恒的，皇后就不会色衰，皇帝老儿的感情就不会转移，一切血腥的事情就无由发生了。

第三，最为重要的，美女虽然美丽，但是，美丽对于美人是没有任何用处的。她专门等着男人去欣赏，去利用。上面已经说过了，美女往往不好男色，如果她也以男人好女色一半的劲头去挑选男人，全世界美女的历史就可能要改写了。如果每一个美女一定要选上个漂亮的、年轻的、风流的、潇洒的男人，那就不可能和任何老瓢子打得火热，也就对于老女人构不成威胁。她满可以选个小白脸，就算不会炒股票发横财，至少也能贩贩盗版书，弄个小康之家，过上红红火火的小日子。

有自我选择的美女才是真正的美女。不但外貌姣好，而且内心也美好，美在独立的人格。这一点我国古典诗学早就有了发现，汉代权威诗人李延年诗曰：“北方有佳人，绝世而独立。”这就是“绝代佳人”典故的来历，之所以叫“绝代佳人”，而不叫“绝世佳人”，据说是避唐太宗李世民的名讳。不管当时人怎么理解独立这两个字，我只能认为，有独立的人格才叫真美，没有独立的人格，充其量不过是外表漂亮而已。有几个男人，能洞察漂亮和美的根本区别呢？

从这个意义上来看，通常所说的美女其实并不是真正的美女，而是外貌漂亮的女人，其内心呢，没有独立之感，有的只是对色鬼的依附性。

与其把对于色鬼的依附性当作美，还不如把它当作丑。

论美女的美学逻辑

尽管我对于逻辑有过研究，钻研过穆勒的《名学》、黑格尔的《小逻辑》、佛教的因明，但是在家里，我绝对不敢和太太辩论任何问题。我奉行邓小平先生所提倡的“不争论”。当然，这种智慧不是先天的，不是遗传基因的作用，而是一种后天的、经过一番修炼，终于得到的禅宗式的顿悟。

本来我根本不相信“好男不跟女斗”的说法，觉得那是自欺欺人，是阿 Q。我信奉的是孟夫子的话：“余岂好辩哉，余不得已也”，“我善养吾浩然之气也”。我还写过几本辩论赛的畅销书和论文，做过上百场关于辩论术的报告，获得过海涛般的掌声。少先队员献上的鲜花，如果有科学方法保鲜，可以开一家花店。但是，经过反复实践，我终于大彻大悟，跟太太不能辩论。辩论的结果无非是两种：第一，她赢了，男人输给女人，极其丢脸，还不如节省一点唾沫；第二，我赢了，这更没有好处，立竿见影的效果是，下班马上就没有现成饭吃。

其实，我从心眼里十分尊重女性，由衷地相信，女性的美大大地超越了男性。我完全认同贾宝玉的至理名言，女性是透明的水做的，男性则是恶浊的泥做的，女性是珍珠，男性是鱼眼睛。英国哲学家罗素的诡辩实在可笑，他居然说，在英国几乎所有的男性和女性都以为自己的性别优于对方。男性可以举出论据说，几乎所有的大军事家、大数学家、大哲学家、大政治家、大经济学家，都是男性；而女性则可以举出几乎所有的大贪污犯、大强盗、大刽子手、大法西斯、大混蛋都是男性。在罗素看来女性和男性可能是半斤对八两。其实不管罗素多么诡辩，我对于女性，都有一种郭沫若式的崇拜，他写在他的成名作诗集《女神》扉页上的一句话“永恒的女性引导我们向前”，是我的座右铭。我对于女性有一肚子的美好语言，常常有赞美一番的冲动。但是，我只能隐忍着，不敢贸然表达。

在女性面前不要随便讲话，此乃和女性和平共处的根本。

不敢辩论，也不敢奉承。

读过钱锺书先生《围城》的人一定对方鸿渐那样的辩才印象很深，可是和他的太太孙柔嘉辩论起来，常常惨败。他们订婚不久，方鸿渐随便乱发议论说：“吃葡萄有两种人，一种是先挑最好的，另一种人把最好的留在最后。照例第一种人应该乐观，因为他每吃一颗都是吃剩的葡萄里最好的；第二种人应该悲观，因为他每吃一颗，都是吃剩的葡萄里最坏的。不过事实上适得其反，缘故是第二种人还有希望，而第一种人只有回忆。从恋爱到白头偕老，好比一串葡萄，最好的只有一颗，留着做希望，多少好？”

这不过是随便耍耍嘴皮子，显示自己在逻辑上多么自由而且富有创造力。

本来这种男性肤浅的创造力弄到女性面前，简直是关公门前舞大刀。孙柔嘉在逻辑上发动反攻：“照你这么说，你希望的好葡萄在后面呢，我们是坏葡萄，别倒了你的胃口。”急得方鸿渐直跳脚，不得不学贾宝玉的样子，赔礼，道歉，认输拉倒。

由于逻辑上的软弱，男人在女性面前，就是说奉承的话，也不可造次。

我们没有孙中山的气魄，他能当着许多人的面，公然宣称：世界上如果没有女人，就失去了 50% 的真，80% 的善，100% 的美。孙中山是伟大人物，他说任何出格的话，女性都会洗耳恭听，不会引起任何怀疑。我等小民就不同了，就是真诚地说，女人是生活中的花朵，都有风险。

首先声明，我完全懂得说话要看场合，同样的话，在不同的场合，效果是绝对不同的。罗密欧第一次见到在阳台上的朱丽叶可以用诗的语言嚷嚷：“啊，我的太阳！”如果我这样去奉承任何一个陌生女性，得到的回报只能是一个白眼或者一记耳光，甚至被当成神经病，报 110。我不会那么冒失，我不是在大庭广众之中说的，只是对自己的异性同人在喝茶的时候随便说的。

这样小心谨慎，还是好心没有好报。

先不说这样奉承女同胞，会得罪男同事。我不怕男性反驳：女人是花朵，难道男人是不起眼的叶子，命中注定是花朵的陪衬？我更不怕人家说我一看到女性骨头就软，是男性的叛徒。男人在逻辑上，往往比较迟钝、麻木，没有女人那样有全面演绎的习惯。用最高级的形容词奉承女人，并不立即引起男人贬低自己级别的联想，更不会影响他们的自尊。男人在逻辑上比较外行，没有女性那样的想象力，精致入微的推理的能耐不强。女性的逻辑思考能力在物理学、数学、哲学、军事学、政治学等领域，可能不一定超过男人，但是在和男性抬杠的时候，她们的天才绝对能够得到淋漓尽致的发挥。

我最怕的是碰到女权主义者（最近改名为女性主义者），她们的逻辑威力向来所向披靡。

即使我说女性都是花朵，她们也不会给我一点好颜色，反而指责我一脑瓜子的封建余毒。女性生命的价值难道就在于给男性提供视觉的愉快吗？给你们眼睛解馋，还不够，还要让一个叫作豫让的家伙出来发明一种“女为悦己者容”的荒谬定律，这还不够，又公然把女人叫作“解语花”——会说话的花。不但听你们的话，而且要心领神会，你们的心思想到哪里，我们就得配合到哪里，叫作“善解人意”。

你们视觉是痛快了，我们就惨了。弄出个西施来做我们的样板，西施有胃溃疡，胃里泛酸，你们就把人家的痛苦拿来取乐子。楚王喜欢细腰，又让我们束腰，弄得“楚腰纤细掌中轻”，三围的比例是扩大了，可健康也就完蛋了。又说三寸金莲，小脚很漂亮，走起路来像跳芭蕾舞，更是让我们都残废了上千年……

当然，天底下的女性并不都如女权主义者一样雄辩；但是，不管是不是女权主义者，其逻辑是一样的精彩绝伦，十步一楼，五步一阁，令男性不能不自卑到无地自容。

在所有的女性之中，最伟大的逻辑学大师要算林黛玉了。贾宝玉说坏话当然是该死，说好话呢，也是该死，总是落得个打躬作揖、赔礼道歉的下场。林黛玉的推理能力实在精彩，不管是正面演绎，还是反面导谬，都像沙家浜里的阿庆嫂说话——滴水不漏。

贾宝玉被她逼得没有办法，硬是冒着风险，把长期闷在心里的话捅了出来：“你死了，我当和尚去。”这本是林妹妹长期以来期待着的表白，是她梦寐以求的，是最为醉人的梵天音乐。如果是一个处在恋爱状态中的男性，听到异性这样的语言，那还不快乐得一佛出世，二佛升天，三佛又飘飘欲仙地落在地上，报之以最大幅度的西洋式的动作（如单腿下跪，张开双臂作拥抱准备动作之类）。可是林妹妹却大为恼火起来，大哭大闹，嚷嚷说贾宝玉“欺侮”了她，贾宝玉除了瞪着大眼看自己的逻辑碎片以外，还有什么话说呢？

看官别以为林黛玉的逻辑太荒谬了。

几乎所有的美女都有一种共通的特点，就是以荒谬为生命。

越是她动感情的地方，她的逻辑就越是荒谬。她越是爱你，她就越不跟你讲理，跟你胡搅蛮缠；越是胡搅蛮缠，就越是表明她对你有特殊的情意。张洁在《沉重的翅膀》里，写一个女孩子爱上了一个男孩子，她问自己说，爱他吗？不知道，只是想支使他，想看到他的服从。这个女孩子是很受了一点西方文明的熏陶的，很讲究尊重一切人的人格的，但是，对自己所爱的人则是绝对的例外，只要求他服从，驯顺，狗一样的驯服，猫一样的听话。只许他规规矩矩，不许他乱说乱动。

这不但是对你的尊重，而且是对你的特殊爱怜，用钱锺书先生的话来说，就是对男人的“训练”，这是孙柔嘉在订婚以后对付方鸿渐的经验：

有一天她不来“训练”（应该叫作磨炼才对）你了，不用荒谬逻辑来修理你了，你驯顺不驯顺，她无所谓了，那就说明她根本不爱你了，当然也就不会恨你。如果能够恨得起来，说明她还要修理你，弄不好，有一天，又爱得昏天黑地。爱的反面不是恨，而是冷漠。为什么薛宝钗不和贾宝玉闹别扭呢？因为他们之间没有爱。

美人的心是神秘的、捉摸不透的，要解读也很简单，完全可以用科学指标来测算爱情的浓度和深度。这就是她的挑剔，她的指责，她的折磨，她的刁钻，她的古怪，她的蛮横，她的无赖，她的颠颠倒倒，她的疯疯癫癫，她的哭哭闹闹，一句话：她的逻辑的荒谬。

什么时候，她对你彬彬有礼了，说话很讲究语法修辞了，推理很符合从亚里士多德以来的同一律、矛盾律、排中律、充足理由律了，甚至于很符合辩证法，很全面，很得一分为二的精髓了，那你的爱情也就差不多进入收拾残局的地步了。

从男性方面来说，什么时候，你突然感到对你心仪的对象，不怀着恐惧，和她在一起失去了封建王朝大臣那种“伴君如伴虎”的、战战兢兢的感觉了，那就表明爱情之火开始熄灭了。

爱情的外行也许会担心，美女以极端的荒谬的逻辑来对待男性，不是折磨自己的所爱吗？不是包含着相当严重的风险吗？把人家吓得缩回去了，不是坏了大事，导致爱情覆灭，不是自我折磨，自我摧残吗？林黛玉难道是完全凭一时性起，一点战略战术都没有考虑？

是邪？非邪！

其实，林黛玉那小心眼可真的玲珑剔透，逻辑严密异常，荒谬中有智慧。她拿准了这点子小闹子，也是一点小乐子，不会把贾宝玉这个“情痴”吓回去。再说，这一闹，至少有三种功能：第一，保护自己和贾宝玉，让人家看着，这不是真的，而是小孩子闹着玩的，没有冒犯天条；第二，暗示宝玉，到此为止，不要再“傻帽”，不能这样没心没肺地嚷嚷，心里有数就是了；第三，掩饰自己的惊慌，以委屈的眼泪来埋藏无限的欢欣。这不是在相互折磨，更不是自我折磨，而是活学活用韩信兵法：明修栈道，暗度陈仓。

要说林黛玉在逻辑的运用上有两下子，并不过分，但是要说她在逻辑上有创造的天才，在中国恋爱史第一个发明了这样的逻辑，就有点不学无术了。

毋庸讳言，这种闹法，本来就是有一点把人家吓走的风险的。

然而她的杰出之处，在于充分总结了前辈女郎的历史教训，在爱情策略和战术上，把女性的荒谬逻辑提高到一个新的历史水平。

在她以前，《西厢记》中的崔莺莺也曾在逻辑上和她的意中人玩过捉迷藏的，不过玩得“左”了一点，付出的代价比较大，最后是自己下不了台，只好梳妆打扮送上门去。这不怪别人，谁让她先写了诗让张拱来幽会的：

待月西厢下，迎风户半开。隔墙花影动，疑是玉人来。

不但请人家来，而且教人家怎么来（跳墙）。

这当然不算什么新花样，而是继承了古老的逻辑模式，早在《诗经》上就有叫人家跳墙的传统：

将仲子兮，无逾我墙，无折我树桑……

用今天的话来说，就是：求求你，小二哥啊，不要跳我家的墙啊，不要弄断了我家的桑树啊。嘴里说，不要过来，实际上是教唆，怎样爬墙更隐秘、更稳妥：不要把树枝弄断了，不要弄出声音来。从《诗经》到《西厢》，上千年过去了，到了崔莺莺，在爱情逻辑方面并没有什么新花样，还是跳墙，老一套，不过有了花的影子，小二哥变成了“玉人”，算是在美化上有一点进步。从恋爱的战术来说，几乎是踏步不前，中国古典的自由恋爱，如果要说有什么流派，到那里只有千年一贯制的“跳墙派”。中国的武侠都是跳墙派的后代，怪不得几乎所有的武侠都能飞檐走壁。

不过历史毕竟是进步了，逻辑也更加曲折了。

可能是因为《西厢记》到底是文人写的，有成就的文人，如范进的老丈人胡屠户所说，都是天上文曲星下凡的。文人之所以成为星，就是因为他比较“曲”，不像当今的影视明星那样直统统地要出场费，文曲星的逻辑比一般人要多拐几个弯。文人笔下美女的逻辑，拐弯就更多。等到人家张生来了，莺莺却一本正经地用孔夫子的道理把人家训了个瘟头瘟脑。

这真是太“左”倾了。第一，她在分寸上有点过分。张生这个大书呆子，太笨，真正的银样镴枪头，没进化到贾宝玉那样的老练程度，在解读女性逻辑上是个草包，不理解轰你回去的意思就是要你再来的逻辑。一吓回去就软了，不但不敢再来了，而且还生起了相思病，奄奄一息。

总结历史经验，既不能太右，如诗经上那个女孩子，以至于以后落在孟夫子手里，“踰墙相望”成了个话柄，也不能像崔莺莺那样“左”倾，把人家弄病了，也不是个事儿。

男人在逻辑上纠缠不过女性就失去耐心，就发生了许多家庭暴力，就连美国，据 20 世纪 90 年代初期统计，每年的家庭暴力也达到 200 万次以上。美国《当代心理学》一篇文章说，这是由于在争执时，女性急于当场取胜，其实是胡说，使男性陷入女性逻辑的迷宫而思想混乱。

女性不但在逻辑上，而且在概念上，和男性的区别是很大的，她们说“是”的时候，往往那意思是：不！而说“不”的时候，常常是：是！这事不但在中国，而且在美国也是一样。

在美国大学校园里，时常有一种“听证会”（hearing），要解决的是某种校园内部的纠纷。有一种叫作“约会强奸”的事情，常常纠缠不休。女方控诉男方强奸了她，男方说，不是强奸，你同意的。女方说，我一开始就说了“no”。男方说，你们即使同意，也先说“no”。

在词义的颠倒上，真是古今同调，中外皆然。小学的时候，当时有一种日用药品，叫作“仁丹”，每一包上都有一个笑话。我至今还记得其中的一则：一个小学教师在课堂上解释“老公”两个字，学生怎么也不明白。不得已，她问小学生：那你妈妈怎样叫你爸爸？学生想了一下道：“杀千刀！”

当你所心仪对象突然喊你“杀千刀”的时候，那你此生的幸福就已经100%地兑现了，当她觉得你这个人杀一刀还不够，杀一千刀才过瘾的时候，其中的意味绝对不是无限的恨，而是无限的爱、极端的亲。在鲁迅的小说《风波》中，七斤嫂看见丈夫从城里回来，头上没有了辫子，心里很着急，她不说：“啊，亲爱的，辫子没有了，可怎么过日子啊！”而是说：“你这个流尸流到哪去了？”

美女，美女，古今中外多少人为之神魂颠倒，为之倾家荡产，为之丧权辱国，可是有谁能够回答真正的美女的美在哪里呢？

车尔尼雪夫斯基说：美在生活。朱光潜先生说：美在想象。高尔泰说：美在自由。美学家吵吵嚷嚷许多年，都是文不对题。在我看来，很简单：美女之美，美在逻辑荒谬。因为越是逻辑荒谬，才越有感情，越有感情才越美。

一般男人的逻辑都俗，可以说，俗不可耐。俗就俗在他老爱站直了看美女，不懂得拿大顶，颠倒看问题，从女性的颠倒荒谬的逻辑里欣赏女性的美。按男性直线的、僵化的逻辑去观察，往往把美看成了丑。

真正的美女，如林黛玉，其逻辑不是理性的逻辑，而是情感的逻辑。她们的感情越强烈，就越不讲理，她们的理，是歪理，歪到把逻辑扭曲成麻花一样。感情的歪理是她们的生命，为了感情不要命，为了歪曲逻辑不要命。正因为这样，安娜·卡列尼娜为了惩罚心不在焉的伏隆斯基，就去自杀，目的是让他后悔。当杜十娘得知李甲为了300两银子，出卖了她，她连价值连城的百宝箱都不要了，命也不要了。杜十娘、安娜、林黛玉素不相识，可是要情不要命的逻辑是一样的。

这才是真正的美女。

漂亮并不是美，那些徒有漂亮脸蛋的女人，情感处于空壳状态的，缺乏不要命的逻辑的，实在不配称做美人。相反那些脸蛋子不那么水灵的，只要在情感上了高档次，就不愧美人的称号。从这个意义上讲，薛宝钗虽然漂亮，但是并不美，简·爱虽然并不漂亮，但是她应该是个美人。梅里美笔下的卡尔曼，又漂亮，又美；而繁漪也许并不太漂亮，但她是美的。

把这个标准拿到现实中来选美，公布美人排行榜就易如反掌。

我的朋友舒婷不太漂亮，但是凭她的诗《致橡树》《会唱歌的鸢尾花》中的情感，完全可以将她排在德艺双馨的宋祖英之前，授予东方第一美人的金奖，小宋只能屈居亚军。张爱玲当然是不漂亮的，但是，她那古里古怪的情感逻辑，无疑可以进入东方美人的第三名。而刘晓庆、韦唯、毛阿敏也许是漂亮的，但是她们的逻辑是只讲实用，不讲情感，不但是不美的，而且是丑陋的，应该在第一轮就把她们淘汰，是不是要并列为东方第一流丑女，待有关方面慎重研究再定。

我这里绝对不是胡说八道，而是有美学理论的权威根据的。审美判断不同于通常的理性判断，它是“非逻辑的”“超功利的”。要在学术上追究我的后台，请查康德《判断力批判》，宗白华译，中华书局1987年版，第39页。

美女怀疑论

一、关于“祸水”论

几年前我写了一篇文章，叫作《美女危险论》，其实这不是论文，而是一篇散文。

在那篇文章中，我的意思似乎还没有说透，我要补充的是，美女肯定是危险的，首先不是对于别人而是对于她们自己。因为美女并不是永远美丽的，众多美人风华各异，仪态万方，但是，其结局只有一个：成为老太婆，满脸荷包皱，行为乖张，喜怒无常，说话啰唆，颠三倒四，自私偏执，首鼠两端，病而不重，老而不死。这不是我的发现，而是有文学大师的经典作品为证的。1924 年，当徐志摩浪漫得不可开交的时候，他在鲁迅主办的《语丝》第 3 期上发表波德莱尔《恶之花》中《死尸》的翻译：这是一具美女的溃烂的死尸，发出恶腥黏味，苍蝇在飞舞，蛆虫在蠕动，野狗在等待撕咬烂肉。波德莱尔对他的爱人说，不管你现在多么纯洁温柔，将来都免不了要变成腐烂的肉体为蛆虫所吞噬，发出腐臭。徐志摩认为这是《恶之花》中“最奇艳的花”。

人们都习惯于女性的美，这主要是西方艺术家的功劳。从古希腊到文艺复兴，有那么多的艺术家把女人身体反反复复地加以美化。其实，女性的躯体是隐秘的，就是向所爱的人显示的时候，有几个人能够远距离地、超越生理冲动去作欣赏呢？所有对于女性美的观念，其实并不一定是事实，而是看维纳斯看多了，想象的定势，也就是自动化效应。这种效应，其实有一点自我蒙蔽的性质，但这是一种舒舒服服的自我蒙蔽。

罗丹有一座雕塑，雕的就是一个老女人的躯体。松弛的皮肤包着骨头，什么曲线、三围统统没有，所有的线条都是下垂线，精神萎靡，死亡的阴影笼罩着来日无多的残余的生命，真是丑不忍睹。

世界之所以精彩固然有女性的美的一份功劳，这一点已经得到全体男性的认同，但是人们忽略了另一个方面：世界之所以不够精彩，在很大程度上，是因为老太婆太多，而且命很长，比之老头子长得多。在这个充满老太婆的世界上，人们视而不见，只看到美女如云，风情万种。

这不能怪老太婆，而应该怪我们不争气的男性同胞。在丑不忍睹的老女人面前患有视觉瘫痪症，见了美女则改患视觉美化症，这是男人的通病。这不仅仅是登徒子、西门庆、贾宝玉那样的色鬼如此，就是奔伦爵士还有《十日谈》中的教士，也都患有这种不可救药的贱病。

不要说西施、杨贵妃、王昭君那样国家级的，海伦、维纳斯那样世界级的美人大腕儿，对男人是危险的，就是罗敷那样地区级的小美人，也会引发耕田的忘记了耕田，锄地的忘记了锄地，回得家来，互相埋怨，造成不团结的严重后果。由此可见，对于美人的崇拜，实在是破坏安定团结的一大祸根，看来，古语云：女人是祸水，如果除去其间的封建意识，祸水论的深邃的睿智不能不令人击节赞叹。直到今日，报纸上一些贪官，如成克杰之流，之所以身败名裂，常常是由于小蜜，露了馅。

不过，理论与实际脱节，很难避免。祸水论者，多少有点虚伪。最好的检验就是：在他们物色太太之际，一面摆上如花玉人，一面推出巡海母夜叉，看他们眼睛往哪边溜，口水往哪边流。实际上许多祸水论者，在面对祸水的时候，往往把这当作福水。不为了争夺海伦，古希腊为什么有为时 10 年的特洛伊战争呢？不为了杨玉环，李隆基怎么敢做出把自己儿子的小老婆抢来的丑事呢？要害在于，在男性感觉里，不但有见美不见丑的视觉瘫痪症，而且有见福不见祸的视觉选择症。在开头，100% 是福气，见福不见祸。可是到出了乱子，就向对立面转化为：见祸不见福，福气就被说成是祸根了。

还是老子说得全面而且深刻：“祸兮，福所倚，福兮，祸所伏。”

二、关于水做的和土做的

念中学的时候看《红楼梦》，许多地方不懂，最讨厌的是贾宝玉这个浑小子。那时许多权威的刊物上的学术论文，都说贾宝玉是“新人”，代表着新兴的民主主义的萌芽，可是，我就不觉得他有多少平等意识。袭人待他那么好，真是如王夫人所说，服侍贾宝玉，心里就只有贾宝玉。可是，他只要恼火起来，一样窝心给她一脚，弄得她吐血，也并没有考虑物质上的和精神上的赔偿，这完全是地主阶级公子哥儿的流氓习气。更令我恼火的是，他那著名的流氓话：女人是水做的，男人则是土做的，龌龊得不得了。

我幼年时期，曾在天主教会学校念过书，知道男人是上帝用泥土做的；在这一点上，中国老祖宗和外国老祖宗，没有什么争论。中国的神话里也是说，人是女娲用泥土做的。泥土是人类生命之根，不论是大米馒头，还是烧酒、人参，都是从泥土里获得生命的，有什么不干净？难道水做的就一定纯洁？物理老师早就告诉我，水里面的细菌多得吓死人，连合格的自来水一立方厘米就有几百个。你说，它干净透明，没有细菌，为什么喝水要加热到100度，滚上3分钟才能喝？不然就要闹肚子疼。大河里挑来的，水塘里打来的，井里吊起来的，还这样；大海里的、阴沟里的、马桶里的就不用说了。

这么说，就算美女不是用阴沟里的水做的，是自来水做的，你要吃她，也得放在火上煮3分钟才保险。

当然，这有点赌气。退一万步讲，贾宝玉的这个看法，不能说没有一点道理，的确，女人在道德品质上，似乎比男人要强一些，君不见世界上的坏人，大都是男人。例如，最喜新厌旧的色鬼、最恶劣的贪污犯、最不要脸的汉奸、最叫人恶心的男妓、最大的刽子手、最贪婪的战争贩子、最大的法西斯，莫不都是男人。

而女人在这方面，作为就比较有限了。

但是，这些色鬼、贪污犯、刽子手、法西斯，都不是独身主义者，他们为什么会获得成功？有一句俗话说：每一个成功的男人背后都有一个女人。这些女人，并不是他们的审判官，而是他们的结发妻子、太太、情人、情妇、小蜜、相好的、崇拜者、同床共枕者、穿一条裤子的。她们和这些色鬼、贪污犯、汉奸、混蛋、刽子手、法西斯情投意合，患难与共，不但是他们肉体的而且是灵魂的同盟者。她们和他们在一起并不感到恶心，一点也不觉得难受，她们从心里就爱着这样的货色。连张爱玲那样的旷代才女都未能免俗，她心甘情愿地做汪伪政权的宣传部次长胡兰成的二奶。在抗战胜利以后，胡兰成已经成了过街老鼠，为国人所不齿，她还要跑到浙江去看他，接济他。

这么说来，和坏男人情投意合的女人，比男人也干净不到哪里去。

她们是水做的。水做的，就一定是好的吗？这是闭关自守的时代的陈腐观念。现代中国人脑袋早就开窍了，作为当代人的观念早已发生了翻天覆地的变化。谁不知道水做的，没有什么好货，所以把来路不正的，走私的，假冒伪劣的，叫作“水货”。而土货，正宗的土产，倒是声誉日隆：从闽西老鼠干到上海臭豆腐，莫不令遍及世界各地的中餐馆大发利市。

在土货股市节节飙升的时候，“水货”则根本上不了市，什么东西一和水货联系起来就当场掉价。就是娶老婆，若是来个水货，如花似玉，或者用时髦的话说，性感异常，送给贾宝玉这样的女性崇拜者，我看他也会害怕。不是他胆子太小，而是，外国走私来的新娘，就是验了血，HIV，阴性，也不保险，艾滋病有潜伏期呀。我的老天！

三、关于“女人是个好东西”

我有一个学生在“文化大革命”期间毕业，此人后来做了诗人，因为是诗人，也就有些惊世骇俗的想法和说法。我向他请教，男女两性，究竟哪一种性别比较优越？尤其是，中国古代的俗语：女人是祸水，是否过时？他问我有何高见，我答曰：别的难说，但是英国哲学家，曾经在《如何避免自我迷误》一文中说过，在英国，所有的男人和女人都以为自己的性别优于对方。男人可以举出一系列的大政治家、大哲学家、大军事家、大厨师、大裁缝都是男人为例；但是，女人也可以举出一系列的大贪污犯、大强奸犯、大强盗、大淫棍、大色鬼都是男人为例。

他笑而不答，说是要用诗的语言回答。正好，我们聚会为一个资深的老诗人作庆，请了些幼儿师范的小女生来会上朗诵老诗人的作品，同时，也请出席者自己朗诵新作。

他的诗是叙事的，是用朴素的语言营造一种氛围——在烈日烤炙之下，四川民工，正在把一块大石头往脚手架上抬。他们气喘像拉风箱，黄豆大的汗珠挂在鼻尖上。几乎所有的人，都准备由衷地呼吁：休息一下。话都到了嘴边，突然缩了回去。原来，这时，从围墙的一角，两个妙龄女郎姗姗而来，从容不迫，烈日把她们的青春的光彩辐射到工地的每一个角落，而和风又把她们身上的青春的气息，豪爽地播撒到每一个男性的鼻端。抬石头的民工，一个个都被这样的美的气息所陶醉了，从他们心里都不由自主地发出了同样的声音：女人是个好东西。

他的朗诵还没有结束，就引起了女性与会者的抗议，这是绝对必然的。没有想到的是，男性与会者也纷纷提出异议。

男性的主要论点是：女人与女人不同，有美若天仙者，有丑若巡海母夜叉者，难道连母夜叉也是好东西吗？君不见，苏格拉底的太太，林肯太太，奇丑无比，但是，折磨起他先生来，一样出神入化，妙绝人寰。

诗人答曰：站在女权主义者立场上说，只要能制服男人就是美女，也就是好东西。

双方正辩得不可开交，正好诗人的太太走进来，庄严宣布：“女人是个好东西，这是真理，但是，只是真理的一半，还有一半是：男人没有一个好东西！”

2001 年 4 月 20 日定稿

论美女难逃英雄关

一、花木兰是英雄吗

我这个人生来老实巴交的，舌头大，嘴巴笨，什么都敢，就是不敢辩论。虽然很羡慕人家吹得如佛祖讲学的最佳效果——“天花乱坠”，顽石点头，很想体验一下辩论胜利万人仰望的滋润，但是临场话到舌尖，打了九个转弯，又吞了回去。我相信古人的智慧：满招损，谦受益；更信奉毛泽东主席的格言：谦虚使人进步，骄傲使人落后，所以虚度许多年华，至今不敢狂妄，自以为是。

但是，我也反对用过分的谦虚掩盖自己的窝囊。平时爱好照镜子，反复调查研究，结论都一样：长相平常，在异性面前没有什么太强的吸引力。但是，在特殊情况下，比如在街上看到残疾人跪在地上乞讨，就觉得没有必要掩饰自己的优越感。比起他们来，我长得唇红齿白，横有眼睛竖有鼻子，会跳华尔兹、探戈，也可踱方步进入掌声四起的会场。如果有人不许我可用《水浒传》上的话形容自己：端的是一表人才，我就敢和他辩论，不怕他说我“狂”，“狂而不妄”是我个性中最光辉的亮点。

然而身居书斋，残疾人难得一见，享受狂而不妄的欢乐的机遇实在太少，也没有什么人热爱和我就这个论题进行辩论，我常常因此陷于情绪沮丧。幸而天无绝人之路，如今出了一批女权主义者，而且其中不乏一些“美女”，一个个性格泼辣，用美国话来说，就是aggressive，用中国话来说，则是有侵略性，特别爱好和男人辩论。说也奇怪，本来很笨的嘴巴，很沉重的舌头，一旦有美女与我抬杠，对方越是美丽，我越有了特异功能，妙语连珠，孟夫子之“浩然之气”与本人自豪之感如王勃所喻：如落霞，如孤鹜，身与心有比翼齐飞之感。

说起来也真叫人笑话，我们的辩论竟是从一个最简单的常识开始的。

花木兰是不是英雄?

女权主义的小姐和老姐们说，当然是。

我说，不但绝对不是，而且荒谬得很。

她们的理由是早已说滥了的那一套：身为女子，代父从军；朔气金柝，寒光铁衣，出入燕山胡骑，驰骋黑水大漠；明堂策勋，衣锦还乡，岂非真正名牌之盖世英雄?

我的理由，很简单：孔子云，名不正则言不顺，必先正名乎。用当今流行的西方话语学说，首先要从话语的表面揭示出潜在的、隐秘的、深层的文化荒谬来。

“英雄”之“英”，花之谓也。伟大诗人屈原天天晚餐就吃这种东西，这是他在《离骚》里公开宣布了的：“朝饮木兰之坠露兮，夕餐秋菊之落英。”这个“英”就是花瓣，当然这不是减肥秘方。相信美女和我一样都景仰屈原，只是，这个偏方，大概美女不敢贸然一试。光是早上喝一点饮料，晚上吃一点花瓣，不但可能导致厌食症，形容憔悴，而且可能饿丢了小命，饥饿对男人和女人是公平的。“英”字也一样，男人是花瓣，女人也是花瓣。但是，“雄”就不然了。雄，具有男人的性别的象征，男人能够“雄起”，女人就缺乏雄起的条件了。

英雄，英雄，大前提不言而喻：必须是雄性。谁能证明，花木兰实行了变性手术呢?如果要保卫她的女权，她的雌性的尊严，就不该称为“英雄”，而应该称之为“英雌”。可是，在我们伟大的汉语里，“英雄”令人联想到楚霸王，“力拔山兮，气盖世”；令人想到张翼德，在曹操追兵面前，手执长矛，长坂坡一声吼，吼断了桥梁水倒流。而“英雌”，能令人联想起什么呢?是“英雄”的变性，像泰国的“人妖”，不男不女，半男半女，上海话来说，叫作“雌半雄”，是骂人的话。

英，作为花，是植物中最美的；英，作为人物，就是最杰出的。英雄，英雄，英杰之士是雄的，花木兰是雌的，所以她不是英雄。如果对这样的三段论推理，还有什么怀疑，智商和我就不在一个档次上，请找逻辑学的鼻祖亚里士多德去辩论。

伟大的命名中显示了隐蔽的成规：英雄和雌性是水火不相容的。

就是男性英雄，一旦和雌性有太密切的关系，其英雄的指数就可能贬值了。楚霸王是英雄，他和那个虞姬，情感上如何如胶似漆，司马迁是有意回避的。只有在自杀的时候，才让虞姬亮了一下相。年纪轻轻，美貌绝伦，居然自刎得那么轻松，还带一点舞蹈的潇洒，一点没哀哀欲绝意味。不是司马迁太残忍，而是他缺乏胆略。如果让她和项羽缠绵悱恻一番，像希特勒和爱娃一样来临终前的婚礼，那项羽英雄的霸气就煞风景了。

儿女情长，英雄气短：二者的因果关系昭然若揭。英雄难逃美人关，美人是英雄的关卡。过得了这个关卡的是英雄，过不了的呢？中了美人计的呢？成为狗熊，成为汉奸、贪污犯、车匪路霸，不齿于人类的狗屎堆，在历史上，在公安局的档案里，已经堆成了山。

正是因为这样，第一代圣人才把坐怀不乱的柳下惠，抬举为旷世的英雄。

更英雄的，则是为了伟大的事业、恢宏的理念，先把坐在怀里的美人给宰了。

有一出戏叫作《吴汉杀妻》，说的是，刘秀为了把王位夺回来，去挖王莽的大将吴汉，而吴汉的妻子是王莽的女儿。作为公主的她，天天在佛堂里求菩萨保佑忙于公务的丈夫平安归来，而吴汉为了表现他忠于刘家王朝正统的决心，一回来就把老婆给杀了。杀人的现场就在经堂里，所以又叫《斩经堂》，血溅慈悲的佛像才够刺激。如果不杀，吴汉会成为流传千古的戏剧的主人公，或者英雄吗？这一点英国人和美国人比我们理解得更深，主人公和英雄，在英语里是同一个字：hero。

中国古典小说和西方不同，没有一个是凭着和女孩子谈恋爱而成为英雄的，没有《当代英雄》中的皮巧林，没有《红与黑》中的于连。像贾宝玉那样，虽然也是国家级恋爱专家，大不了“混世魔王”而已，但是，要说英雄气概，只能是等于零。拿他和《水浒传》里的真正的英雄比，十八般武艺没有一样有及格的水平，到忠义堂上去排座次，恐怕第109位都排不上。

二、杀虎不算英雄，杀美女才是英雄

就是那些排上座次的英雄，对美女常常是并不崇拜的，不但不崇拜，相反是敌视的。

武松算是英雄了罢，连女权主义者和美女主义者在这一点上和我没有争论。但是他成为英雄，是因为杀死了一条老虎吗？

未必。

从整个打虎过程来看，他在绝大部分时间，谈不上英雄。

首先，施耐庵强调，他的英雄之处，就在于他的大吃大喝。人家喝3碗就要“倒也”的酒，他一口气喝了18碗。如果是公款吃喝，或者为进入吉尼斯世界纪录，还有一点意思，可是武松当时还没有当上阳谷县的公安局局长，无处报销，又没有人和他比赛，可在我们祖传的观念中，仍然充满了理想主义的色彩。水泊梁山上有断金亭，这是柏拉图式的理想国：大块分金银，大碗吃酒肉。法国人拉伯雷《巨人传》中的高康大也是能够海吃海喝的，但是，那是虚拟的，而且喝到最后，他的所谓“喝罢”，实际上，所指的是文化知识。

中国人口膨胀太快，土地又太少，吃饱肚子是个问题。所以有民以食为天的信条，连毛泽东青年时代在《湘江评论》都说，世界什么问题最大？吃饭问题最大。

孔夫子比较全面一些：食色，性也。这是人生的两大要素，但是食比色重要。连鲁迅都说，一要生存，二要发展，也就是繁衍生命。没有美色，除了个别的登徒子，三天五天、十天八天都能活得下去，不过是看见异性心里有点乱而已。只有胸怀特别宽广的大人物，才偶尔想到小尼姑骂阿 Q 时的“断子绝孙”的危机。没饭吃的感觉比没有女人的感觉要难以坚持得多。据科学统计，不吃不喝，生命不会超过 14400 分钟，也就是 240 小时。所以古语云，饥寒起盗心，一到饿得发慌，就不要脸，什么坏事都敢做了。

吃得饱，是一种理想。在中国英雄传奇中，吃得多，就是力气大、志气豪，吃牛肉的胃口和打老虎的精神胆略成正比。

但是，吃有一个缺点，肚子的容量非常有限，超过了肚皮的弹性限度，有爆裂的危险。所以谁能吃得多，肚皮的弹性没有限度，就很了不起，很值得崇拜。

武松的英雄气概和吃喝的程度成正比。尤其是喝醉了，能醉打吊睛白额大虎，能醉打蒋门神；如果不醉，头脑清醒，其了不起的程度，就要差一些。

当然，这一切充满了中国式的肚皮理想主义的天真烂漫，如果纯客观地琢磨一番，海吃海喝并没有增加武松多少的精神能量和聪明才智。

首先，武松打虎的方法就很不科学。施耐庵描写，武松是一只手按住了老虎的头部，用另一只手握成拳头，把老虎打死的。这简直是开玩笑，用这种傻办法，只配送死。老虎属于猫科，椎骨特别长。不像狗，你按住它的头，它的后腿就无所作为了。我曾经按住猫头试验过，它的前爪确是无所作为了，可是猫的身子长，它的后腿就翻过来乱抓。按住老虎脑袋的武松，唯一的办法就是用另外一只手按住老虎的屁股。如果武松有第三只手，这场战斗必胜无疑。很可惜，上帝在创造人的时候，并没有考虑到人中英杰有时会遇到猫科动物，也许，上帝还有顾虑，给人类第三只手，私有财产的神圣性就没有保障了。正是因为没有第三只手，武松就只能两只手按着和老虎僵持下去，直到筋疲力尽为止。如果真是这样，武松就化为老虎的营养，不但是蛋白质、脂肪、微量元素等等的营养，而且武松的气概也可能化为老虎精神。如果真是这样，盖世英雄就不是武松而是老虎了，那就不是中国小说史要改写的问题了。

当然，说话不能太刻薄，平心而论，本着毛泽东一分为二的教导，金无足赤，人无完人，武松勉强还能算是英雄，不过是一犯了错误的英雄。充其量，他不过有半小时左右的时间爆发出超人的神力和勇敢，可以说是真正的英雄。其他时间，平凡得很，卑微得很，一个接着一个地犯错误。

店家好心好意，告诉他山上有老虎，让他住下，他偏不相信，以为是人家要贼他的住宿费。后来证明，他错了，从错误的性质上来说，是不相信群众。

等到了山神庙，发现阳谷县政府的红头文件贴在那里：近日景阳冈有吊睛白额大虎伤人，行路客商人等须等“巳、午、未三时（上午9时到下午3时）结伴过岗”。当时已经是落日酉时（17—19点），如果他实事求是，就该折回去。可是他想，这面子上太难堪——“须吃店家耻笑”。这就犯了第二个错误，用上海话来说，死要面子活受罪。走了一段路，并没有发现什么老虎，酒气又涌起来，干脆就在一块青石板上呼呼大睡起来。这就是他犯的第三个错误了，叫作麻痹大意。等到真的老虎来了，他在一切方面，都处于劣势，唯一的优势是他手中有哨棒。按马克思的说法，劳动工具，是手的延长，这是人和动物唯一的区别。但是，他又犯了第四错误：违背了毛泽东在《中国革命战争的战略问题》中的原则——“慎重初战”，他仓皇之间举起哨棒猛地打过去，咔嚓一声，老虎安然无恙。原来是打在松树上，把松树老大一截树枝打折了不算，自己唯一的武器也打断了，没有足够的长度了。从心理上来说，这就是第五个错误，从一个极端走向另一个极端：麻痹大意变成了惊惶失措。

可是恰恰到了这个最不英雄的极限上，黑格尔—毛泽东对立面转化的哲学起了作用，他却突然爆发出一种超常的神力。居然用非常不科学的方法，三下五除二地把老虎打死。应该承认，在这不超过半个小时的时间里，他是真正的英雄。当然，不排除其中有某种偶然性。例如，当时老虎得了感冒什么的，发烧到四十二三度；也许，用今天奥林匹克运动员的行话说，由于麻痹轻敌，而不在状态。

历史决定论可以休矣，人世间充满了偶然性。武松半小时的英雄超常发挥，转化为永恒不朽的英名。

虽然如此，武松心理气质的软弱性并没有因此而有所改变。

那时，还没有野生动物保护法，卖老虎皮、老虎肉、老虎骨头，没有今天这样坐牢乃至掉脑袋的风险。他想把死老虎拖下山去，多少也可以卖几两银子。可是他活老虎可以打死，死老虎却拖不动了。这更可以证明，武松在体力方面，也有我们小老百姓的局限。更加好笑的是，他无可奈何地放弃了死老虎，独自一个人“挣扎下岗子”去，恰恰又碰到枯草中两只老虎，这个千古英雄居然绝望起来：“今番罢了。”（这下子完蛋了）幸而，这两只老虎是假的，是猎户扮的。

这算什么英雄呢？比起我们样板戏的英雄，在牺牲生命关头，面不改色心不跳，真是要惭愧死了，这样的货色充其量不过是如“文革”中大人物陈伯达先生所说，小小老百姓。

但是，武松头上还是有数百年来不改其神圣的光辉。连聪明绝顶的金圣叹都称赞他为“神人”“天人”。

毫无疑问，光是杀虎，是不够资格成为神人、天人的。施耐庵写杀虎花了整整一回，觉得不过瘾，又让他去杀了一个送上门来的漂亮女人，也花了整整一回。这不是偶然的。用俞平伯评论《红楼梦》中林黛玉和薛宝钗的话说，是“遥遥相对，息息相通”。

武松之所以英雄，更主要是因为他在老虎面前心里七上八下，在美人的勾引面前却无动于衷，端的是面不改色，本来应该“心不跳”，但是，我想心如果真的不跳了，也就很难成为英雄了，所以用科学的语言来说，应该是：血压、脉搏，一概正常。

不管潘金莲如何勾引，就是没感觉。甚至任潘金莲将“酥胸微露，云鬟半散”，将自己喝了半杯的残酒连同自己的身体一起投怀送抱的时候，他不但没有男人的内心骚动，而且产生一种厌恶，突然严词痛斥：“不识羞耻！”

英雄就英雄在特异感觉系统的伟大和坚强——能不能把这叫作“反男性感觉”呢？待有暇到图书馆去向弗洛伊德先生请教。

正是在这种“反男性感觉”的驱使下，他“两只脚踏住她两只胳膊，扯开胸脯衣裳……去胸前只一剜，口里衔着刀，双手挖开胸脯，抠出心肝五脏，供养在灵前”。

这个手伸到女性胸脯中去，口里还衔着刀的武松，才是顶天立地的英雄。

杨雄杀老婆，用的方法和武松是一样的，他先“挖出舌头，一刀便割了，一刀从心窝里直割到肚子下，取出心肝五脏，挂在松树上”。

起初，我不太明白，杨雄这个家伙有什么资格配称英雄，太太偷和尚，戴了绿帽子，被女人灌了迷魂汤，冤枉了义弟石秀，这样的窝囊废还偏偏名叫杨“雄”，他雄个什么？枉了“雄”字的光彩。应该叫作杨“熊”才对。看到杨雄杀女人的利索，我才明白了，传统英雄主义的真话。

这种杀女人的办法大概是施耐庵的好戏，他不由自主地重复着使用。就连比较文雅的卢俊义，也是用同样的方法处置了他的老婆：“卢俊义手拿尖刀，自下堂来，大骂泼妇贱奴，就将二人剖腹剜心，凌迟处死。”

年轻的读者可能不知道什么叫作“凌迟”。要直接详细说明是相当野蛮的，大体上相当于生切鱼片——把活鱼一片一片削下来，直到它不挣扎为止。不过要在想象中把鱼改为美女。

凡是英雄，都是雄的，打老虎倒在其次。关键在于对付美女时，以“口里衔刀”的姿态，进行“切美女片”的操作，才叫真好汉。

怪不得中国人把厉害的女人叫作“母老虎”（上海话叫作“雌老虎”），不然杀女人的成就怎么能超过杀老虎？

武松后来血溅鸳鸯楼，杀了人家一大家子，刀口都杀卷了。他在墙上用布醮着血写道：

“杀人者，打虎武松也。”行不更名，坐不改姓，端的是英雄。

我时常觉得这句话还不够全面。多年教师的职业习惯，使我时常有一种冲动，想去替他改成：“杀人者，打虎并杀嫂武松也。”现在看来，毕竟是施耐庵老到，“打虎武松”中的“虎”，并不简单是指景阳冈上的吊睛白额大虎，而且包括潘金莲那样的美丽的母老虎。

如果只会打山上的老虎，却杀不了美丽的母老虎，就和英雄无缘了。《水浒传》中，矮脚虎王英虽然号称“虎”，但是个色鬼，见了美丽的母老虎，就流口水，就只有受嘲弄的份儿。最后当了“一丈青”（是一丈长的蟒蛇吗）的俘虏。

万恶淫为首，女人是祸水，所以对她们不能心慈手软。但是在《水浒传》中对于女人也并非一味残忍，有时也宽容到让她们杀人放火，如菜园子张青的老婆母夜叉孙二娘，以杀害饭馆里的客人做人肉包子为生；还有以母大虫为绰号的顾大嫂，都可以列入梁山英雄的正式谱系之中。但是，对于好男色的则不断重复着残杀的老套。

毛宗岗在评论《三国演义》时说过罗贯中，写了许多次火攻，容易重复，甚至雷同，这在艺术上叫作“犯”。但是，火烧新野、火烧博望坡、火烧赤壁、火烧淄阳、火烧盘陀谷等等，都各有特点，没有雷同，这就叫作“同枝异花，同花异果”。而《水浒传》杀潘金莲、杀潘巧云、杀贾氏，实在是基本雷同，可以说是“同枝同叶，同花同果”，但是为了突出英雄本色，施耐庵也就顾不了许多了。

食色，性也。对于好吃鬼可以宽容，甚至可以给他一个“美食家”的头衔。对于好色的，按构词法类推，本该给好色者一个“美色家”的称号，但是，不但不把他当成什么“家”，而且不把他当人，干脆把他当成鬼，创造了一个“（好）色鬼”的称号。在这方面，闽南人比较幽默，他们把色鬼叫作“猪哥”，表面上是很客气，当作自己的亲兄弟，但是，“猪哥”同时也指专门用来配种的猪。

色欲是诱惑力最强大的，英雄难逃美人关，人性使然，《水浒传》中的英雄不管多么纯洁，与色欲有所沾染是很难避免的。

宋江不是包了一个年轻的二奶吗？施耐庵就处处回护他，反复强调他是被动的，不是为了色欲难熬，而是为了解救二奶阎惜娇的经济困难。这样写总是有点勉强，有点骗鬼的嫌疑，为了维护天下英雄都无条件崇拜的宋江的光辉形象，最后还是让宋江把她给宰了。

本来是英雄难逃美人关，可是弄到了头，常常是相反，美人难逃英雄关。

想想武松的榜样是最为典型的：嘴巴里咬着刀。

金圣叹在评语中说：本来武松杀虎，是赤手空拳，杀一个小女子，“举手之劳焉耳”，应该是没有什么写头的。但是，施耐庵却写得淋漓尽致，手伸到漂亮女人胸脯中两次。性的刺激本来应该比之饥饿的刺激是更为强烈的、更疯狂的。武松和中国古典小说之中许多英雄，之所以是超越凡人的“天人”“神人”，就是因为他是无性的。

由此也可以看出中国古典小说的伟大。西方中世纪骑士小说，把为女人献出生命作为光荣，拿到中国来，不是渺小、可羞之极，就是神经病，热昏了头。

《水浒传》如此，《西游记》《三国演义》莫不如是。

《西游记》中的英雄都是无性的，见了漂亮女性，从唐僧、孙悟空到沙和尚，都没有雄性的感觉，不会有雄起的危险。而唯一有性诱惑感的猪八戒，则像矮脚虎王英一样，受到反复嘲笑，弄得洋相百出。《三国演义》中关公犯了那么多错误，先是投降曹操，后是破坏和孙权的统一战线，这一切作者都原谅了，浓墨重笔强调的是，他陪着义兄刘备的两位太太，长夜漫漫，夜观《春秋》。什么书不好读，为什么偏偏要读《春秋》呢？因为这是孔夫子编的书，要不然他的心就会乱，血压、脉搏就不会正常，长年征战积压下来的性苦闷就压抑不住。

把关公写得没有性感，失去人性，是不是有艺术上失败的危险呢？非也。这是为了他在结束了为人的历史以后，不变成鬼，而是供奉到神龛里去作铺垫。

作为人，他下岗了，但是，“下”到了比人高的岗位上。

也许，这不仅仅是中国特别的国情，苏联小说《这儿黎明静悄悄》中说得很明白：军人是中性的。这是因为人性太脆弱，在战场上，性的诱惑太危险，可能压倒对敌人的仇恨。在果戈里的小说《塔拉斯·布尔巴》中，英雄的儿子在攻城的时候居然与敌人——一个波兰贵族小姐谈起恋爱来了，英雄塔拉斯，就大义灭亲，把他给宰了。拉甫列涅夫的《第四十一》，最仇恨白军的红军女战士玛柳特加，一旦到了荒岛上，只剩下两个人，就忘记了阶级仇恨，和那个年轻的白军军官，谈起恋爱来了。

性感觉还有一个特点是胆子特别大，中国人所谓“色胆包天”真是说到了点子上。和希腊神话中小爱神丘比特是盲目的，异曲同工。

本来是，英雄，英雄，都是男性，就是因为男性有“雄起”的本钱；弄到最高境界，变成不灭掉性的感觉，英雄就“雄”不起来。

伟大革命要求有伟大英雄，伟大英雄就必须无性。

也正是因为这样，到了20世纪，中国革命到了最高潮，才产生了样板戏现象：所有的男英雄都没有老婆，所有的女英雄都没有老公，所有的母亲都没有儿子。《红灯记》中，李玉和没有老婆，李铁梅没有妈妈，李奶奶并不是李玉和的亲生妈妈！有了血缘关系，有什么危险呢？血缘关系是性交的铁证。性的诱惑，前面说过了，是最强烈的、最危险的，它随时随地有可能超越革命豪情。好在革命英雄们对于这一点都无所谓。阿庆嫂一个人住在沙家浜，做地下工作，这是违反地下工作的起码常识的。据说周恩来指出了这个漏洞，编剧就让胡传魁问一声：阿庆呢？阿庆嫂说：和我拌了几句嘴，到上海去跑单帮了，说是不混出个人样来就不回来。

三、英雄难逃美人关，还是美人难逃英雄关

这个问题，有相当严峻的现实意义。因为，让英雄无性，是不可能的。

在抗日解放战争期间，军纪规定，士兵不许谈恋爱，尤其是不能和驻地的小姑娘谈恋爱，违者军法从事。的确，对于英雄的纯洁性来说，一旦迷上女人了，就不顾一切，不要性命，不要革命。往往是一点小感觉，就造成一场大事故。“三大纪律八项注意”中，特别规定“洗澡避女人”：因为那时，战士没有澡堂，只能在小河、小溪这样的公共场所凑合。双方只要对看一眼，星星之火，可以燎原，把革命的伟大事业烧毁。爱情的力量太大了，用契诃夫小说中一个人物的话来说，就是“用大炮也攻不破”。我要补充一点，大炮有时要被它攻破。毛泽东早就指出糖衣炮弹的危险，夸张一点说，女人、美女，是原子弹。可惜我们没有遵照他老人家的教导，天天讲，月月讲，年年讲，以至于如今晚报上天天都有大批干部纷纷阵亡的消息。

贪污腐败，技艺高超，道高一尺，魔高一丈，风险成本极低，破案率也极低，胡长清、成克杰等，技艺高超，痕迹不留。天知地知，你知我知，出将出相，一呼百诺，气宇轩昂，旁若无人。可是，一旦有了任性的小蜜，就海船翻到了阴沟里。中国古语，“万恶淫为首，女人是祸水”，实在是天经地义的真理。

究竟是英雄难逃美人关，还是美人难逃英雄关呢？

让英雄无性，是不可能的吗？是可能的吗？

这是人性学上的哥德巴赫猜想。陈景润已经故去了，让我们稍微有点耐心，等待他转世投胎来解答这个难题。

2001 年 4 月 15 日

证婚多余论[1]
——调寄鲁迅《立论》

这么热烈的掌声把我捧到台上来，我实在不由得有点惶恐。承蒙抬举，让我担当这么个荣耀的角色，但是，我觉得，证婚人这个角色完全是浪费！都这么明媒正娶的了，又不是抢亲，更不是包二奶，大张旗鼓地隆重庆祝，来了上百的亲朋好友，要证明婚姻的确实，不是多此一举？在公元2001年的一天晚上，7时30分01秒，新郎新娘在这个酒店里合法地结婚。经过省级医院著名医生检查，男方没有艾滋病，女方也持有居民委员会的权威文件，绝对不存在重婚的可能。

如果这样明白的事，还要证明，就说明主办婚事的家长，怀疑诸位来宾有夜盲症。

“文革”虽然一去不复返，但伟大格言仍然在耳：群众的眼睛是雪亮的，老群众是真正的英雄，难道这么多英雄的雪亮的眼睛都不算数，都不能信任？只有我说了，才能算数？这就不是抬举我，而是把我孤立起来，放在火上烤。

谢谢你们的鼓掌，谢谢你们由衷的笑，你们笑得越开心，我却越沉重。和这么多双眼睛相比，我的眼睛不过是多了一副眼镜，有几百度的近视，有几百度的老花，再加几百度的散光。不戴眼镜的时候，我的眼睛充满了诗意，有蜜蜂的复眼的功能，能把月牙儿看成复瓣的栀子花，把一头的蛇看成多头蛇，颤抖的、血红的舌头像失了火的房子里火焰纷飞。现在我就看见在新郎身边站着五六个新娘。

谦虚不是我的特长，我记得伟大的格言——谦虚使人进步，但是，在我可能是个例外。

证婚人的职责是“证”，就是提供证据。或者是人证，或者是物证。人证，还用我来提

---

① 朋友的孩子结婚，请我当主婚人，并要求发表演说，而且要有趣，还要深刻，绝对禁止讲空话、套话，要讲真话，讲出学者的水平来。我不得不苦思冥想数小时，终于理清了在现场的氛围中作即兴发挥的思路。

供吗？在场的这么多人，还缺一个我吗？至于物证，将来生了孩子，就是证明。英国人说，手里拿着食品布丁，从理论上证明它就是布丁是很困难的，他们发明了一个经验主义的方法，说是“布丁的证明就是吃”。我们推演一下：结婚的证明就是孩子。有时孩子还不行，现在赖账的太多，就有了亲子鉴定的科学。但是，这也有十万分之几的误差。

科学不完全可靠，因为是间接证明，最可靠的是直接证明。

但是，什么都可以直接证明，只有结婚是例外，结婚与第三方无关，不允许参观。允许参观的就不是真正的爱情和婚姻。比如说，影视屏幕和戏曲舞台上，明明两个人没有什么感情，可是装得很像是坠入爱河、神魂颠倒的样子，能装上5分钟，至多2个小时，让你看了流眼泪，要给个奥斯卡奖或者文华奖什么的。但是，这是艺术。爱情如果成了艺术，成了演戏，允许人参观，就是假的了。真正结婚，不欢迎直接参观，它是秘密的，一切动作都属于法律意义上的隐私范畴。

据说有一种毛病叫作偷窥癖，专门偷偷看人隐秘的行为。你们不至于就指派我干这个吧？

站在证婚人的位置上，我就只有以下几种选择。

第一，对于此项职责持吊儿郎当的态度，其结果，说文雅一点，就是渎职，等着我的是撤销职务的处分；第二，硬着头皮执行任务，免不了要被当成心理不健全的偷窥癖患者，名誉受到损害；第三，由于偷窥，而承担严重的法律责任，例如民事拘留数天之类；第四，为了避免上述尴尬局面，主动申请充当有职无权的傀儡：日后离婚诉讼，让我出庭做证，我本着邓小平实事求是的原则，只说一句话：我什么也没有看见。

结婚是两个人的自由，自由是不需要任何人来证明的。这是“五四”先驱所追求的恋爱婚姻自主的理想。这一点自由虽然看来真是微不足道，可要真正实现，却花了上千年的时间，以无数的梁山伯祝英台和罗密欧朱丽叶的悲剧为代价，至今还没有彻底实现。

有人说，也许，原始婚姻是自由的，只要两情相悦，爬到树枝上，躲到山洞里、草堆里都成，连个塑料席子也不用。但是，我看过一本苏联人写的《印度史话》，说是早期的印度人是从伏尔加河迁移过去的（也许，有他们的印欧语系共同的词根为证）。那时很原始，很自由，但是也很野蛮，就在佛法无边的印度河，或者恒河里，做母亲的看到自己的“对象”被自己年轻的女儿吸引了，就毫无痛苦地把自己的女儿扼杀了。她倒是充分地行使了自己的自由权，她的女儿的自由就化为乌有了。

本来，我们的祖先，青春期一到，就自由一番，所以连孔夫子都是“野合而生”（当然，孔夫子家乡的人，也许有其他的解释），耶稣似乎也是私生子。人跟人在这个问题上，从来就不是很讲理的，今天年轻人不是常说一句话吗？叫作“爱你没商量”。有商量，乘兴而来，兴尽而返。但是，常常是你有兴，而我没有兴，就要来点强迫。“结婚”

的“结”字，就是我自由地把你“结”起来，或者捆起来，剥夺你的自由。这个“婚”字就更有文章。女字偏旁是表意的，与妇女有关。光有女的，还不能结婚。原来，这是站在男性立场上的。这个字的另外一半是表音的，与黄昏有关。为什么？且看甲骨文上的描写：

屯如，邅如，

乘马，班如，

非寇，婚媾。

乘马，班如，

泣血，涟如。

威风凛凛的一大队马队来了，好像是强盗来抢劫，把姑娘弄走了，其实不是抢劫，而是来娶亲的。女孩子还伤心地哭泣了。这种早期的诗歌被巫师记诵，在甲骨上刻了下来，成了最早的文献，记载了最早的仪式，证明当时婚姻一点也不自由，和强盗抢劫差不多。抢劫妇女和抢劫财产一样，不适合在大白天进行，黄昏时间，较为合适，这就给最初造词的先民一个启示，在黄昏时间把你捆起来，这就叫作“结婚”，这就是办喜事的由来。

结婚成为一种仪式，就是从不自由开始的。不能让你太自由，仪式就是不自由。仪式能把不自由化为神圣的自由。

抢婚本来是野蛮的，但是成为一种仪式，用诗化的语言、有节奏的语言来表现，就美化了。再来点抬轿子吹喇叭的，不自由情感就成了美好的仪式。

这事有一点煞风景，不管我们多么以文明而自豪，大讲其五讲四美三热爱，却不能否认自己就是野蛮的婚姻之树上结出来的果子。证据就是我们至今仍然要把两个人灵魂和肉体的同盟，叫作“结婚”，为什么很少叫作“结亲”，或者“结合”呢？因为，“结亲”是结婚的结果——繁衍了后代，就有了亲戚关系。“结合”则是更为“文明”，一方面是暗示肉体上的沟通，一方面又暗示精神上的交融。虽然，当代青年的“结合”，常常是大白天在宾馆里、大学生宿舍里乃至公园里的树荫下，兴之所至，等不及到傍晚，是常有的事。至于一些美国式的婚礼，时常是在中午开始，在游艇上操办的，大家还是不约而同地把它叫作结婚，如果有人自作聪明地把中午的婚礼，按照福柯的理论，反抗现成的权威话语，改成个人话语，叫作“结午”，就没有人知道你说什么，也就没有人来参加你的婚礼了。

在老祖宗的时候，婚姻是不自由的，在现代社会，婚姻仍然不能太自由，这就有了证婚和证书的问题。

证婚人尽管站在新郎和新娘的中间，也不是主角，你是第六个手指，无用的摆饰，但是，到了悲剧演出的时候，双方有了矛盾，吵了起来，一方狡辩的时候，你就能派上用场。这样的用场，是悲剧性的，我看不如没有。

细细想想看，是不是有点滑稽？自己结婚，却要别人来证明！

人也实在是无奈，什么都能干，上天下地，连月球上都留下了脚印。但是，人就是不能证明自己，社会越是现代化，人越是不能证明自己。法庭辩论，控方、辩方的证词互相抵消，都等于零，白白让空气快活地震动了一番。最好是有人证、物证。说你杀人了，还不行，还得找到你杀人的刀子，刀子上的血迹和你血里的DNA是不是相同。克林顿说，他和那个莱温斯基小姐没有关系，他之所以狼狈，是因为从留存莱温斯基小姐裙子上的纪念品，查出了克林顿的DNA密码。萨特说，他人是地狱，可是到了关键时刻，别人裙子上的精斑却有了上帝的权威。

人类越是进步，人对人越是不能放心，因为人太狡猾了。荀子说，人性恶。别的方面，我不知道，在婚姻方面，比之人性善要深刻得多。在涉及人的情感中最为强烈的方面的时候，人最会说谎，连测谎器都无能为力。“一言既出，驷马难追”原意是说，话说出口就很难反悔，去掉这个意思，就是：说话等于打水漂，连个影儿也没有。结果是，人对人的不相信成了一种宗教、一种制度、一种民俗。具体表现就是证婚啊，证书啊，婚礼啊，等等。你会赖账吗？有婚礼为证。

为什么要拜天地？就是请天地为证。

为什么要上礼拜堂？就是请上帝为证。

天地无言，这是圣人讲的，上帝也是不讲话的，鄙人什么都不如上帝，但是，有一点上帝不如鄙人——他不会讲话。这个证人，就轮到了鄙人这儿。

就是不能让你自己为证。

可怜的新郎新娘啊，你可不能相信你所爱的人。

在婚姻上相信对方的人，心灵不设防的人，善良的人，纯洁的人，到头来只能是哑巴吃黄连。

20世纪70年代初期，我下放在福建省德化一个白云深处的山村，叫作西溪村。那里的妇女价格昂贵，小伙子结婚要付出一笔巨大的财礼。从男孩子一出世，整个家庭就面朝黄土背朝天地为积累这笔财礼而奋斗20多年。

邻居老头子，一不小心，多生了几个男孩，大的一个长到了二十几岁，还在打光棍，把老头子弄得夜不能寐。他毕竟有乡巴佬的狡猾，看到附近镇子上，出现了一个寡妇，长得又老又丑，却带着两个年轻的姑娘。大的已经二十来岁。老头子就非常勇敢地托人到镇上，向寡妇成功地求了婚。办了喜酒以后，老太婆就说，新事新办，到公社去办个手续。老头子就说了，七老八十，丢人现眼的，办什么手续？反正我们是一家人，你的女儿和我的儿子，也就一家了，不如把他们的亲事也办了。老太婆觉得也是，就让女儿和老头子的孩子拜了天地。

老头子就这样没有花一分钱完成了孔夫子交代下来的人生大业。把这两件事办妥了以后不多久，老头子就宣布感情不和，和老太婆分手。

老太婆告状到法院，法官问，有没有登记呀？没有。那法律不予保护。

老太婆就说，不是有那么多的乡亲吃我们的喜酒，他们不能证明吗？

不行。人再多也顶不上一张纸。

人是这样不顶用，不但不能证明别人，甚至证明自己都无效。

一个人出差到外地，忘记了带身份证，让家里把它挂号寄来。他到邮电局去拿，不行，要有身份证才能拿。他说，我就是这个人。不行，你用什么来证明呢？我还不能证明我吗？你怎么能证明你呢？要有身份证。

找一个人来证明，行不行呢？不行，他的身份证不能为你作证明。

身份证不过是一张照片和一组数字，不是人做的吗？是的。一旦做出来以后，人就不如自己的照片和代表自己的数字可靠了。

这就造成了一个尴尬局面，人不如一张纸，不如一组号码。所以北村就写了一篇小说，叫作《张生的故事》，说的是一个在大学里研究哲学的年轻人，要和一个普通的女孩子结婚，两情相悦，就去领结婚证。说得好好的，可是走到半路上，却决定不结婚了。这个情节令我莫名其妙，问北村，为什么？他说，这很简单，人自己都不能相信自己，为什么就相信那一张纸？

发明身份证出来是为了方便，也表明信息社会符号化的进步，方便、进步的结果，却变成了和自己作对。

人生的许多麻烦都产生于人不能证明自己，虽然如此，人并不自卑，对自己，尤其是情感，是充满了自信的。在爱情方面，可以说是自信到无以复加。正是因为这样，浪漫主义的、疯疯癫癫的诗人，才横跨了那么多的历史时期，被视为天之骄子。

莎士比亚说，情人、诗人和疯子是属于同一类型的。

苏格兰诗人罗勃特·彭斯，这样描述一见钟情、始终不渝：

> To see her is to love her.
>
> And love but her for ever.
>
> （看见她，就爱上她，

就爱上她一个，一爱就爱到死。）

诗人总是比较浪漫的，把爱情说成是永恒的，不变的。欧洲诗人如此，中国诗人也一样。白居易写李隆基、杨玉环的爱情和罗勃特·彭斯异曲同工：

在天愿作比翼鸟，

在地愿为连理枝。

天长地久有时尽，

此恨绵绵无绝期。

在天，在地，说的是爱情是超越空间的，不以地点为转移的，永恒不变的。我在美国南俄勒冈大学英文系，用这几句诗向美国大学生解释说，中国古典诗人相信爱情是绝对的、无条件的，不管你到了撒哈拉大沙漠，还是到了北冰洋，爱情都是不会有任何的折扣的。

由于 20 世纪 60 年代开始的性解放，美国大学生，早已很少有生死不渝的爱情观念。在美国大学校园，拿浪漫这个英语词形容美国大学生，多少带着嘲弄的意味。他们还为在大学生时代没有性经验的人发明了一个词，对于美国女大学生来说，绝对是充满了可疑的意味的。中国诗歌中有如此绝对的爱情观念，使得他们大为感动，一个个欢呼起来：great！（棒）我说，其实，中国古典诗人和欧洲古典诗人的爱情价值观是一样的。你们那个彭斯，他就说，爱情要爱到天荒地老，到石头和沙子融化。这和白居易说的爱情的遗憾超越宇宙的时间限制（天长地久），是一样的。

如果真是这样的话，倒是好了，也就不用什么结婚仪式了，也就不用登记了。但是人的感情是多变的。今天我爱上你是真诚的，明天或者后天，我一看见你就恶心也是真诚的。今天你说，爱上你就爱到天荒地老，是真的，明天你去包二奶也是真的。

人的感情不是永恒的，不但不是终生不变的，相反是不断变幻的；不但是随着岁月变化的，而且是瞬息万变的。用我们家乡俗语来说，就是眼睛一眨，老母鸡变鸭。用英文来表述，就是 changing with passing second；用物理学语言来表述，就像分子勃朗运动一样，不可捉摸。在托尔斯泰的《战争与和平》中作为美和纯洁的化身的娜塔莎，一见了安德烈公爵，爱得不得了，可是安德烈公爵离开才不久，就几乎跟着一个花花公子军官私奔。肖洛霍夫的《静静的顿河》中那个阿克西尼亚，也是个美的典型，她为了爱格里高利，连家，连丈夫都不要了，但是，在格里高利不在的时候，她居然也顶不住军官李斯特尼斯基的引诱。鲁迅说贾府上的焦大不爱林妹妹，这可说得太绝了。苏联作家拉甫列涅夫的《第四十一》，写的是一个绝对仇恨白军的红军女战士，当她在航海的过程中，和她看守的白军俘虏军官，经历了一场意想不到的风暴以后，来到一荒岛上，他们两个就谈起恋爱来了。

如果可以设想，把林妹妹和焦大一起放到荒岛上，世界就只剩下一个男人、一个女人，林妹妹变得非常热烈地爱上焦大，也说不定。你想想，林妹妹要吃，不靠焦大行吗？冷了，除了焦大滚热的躯体能够给她温暖，她能指望谁呢？世界上没有无缘无故的爱，有了缘故，就可以天经地义地爱起来。焦大是那么强壮，连出汗都比贾宝玉更性感，林妹妹如果后悔当年爱上那没有男子汉气概的贾宝玉，也不是没有可能。

人就是这么善变，人的本性就在变。当然也有往好里和坏里变的分别，但是男人，除了唐僧那样无性的，大多数有点像猪八戒，变坏比变好要快得多。在美国一本心理学杂志上，我看到一篇文章说，男人本性就有多恋的倾向，所以才有那么多的婚变、婚外恋、家庭暴力，等等。

有一个色鬼男诗人，终生没有写什么让人记得住的诗句，只有一句诗是真正的例外："女人是个好东西。"这未免太形而下了。而一个很了解她丈夫的女人，说了一句话："男人都不是好东西。"这句话很土，但是形而上的哲学意味很强。

在我看来，在坏和贱方面，男人和女人是差不多的。因为光是一个男人是坏不起来的，每一个坏男人的背后都有一个坏女人。

人毕竟是人，并不愿自己这么贱，就想出办法来控制自己，所以就有了结婚仪式，拜天地，由天地的永恒来加强保证的权威，在神父面前盟誓：把什么坏的可能都说在了前头，不管是健康还是病痛，不管是富裕还是贫穷，都要让你表态。

就拿准了你哪怕是在天地、上帝面前说话都不一定算数，才设计了结婚仪式。

所以要证婚，就是因为准备离婚。

这里有一个悖论，一个两难推理：如果在结婚的时候，就想着离婚，也就不用请什么证婚人；如果有充分的把握，永远也不会有离婚的可能，那就同样不用什么证婚人。

我的想法是：堂而皇之地请了证婚人的，就说明他们心怀鬼胎，大张旗鼓地操办婚事的，肯定是盘算着日后离婚的战略和策略。

但是，我相信，我们这个厅堂里的新郎新娘，我们面前的新郎新娘，与众不同，他们是我朋友的精心杰作，秉承着孔夫子的伟大传统，他们的血管里汹涌着白居易的浪漫情怀，莎士比亚式的纯洁、永恒的情感正在他们心灵里流淌。

你们的掌声说明：这毫无疑问。

既然在这一点上，我们已经达成共识，我建议，取消我这个证婚人资格。

有谁不同意，就说明他对新人的未来缺乏信心。

后记：我把思路整理到这里，觉得很是兴奋，总是有点惴惴，这样的演说，尽管句句是真话，但是，仍然显得有点煞风景。也许是因为真理总是赤裸裸的，而在大庭广众之间，不能没有伪装。想来想去，不禁心虚起来。到了婚礼上，一看那欢乐的场景，我就胆怯了，当机立断把准备好的一切完全放弃，临时按着流行的老一套，说了些祝新郎新娘白头偕老、永结同心的废话。

2001 年 1 月 5 日

良性惧内症

一友人以惧内闻名。一日，友人相聚而嘲之，问其是否惧内为羞。答曰：我亦不知何谓惧内，更不知荣辱。但有故事可供诸君参考。诸君若公断吾为惧内，则吾羞由自取，如若情有可原，则请诸君为吾洗刷清白。

故事如下：

我历尽坎坷，中年才得一女。体验到亲子之爱那份无言美妙之后，才觉得自己心灵中那一块一直未曾发现的感情的空白、蛮荒之地，早已成为水草丰美之绿洲，那份欢欣恰如刚刚即位的太子，发现自己童年时曾经流落民间，一无所有。

这爱在开初是一种心灵的欢畅，望着她那越来越像我的小尖鼻子，比我还玲珑的小嘴，心头洋溢着得意和开怀。我的太太自然也是我忠实的同盟者，她认为孩子比我长得漂亮，比我聪明，比我更伶牙俐齿，比我有更好的气质，将来比我更有出息。至于和院子里那些同龄孩子相比，我太太更是自豪，没有一个能和她并驾齐驱。

而我那八十老母更是坚定：她说，不但院子里孩子比不上，就是电视屏幕上那些女歌星也望尘莫及。

在这种情感气候之中，主观的希望之花越开越艳丽，这种希望变成了一种宗教，一种信仰。

等女儿从小学一年年往上升，这种顽强的宗教信仰却一次又一次地遭到打击。最关键的是考试成绩，虽然都在 90 分以上，但总不能使她的母亲满意。在她看来我们的孩子应该门门都 100 分才顺理成章，人家的孩子都有考到 98、97 分的，她感到不可理解。孩子每次拿了 94、95 分回来，她脸上都没有笑容。有时孩子失误，也有只拿到 80 多分的，于是就有暴发暴风骤雨的可能。孩子的每一次失误都是对我们希望之花、信仰之花的摧折。只是我和太太不同，我默默忍受这种摧折，而我太太却要把这种摧折之痛发泄出来。

首当其冲的是孩子，平时各式各样的小毛小病，甚至是非毛非病都被拿出来数落一顿。论据软弱，而论断却是坚定的。这时孩子默默垂泪，一副可怜相。那眼神显然是希望我立马相救。可是我太太也在看我，那眼神显然也是希望我为她找出更为雄辩的论据。

夹在两种目光中的我只好装傻。

孩子自然拿我没办法，但太太对孩子的数落却有了发展。原来用的是第二人称单数，“你总是”如何如何不听话，后来就变成“你们总是如何如何”，最后干脆成“你们两个人”如何如何。这时，我如果和她在人称的单数和复数上进行人称的、语法的分辩，其结果“你们”变成了“你”，孩子解放了，批判的矛头立即转化到我头上。平时我的懒散，不爱整洁，待人大大咧咧，买东西又贵又次，多年前学生来访叫错人家名字，来香港20年还听不懂广州话等等。我本可以和她顶下去，指出她是在逻辑上犯了转移论题的错误，但那样只能令她更生气，更加在这几分钟内瞧不起我。而且，我想，好男不跟女斗，尤其是斗嘴，就算斗赢了又有什么光荣！不如遵循沉默是金的格言，“三个不开口，神仙难下手”乃我家乡人传统智慧的结晶。一方面等她火气发完，一方面研究孩子的考卷，帮助她找寻失误的原因。

太太自然慢慢停止了她的独白。

我逐渐感到，随着孩子功课难度的上升，对孩子的爱，不再单纯是种甜蜜的温馨，其中也掺杂着忧虑和委屈。大凡世界上的东西都是复合的，光是白糖，甜得也叫人发腻，加上点酸的、辣的，甚至是苦的（如咖啡）就美妙了。对孩子的爱也一样，如若没有那些苛求、专制，对孩子的成绩下降不痛苦、不忧虑，也就说明对孩子的爱不强烈了。

但是，我仍然希望减少一点甜蜜中的苦味。最关键的是切实有效地帮助孩子提高成绩，放下教授的架子，亲自辅导孩子做作业。

皇天不负苦心人，不久，孩子放学回家老远就喊着冲进门来了：“爸——爸！”我知道这肯定是好消息了。

果然带回来一个99分。

我大喜，待她妈妈下班归来，我努嘴暗示孩子把考卷奉上。

我看到太太脸上一丝微笑还没有来得及闪烁就消失了。

她往椅子上一瘫：“我就是弄不明白，你为什么就拿不下那最后一分！”

我大为震惊，本想顶回去：“你上小学考过几个100分？我看连90分都难得。”但是我知道，这样意气用事的话是绝对愚蠢的，只能破坏孩子学习成绩有所提高所带来的良好气氛，而且我是重视幽默的。美国人的幽默理论说，幽默的要义是缓解冲突，把自己的进攻变成对方的顿悟，甚至享受。

为了把美国式的理论付诸实践，我灵机一动，叹了一口气说："都是我不好。"

太太奇怪了："平时都是骄傲自满得不得了，这回怎么谦虚起来了？"

我说："孩子学习成绩不够理想，无非是两个原因，第一，老师没有教好。但是这种可能不大，因为人家的孩子，在同一个班上，并没有听说成绩不理想的呀。这就有了第二种可能。那就是她的头脑不好，天生的笨。"

太太有点不同意的神色，我按住她的肩膀，请她让我说完。

"天生的笨，是遗传的原因。这也有两个可能的原因。第一个是你笨。"

"这不可能。"

"我同意。那就第二种可能：那就是我笨。"

"我看这样说，还比较恰当。"

"但是，这也并不能怪我，更不能怪她呀。想当年，你找对象，背后跟着一个连队，你满园里拣瓜，拣得眼花；拣了半天，拣了个傻瓜。你不怪自己，还要怪她。"

女儿捂着嘴巴笑了。

太太忍着笑容。

女儿偷偷向我竖起大拇指，被太太看到了。她轻轻捶了我一下："你们这两个人呐。"

朋友讲完这个故事，大家一致叫好。经过慎重研究，在理论上得以升华得出了一个权威性的结论：惧内症对于男人来说，并非绝对可羞。

应该加以分析：第一类，系恶性惧内症，绝对是男性的耻辱；第二类为良性惧内症，不但不是男性的耻辱，而且是男性大大的光荣。

附：

我对于这样的结论举双手赞成，但是在逻辑上有一点保留。

众人问何故。

我说："他用的是诡辩术。"

众人问："何等诡辩术？"

我说："他分析孩子笨的大前提是不可靠的。因为，孩子聪明与否，并不一定取决于父母的任何一方。不但天资甚差的父母可以生出非常聪明的孩子，就是天资甚好的父母也可能生出秉性鲁钝的儿女。这样的例子不胜枚举。就是同样聪明的父母，也可能生出非常笨，或者聪明绝顶的孩子。”

被我这一说，大家颇感煞风景。

但是我说：“我仍然要向这个友人学习。因为他的说法有方法论上的意义：就是和太太辩论时，用一般的逻辑方法往往注定败北，只有用诡辩的办法，才能把她的头脑搅混。”

大家一致鼓掌赞成。

第二辑　心灵自传

读书糊涂始

我的职业是教书，虽然目前已经身为教授，但从职业根本意义上来说，同为三百六十行之一，和别的行业比没有太多特别的地方，唯一的区别在于，我的工作成果有时要体现为书。就是这么一点区别，往往使人对我肃然起敬，这大概是由于他们对我们这一行缺乏了解，多少有点神秘感的缘故。

其实，我自己倒是觉得，书是最好对付的，至少比鱼好对付。你想想看，鱼在海里游，你要把它从海里捞起来，那该多费事：你自己下海去，是游不过它的，造船结网该有多伟大的想象力。读书最简单，坐在桌前，慢慢琢磨就是，不认得字，就去查字典，查不到，过几天，换一本字典，反正它不会像蟑螂一样溜掉。

回想起来，我第一次对书发生兴趣，倒不在于那些字。那正是抗日战争期间，我家逃难到了乡下。哥哥们念的“战时读本”上有许多图画，除了小孩子、教师，还有空军战士。那时不可能有画图的颜料卖，哥哥们便采了油菜花，把花硬擦在那些把眼镜戴在帽子上的飞机驾驶员的脸上，脸就变成了黄的；又把菜叶硬擦在他们的衣服上，衣服就变成了绿的。我当时才五六岁，简直被这神奇的现象惊呆了，很想借来多加欣赏，但是，哥哥们十分神气地加以拒绝。

于是，我就吵着要念书。妈妈很是惊喜地夸奖了我，说我小小年纪就这么有志气。于是就从位于我家前面的一家店里买来了一本“国语读本”，让爸爸教我。很可惜，这个读本上并没有飞机驾驶员，也没有小学生向老师鞠躬，最神气的不过是三四只小猫，下面有字：“小猫三只四只。”此外就是几匹布，下面的文字是“白布五匹六匹”。这样的书虽然大大地扫了我的兴，但读起来很容易，以至于一天左右的时间，我竟读了一册。所谓一册，其实也就是二三十个字而已。就这样一册一册地念下去，在两三个月的时间里，我居然念到第七册，字是认了一大筐，得到了父母亲很多由衷的表扬。逢到有客人来，父亲就夸我聪明，父亲断言：“这孩子，将来是个念书的材料。”

后来，我家回到城市，那里有汪伪政权的“公立小学”。父亲不让我去上学，却把我留在家里，他也不去买那时规定的教科书，而是由他教我读四书五经。那些古书，都没有标点，每天他用红笔点几段，第二天我背给他听。起初还好念，不过是“子曰：学而时习之，不亦说乎；有朋自远方来，不亦乐乎”，要背也容易。不久以后，就念到《大学》，什么“大学之道在明明德，在新民”就实在莫名其妙。不过，还可以死记硬背。后来问题就越来越严重了。有一次父亲点了一课，第一句，我就不懂。父亲念道“诗云‘放屁’千里”，我一听就笑了，父亲瞪了我一眼，又念一遍，我又笑了，于是父亲有点恼火了，责备了好久。“千里”我是认识的，可前面那两个字从未见过。父亲又念，我又笑。那天我终于挨了打，当时感到非常惨。其惨不在屁股之疼，那其实并不怎么样，而且我故意夸张地号叫起来，妈妈就出来救驾了。最惨的是，我由此遭到哥哥的嘲笑。念书向来是我受宠的主要原因，爸爸妈妈常常以称赞我去打击我哥哥。这下子，他们可以奚落我的失宠了。

从此，我对于读书丧失了很大一部分热情，尤其是那个“放屁千里”，我简直是恨透了。好在爸爸从那以后也不再要求我读那么深的文言文了。

直到我念了大学中文系，读到《诗经》的时候，才明白那个害我受了皮肉之苦的“放屁千里”，原来并不是“放屁千里”，而是“邦畿千里”，说的是国土非常辽阔的意思。我父亲的普通话实在太糟糕，而且选的材料也太深奥，对于一个五六岁的小孩子来说，“邦畿千里”，委实太复杂，太难以想象了。看来我父亲虽然非常器重我，希望我大有出息，并且，很有一点民间教育家的自豪感，但是他的教学法却很不怎么样。老实说，我在很长一段时间里对于那一顿打是很不服气的。你明明说的是“放屁千里”嘛！我为什么不可以笑呢?

后来我长大了，逐步理解了父亲。那时公立小学教的是汪精卫政权的课本，父亲不想让自己的孩子去受那一套汉奸教的“精神污染”，才自己担当起这个不称职的教师。虽然父亲的普通话和教学法可以说是糟透了，但是他的那一份民族感情在当时还是十分可贵的。

就教学效果来说，也不能说完全是失败的，对于那些深奥的古书，我父亲自然缺乏讲解的能力，但是他所迷信的“背功”，却锻炼了我的记忆力。那每天一课的古文深深印在我的脑海中。父亲点的那些圣人的语录和对话，我肯定是莫名其妙，但这并不妨碍我每天早上到他床前把那些很费口舌的古文用近乎吟诵的调子背给他听。

我的记忆力锻炼得相当惊人，以至于我哥哥向父亲背书，哼哼唧唧背不下去时，我竟能从旁提示。其实，我并没念过他的书，也不懂书上的意思，不过是坐在他身边，听他心不在焉地念了几遍而已。

当父亲和哥哥都惊异于我的记忆力时，我就掩饰不住我的得意了。

修女老师的火

那是抗战期间，我们家逃难到了乡下。第一个拿着课本教我识字的是我父亲，后来由于事务，就把我交给一个私塾老师。他们的教学法是相同的：每天识字之外，还指定第二天要背的课文。背不上，就有挨训，在兄弟面前丢脸的危险。但是我的记忆力很好，背书的任务全是超额完成，有时一天背两课，甚至三课，甚得他们的夸奖，在兄弟之中颇树立起一点威风。在三四个月不断搬家逃难之际，我竟然一下子背到《战时国语课本》第8册，还有其他一些文言文的《论说法程》之类好几册，虽然根本不懂，什么"国如屋也"，什么"礼义廉耻，国之四维；四维不张，国乃灭亡"，什么"人为万物之灵"，等等。当时，我的实足年龄才5岁。

我在家庭中的地位大大提高，父亲常常当着许多亲戚朋友的面夸奖我是个"念书的材料"。每当他赴什么喜庆宴会时，时常把我带上。我自然也十分滋润。

后来终于回到城市，我进入了一所天主堂小学，那里的老师都是穿着黑衣服的修女。在那里不用背书。我背书的天才无用武之地，风头出不上，因而那个修女老师姓什么都忘掉了，只记得她的黑衣上挂着银项链，链下有十字架。她们最热心的不是讲课，而是讲圣经故事。最得她们宠爱的学生并非学习特别冒尖的，而是那些向她表示要"吃教"的。每逢星期一，她都要宣布上星期各人的得分，获得较高分数者，授以红、黄或绿奖券一张。我很少有这种幸运，究其原因则是我对于她讲的那些上帝、亚当、夏娃、诺亚方舟的故事根本无法接受。这和我从大人口中得到的信条：盘古开天辟地，孙悟空、玉皇大帝、王母娘娘的故事，相去太远了。我总是对她所讲的一切嗤之以鼻，我相信，我目光的抗拒、怀疑、挑战的神色，她在讲台上是看得一清二楚的，我深深以自己的反抗性而自豪。

可到了圣诞节，我的失落感就来了，眼看着那些比较听话的同学，特别是女同学，拿着每周积累起来的红、黄奖券到法国神父那里去换礼物，有的换到了圣牌上面有凸起的耶稣像，有的换到了银的十字架。我虽然不信耶稣，但是面对胸前戴着圣牌和十字架的同学在面前闪闪发光，却按捺不住，心动了，眼红了。

从此，我每天中午也随大流到大堂跪在凳桌前去跟着念那些根本不明白是什么意思的经文。念多了，也就得到修女老师的青睐。在主教来视察的时候，我居然成为欢迎仪式上的舞蹈演员，成为大家羡慕的对象。到了主教光临的那天，我和主教靠得那么近，甚至比修女老师还近，主教还用手摸摸我的头，并且让我看了他佩戴的十字架，当中央有一块凸起的圆玻璃，玻璃中间有一道红丝，主教告诉我，那正是耶稣死难的十字架上的木丝。使我感到无限骄傲的是他只给我看了一下，待到修女老师伸过头来，他却把十字架放回宽大的袍子里去了。

我激动得脸都发烫了，耶稣、主，一下子和我离得这么近，我甚至可以感到他头上光环发出的柔和而温暖的光华。

我真的要像那些我瞧不起的女同学那样去告诉修女老师，我也要皈依主了。

如果不是后来发生了一件意外的事的话，也许我今天会以一个天主教虔诚的信徒的姿态出现了。

那一天，一个同学丢了一支带橡皮头的铅笔。要知道，在日本占领时期，大家都只有毛笔，连个铜笔套都令人眼红，说到钢笔连一般老师都买不起。一个小学生居然有一支铅笔，而且还带着橡皮头，那是太神秘，太叫人肃然起敬了。

修女老师苦苦侦查，然而毫无效果，不得不改用攻心战略。她站在讲台上说，是谁偷的，主都看到了，现在主等待那犯罪的羔羊主动忏悔。时间还早，还来得及，可以到她房间里交代。然而过了三天，那迷途的羔羊并未过来。

她生气了，气得脖子都开始发红，她说主对这个小偷十分生气，不要以为主无法对付这样的罪犯，有法子的。

她打开一个酒精瓶子，瓶口有一个灯芯，她擦了一根火柴点上了。她的目光扫视了一下全体，“看到了吧！等一下你们每一个人都走到这里来，把手放在火上，如果你不是小偷，你的手就不会疼，如果你是小偷，那你的手就会烧起来。”

台下鸦雀无声，谁也不敢看别人的眼睛，一个个都垂下了头。

不知道为什么我的心却狂跳起来。我自然很有把握自己没有偷那支可爱的铅笔，但是把自己的手放在火上去烧而不痛，我却绝对没有把握。

如果我的手放上去烧起来怎么办呢?

不但修女老师要认定我是罪犯，而且同学们也会瞧不起我的。

好在修女老师说了一通又用盖子把瓶子上的火灭了，说是再过两天，就让大家一个个排着队走上讲台把手伸在火上，接受上帝的考验。

我忧心忡忡地回到家里，偷偷地把煤油灯上的玻璃罩取下来，把手指放在火舌上去试了一下，烫得我大叫一声。妈妈从外面跑进来问出了什么事，我说，我叫着玩玩的。

第二天上课，我一见修女老师走进教室还带着那酒精瓶子，心里就乱起来，那手指头也就不由自主地隐隐作痛起来，她讲课时每次停顿下来，我就有一种大难临头的感觉。有好几次，她都盯着那瓶子，把手伸进口袋里，我的心也随着悬了起来，然而她终于没有掏出火柴来，好像是想了一会儿心事，又继续讲她的课。

就这样，我提心吊胆地熬过了她的几堂课，终于感觉到她是不会让每一个人把手伸到火上去试烧了。

但是在下课的时候，我总是害怕碰到她，有时远远地看到，就赶紧跑开，连中午跑去跪在大堂凳桌面前念圣经也变成了一种恐惧，因为她总是跪在最后一排。

经过了期末考试，我就转学到另一所小学去，永远失去了成为一个主的信徒的可能，从那以后也再没有见过她。

女老虎

小学低年级的时候，正是在日本人的统治下，学校多少都受到日本军国主义教育风气的影响，其中最可怕的一点是提倡学生对老师“有理服从，无理服从”。连低年级学生都要服从高年级的，对教师那更是绝对服从了。不服从怎么办，打！我亲眼看到一个五年级男生被一个姓黄的女老师（外号黄老虎）用挡门的木棍打了，棍子都打断了。还有一次，一个男生偷了一瓶墨水，这位女老虎就罚他双手伸直，把墨水瓶放在他手上，不许他手垂下来。

当时，光是远远看着，自己的手都隐隐感到酸了。我不知道那双手在几分钟后顶不住，垂下来，这位女老虎如何处置他。

女老虎是训育主任，威风二世。

非常不幸的是这位女老虎兼任我的班主任。其实她不过是个 20 岁上下的姑娘，笑起来很和善，而且有一对漂亮酒窝，在课堂上她管教学生的唯一法门就是打手心，而且打得很认真，一丝不苟。打下去眼睛里发出得意的光来，显然是一种享受。

她教算术，不管什么人犯了什么事，从不交学费到不交作业，一律两下手心，绝不超额。如果既不交学费，作业又不交，就是四下，这样的加法，绝对科学，从来不会因为我们诚惶诚恐的眼神、抖索的嘴唇而有任何减免。其落手也不会因为板子数量的增加而稍稍留情，每一下的分量都是绝对均衡的。

差不多有好几个月，我每天早上都要被她打两板子手心，原因是我总不交算术作业。其实，并不是我不想交，而是我根本不会做。

日本人把我家赶到农村，那里根本没有公立学校，因而我的启蒙阶段是不正规的，学习的方法就是识字、背书，唯一的科目就是“国语”，根本没有算术。回到城市以后，我最初念的天主堂小学也都没有算术，只有国语。我在半年之内念到了第八册，按语文程度我可以升五年级了，可是算术一天也没学过。

转学报名的时候，我父亲谦虚了一下，才七八岁的孩子五年级没法念，就念三年级吧，于是我就分到这女老虎名下。第一堂课就是算术。

我一进课堂就傻了，女老虎在黑板上画一个房屋似的架子，下面写了一排排数字。我硬着头皮听了半个小时，才知道是在教除法，可是我连加法、减法、乘法都没有学过，完全莫名其妙。

作业布置下来了，不会做，也不敢告诉父亲，第二天就没法交。女老虎倒也爽快，也不问你为什么不交，也不骂你没出息，抓你的手，当着全班同学，啪啪两下子就算了，明天还是交不出，照样两下子，绝不劳神追究原因。

她打得不算十分重，但还是挺疼，每天都有五六个挨打的。

别人挨打的原因多种多样，我挨打的原因却永远相同。挨打的同伙中也有些老油条，他们颇有英雄气概，挺着肚子上去，挺着肚子下来，绝不流露一点痛苦的神气，潇洒得很，还主动来启发我：夏天用老姜擦擦手心；冬天用冰冷的砚台压在手上，就不疼了。

平时，我对于功课不好的同学打心里瞧不起，没想到现在弄得同病相怜，对他们的防疼土方我当然不敢怠慢，以后试了几回，似乎有效。但挨打的痛苦仍然很强烈，特别是想到和这些浑身都是泥污的家伙为伍，实在悲凉万分。

我慢慢发现自己与他们的不同在于，我害羞，而他们没有这种感觉。我的痛苦不来自手心，而来自内心。我受不了当众挨罚的羞辱。我读书向来不费劲，受到父亲的器重，得到亲戚的赞扬，在兄弟姐妹中很有威信，我最早的荣誉感都来自我善于读书，我已经习惯了同辈以尊敬的目光看我，怎么能日复一日被同学当作笨蛋、没出息的家伙？不论是被人瞧不起，还是被人同情我都受不了。

每一次打手心都是对我自豪感的一种摧残。我在班上成了一个可怜巴巴的角色，然而我又不甘心和那些老油条一样，手心打完，老师一转身，就吐一下舌头，做一个鬼脸，甚至伸出一根中指，做一个下流动作，引得全班同学会心一笑，把自己挨打的羞辱变成同学对自己的欣赏。

我觉得那样做很叫人恶心。终于，我感到再也无法忍受这样的羞辱，我不敢去找父亲诉说，只好对母亲说："明天我再也不去学校了，让我去念私塾吧！"妈妈很惊讶，问为什么。

"那个黄老师每天都打我两下手心。"

妈妈震怒了。这还了得！叫爸爸去学校找老师论理，那老师姓什么。一听说老师是女的，她就更火了："哼，自己不会教，反倒打学生！这样天天打，再聪明的孩子都给她打笨了。走，跟我去找爸爸，你爸爸认识你们校长，前几天还在一起喝酒。"妈妈向来宠爱我，无限信任我的天赋。她的愤怒越来越难抑制，她拉我往外走，我死抓着门框。我恐怖极了，唯恐妈妈丢下我一个人，去找父亲，岂不是很丢脸，我在家里的地位不是完了！可是到了晚上，父亲回来了，很温和地对我说，他已经找了校长，校长说："好说，好说。明天保证不会再打贵公子的手心。"

第二天，我第一次跳跳蹦蹦地跨进教室，女老虎早在那里等着了。

她刚打完一批调皮鬼的手心，随即把眼睛转向我："算术作业。"

我坦然地说，没有做。

她非常平静地说："把手伸出来！"

我非常诧异地瞪大了眼睛，把手往口袋里缩，她走过来把我的手很得意地拉起来，啪啪就是两下子，还是一脸公事公办的神色。

我难堪至极，特别是当我看到那些刚刚挨打的老油条们脸上露出滋润的窃笑，我就被羞辱感完全淹没了。我忍不住对黑板无声地流起泪来，泪流得越久，那些老油条们的笑声也越高。

本来我是个很硬朗的孩子，很少流泪，尤其在大庭广众之下，但是我看不到有什么可以改变每天受辱的希望。看来，这一辈子是没有出头之日了。几个月来的痛苦一下子都化作泪水一泄无余，温热的泪流过下巴，一滴滴落在算术书上。

我如此汹涌的泪水和沉痛的悲切，倒使那些老油条不再嬉皮笑脸了，他们出于某种侠义精神前来安慰我，替我擦泪，并且用粗野的话骂那个"母老虎"。他们的同情更使我悲从中来，泪水流得更加豪放。没想到，几个老油条竟然受到我眼泪的感染，和我一起哭了。不久，便哭得很整齐。不过他们的哭和我默默的流泪不同，而是带着号叫的，几个人一齐哭，那声音是颇有一点气势的。听着他们的哭声，无异于世界上最美妙的友谊交响乐。

看到他们一面哭一面抹眼泪，把脸上弄得花里胡哨的，我不禁"扑哧"一声笑了出来。他们也先后笑了起来。于是他们提议，今天逃学，下面的课不上了，缺课是不打手心的。那天，我第一次加入了逃学的队伍。就在逃到公园里玩跷跷板的时候，一个老油条告诉我，可以到女老虎家去补习，每月二斗米，千真万确，他还带我到女老虎家门口转了一下。

我大喜，赶紧回去告诉妈妈，妈妈随即请人背了二斗米过去。第二天下午放学后，我就非常松爽地到女老虎家去了。

原来早有好几个同学在那里做算术作业。女老虎冷冰冰看了我一眼，开始教我加减乘除，她讲得十分明白通畅，她的声音听起来柔和而有弹性。每逢我有不懂的地方，她常常只用一两个字母回答我的问题，绝不浪费任何一个音节，对其他补习的同学也是一样。

一间狭小的房间，一张古老的八仙桌上，七八个学生挤在一起，她一个个地解答批改，空气肃穆而紧张，我开始被她的讲解吸引，乘法一点也不难，我很快把乘法口诀都背会了。

补习了两个月之后，我发现有两个大收获：

第一，我的算术成绩扶摇直上，不久就在班上名列前茅。这种优势一直保持到高中，现在回忆起来，她在教学上是很有才华的，很值得我终生铭记。

第二，那个答应不打我手心的校长原来就是这个女老虎的夫君，但我没敢仔细研究他是不是个怕老婆的货色。

超级大馋鬼

小时候，我很爱吃五香豆。我家并不穷，妈妈也常买零食给我吃，连当时挺贵的苹果、香蕉、菠萝、无花果、橘子，她都舍得买，可就是不肯买五香豆。每逢我拉着她的后襟哼哼唧唧，用目光表示对于五香豆小担无限神往的时候，妈妈就对之表示绝对蔑视，这种五香豆，怎么能吃！要吃就吃上海城隍庙的奶油五香豆！但是她说完就忘了，即使到了城隍庙，也忙着买一些水果，甚至挺高级的糖果，上面有made in U.S.A的，就是记不得五香豆。

自然，我可以用我那可怜巴巴的零用钱在学校门口买五香豆。但是，在学校门口发出诱惑性的招徕的小摊贩太多了，而他们又不只卖五香豆；糖水梅子和煮“牺蛋”（孵不出小鸡的蛋）对于五香豆就是极大的干扰。我时常想：什么时候能把五香豆吃个饱，该是多么开心。机会终于来了。

小学五年级，我家忽然从朱家角搬到了青浦。那学期只剩下一个多月了，本来不是不可以转学，但是我舍不得离开，我那所小学坐落在城隍庙里。教师办公室门前就是曲桥，假山；我们教室窗外有一个水池，不知是不是放生池，每逢听课疲乏，我可以去观察水池中绿萍破处，背上长着绿毛的乌龟以绅士式的从容游向对岸。

更令人难分难舍的是校门口有许多卖五香豆的小摊。这里的五香豆是软的，撒上甘草末，和上海城隍庙的五香豆大不相同。上海城隍庙的五香豆并不好吃，只是那豆壳上的奶油味很经得起细细品嚼，但嚼到后来还得把豆壳渣吐去。朱家角的五香豆是软的，牙齿一磕皮就去了，豆仁松而韧，带着甘草和佐料的混和香味，最关键的是它比上海城隍庙的奶油五香豆便宜多了。

我对妈妈坚持说，这学期还剩下一个多月，快考试了，不同老师出的考卷不同，转学我没法考。好在朱家角到青浦只有12里，且有乌篷小火轮往来，妈妈很爽快地同意了：早出晚归，中午到饭馆去吃面。船钱、饭钱加起来一大堆，我第一次手中握着足足3寸厚的票子（那时，通货膨胀，票子不值钱），心情十分振奋。

中午一下课，我就飞到学校门口先买一包五香豆解馋。本想立即去饭馆吃面，转而一想，肚子似乎并不饿，吃那一大碗面下去，多少有些浪费，再说，五香豆还没吃过瘾，吃什么都没味道，决计先把五香豆吃个痛快。

这一回，来点新鲜花样，到一个比较大的摊子去摸彩。交不多一点钱，就可以在一个蓝布口袋里摸一次彩。那彩牌上都是《狸猫换太子》中的人物，最不走运摸上张龙、赵虎、王朝、马汉，还可以吃到 10 粒五香豆，要是摸到包龙图、八贤王，就是一大包，至于摸到 4 个字的“南侠展昭”、5 个字的“北侠欧阳春”，那就是好几包，简直可以把书包都放得鼓起来，让我们班上那些馋鬼看见我就肃然起敬。

可惜我的手运不佳，摸出来的都是张龙、赵虎、王朝、马汉，连摸了十几把，才摸到一个八贤王，一个包龙图。

吃了一阵五香豆，肚子又饿了，去吃了一碗面，这才发现剩下的钱已经不够买一张轮船票回家。我慌了好一阵，也想不出什么解救的办法。下午放学了，我不由自主地走向轮船码头，正好一个大人走在我前面，收票的居然没有向我要票，我仔细琢磨了一阵那个可爱的收票的人，才发现，他并非出于热爱儿童的好心，而是把我当成那个大人的孩子了。

第二天我更大胆放手去摸彩，手运好得不得了，居然摸了 3 个“北侠欧阳春”。我的书包鼓鼓的，发出阵阵甘草的香味，整个教室都轰动了。那些馋猫们自然对我无限崇拜起来，以至于放学铃响了，还有一个超级大馋鬼缠着我，一定要分享我今天的红运和口福。

我从来没有享受过这种崇拜的目光，我给了他一把。他狼吞虎咽地吃光了，又舐着手指要，只要我表示一点迟疑，他就对我行军礼，并且说：“我叫你哥哥，叫你哥哥不行吗？”我只好又给他一把。

过了不久，他又故伎重演。

我没有办法，只好向他妥协，直到他把五香豆完全彻底地消灭了，我把书包翻给他看，他才心满意足，并且主动提出陪我去轮船码头。

然而，乐极生悲，待我们奔到码头时，最后一班轮船已经开走了，祸不单行，天上有几团黑云像秋风中的落叶一样狂乱地飞舞起来，看样子要下雨。我赶紧系紧鞋带，准备步行回家。12 里路本来不算太远，但四周都是田野，一个人毕竟有些害怕，但是事到关头，要哭都没个地方了。

正好一个同学的母亲来河边洗菜，她看看天说：“快下雨了！你不要回去了，就住在我们家吧！”

凭良心说，我是多么想在她家住一夜呀。她家就在河边街上开着一家大饼油条店，她儿子孙志华和我同桌，我上学时常常邀他同行。她妈妈给我吃过她家的油条、饼，还说，要我拜她做干妈。我没有说什么，只是笑笑。后来，也就是那个超级大馋鬼不知从哪里放出风声说，孙志华家有一个小妹妹（才五六岁），她妈妈收我当干儿子是假，要招我当女婿是真，可真是门当户对连姓都不改，吓得我从此再也不敢上他家去。

大难临头之际，孙家妈妈的好意令我感激得眼泪直在眼眶里打转。当她伸出潮湿的手把我往她家拉的时候，我都跟着走几步了，然而我忽然看到超级大馋鬼很知趣地往路边溜的样子，脸上还露出一种神秘的笑时，我突然意识到这不是开玩笑的！只要我往孙家一住，明天课堂里的特大新闻绝对有轰动性，我就是把所有的五香豆都奉献给他，也堵不住他那又好吃、又好吹的烂嘴。

虽然天上的乌云飞得更猖狂了，我还是从孙家妈妈手中挣脱，一溜烟走向镇口，踏上蔡家泊坊外的大路。

那时候朱家角到青浦还没有公路，也没有汽车，连自行车都很少，只有在四号桥那边有一条比较宽大的路，才一二百公尺吧，却长满了野草。据说没有钱再修了。我走上那沿河“官路”时，心中颇为紧张，雨虽然还没有下，风却有点疯狂，河里的水有点发暗，浪花变得恶毒起来，河岸边不时有土块崩裂下去，发出一种不祥的声音。我把衬衫的两片前襟打了个结奋然而行，心中默默祝福老天别下雨。每过一道桥，我心里就多了一分安慰。

很快，我走到四号桥，那是一座圆拱石桥，我站在桥上，回头一看来路，那风起云飞的天空和禾苗偃伏的田野，不免豪情满怀，毕竟自己是个男子汉。

然而非常不幸的是一粒温暖的大雨点落在我的鼻尖上，接着便听到雷声从远处滚过来，暴雨说到就到，我还没有来得及搞清楚是怎么回事，下巴上、眉毛上都已经开始往下淋水了。这时再看田野早已在白茫茫的雨幕笼罩之中了，禾苗啊，田间小路啊，都不见了。连河里的浪花也不见了，都在横飞的雨帘之中。我赶紧把书包顶在头上，然而浑身还是湿透了，裤子都黏在屁股上了。

四野茫茫，连个牛车棚都没有。

这时雷声成群结伙挟着紫电从四面八方奔赴而来，把我包围在桥上。

我突然悲从中来，起初是轻轻地啜泣起来，后来觉得在如此声势浩大的雷雨中连自己也听不到，实在太渺小了，于是我放声大哭起来，一头哭，一头大骂老天，大骂那个超级大馋鬼，也骂孙志华那个小妹妹，没有他们两个白虎星，我怎么可能受此灾难，绝对不敢说的骂娘的话都倾泻出来。

我骂得好不痛快！我的惊恐和委屈调动了我童年时代最恶毒的感情和最野蛮的语言。骂声给了我一种庇护，让我在雷声的威力下，有了一种反抗的、奋战的力量。

骂了一阵以后，我开始骂自己嘴巴太馋，不过用的是比较文雅的语言，并且下决心明天再不买五香豆了。非常意外的是雨声不久就慢慢地休息了，雷声疲乏地撤退到天边去了，我当然知道雷雨不是我骂跑的，但是仍然觉得开心，开心得意地笑出声来。

头上露出好几片蓝天，太阳从云中直穿下来，像金色的溶液在倾泻，我拧干了头发，又把衣服裤子脱下来拧干了。夏日阳光照在我的头发上、衣服上，并不烫人，走到青浦西城门口的时候，我的衣服已经干了，只是头发有点潮。

回到家里，妈妈正在煮饭，她忙着把一把一把稻草打成结往灶膛里塞，看了我好一会，问了一句，你挨雨淋了没有，我说没有。她说，奇怪，这夏天真是东边日出西边雨，城里刚才雨下得瓢泼似的。

第二天，我果然没有再去买五香豆吃，很正派地买了一张船票回家。超级大馋鬼自然很失望，但也无可奈何。

但到了考试那几天，我又不得不去买五香豆了。因为爸爸觉得考试时间再这么早出晚归，一来怕累坏了我，二来也怕刮风下雨不安全。于是爸爸拎着长长一捆钞票（有一二尺吧）去到孙家，孙家没有收钱，却十分殷勤地接待我，让我和孙志华同床。

正因为这样，我不得不每天买一大包五香豆去讨好超级大馋鬼。好在他也很义气，吃了五香豆以后，舐遍五个手指头，对我眨眨眼睛，在课堂里绝对不提起我住在孙志华家的事。

自从1948年离开朱家角小学以后，我一直没有再见过他，但是我却记得他有个很好听、很文雅的名字，但是为了不至于引起他晚年害羞，我这里替他永远保密。

一瓣心香
——怀念潘祖瑾老师

在我的恩师之中有许多权威教授，提起他们会给我增光。

那些学术明星，他们的光辉都曾照耀过我青春的年华，塑造过我的学术个性，我后来心灵中最灿烂的因子都和他们的影响有关，有时，是他们漫不经心的只言片语，有时则是反复阐述的至理名言。随着时间的流逝，记忆中这些恩师的神思，越来越显得珍贵，那些美好的记忆足够我终生受用无穷。

但是，在我记忆的星云中，那最灿烂的星座并不是这些学术泰斗，而是一个平凡的小学教师。

她叫潘祖瑾，是我小学六年级的语文、英语老师。在见到潘先生（那时，不管男女教师，一律叫先生）之前，我由于天性顽劣，似乎从未得到过老师的欣赏。成绩单上的操行评语，令人丧气，总是少不了“不用功”之类的话。五年级上学期，我在上海青浦朱家角中心小学，第一次得到能够拿给亲友看的评语是：“该生天资聪慧，然学习无进取心。”

到了下学期，我转到青浦城厢二中心小学，班主任林蕊珠先生倒是很喜欢我的大楷，我也渐渐琢磨出来，她喜欢笔画比较粗的字，于是我的字帖从柳公权的《玄秘塔》，变成了颜鲁公的《双鹤铭》，字写得越粗，打的分数越高。“吃鸭子”（甲等）是家常便饭。终于有一次，她给我打了一个“丙”，并且批了一句：“不要像砌墙头那样写大楷！”我惶然，连忙又把字帖《双鹤铭》改成《玄秘塔》，然而，却不能轻易地拿到“鸭子”了。

有一次，在课堂上写大楷，她走到我身边看我写。我被她看得浑身毛孔冒青烟，以至于字越写越粗。我以为她又要批评我“砌墙头”了，不料她却对我讲，你长得眉清目秀的，为什么要戴这么大的帽子？那时，我妈给我买了一顶鸭舌帽（也就是漫画上特务常戴的那种），的确比较大，妈妈说，不能买大小正好的，今年正好，明年就不能戴了。我虽然觉得太大，但是上课时，把那特长特大的鸭舌往下一拉，就挡住了半个脸，低下来，在桌上画个飞天大侠的头之类的，老师根本看不见。

“不要戴这帽子了，不好看！”她替我把帽子除下了。

这个林先生，非常爱打扮，很强调匀称，她绝不能容忍她的学生的帽子与头的比例不相称。然而，这种美学原则，却得不到我母亲的首肯，我母亲坚持要我戴着帽子上学。于是我上学时戴着，上林先生的课就除下来放在抽屉里。没想到有一次在路上给她看到了，她很坚决地让我把帽子除掉，我虽然驯顺地照办了，但从此以后，我的大楷就再也没有得到甲等。

我只能自叹命苦，没有什么老师瞧得起我。

然而，在潘先生进入课堂以后，我的命运有了转机。首先，她经常给我的大楷打甲等，不管我写柳体字还是颜体字，也不管我戴什么样的帽子。

更令人无限滋润的是，我的作文常常得到她的夸奖，她不但常常给我打八九十分，而且还不止一次地把我的作文拿到班上念出来，加上赞扬的评语。我有生以来还是第一次享受到这样的光荣，我至今还记得第一次受赞扬的感觉，一下子四面八方欣羡和妒忌的目光带着温度一齐集中到我脸上来，我的脸膛发热了，心里产生了一种甜蜜的羞怯。我不敢看潘先生的眼睛，赶紧把头低下了。对于同学们的目光，我很想去迎接一下，然而头就是抬不起来。这种令人滋润的荣耀之感好像是在全身的每一个神经细胞中膨胀，又好像变成了微妙的温暖的泉流在心头漫溢。

我这个缺乏上进心的学生在第一次享受到荣誉的滋味以后就有了进取冲动。从此我对国语课和作文课有了强烈的兴趣，每天都期待国语课和作文课的到来。

那时“国定教科书”中的国语课本是编得很差的。至今我能记得的最美的只有一篇，是描写抗战期间一个空军驾驶员阎海文在飞机被击中以后跳降落伞，被日军包围，拒绝劝降，举枪自杀。其中最漂亮的句子就是写这位阎海文扣动扳机以前刹那的感觉的：“抬头，是祖国蔚蓝的青天，低头，是祖国芬芳的草地。”潘先生并不要求我们去死背佳句，而是让我们在想象中体验烈士在生命最后一刻对祖国天空大地的留恋。经过她的启发，我似乎真正感觉到了其中崇高之处。

国语课本中，像这样能够激发我的想象和情感的课文太少了，更多的，不是一些十分枯燥的文章，就是一些用楷体字排的“诗歌”，都是干巴巴的。有一首写青年参军抗日的“诗”是这样的：“母亲回头见，母亲回头见；孩儿从军去，请你莫思念。”连快板的趣味都没有，再加上那个“回头见”，在北方话中，是再见的意思，我们南方的老师却把它解释成“回过头来看”，我就感到莫名其妙。孩子上战场去了，母亲为什么先要背对着他，非等到最后一刻，才回过头来看自己的孩子远去呢？

潘先生似乎对“国定教科书”并不十分感兴趣，她时常发一些自选的文学作品给我们，我记得光是冰心的《寄小读者》就印了七八篇。她讲得津津有味，我们也听得如醉如痴。国语课本在我印象中向来是最枯燥的，左不过就是先由教师念一遍，然后就把词语解释写在黑板上，让我们抄，接着是段落大意、中心思想。考试就背这些东西，什么“明媚：犹言光明可爱的样子”等，我不懂什么“犹言”，也不敢问。“春光明媚：犹言春天的阳光很可爱的样子。”我总觉得这样解释不够准确，考试时，常常把“犹言”去掉，把“春光明媚”解释成“春天的光辉妩媚动人的样子”，结果遭到无情的扣分，好些教师总是斥责我不好好念书，一味胡思乱想。我也曾下决心去背老师的答案，无奈不安本分的本性难改。

潘先生不计较我的标新立异，还称赞我想象大胆。有时，她讲一段《寄小读者》，也许是累了，就问起我们，课外阅读些什么书，她举出了一本叫《苦儿努力记》，上下两册，章衣萍、林雪清翻译的。正好我念过。她在叙述故事时，有些记不清了，还让我补正。这本书是一个法国作家的作品，情节很生动，直到我念大学以后才知道，连列夫·托尔斯泰都把它译成俄文了。

从此以后，只要是她提过的作品，我都去“民众教育馆”的图书室借来看，意大利作家亚米契斯的《爱的教育》，安徒生的童话，在我面前展开了一个崭新的、优美的世界。这里的人特别善良而高尚，他们和我过去读的《武当豪侠传》《蜀山剑侠传》中的人物是那样的不同，越读这些书越使我产生一种和她亲近的感觉。

在这些丑小鸭、海的女儿的身上我感到了灵魂纯洁的幸福，而且我深深地体会到，潘先生本身就像海的女儿那样纯洁、美丽。

她当时二十一二岁吧，身材修长，齐肩的长发下端有些卷曲。她经常穿一件淡蓝色旗袍，外套一件深黑色毛线背心。她有点清瘦，走起路来很轻快，每逢有什么急事，她匆匆赶向教室时，脚步就有一点跳跃。我们背后偷偷叫她“小麻雀”。

我听说，她家很富有。青浦县城里第一座现代洋屋（在潘家弄）就是她哥哥建的。有一次，我和许多同学一起到她家去，她家门上有电铃。那时，电铃是很稀罕的。我记得，房子一进一进的，有好几个天井。但是她立志献身小学教育，而且准备独身。

我觉得她又美丽又圣洁。

全班同学都很敬爱她，但一点也不怕她。

每逢有什么乱子，吵架啦，打架啦，用粗野的脏话骂娘啦，只要她一跳一跳地走进教室，大家就安静下来。这并不是出于害怕而是出于害羞。谁都不愿把自己粗野的一面让她看到，我更是怕看到她蹙起的眉头和失望的目光。

不管闹出多大乱子，她也不责罚我们，最多就是抑制住她的愤怒，站在讲台上沉默良久，然后慢慢地说："你看看，你看看，这像什么样子！"

她这样讲的时候，显得分外难过，而我们这些捣乱星、调皮鬼，一个个都低下了头，非常后悔，又让潘先生难过了。

凭良心说，我并不算十分调皮的，但是每逢看到有些教师抓住学生一点小毛病就大耍威风，心里就升起一股反抗的野性，就想巧妙地制造一些事端来给那些凶恶的教师一些麻烦。

有一次，一个女同学算术考了58分，算术教师（这是一个好教师）就打了她两下手心，以补上那不足的两分。这很稀罕，日本人走了以后早就不兴打手心了，这位女同学回到座位上就伏在桌子上不动，一到下课就哭了起来，其声哀切，可一到上课就停止了。如是再三，直到中午回家吃了饭，回来就不哭了。我觉得这不过瘾。应当再哭，不但下课哭，上课也哭，不但上午哭，吃了饭，也哭，哭他个昏天黑地。我对这个女同学说："你再哭！你刚才下课以后哭了三场，算术先生就害怕得脸都歪了，一直让潘先生来打听上课有没有哭。你没有哭，他的脸不歪了，就变圆了。"

那个女同学本来就因精通各式各样的哭的艺术而获得一个"水电站"的绰号，听我一说，立刻大放悲声，而且花样多端，一会儿是强抑悲痛的嗓泣，一会儿是抚案顿足的号啕，弄得课也上不成。这时，我和几个捣蛋鬼就偷偷溜到女同学家去告诉她母亲，说是她女儿哀哀欲绝，倒抽冷气，可能有伤身体。她母亲是个寡妇，视女儿如命根子，就马不停蹄赶到学校，拉起号啕不止的女儿就去找那算术先生，一面走一面也大哭起来，弄得那算术先生无处藏身，终于被那寡妇一把抓住。我本以为寡妇要和他拼命，一头撞过去，多过瘾，没想到寡妇抓着这位脸变歪发绿的教师的衣领，端详良久，忽然把他一推说："我还以为打我阿囡的家伙有三头六臂，原来就是这么一副棺材头的脸！"

我们几个调皮鬼见此乐不可支，一个个笑得弯了腰，岔了气，我看到连平素温厚的潘先生都掩口而笑了。

事后潘先生了解到我在事件中起的恶劣作用，就把我叫到办公室去，问清了情由，只说了两句："你要是懂得害羞就好了。看来你的《爱的教育》都白读了。"就让我出来了。

我好生沉重。看来潘先生对我是绝望了。

从此，每逢潘先生走进课堂，我就害怕，很怕她的眼睛，特别是在做练习时，她会慢慢踱到我身边，停留一下，我的心就悬起来，直到她走了，才能看清楚练习本上的字。

但是，不看她的眼睛也轻松不起来。

那一阵她也教我们英语，正好教到一首诗，直到现在我还能记住她那清亮圆润的声音：

Twinkle，twinkle，little star,

How I wonder what you are.

Up above world so high,

Like a diamond in the sky.

闪闪烁烁、闪闪烁烁的小星星啊，

我是多么惊讶你是啥呀，

你是在我头上，永远高挂，

像一颗金刚钻，大放光华。

我觉得潘先生的心灵就像诗里所描写的那样纯净清冽，像我这样的人只要一靠近她就有一种进取的、向上的愿望。

更糟糕的是不久以后的一天早晨升旗之后，潘先生上台，宣布作文比赛结果，我得了第一名。一看到潘先生发奖，我就慌乱不堪，也不知怎么弄的，我就背着双手从后排往台前去，潘先生把一本《安徒生童话》递过来的时候，我竟用一只手去接，我看到潘先生十分诧异，也听到后面有同学在紧张地叫：“两只手，两只手！”我竟不明白出了什么事，等到我弄明白不该只伸出一只手时，我已从潘先生手中接过了奖品。一切都已晚了，后悔痛心也无用了。

从此，我更加小心地躲着她。

好在不久以后，解放军来了，大家忙着欢迎、唱歌、宣传、演出，后来又是考初中，在狂热中，我几乎忘了这件令人痛苦的事。

初中二年级以后，有一次我到朱家角去，那里的私立济青中学正在招生考试，非常偶然地，我看到潘先生在监考，她显得愉乐而忙碌。我几次想走过去告诉她我虽然是个调皮鬼，但是我与一般调皮鬼不同，我是懂得害羞的。

后来，我在昆山中学念高中，又到北京读了大学。40 多年过去了。我已经从中年走向老年，可在我印象中潘先生永远是那么“小麻雀”式的苗条女郎。虽然，算年龄她也许已经六七十岁了吧，白发苍苍了吧，但她在我的记忆中永远像圣母一样，年轻而圣洁。

我常常有一种幻想，什么时候，再回到青浦去拜访她，告诉她，她当年对我心灵的培育没白费。

然而，去年我从中学语文老师周陀星先生那里得知，她在“文革”浩劫中和她丈夫一起双双投河自杀了！永恒的记忆变成了永恒的遗憾。

正因为这样，我才写了这篇文章来怀念第一个塑造我灵魂的人，我想，不管什么样的悼念文章都是无力的，最温馨的心香应该是把她传给我的人格种子播撒在我学生的心灵中。

附：

最难忘的事：

十年浩劫后期，听一个中学校长教学改革的先进经验报告，曰：教学改革的最成功的举措是取消了语文课本。由学生和老师采访劳动模范，自行编写课本。后又听传达一农村教学革命经验，曰：坚决与“十七年教育黑线”决裂。最新的方向是：把语文课办成公社党委的宣传队。听者赞叹唏嘘不已。唯鄙人表示：“祸国殃民。”乃被不点名批判。遂有义愤填膺者曰：追查！余乃当众坦然曰：发此议论者，就是鄙人。后虽然遭大字报围攻，仍面不改色，手持四卷本《毛泽东选集》等待辩论，竟无人敢来。大字报于风雨中逐渐褪色、凋零。

对我影响最大的一部书：

托尔斯泰的《复活》。该书写贵族聂赫留朵夫与姑母庄园上之半农奴少女喀秋莎发生恋情，致其怀孕。喀秋莎遂遭驱逐，流落为妓女，又遭杀死嫖客之诬陷，受审。而聂氏恰为陪审员。聂氏乃自谴：犯罪者乃审判者也。遂决计赎罪，前往狱中，向该女求婚，不意遭拒绝。后该女被判流放。聂氏乃追随至西伯利亚，直至该女嫁与一民粹党革命家。

此乃托尔斯泰“勿以暴力抗恶”，以个人“道德自我完善”拯救社会之纲领性作品。

虽具空想色彩，然其道德之崇高仍令我每思及此，不禁怦然心动且汗颜。

自20世纪50年代至今，每逢有个人名利之争，或物欲之冲击，每每凭托翁此书之精神准则，求灵魂之洁净也。

最想对辛勤工作在教学第一线的青年教师（同人）说：

如果学生东张西望，不要怪学生，而要反思自己。是不是有什么地方讲得太差劲？教学事业成功的标志是：学生盼望上语文课，盼望作文讲评。教师不但要用知识和智慧去征服学生，而且要用人格去感染学生，让他们分不清是爱课程还是爱讲授课程的教师。

你在讲课的时候，学生交头接耳，不要责备他们，宜用幽默解放对方。

一日，课堂上有窃窃私语。我就对之注目良久，然后说：“现在有些同学讨论得很热烈，感想很丰富。可又没有办法和大家共享，因而有点痛苦。请放心，我已经注意到了你们的痛苦。下课前，我会留十分钟，让你们畅所欲言，让大家一起分享你们的精彩。”

真情告白：

光荣属于使学生对语文课着迷者，耻辱归于使学生对语文课麻木者。

怀念城墙

青浦县融进了上海市区，青浦人变成上海人了。可是我小时候，在青浦念小学，上海十分遥远。学校里就有上海同学，那口音就不简单，把“我伲”说成“阿拉”，令人肃然起敬。青浦，光是那城墙就“阿乡”得很。上海有那么多高楼大厦，有24层的国际饭店，青浦城里连“圣公会”的教堂都是平房。潘家弄里造一座洋房，一直到解放军进城，都没有造完，那没有扶梯的楼道和没有窗框的窗子，有好几年，成了我们占山为王、飞檐走壁的去处。城墙外面是护城河，从青浦去朱家角（现在才知道是明清古镇，成了旅游胜地），就在河边搭周作人津津乐道的乌篷船，当然大都已经装备了柴油机，突突、突突地把青烟留在清澈的水面上。一转弯，便可以看到一座宝塔，没有层层向上的飞檐，也没有令人神思飞越的铜铃，却在半中腰长出一簇小树，看起来弱不禁风，可经风雨见世面，见证过太平天国时代美国洋枪队头子华尔被击毙的情景。可惜，那树太小，逗不起我去想象有什么高僧隐居在里面，飞檐上也不可能让鼓上蚤时迁式的侠客大显身手。这已经够煞风景的了，倒霉的是城墙常常成为作文的题目。我比较老实，总觉得城墙那么老旧，在作文里形容它“像生了几百年的癣一样”，被“国语”教师在课堂上念了出来，弄得哄堂大笑。

那时城里有两三家小报，轮流发行，都有文艺副刊，有一篇文章用“斑斓驳蚀”形容，我就转弯抹角，用到作文里去，这下子得到先生称赞。

说是“先生”，其实是位女士。那时对教师的尊称就是“先生”，无论男女。“老师”是乡下人进城，不知高低，才叫的；不像现在，电视台女主持人，把媚笑和老师打折赠送，阿猫阿狗都是“老师”。我的“国语”先生身穿阴丹士林的蓝布旗袍，微微有点卷的烫发一直垂到肩头，说“斑斓驳蚀”写出了城墙“古色古香”之美。

虽然这个“斑斓驳蚀”给我带来了很高的荣誉，但是一到城墙底下，用青浦话来说，就有点“汗毛凛凛”。原因是，四五年级的时候，城门口突然挂了一个男人的头。说是一个共产党，名字叫作丁锡山（音），从乡下观音堂来攻打县城。听一个家在上海的男同学说，那头上血丝拉了好长。他感慨万分地说："共产党也真是太'猛门'（冒失）了，国民党有美国做后台。"

美国人，除了在电影上，我只在城墙外面通向佘山天文台的公路上见过：开着吉普车，戴着船形帽，车子里的女郎戴着太阳镜，不时还从车子上站起来尖叫。

青浦同学说了："美国，美国又怎么样？"

上海同学笑了笑："钞票，钞票，满涝涝（很多）。"

青浦同学就问："什么钞票？是'金元券'，还是'关金券'？"

上海同学斜了我们一眼："美元，美元。见过没有？"我们都没有见过，不知道该怎么回答。

上海同学扬长而去，临到门口的时候，又回过头来："还有原子弹！你们见过吗？"

原子弹知道的，报纸上说过。可是谁见过原子弹呢？这个上海同学想必见过，我们更自卑起来。

看看罢，他拿出一支笔来："这是'原子笔'。美国造的。"我们知道"原子笔"装一次"水"，能用好几个月。那时，大概是 1947 年吧。

等到我长大了，才发现青浦离上海原来并不遥远，只一点点汽车路。

但是，上海和青浦毕竟是两个世界。

在上海可以随便看电影，而青浦却连一家电影院都没有。我第一次看电影还是在朱家角最神气的私立一隅小学里，一个美国人，用格格作响的小放映机放在教室里的白墙上。一个短片，才 10 分钟左右。也不知道是谁通风报信的，像过节一样地去了，又过节一样地回来了。后来，又看过一次，是在一隅小学的操场上，这一回，是完整的，是美国电影《人猿泰山》。美国人真是了不起，和猴子都能谈起恋爱来。

多少年以后，我才知道，一隅小学的名字挺有学问，从孔夫子那里来的，他的本意是要人们"举一隅以反三"，也就是面对四面八方，只要举出一个方向来，就可以推想出其余的三个方面的情况来。毕竟圣人的本事非同小可，我却没有办法凭一个《人猿泰山》想象成整个美国人都是猴子。

真正把电影看过瘾，是中华人民共和国成立前。青浦城中心有一片很大的瓦砾场。1948 年，我父亲曾经问过房东，那是不是日本人留下的，房东说，不，是"洪杨事变"（太平天国）。

解放军把那里修整成了广场，后来就叫"解放场"。

解放场上一支起电影机，全城的欢乐节日就开始了。《钢铁战士》最为激动人心。一个小战士被俘了，敌人让他写自首书。他要纸，纸拿来了，他认真地写，还问革命的“革”字怎么写。写完，却和敌人拼命，壮烈牺牲。一个特写镜头，纸上写的是“刘海泉革命到底”。还有苏联电影《幸福的生活》：丰收、爱情，舞着花头巾唱歌，穿着哥萨克皮靴跳舞，结婚典礼上当着亲人接吻发出吱吱的声音。

这就是社会主义的明天。

但是，一切节日的局限性是，盼望好久才来一下，天天过的还是平常日子，日常的娱乐生活，还是听书。有两三家书场，一家叫作“金谷园”，名字挺雅的，晋朝富豪石崇和他的姨太太绿珠的浪漫典故是多少年后念了中国文学史才知道的。还有一家叫作“花园书场”，其实是没有花园的。窗外，放着几个鱼篓子，那篓子比我还高。到了星期天，事先钻进鱼篓子，听书场里的苏州评弹。它与解放场上的“钢铁战士”和“幸福生活”距离遥远，可是才子佳人虽然无聊，毕竟马马虎虎还有点好玩，《珍珠塔》《玉蜻蜓》《三笑》，都是妈妈的妈妈的妈妈听过的本子。一旦来了“大书”班子，说起《岳飞大战牛头山》，那鱼篓子里的人就免不了拥挤起来了。

青浦城里没有自来水，好在城里有河，妈妈洗衣服、淘米、洗菜、刷马桶，都在自家后门“水码头”的石头台阶上。青浦人非常爱干净，马桶倒了，还要用一把竹片做的刷子就着河水刷，把马桶底刷出热闹的声音来。妈妈一边刷马桶，一边和对岸洗菜淘米的阿婶说些家长里短。

解放军来了，军民真是亲如一家，解放军是鱼，老百姓是水，可是鱼却不吃河里的水。营房就在河边，也挖一口井。做宣传工作的女同志坐在井栏杆上和刷马桶的家庭妇女有说有笑。

不久，就明白了，原来是河里有一种血吸虫，虫卵通过河里的钉螺，转移到人体内，肚子就会鼓起来，面黄肌瘦。这早在以就知道了。可一下子宣传画上的大肚子的多起来了，青浦人叫作“大包”。说是，青浦乡下有一个叫作任屯村的，个个都是“大包”，弄得全村死绝了户。当时最高学府就是青浦初级中学，检查的结果是：血吸虫病全校有 42%，当然，还没有严重到“大包”的程度。第一次治疗，自己到青浦红十字会医院去，打了许多针，无效。这年寒假，上海医学院的教授和大学生来了，教室成了病房。那些上海阿拉，真不简单，一个月的工夫，顺利结束。除了一个女同学，在注射高毒性的三价锑期间，常吃萝卜干，营养不良，猝死，才 14 岁。一个暗恋她的男同学说，她永远不知道什么叫作爱情的幸福了。

上课倒是很幸福，没有任何作业，有一段时间，英语课上不下去了。一些同学相继慷慨陈词：都解放了，还上帝国主义的什么英文。女教师威胁说，你们再闹，我就走了，不来了。结果是她哭着走了。走就走你的，有啥稀奇，落得痛快。后来她还是来上课了，刚刚上了几堂，就有消息说，志愿军把平壤解放了，于是就去游行，化装成好人和坏人，跳舞，唱歌，做鬼脸，好开心哦。

戴上假鼻子，做鬼样子，演“美国少爷兵”是我的拿手好戏。我在教会学校里是童声唱诗班的，专门唱赞美上帝的诗。这时，用童声来歌唱伟大的人民也一样响彻云霄：

咳啦啦啦——咳啦啦

咳啦啦啦——咳啦啦

天空出彩霞呀

地上开红花呀

中朝人民力量大

打垮了美国兵呀

全世界人民拍手笑

帝国主义害了怕呀

日子就这样风风火火地过去。忽然，又有号召，为了抗击美帝国主义，青年人要参加军事干部学校。轰轰烈烈的报名运动如火如荼地展开。这时我初中二年级，同学都在 14 岁上下。豪迈的口号是：“站出来，让祖国挑选。”隔壁班传来捷报：百分之百报名。而我们班却没有达到这个光荣的高度，原因是我没有站出来。我回去一说，妈妈就哭了，说：你大哥和二哥都已经去了，你不能再去了。在祖国和母亲之间，我选择了母亲。好在我们班被祖国选中的只有两个。他们戴着大红花、骑着马在欢呼中从东门城楼下远去了。可是我们的歌声却没有停下来，把最流行的歌，拿出来使劲唱：

美帝国主义

万恶滔天

它临到死亡的边缘

胆敢对中朝人民

进行侵略战

在歌声中远去的，有一个是女同学，从小学五年级就和我在一个班，还住在隔壁。她是第一批加入“新民主主义青年团”的，成绩好，把长头发塞在军帽里，是那时的时髦。她很漂亮，在她面前我常常禁不住惭愧。几年后，我在北大读书，暑假回家，在上海火车站月台上遇到了她。她穿着黄军服，鼓鼓囊囊的，怀里抱着孩子，背后站着一个气宇轩昂的军人。她告诉我，她没有上前线，到部队以后，分配在幼儿园。

另一个是男同学，到 20 世纪 50 年代末才见到，眉角上一道疤，说是在朝鲜开车，和美帝国主义的弹片遭遇的纪念。等到 20 世纪 90 年代中期，又见到了，在飞机场，他正送自己的孩子去美国留学。

不久，又一个激动人心的场面把我吸引了。浩浩荡荡的队伍来了，城墙在一夜之间挖开，露出了新鲜的黄土。几个上了年纪的教师，青浦话叫作“老相公”的，在议论，为什么昆山没有城墙，松江，还是府，也没有。另一个老相公，指着城砖说，“洪杨事变”都没有把这城墙糟蹋了。但是，没有人理睬他们。我们仍然唱着最流行的歌，表现青春的欢乐：

消灭它

消灭它，消灭它

捉拿战争罪犯

全中国，全世界的人民

一致动员，一致动员

城墙像美帝国主义一样，一触即溃，毫不挣扎，一处处裂开，慢慢地崩塌了。让陈旧的日子一去不复返吧，管它什么“斑斓驳蚀”！管它什么“古色古香”！

大家直着脖子唱歌，唱到最后变成了喊歌：

消灭它

消灭它，消灭它

捉拿战争罪犯

全中国，全世界的人民

一致动员，一致动员

正是少年期结束，嗓子变得低沉，童年的尖音唱不出来，就更加拼命地喊，喉咙都哑了，还不罢休。直到互相看着涨红的脖子，一脸痴相，才“扑哧”一声笑出来。

真是好开心，好——好开心哦。

浪漫的 1952 年

从 1952 年我进入江苏省昆山中学高中部，到今天已经 40 多年了，当年那个调皮的叽叽喳喳的少年，在后来的岁月中，那稚嫩的双肩承担了多少历史的重压，经历过多少严峻的考验啊。而今在年近花甲之时，人生阅历使我变得成熟。对于名片上那一排排荣誉头衔，走进会场时有如鸽群四起的掌声，来自穷乡僻壤的读者来信中那充满过分夸张的赞词，我已经能以宁静的微笑处之。

我时常扪心自问：在乌云压顶之时，在幸运的光圈降临之时，是什么力量让我经受住了人生的考验？不管在逆境还是在顺境中，我既没有倒下，也没有庸俗地自满。每当我有所懈怠，总有一种声音在我耳边响起，在激励着我前进。那声音是那样遥远，又那样坚定，那样严厉，又那样温存，它不允许我在任何时候停下前进的步伐，满足于庸碌的生存。

那声音来自千里之外，来自顾炎武的家乡，来自亭林公园的团日活动，来自马鞍山下的营火晚会。那里有英语老师刘铁先生那善良得叫任何调皮的学生心软的目光，有几何老师宗福泰先生永远狡黠的笑容。校长李可风先生，教育家的形象，没有笑容，但严峻中带着温馨。当年的教学是如此神奇的有效，虽然我后来选择了文科，但是许多理科的定律和演绎步骤至今我仍然耳熟能详。包鹏林老师是学校的名牌，他在我们班上有许多忠实的信徒，我也是其中之一。由于他的魅力，连最难记忆的主要元素置换次序表，我至今仍然能够背诵。这要归功包老师巧妙地把那枯燥的化学符号编成七言诗句。接替他的是一个年轻老师，不过比我们大几岁新中国成立前他只念到大学二年级。就在我们考进大学的那年，他自己也到华东工学院去复学了。就是这样一个年轻人，居然把元素周期表教得出神入化。不知道他用什么样的魔法使我这个醉心于文科的学生至今仍然背得上元素的第一周期，而且可以根据第一周期背诵出所有主族元素，指出各族的原子价。

我的记忆就像这些元素一样永恒。

进入昆山中学正是我 16 岁的花季，我的心灵像海绵一样把我所敬爱的、崇拜的乃至害怕的老师的言谈举止、声音笑貌都贪婪地吸引着、贮存着，在潜移默化中构成了我日后的人品风貌。

我在德国特里尔大学图书馆的大镜子中发现自己穿着西装走路的姿态是从历史老师刘恩同那里模仿来的，我在美国俄勒冈大学回答美国大学生问题时有数学老师严大中的从容。

我最纯洁的记忆是和山上的宝塔、山前的红砖教学楼，还有市区的旧校舍联系在一起的。现在想起来，那时的校舍是多么简陋。总是几十个同学住在打通了墙壁的民房里，地板是谈不上的，都是略带潮气的、凹凸不平的泥土，破旧的木柱上石灰已经剥落，白粉墙下端都长出了绿色的甚至是黑色的青苔。我至今不明白是什么人出于一种什么缘由，把这样的宿舍叫作“山高水长”（令人想起“先生之风，山高水长”这样的古典名句），这么文雅的名字和这样寒碜的宿舍是如此不相称，我们竟没有发现，真是特别的滑稽。那是因为 1952 年，祖国也一如我们处在青春的花季。抗美援朝的胜利，带来强烈的民族自豪感，大规模的经济建设的前景给每一个青年带来彩色的理想。

我进入昆中本身就是一个意外。

那年由于家庭经济出了一点问题，我本不准备升学了，我的理想是当一个新华书店的营业员。在那书籍的海洋中，工作一辈子是多么幸福，而且，我可以一面为人民服务，一面读书。然而，校长通知我，所有初中毕业生必须升学，因为大规模的经济建设需要人才。我说，我家庭经济条件不允许。校长说：“这不是你要考虑的问题，祖国会替你安排的。”其结果是根本没有经过考试就进入了昆中。所有的高中新生名单都登在当时的《苏南日报》上。

谁不为生活在这样伟大的时代而感到骄傲呢！

在市区校园的围墙之外，三间平房，发出油漆芬芳；教室的后墙上有一条醒目的倒计时的标语：“距离祖国大规模经济建设还有 × 天了。”每天都有值日生更改数字。看着那越来越小的数字，每个人都充满了庄严神圣之感。校园里每一微小的变化都让我们感到祖国前进的步伐。记得当饭厅里第一次装上广播喇叭，播放出朝鲜战场的英雄歌曲时，我竟激动得给《中国青年报》写了一篇通讯。

不久传来了振奋人心的消息：由于建设的需要，我们原来的校舍已经不够使用了，省里已经决定到马鞍山下，在以顾炎武的名号命名的亭林公园前面重新建校。

新校舍还没有建成，我们就不时跑去隔着篱笆张望，甚至设法偷偷溜进去观赏一番，但是总被那个守门的赶出来。记得同班的沈炎写了一篇作文叫作《快了，快了》，主要描写那个可恨的看门人如何不通人情，如何引起我们的反感，我们又如何满怀信心，想象着挺着肚子走进去的日子。《快了，快了》这篇文章得到语文老师的欣赏，在班上全文朗诵。这使得大家对沈炎那一头棕黄的头发和稚气的小脸不禁刮目相看。校舍落成以后，正是我升入高二之时，我在作文中描写过当我走过一道石桥（似乎叫半山桥）时，情不自禁地说："阿拉高中两年级了！"这一段也得到语文老师的赞赏，这使我暗暗得意了好长一阵。

正是在1952年，我学会了唱《歌唱祖国》和一些流行于20世纪五六十年代的歌曲。如今听来并不惊人的歌词，那时却十分激动人心。尤其是唱到"年轻人怀着远大的理想，老年人越活越年轻"的时候，全班同学一个个激动得双颊发烫。的确，每个人都怀着不同的理想，但把这些理想联系在一起的却是当时传颂一时的英雄——苏联的保尔·柯察金、马特洛索夫、卓娅，中国的黄继光、邱少云。这些舍生忘我的英雄是我们生活中的偶像。我看过一部电影，叫作《罗马——不设防的城市》，一个共产党员被法西斯用烙铁烫着胸脯，烟都冒出来了，都没有屈服。我就告诫自己：一定要锻炼自己的意志，要在那样严峻的关头顶得住，否则就可能变成可耻的叛徒。我时常为自己没有赶上二万五千里长征、抗日战争、解放战争甚至抗美援朝而遗憾，我在作文中写过，待我年老时，如果没有为革命的红旗染过一点鲜血，我将愧对我的子孙。

正是这种1952年式的浪漫主义和英雄主义，使我在日后的生活考验中坚持我做人的立场。

在1957年的反右派运动中，我选择了仗义执言，为大大小小的右派辩护，为期长达一个月，其后果是使我在北京大学站不住脚跟，"流放"到了福建，因而在"文革"中经受了许多折磨。也正是这种1952年式的革命浪漫主义，使我在1958年为建设人民公社而劳动的田野上晕倒时，感到幸福。农民用大车送我进城，大车在坑洼的田间小路上颠簸，我像萝卜在篮子里一样滚来滚去，我真切地感到自己在享受着当年老乡对八路军伤员的热爱。即使在"文革"受审查的日子里，我也以一种1952年的精神坚持学习英语。正是这样的坚持不懈，使我在国家教委组织的英语熟练考试（EPT）中得以及格，并且获得出国讲学的资格。

所有这一切，今天回忆起来，不能不归功于我的母校给我的潜移默化的熏陶，我不能不感谢那1952年的浪漫的、理想主义的精神，正是它，一劳永逸地塑造了我的灵魂。

1986年为庆祝母校40周年校庆而作

20 世纪 50 年代中学生活之“最”
——献给母校江苏省昆山中学

最为意外的事——家庭突遭打击，经济困难，不打算升学。

最理想的事——当一名新华书店的营业员，已经联系好了，只要填表即成。但是，学校宣布“祖国大规模经济建设需要人才”，初中生全部升学。不经升学考试，分配到昆山中学报到。既不要学费，又给助学金。

最兴奋的事 ——在操场上第一次看到拖拉机，虽然和苏联电影《幸福的生活》上康拜因式（联合）收割机不一样，却奔走相告。

最昂贵的食品——“凹槽”馆面条，每碗 5 角，每日只卖 50 碗。整整 3 年，不敢冒破产的风险，未能下狠心尝上一碗。

最为美味而价廉的小吃——围墙外一个老太婆卖的“牺蛋”——煮熟的、孵化失败的鸡蛋，剥开蛋壳，小鸡还没有完全成形，有的只有一个头，长着稀稀拉拉的细毛；有的只有一只翅膀，有的屁股部分还只是蛋黄。

最为敬爱的老师——任英语课的刘铁。他给我打下了英语基础，使我这个在大学学俄语的，在 1988 年通过国家教委的“英语熟练考试”（EPT）得以出国讲学。

最为赞赏的老师——任化学课的包彭林。因为他的神奇教学法，使我这个文科大学毕业生，在 64 岁生日的今天，仍然能够流利地背出化学元素周期表和元素置换次序表。

最严厉的老师——担任数学课的严大中，语言精练到没有任何一句废话；从来不笑，但是，令人有亲近之感。

最为独到的发现——有三位中年老师不约而同地把中华人民共和国成立前的西装改为中山装——“文革”期间改称为“毛泽东服”。

最为惶惑的事——两位女教师的相片出现在照相馆，教导主任在大会上严加批评。

最有趣的老师——任历史课的刘恩同，他的伟大发明是年代记忆法。例如，法国大革命开始的年代是：1——789。听一次就终生难忘。他的苏州口音，把八发成“BO”。每逢周六，匆匆乘火车赶回苏州家中，过他的周七、周八（BO）归来。周九上课，神采奕奕，否则，星期七、八、九日神情黯然。

最不敢承认的心里话——有个女同学很漂亮，无与伦比，自从有此发现以后，对她说话尽量简短。

最为不幸的事——这位美丽的女同学因为走读，要做家务，成绩不好，意外地留了级，竟不敢去看她，仅仅因为她很美丽。

最矛盾的事——一个同学的家竟然和厕所同在一个围墙里，而他家的五香豆仍然很香。

最不可思议的事——有一个同班同学居然结了婚，当了爸爸。

最有趣的发现——一个女同学公然盯着一个男同学，看呆了，被我们发现，她仍然痴迷不已。

最秘密的议论——林黛玉只能做朋友，娶老婆还是要薛宝钗。

最开心的事——放假前的一天，趁女同学未到，把菜端到角落里，几个死党，一啖而光，以报复她们平日分菜的不公。

最难忘的事——在马鞍山塔下的营火会上，萌发了献身真理的浪漫精神。如果有一天，被敌人拷打，就是烙铁烙在胸脯上，冒出烟来，也不哼一声。

最害怕的老师——本着人道主义精神，从略。有同学被他叫到办公室去训话，我幸灾乐祸，问他：“吃大菜（西餐）味道如何？”

最不应该忽略的——县文化馆。每个星期天尽量争取时间去读一份叫作《学习》（初级版）的理论杂志，日后的理论修养，其最初的台阶，从这里开始。

最奇怪的事——不太热衷看苏联电影，喜欢听书，尤其是星期天的“会书”——几个说书艺人，相继表演拿手好戏，而且在开头的时候，往往互相调侃。

最苦恼的事——额头的侧面发现青春痘，用头发遮也无效。

最自得的事——对着镜子研究自己的长相，觉得应该属于超一流，尤其是戴上眼镜。

最有意思的回忆——误以为自己生了肺病，给毛主席写信求助。

最大的特长——结合生物学课程知识给女同学起绰号，如“乌克兰大白猪”之类。

最不好意思的事——偷偷地看《金瓶梅》，直到脖子发烫，出于共青团员的良知，只看了一半，把书还给了一个对此书内容一无所知的乡下同学。

最得意的事——在上海《青年报》上发表了一篇文章，被同学称作“高尔基”。

最可笑的记忆——一个男同学向一位女同学偷偷表示爱慕，在团支部做检讨，女同学发表长篇的、义正词严的讲话，声讨其“资产阶级幸福观”。

最热爱的课程——英语及其他几乎全部课程，当时特有的苏联式的课程“机械制图”是例外。

最幼稚的事——某位上海同学老是对苏联式的数学课本表示“太浅”，比1949年前美国式的数学课本差得太远，他不屑一顾的神态，使我顿觉矮小，从此对他肃然起敬。

最难忘的笑话——在“中苏友好月”的讨论会上，一位同学批判美国生活方式，说我们不能像美国女人那样“穿玻璃裤子”。

最大的发明——机械制图抄袭法，把同学画好的图纸上的交叉点和圆心用大头针刺到自己的图纸上，将曲线和直线连接起来，节省了大量的生命，用来阅读苏联小说。

最危险的事故——体育考试，800米长跑，未到终点，一头栽倒，口吐白沫，仰面朝天，以为是要死了。看到蓝天上白云飘飘，想到许多革命烈士，中弹以后大约也看到这样的蓝天和白云，觉得非常幸福。

最精彩的记忆——走在通向新校舍的古桥上，大叫一声：“阿拉，高中二——年级哉！”

最大胆的自创格言——我每天大笑三次。

最大的愿望——愿天下人有三次16岁，第一次是草稿，第二次是修改稿，第三次定稿。

身在福建，最爱听的话——全世界500家大企业，福建来了30家，而昆山一个县级市就有20家。

最想喊的口号——全世界中学生团结起来，向刘铁老师、包彭林老师、严大中老师和刘恩同老师致敬。

昆山中学杰出校友录序言

校友录打印稿放在我面前，300 多人的汇报，语言朴质无华，但是，并不像履历表那样简单。每一个字眼都是生命的晶体。荣誉、成就、头衔，璀璨夺目的光环，令人眼花缭乱；优秀奖、进步奖、特等奖、将军、部长、教授、法学权威、硕士导师、博士导师、特级教师、高级工程师、总工程师、总经理，一串串辉煌的字眼，一到这里，突然变得平常、普通、不稀奇。像是在大海里看朵朵浪花，像是在银河里望一颗颗星星。

端的是星光灿烂，灿烂星光。

当年的图书室里，是谁贴过一条标语，至今如在目前：

我们是繁殖力最强的幼苗，
人民的手把我们
插到哪里，
哪里就有鲜红的花朵，
鲜红的果子。

60 年栽花花似锦，60 年种树树成荫，60 年结实满天星。

60 年啊，成就的花圃，丰碑的森林，成为今日昆山独特的风景线。

默读着一个个名字，耳边响起的不仅是个人生命的乐章，而且是时代的交响。

从西塘街校园出发，越过半山桥，跨着两公尺的大步，走向长城内外，放眼五洲四海，昆山，这个当年才两万人的小县，普通得不能再普通的江南小城，慷慨地把它最优秀的儿女，奉献给了祖国。从 20 世纪 40 年代的风雨如磐，到 50 年代的青春浪漫，六七十年代的焦虑和沉思，八九十年代的壮志凌云，一个个脚印就是一串串音符，一曲曲奏的都是欢歌与战歌。

如此辉煌的交响乐章，并不特别令人惊异，事情本来就该如此。

昆山子弟得天独厚。

物华天宝，人杰地灵，决定了这个校园钟灵毓秀，精英荟萃。

进来的时候，叽叽喳喳的傻丫头，调皮闯祸的毛头小伙，戴着红领巾的，穿着土布衣裳的，不管是来自千灯、盛泽，还是锦溪、周庄，不管来自吴江、东山，还是上海、川沙，一个个童稚未开。但是，一到这里，红砖楼前，心灵就会开窍，吸收日月的精华。不过三年六载，智慧就和生理一起发育，精神就和塔松一起长高。

校园背后，马鞍山，从上海西眺是第一高度，是昭示着我们的精神的标志，山下的公园和顾炎武的名号联系在一起，崇高和博大孕育着我们的胸怀。校门口的流水温文尔雅地、默默地流动，从他那个“国家兴亡，匹夫有责”的时代流来，穿过我们天天走过的石桥，向绚烂的未来流去，永远没有停息。

他的目光就在老师的期盼中，他的精神就在老师的笑容里。

把昆山口音留给我们的，不仅有他，还有和他一样典雅的江南才子，归有光的话语、朱伯儒的格言，响在我们耳边；把实干的品格注入我们血液的还有沈万三，让财富增值的智慧也成为历史的丰碑。

我们从比周庄还要周庄的园林和村落中走来；我们从阳澄湖畔，秉承着芦荡火种的传统。

苏州人的玲珑心窍，无锡人的严密细致，上海人的伶俐，青浦人的机灵，融合成我们的人格。

远离乡关，让我们自豪的不只是历史，而且还有昆山父老乡亲创造的日新月异的捷报。

昆山的高度在全国人民的心目中每一天都在上升，“神州第一县”“上海的后花园”的自豪浮现在阅读报刊时甜蜜的笑容里。

风云际会，在精神的故乡重逢的时候，有谁不会暗暗庆幸，幸而在胜利中没有自我陶醉，在崎岖中没有懈怠攀登，回顾顽强地搏击的生命历程，无怨无悔，总算没有辜负背后父兄的热望，总算没有辱没昆山列祖列宗和当代昆山人的传承。

2005年12月23日星期五

猴子理论家的故事
——献给母亲在天之灵

按： 1954年，我高中二年级，从昆山中学回到上海，母亲对我讲了这个故事。50多年来，每每自励。为纪念母亲在天之灵，我在细节上稍加演绎。

有一只猴子，是个理论家，特长是逻辑推理，雄辩异常。他最大的成就是发现了一个定律：不管用亚里士多德的逻辑，还是用黑格尔的辩证法来推理，猎人的心都是黑色的，不管他们做出多少古老的，还是新潮的姿态，其目的都是要剥夺猴子的自由。他的这个定律使原本愚昧的猴界如醍醐灌顶，普遍体验到启蒙的幸福，猴子理论家遂成猴界的精神导师。

猎人当然不认输，处心积虑和猴子斗智，最后想出来的办法是，把一瓶美酒放在猴子理论家每天都要经过的地方。

理论家一眼就看出了："这个的，酒的，危险大大的，君不见，多少猴兄的，猴弟的，上了当的，脖子上套上铁链的，耍把戏的，干活的。"

但是，酒实在是太香了，猴子理论家忍不住频频回头。虽然他知道，从理论上来说，理性对于感官的诱惑（如美酒和美人），应该深恶痛绝。但是，他还是回头了。不过他善于对自己的每一个行为提供雄辩的逻辑根据，他想起了文豪歌德说过：理论是灰色的，而生活之树常青。

他想："酒和酒气，本质的，不同的。酒的，液体的，酒气的，气体的，从物理学来说，范畴不同的，性能也不同的。酒气，比较轻，可以自由地，飞到你的鼻子里的，而酒的，如果的，你不开瓶子的，不拿杯子的，是不会的，飞到的，你的，嘴巴里来的。"

作为一个杰出的猴子，为什么要怕缥缈的气体呢？既来之，则安之，神经太衰弱，没出息，闻它一下，又能如何呢？

他就轻轻闻了那酒瓶一下，那距离，那分寸，恰到好处，在闻与吻之间。

他的发现是：天并没有塌下来。

他大受鼓舞，勇气倍增，豪情满怀，迈开大步，围着酒瓶转了一转，口中念念有词："哈哈，凡事都要具体的，分析的，酒的，是个好东西的，还是个坏东西的？如果，光闻不喝，就是好东西，大大的；如果喝了，就不是好东西的，弄不好死啦、死啦的啰。"

理论一旦与实践相结合，就化为面对危机的精神力量，激发出聪明的策略，猴子感到心旷神怡。他大大方方地围着酒瓶又转了一圈，深深地吸了一口气，享受着酒香和理论的成就感和雄辩的自豪感："打猎的，良心黑黑的，毒辣毒辣的，可在我面前，智商就臭臭的，酒，香香的，我闻的，美美的。你的，眼睛瞪瞪的，哥们儿的，嘿嘿的，对不起的。"

他的逻辑推理是雄辩的："酒的危险性在于，喝；喝的危险在于，醉；醉的危险在于，被俘虏；被俘虏的危险在于，失去自由。但是，我不喝，就不醉。我光是闻，你的满脑子主意发馊去吧。"

他禁不住笑了起来，在酒瓶四周又转了一转。享受着氤氲的酒香，继续作雄辩的推理："俗话说，牵牛的，要牵牛鼻子的。对于酒的，关键的，不是闻的，和，不闻的，也不是喝的，和，不喝的。而是醉的，和，不醉的。"

他在酒瓶周围又转了一转，顶不住口水汹涌起来。

"如果的，不醉的，就，可以闻的。"他深深为自己的理论勇气而感动，"只要，不醉的，不但，的，可以闻的，而且，的，的，的，的，可以喝的。"

他把酒瓶移到鼻子底下嗅了个过瘾："彻底的，唯物主义的，天不怕，的，地不怕，的。酒的，既然的，可以闻的，就，的，对的，可以喝的。酒气的，是酒的分子的，运动的，分子结构和酒一样的，是乙醇的。分子进了鼻子的，进了肠胃的，一样的，进了人体的器官的。尝一口的，从舌到胃的，从鼻子到心里的，一样的。古人的，说过的，口腹同享甘醇的，神经同受其福的，不会神经错乱的，只会高度的，清醒的，化挑战的，为机遇的，岂不妙的！"

他果断地拿起酒瓶来抿了一口，并没有感到天旋地转，相反，神志越发清明，他的感想随之更加丰富起来了："英国人说的，布丁的，证明的，就是吃的；我的，说的，酒的证明，就是喝的。你要知道喝酒的，好的，坏的？就该，尝一尝的。道听途说，是唯心主义的。酒的，可以醉人的，但是的，并不是第一口的，甚至第二口的，都能醉人的。实践证明了的，第一口的，不但不能醉人的，相反的，是可以的，提神的。"

这样，他就喝了第二口和第三口。

他舐舐舌头，只觉得余香满口，通体清爽。有一只微微发热的、温柔的、无形的仙女的手从他的脸颊一直抚摩到脖颈和胸膛，一种暖洋洋的甘露从头顶流到脚后跟。发烫的耳朵，在默默向他诉说，向他吟哦：“喝的，没有危险的，喝的，天堂一样的，安全的，大大的……”

接着他就喝了第四口和第五口，直到瓶底朝天，自己也仰面朝天，脸上带着幸福的微笑。

有口哨声从远远的灌木丛中飘来，猎人慢慢走来，手中拿当当作响的铁索，脚下发出“咯吱”“咯吱”的声音，他低头看看，又看看，那是一地的逻辑的碎片。

从那以后，猎人的口哨声就一直留在空荡荡的路口。

福建连江孙氏族谱序

族谱之修撰，非仅为族人之盛事，且为政事兴旺之征兆。当国运式微，民无噍类，则家世支离，后迷其先，族失其源，长幼无序，废礼乐之教，则灵不能贯，如古木之腐于本，血脉之梗于心矣。

考吾连江孙氏入闽，远自唐末敏公自河南固始，更有上溯孙武、叔敖，乃至虞舜者。远古绵邈，非白云黄鹤之幻，支派繁衍，乃大江黄河之流。乾隆时，拥二千六百余丁，及至《八闽祠堂大全》传有二万之众。然岁月不居，族脉绵延，根深叶茂，枝密花繁，非再修族谱，不得其详。幸逢改革开放之世，物阜民丰之日，饮水者思其源，坐荫者仰其先，言孝者莫若叙其宗，寻其族，理其源，乃有不辞劳怨，重修族谱之盛举。奔走四方者有之，投身故纸者有之，捐资奉献者有之，四处考核者有之。如此乃知吾孙氏仅居福州一邑者，竟达三万一千五百七十四人。吾乡物华天宝，吾族人杰地灵，于此方见一斑。

族之盛者，祖必贤焉，然时序代谢，文或湮灭。此谱收罗文献，考证源流，字斟句酌，皆有所本。举凡列传、宗祠、楹联、考辨、文献，非呕心沥血，不敢望其成，无敦厚诚毅之志者，不能总其事。

如此之时，如此之事，握笔有情，功德无量。家藏一卷，得百代衣冠，千年俎豆，星汉灿烂，熠熠在胸；历朝台阁，当代世泽，逶迤眼底。

呜呼，世世后裔，览此宗族源流，读此七察院、二十四进士、历朝官职名录，能不披风当襟，雄视千秋，奋发蹈厉，立志无愧忝列孙门者稀矣。

祭 父 文

先父讳寿宽，字玉泉，排行第四，生于公元一九零六年，阴历四月二十二日，卒于一九八四年，阴历二月十七日。少年家贫，然天资聪慧，风神雅俊，过学塾，听书而能成诵，塾师奇之而延入。及至青年，兄等经营银楼业，稍有所成，常遭土豪欺凌，乃促攻读，期得政治庇荫。既承父兄热望，用功更勤，心醉神迷，辄剩饭冷炙果腹，奋发不改，然遗胃疾，隐晚年之患。

数年苦读，学历不详，然有所成，善古文，偶亦能以诗词遣兴。

年十八，入府衙，为实习生，抄写而已，然敬业乐群，上下交口称誉，数年后，遂能独当一面，为特派委员往乡间处理事务。稍后，长进更甚。时当新政初建，风云际会，以新锐脱颖，独当全县财政预算决算之大任。期间，本城薛姓殷实富绅，慧眼识珠，幼女薛余英年方十八，委身下嫁。

当其小乔初嫁之时，正是国运昌隆之日，自民国十六年至二十六年，十年间，一介贫困书生，以雄厚产业与人望崛起于士林。青春焕发，雄视一方，上报效国家民族，下惠及妻子兄弟，人生大义，舍此而何?

信仰由是而立，高风终生不改。

岂料日寇入侵，家园半毁，本爱国者之忠，拒亡国奴之辱，拖儿带女，四乡奔窜。于兵荒马乱之中，负苛捐杂税之重，受绑匪扰攘之苦，未敢稍忘多方寻师，不废子女学业，冀其为国干城，光宗耀祖。

适日伪傀儡政权粉墨登场，谋假先父之清名，委任状三下，均遭斥退。乃为民族大义，弃政从商，亦有所成。

喜闻抗战胜利，本当大展宏图，岂料内战烽火迭起，反复拉锯，拖家带口，狼狈奔命，忍颠沛流离之苦，生计维艰，仍以子女教育为先。五十年代，横遭冤狱，北大荒六年，身心俱损，至归沪上，更失依庇。预见再逐之险，乃有返乡之勇。孤身片瓦，不耻微末，忍辱负重，撑持家园于风雨飘摇之中。于外言行不露，于内则心事不改当年。于国而秉信念，于家而承重任。老而弥坚，困而弥勇。自力更生，餐风饮露于闹市；言传身教，风烛飘摇而忘衰。为儿减负，艰难竭蹶而有其乐；润物无声，潜移默化而喜有成。

惜乎天年不假，积劳成疾，壮志未酬，驾鹤仙游。与发妻有共苦之悲，未能享家业重光之乐。不肖子孙，每思及此，不亦痛哉！不亦痛哉！

呜呼，先父虽无经国济世之才，然富修身齐家之智，困境中自立不阿，顺境中操行自守。佃户损之而能援救之，后辈薄之而感召之。精诚所至，顽石点头。秉中华忠孝仁爱之志，承吾乡温良恭俭之风，兼风神独秀，人中之杰也。然身逢乱世，坎坷困顿者，四十年，才智得以施展者，不过十年。天道不酬仁人，每思及此，不亦恨哉！不亦恨哉！

所幸血脉繁衍，人丁兴旺，遍布乡关、粤东、陇西、东海，远及大洋彼岸，学业与事业有成，亲情与人伦竞美，物华天宝之日，人杰地灵之乡，时维清明时节，序属二十周年之忌，聚乡里亲朋，共仰先父德泽。赞曰：高山苍苍，碧水泱泱，先父之风，山高水长。

唯以先父音容常在，精神不灭，家风不废，孝悌不改，谨慰在天之灵。

不孝子女：绍兰、绍权、绍重、绍振稽首泣血。

2004年清明

北大录取通知

1955 年夏天，考完大学以后，待在家里等发榜。起初，听听收音机，读读小说，倒也自在。但是时间长了，心里不免有点虚。虽然，那年高校招 9 万人，高中毕业生也是 9 万人，本来，最理想的办法是不用考，就像 1952 年我升高中那样。那年，我家庭出了一点变故，本不想念书了。我的理想职业是新华书店的营业员。我时常在课余到新华书店看书，有些新书站上两三个小时也就翻完了，新华书店的工作人员也喜欢我，有些送往学校、机关的公函、账单也请我顺路带一下。

听到我想参加他们的工作，他们都很欢迎，那时参加工作，没有今天这么多手续，通常只需报个名、填个表就成了。

但是，我的理想没有实现。快毕业时，学校传达了苏南行政公署的决定，祖国大规模的经济建设需要大量人才，今年应届初中生一律升学。我去找教导主任说，我家经济条件不允许我升学，两个哥哥参军去了，我要挣钱养母亲。

教导主任说："你不要担心。经济问题，祖国会为你解决的！"

就这样，连考试都取消了，我直接被分配到江苏省立昆山中学。全省高中生的录取名单都登载在《苏南日报》上（当时江苏南部是新解放的，而北部是老区，还没有合并为江苏省）。

然而这一次升大学没有那么便宜了。

由于战争和社会动荡，20 世纪 50 年代初期，大学考生的成绩很差，据说，1953 年第一次全国统一高考平均成绩才 24 分。为了提高大学生的质量，到了 1955 年，政府鼓励一些已经参加工作的大学生复学，同时号召一些具有中学学历的干部和战士参加高考。这样就增加了 3 万考生。本来，我是很有信心的。这些"杂牌军"，工作多年，课本早忘了，不可能考过我们。但是，在等待发榜的日子里，一些无缘无故的焦虑使我的情绪波动起来。

首先就是那作文，这本是我的优势所在。但是那题目，实在太古怪了。“我怎样做个大学生”，简直没有什么可以抒情一下的余地。一看这样的题目，我就不由得倒抽一口冷气。好在我还算镇静，在题目下面，加了一个题记，“假如你爱毛泽东，那么，就要把你的身体锻炼得像钢铁一样。”这是以当时登在《中国青年》杂志上的一篇小说《长空怒风》的题记上套来的。那篇小说的作者是魏巍，原来的题记是“假如你爱毛泽东，就请整好队形”。考完出来一谈，我的命运不太坏，命运最坏的一个同学，才写完作文就把一瓶蓝墨水全倒在卷子上了，那个同学哭了，带队老师正在向监考老师申诉，我们就乱糟糟地安慰他，没有顾上和同学交流情况。

回到上海家中尽情玩耍了几天以后，有一天晚上，我突然想到，我这篇作文可能写砸锅了。题目是“怎样做个大学生”，就应该全面，至少应该按毛主席说的“三好”：身体好、学习好、工作好这三个方面展开主题，这才全面。可我却只写了一个方面：我进入大学以后，一定要好好锻炼身体。

这要扣去多少分啊，不要说扣三分之二，就是扣三分之一也就最多剩下 60 多分！

而且我的第一志愿还是北大中文系。恐怕，连进大学都很渺茫了。然而不上大学，我干什么呢？难道就在家里干耗一年？而且这个家，从严格意义上讲，并不是我的家。自从哥哥结婚以后，我在这个家里就有一种“家庭异己分子”的感觉。这一年的饭到哪里去吃呢？我可真是陷入了无限的恐怖之中，收音机听不下去，欧·亨利、《说唐》一概看不进。

当时，我是共青团员，组织关系转到附近一个居民委员会的团小组，组员都是一些没有考取大学的，也有考取了因为体格复查不合格被退回来的，在一起开会的时候，谈起前途，他们都很悲观，明年再考，能不能考取呢？天知道。

好容易熬到发榜那天。一大早，我就往提篮桥邮电局去，那里有个阅报栏。每年华东区高考的录取名单都要在《解放日报》公布的。《解放日报》倒是贴出来了，然而却没有名单。我走进邮电局，见邮递员大李正好背着一大包信走出来。这个大李的弟弟和我吵过一次架，他尽护着他弟弟，后来为了报复他，我曾经用菱角尖去堵塞他负责的邮箱上的锁孔，弄得他看见我就追。不过事情已经过去三年了，我也长大了。我便很客气地问他今天是不是有许多从北京各大学来的信件之类，比较厚的。他说，有的，很多。我又问，有没有北京大学的。他说，是北大招生委员会的。我紧接着问，有没有我的，他皱起眉头思索。

我看着他的眉头和眼神，血都顶到脑门上了，可他却十分遗憾地摇了摇头，“没有——没有，有你的我不会忘记。”

他的语调那么冷漠，那么无动于衷，那么公事公办，我感到十分难受。我的血一下子冷了，一阵软弱之感，使我有点站不住，脑子里出现的第一个念头就是，看来，我得在那个没有生气的团小组里混上至少一年了。

我不由自主地往那个把墨水倒在考卷上的同学家跑。我想大概今天只有我们两个是同病相怜了，其他同学家都不用去，去了会更难过。马路上八月的阳光那么慷慨地洒落在匆匆来往的人们的额上、肩上，我想，他们一个个都很得意，然而所有这些阳光和得意都不属于我，这太不公平了。

我想起1951年，我考取光华大学附中以后，到四川路桥挽的澄衷医院去检查身体，透视后医生告诉我肺有问题，可能是TB要复查。当时，肺结核还是不治之症，我走出澄衷医院，看到阳光灿烂地落在有轨电车窗口，在孩子的红领巾上，那时，我的想法和今天何其相似：生活不管多美好，也都不属于我！

到了同学家中，同学的母亲告诉我，他儿子已经录取在青岛一所大学，刚刚到照相馆去照相，准备报到用的。我本应该为同学庆幸的，应该开心的，不料心却猛地一缩，感到分外的酸楚。同学的母亲还在滔滔不绝地告诉我，他孩子原来是多么绝望，成天睡大觉，这时同学的妹妹走出来又是倒茶又是切西瓜。可是我却无法在这喜气洋洋的房间待下去。好容易才摆脱了同学母亲的热情挽留，走到街上，还是那样耀眼辉煌的阳光，还是洪水一般的人群！

往哪里去呢？全世界的大路都不是我的。

只好回到家里。哥哥已经回来，我吞吞吐吐地告诉他，没有考取，只好在家里“孵一年豆芽”（上海话：待着无事可干的意思）。哥哥说，他不相信，我说，真的。

哥哥笑眯眯地说，那好，吃午饭吧。

可我却笑不起来，也吃不下去。

哥哥吃了几口，站起来掏了一会儿口袋，摸出一张纸来，上面都是当时非常稀罕的用打字机打印的字。他说，这里有个文件，讲没录取怎么办的，你先看看吧。

我一看，下面的落款是北大招生委员会，第一句就是“亲爱的同学，祝贺你考取北京大学中文系”。

我大叫一声，拿起信就往外跑！

哥哥问我哪里去，我说找那个邮递员大李算账。

哥哥说：“别去了，他和你分手以后就把录取通知送到我那里了。谁让你调皮，把人家的锁孔堵了好几个星期！”

我真是气得痒痒的，决心以后看到他好好骂他一顿。可是第二天，在路上遇到他时我老远就笑着对他说：“谢谢你！谢谢你！”

北大第一课

1955年8月下旬接到北京大学的录取通知书后，我马上去买了火车票，是8月25日的，几个同学一起去，有的是北京钢铁学院，有的是北京地质学院，好不开怀。

到了临走那天中午，车票却找不到了，真是急死人了。我记得清清楚楚，为了防止车票一时找不到抓瞎，特地把它放在通知书里，又夹在一本书里，然而报到通知仍在，车票却不翼而飞。离出发去火车站，还有两三个小时，我急得满屋乱转，后来终于疲倦了，横下一条心，大不了推迟一天重买票，干脆睡大觉吧。没想到大梦中，我看见，那张票压在收音机下面，我立刻惊醒了，赶紧把收音机底座移开，车票端端正正放在那里。

我们的座位在硬座车厢，夜间就垫上几张报纸，轮流在车座下睡觉。即使在车座下面的人也和上面的一样又说又唱又笑，十分热闹。到达前门火车站（那时还没有新火车站）的时候，才知道，北京大学由于校舍来不及建造，延期开学了，其他学校的同学都被接走了，只剩下我和另一个同学各拿着3件行李，不知如何是好。马上有女服务员来指点我们到一个木头的小亭子里去买三轮车票。我记得从前门火车站到北大是1元8角。一辆三轮，行李太多，只能先顾行李，自己乘有轨电车到西直门，然后转北大。

当我们两个人把行李交给三轮车夫的时候，根本就没想过，他把我们的行李拉跑了怎么办。只记得乘上有轨电车，握着那象牙色的吊环，看到天安门城楼的时候，觉得这里每一升空气都是神圣的，只有一点颇令人惶惑，售票员嘴巴里好像卷着一块石头，所报的地名，都听不懂，不像我们在收音机里听到的北京话。怯生生地询问以后，便有乘客向我们解释，北京话和普通话是不同的。

辗转到北京大学门口，我们俩的行李已堆在校门口了。当时我并未感到意外，只觉得很自然。直到20世纪90年代，我给大学生作报告说到这事时，才感到那个时候人与人之间的信任感是那样自然。

本来，我是带了伙食费来的，但是那时大学生不但不用交学费，连吃饭（包括碗）都是由国家提供。

走进食堂，也不要证件，米饭、馒头任挑，门口有两排桌子，自有工友一大勺一大勺地在那里打菜，菜碗排成一排，可以任取一碗。

那菜真是太多了，不论是一段段龙虾，还是米粉炸丸子，我从来都没有吃完过，那些肚子很大的同学，也没有吃完了再去拿一碗的。

来了朋友，也没有明确规定不可以带进去吃饭，带进去也没有说什么。

虽然到我进大学时，这种大锅饭只剩下最后两个月，以后就改为自己交伙食费了（12元5角），但是在许多方面，军事共产主义的氛围很浓。助学金似乎是没有限制的，只要家庭有困难，就很容易申请到（12元5角），记得我们班30个人只有5个人没有拿助学金。到了冬天，没有棉衣的同学可以领到棉衣，至于那些参加过工作的同学每月则有25元，除了自己开销以外还可以寄5元回家给老婆孩子零用。

在那时候，人们习惯于把自己的一切都交给国家，国家也无微不至地关怀着每一个人。这是一个人人都感到心情舒畅的年代，校园的一切无不使我感到兴奋、激动。从校史馆里毛泽东、李大钊的工资登记本到图书馆中苏联文化部送的罗蒙洛索夫的大理石雕像，从到处可见的来自东欧的金发碧眼的留学生，到结队去声名赫赫的权威教授家中拜访，都使我产生一种灵魂升华之感；以往在报纸上、广播中，在新闻纪录片中才能见到的生活，一下变得不那么遥远了，我好像可以触摸到共和国前进的脉搏。

公共汽车沿着北京西郊开行，两边都是建筑工地，连下雨的夜里都有耀眼的聚光灯和水泥搅拌机的喧嚣之声。刺鼻的柏油味不叫人讨厌，因为那是新路诞生的信息。车子、行人在马路两边的垂柳和白杨树中沉着地穿行，一点也没有20世纪八九十年代的那种拥挤、塞车、互相妨碍、浮躁地对抗的现象。

开始上课之前，我们请了高年级的老大哥、老大姐作报告。最令人惊奇的是有些课根本没有课本，全凭课堂笔记去考试，而且都是口试，这是从苏联学来的制度，叫作国家考试，好不令人神往。可想象着自己和那些声名赫赫的教授“面对面地斗争”，又觉得有点“汗毛凛凛”的。

我禁不住问一个老大哥：“教授讲课快不快？”

“挺快的。有的教授简直是滔滔不绝，飞流直下。”

“那我笔记跟不上怎么办？”

“不用全记，记个重点就行。”

我放心了。

第一堂课是高名凯先生的《普通语言学》，他连个开场白都没有，一下子就滔滔不绝起来。这门课研究的对象是全世界的语言和方言，高先生是法国语言学院毕业的，能用 4 种外语写作，可看 12 种外语的参考书，也不管我们眼睛瞪得有多大，他一会儿讲到梵语和古斯拉语的关系，一会儿讲到日耳曼语族包括英语和德语，而法语和西班牙语则属于拉丁语族，汉语和越南、朝鲜语并非同源，只有藏语才和汉语同为一族。

这已经使我们这些除了英语外，对其他外国语言毫无感性经验的土包子眼花缭乱的了。可高先生还不满足，接着又讲到了已经消失的西夏语，还有什么古高德语、斯瓦利希语，不要说他举的词语例子我们莫名其妙，就连这些语言的名字我们都头一回听到。简直是一场大轰炸。

我几次拿起笔来，想把高先生的话记下来，但总觉得无法追随，因而我崭新笔记本上直到 10 分钟过后，还只有两个字“绪论”。

不免焦急起来，便轻轻问身旁一个同学：“重点，到了没有？”

“没有。”

“你怎么知道？”

“到了重点部分，他就会讲得很慢，而且会重复一下的。”

我有点放心了，便又听了下去。

但是直到半个小时过去了，高先生仍然没有任何重复重点的意思。看看周围，已有好多人都埋头笔记了，而身边那个同学还在瞪着大眼睛盯着高先生的嘴巴，等待重点的到来。

两条道路摆在我面前，我沉不住气了，暂时不管它什么重点不重点，反正我是要奋笔苦追了。

我拿出吃奶的力气来，力图抓住高先生的每一句话，有时才写了半句，就空半行，去追另一句。我的手对高先生的嘴，是一场七零八落的追逐赛。手的速度绝对不是嘴的对手，手指和手腕的狂热运动，使我处于高度亢奋状态，以至我根本没有听清高先生说些什么见解，脑海里出现的都是句子的碎片和不连贯的词句，高先生任何短暂的停顿都被我用来去填充笔记中留下的空白，这种填充必须趁记忆中的声音还没有淡化的时候进行，稍一迟疑记忆就消退了，不可挽回了。那抓住暂留的声音的努力，实在是间不容发，以至于下课了手指还在发抖。

两堂课下来，我的中指上肿起了一块。一个从工厂来的同学说，怪不得把知识分子也叫作劳动者，记一堂笔记比上一天班还累。人在心情舒畅的时候，即使处境尴尬，也会把尴尬当作一种趣味，我甩着发酸的手问身边那个同学：“怎么样，重点等到了没有？”

那个同学大叫上了老同学的当了。大学教授讲课是没有重点的。

我说，在我看来他讲的话每一句都是重点，你问问老同学看，他能保证他什么地方不考吗？什么地方都要考，就什么地方都是重点。

我这话并非玩笑，据老同学介绍，苏联式的考卷不是全班都做同样的一张，而是各不相同，叫到你的名字，你一大堆考卷中去摸出一张来，那一大堆考卷可不是把他讲的什么都包括了进去。社会主义的考试岂是资本主义考试所能比的！

在回宿舍的路上我深感到，从今以后，每秒钟都不能懈怠，对于一个献身祖国的人来说，懈怠就是犯罪！我为我的这种想法感到自豪、幸福。

后来我还把这种想法写成一首诗登在北京大学学生文艺刊物《红楼》（谢冕、张炯、刘登翰都是编辑）上。那首诗的大意是：

当我走在大街上，当我走在颐和园的长廊，我蓝色的衣襟，白色的校徽上，有人投来深情的目光。

人民的眼睛，闪耀着殷切的期望。

当我走在向科学进军的战场，当我思维的触角不倦探索真理的宝藏，

人民的眼睛，闪耀着信任希望。

当我厌倦了日日夜夜的紧张，当我的心中充满了休息的渴望，

人民的眼睛啊，充满了惆怅。

那惆怅的目光使我振奋，使我紧张，我不禁一阵寒噤对自己喝一声：

大学生孙绍振，在困难面前，不是前进就是犯罪、投降！

就在我默默构思着这首诗的时候，我经过一座教学楼，底层正在开会，一个白发苍苍的老人，站在讲台上，台下的人对他高呼口号，举着拳头。那个老人低着头，台上有一个年轻人在用非常凶狠的语言谩骂他，宣泄对他的仇恨。时不时地，那老人要求申辩，结果总是被推在一边，台下的人就非常激昂地呼起口号来。我听了一会儿，不知道为什么，感到非常痛苦，台上那个年轻人所说的不过是老人在中华人民共和国成立前发表过人人应该相爱而不应该相恨的文章。我想，这算什么罪呢？那时，他还没有接受马列主义真理啊，然而他今天就这样被羞辱着，没有人同情他，人们好像在比赛着谁能更无情地羞辱他，谁就更光荣。而他被羞辱得连他自己也感到不敢抬起眼睛来看他的同事了。

后来我知道，这是北大的肃反运动的尾声，这个老人是最后一个被批判者。

我充满光明的心灵就这样被笼上了一袭黑暗的阴影。这种黑暗的阴影与我那色彩缤纷的情感是那样不和谐，正因为不和谐，我才觉得怪异，以至于在好几个月之内我无法把它忘却。

后来终于忘却了。20 世纪 50 年代北京大学生的生活毕竟是太芬芳了，即使有噩梦，也只是一个小插曲而已。

然而不幸的是到了 1957 年反右运动到来的时候，我才明白噩梦和光明相辅相成，都是人生不可缺少的教材，绝不能把它当作小插曲而轻易地忘记。

只有理解噩梦的人才能理解光明。

20 世纪 50 年代之北大课堂

我曾经在德国、美国和我国香港特别行政区的大学工作过，比较起来，读书风气之浓要数 20 世纪 50 年代中期的北京大学。到处可以看到读书狂的气象。图书馆座无虚席，尤其是星期天。因为平时有人上课，一到星期天大家都早早去占座位，往往失望而归。谁也不愿意在宿舍读书，六个人一个房间，只要有一个说话或者来个客人就会分神。后来，一个爱在星期天睡懒觉的同学（现在他是一所大学中文系主任）发明了一个办法：7 点多钟一起来背上书包先去图书馆等开门，占了位置以后再回来洗脸刷牙、吃早饭。即使到暑假，也很少有人回家去，大多数同学留在学校里，完成平时绝对没有时间去啃的大部头著作，如《战争与和平》《静静的顿河》《约翰·克利斯朵夫》。在一间废弃的浴室里我曾发现一个同学在抄 20 世纪 40 年代出版的刘大杰的《中国文学发展史》。这一点和美国、德国的大学迥然不同。德国和美国的校园一到假期就空荡荡的，大多数是打工去了，还有些则去旅游了。

在 20 世纪 50 年代中期，那正是新中国社会发展的黄金时期，北大学生都有一种政治浪漫主义，深深为“生活在毛泽东时代”而骄傲，为自己是一名新中国未来的专家、学者而自豪。那时规定必修俄语，许多人修了第二外语，我自修英语，同时选修了法语，当时我查的外语字典是一本俄英法字典。

每星期有二十几节课，有些课的教师念讲稿，我们就猛记。一堂课下来能记上七八页。手腕子都转不动了。我们都把这种课叫作“体力劳动”。虽然如此，我们出于一种使命感仍然如饥似渴地甚至囫囵吞枣地吸收一切可能得到的知识。

那时，课堂里空气也相当自由。不同的教授各执一词。吴组缃先生讲《红楼梦》，把薛宝钗分析得如一个女曹操，而何其芳先生说薛宝钗是一个善良的人，不过是个牺牲品。系主任杨晦先生在“纪念世界文化名人关汉卿”的热潮中，在《北京大学学报》上发表了一篇两万字的论文，不同意田汉把关汉卿写得很同情造反的样子，他认为，就生活方式来说，关汉卿不过是一条“不能不在猪圈里打滚的猪”。这引起戴不凡先生的愤怒，说是对关汉卿的污蔑。我把这告诉他，他一笑置之，说：“这是事实，我污蔑他干什么？”我和他谈到当时上演的《林家铺子》，评论界一致叫好时，他说，《林家铺子》本来是矛头针对日本人的，夏衍加了个大商人吃小商人，完全文不对题。他对夏衍还出了“选集”觉得莫名其妙。至于巴金，他认为，不过是把文章写得“像中学生那样流畅”而已，我说《家》《春》《秋》不是挺棒吗？他说，“如果把三部压缩成一部就好了”。所有这一切，都与当时社会上的主导舆论唱反调，在北大以外可能是骇世惊俗的，但在北大校园内，即使已经有过了一些像肃反、反右那样的运动，不少教授、学生难逃悲惨的命运，但是在不太敏感的非政治问题上，仍然有一片自由的净土。

最热闹的自然是 1956 年，翦伯赞先生发起了中国历史分期讲座。侯外庐、翦伯赞、范文澜都先后讲了各执一词的观点。我们那时虽然不大懂，但深深感到自由空气的温馨，这对于我们日后形成学术信念和操守起了潜移默化的作用。当时我最感兴趣的是美学讨论，三个主要代表都在北大。朱光潜是英语系教授，起初他因为有一段国民党中央监察委员的历史，而不能讲理论，只在英语系教英文作文。蔡仪先生是北大文学研究所的教授，他讲美学时，起先课堂挤不下，移到办公楼礼堂，可是这位正统的唯物论者口齿不清，越讲听者越少，整整一学期下来我只记一个三段论，“美是典型。黄金为什么是美的？因为它是典型的。”李泽厚毕业于北大，起初没有人要，后来成了美学学者又来北大作报告，反对蔡仪、朱光潜。我最不感兴趣的要数语言学，但是北大语言学泰斗最多，论争也最激烈。那时中学语文课本分为文学与汉语，要讲词法，但高名凯教授主张“汉语实词无词类可分”。而王力先生、朱德熙先生就反对他。课堂上各讲各的，在学术刊物上则唇枪舌剑，还把一些苏联人、波兰人都卷了进去。那些论辩性很强的文章引起了我们极大的兴趣，晚上回到宿舍，互相交换一下情况，也胡乱发表一些“自己的”见解，而且还争论起来。为了参加争论，我还看了一点结构主义语言学的经典，如德·索绪尔和布隆菲尔德的著作。这些书的观念在当时的北大并不稀奇，不料到了 20 世纪 90 年代初，一些年轻的文学理论家竟然把它们当作“文学新概念”加以引进，而且还大大热闹了一阵。

当时的北大，教授大都有盛名，但讲课的技巧却往往与他们的学问成反比。王力先生的“古代汉语”课很有名，他用西方人教拉丁文的办法编纂了 50 年后仍然流行的课本，但是他的口头表述却沉闷，许多学生只看他发的讲义，上课公然打瞌睡，他也不管。有时他爱拖课，我们肚子饿了，就把随身带的搪瓷碗故意沿阶梯教室滚下去。他问什么响，我们说：“肚子在唱歌。”于是下课。讲课最好的是吴组缃先生和朱德熙先生，尤其是朱德熙先生，真是出神入化，上课得早点去占位置，否则就进不去。连暖气管上都坐着不知从哪里来的人。有一次我坐在后排，问邻座的是哪里来的，她答：“解放军总参谋部。”我至今不明白语言文字跟她有什么关系。

到了高年级，学生对上课就看得淡了，大家都各自钻研自己爱好的东西。我爱好德国古典哲学，一本《费尔巴哈与德国古典哲学的终结》，看了不下十次。我的一个好朋友爱好柏格森、弗洛伊德，就成天读那些 1949 年以前出的旧版书，他后来当了沈阳市副市长。还有一位爱说相声，后来成了有名的儿童文学作家。而专心致志演话剧的一位，现在是北京人民艺术剧院的副院长。这些职业所需的才智，大都不是课堂上来的，而是在那读书狂氛围中自己随心所欲地愣钻出来的。那时，请名人作报告很容易，艾青、冯牧、吴祖光、郭小川随请随骑着自行车来，骑自行车去，一分钱不给，每一次这样的报告都会引起一场有关书籍的阅读高潮。

20世纪50年代北大生活之“最”

最难得一见的：

最难得一见的不是校长马寅初，而是班主任，开学时于班会上亮相，嘴上没毛，白面小书生也，四川口音颇重。自此以后，杳如黄鹤，待到毕业典礼，方得第二次相见，书生风度如故，面白如故，四川口音如故。

最难忘的报告：

系主任杨晦讲北大五四时期，本校正式学生无法入住北大宿舍，而外来旁听生却傲然占据。经多方辩论，方认理屈，乃拂袖而去，口占有云：“此地不留爷，自有留爷处；到处不留爷，大爷回家住。”一时遂成北大民谣，惜未为北大民谣研究会注意，未能载入当时之民谣周刊。

最可同情的：

一东德女留学生与一南斯拉夫男生陷入热恋，东德属于苏联阵营，而南斯拉夫为修正主义国家。爱情与政治冲突，乃以柔克刚，转入地下；政治则以刚克柔，令女生退学归国。两年后复学，补考《现代文学史》，考题为：《阿Q正传》的典型意义。该女生，于爱情则大无畏，于阿Q似颇畏缩，语无伦次。适主考教师严家炎先生外出，嘱余主持，出于对其爱情之忠贞之敬意，乃打85分以示奖励。

最莫名其妙的外交事故：

1958年，学生轮流下乡劳动，一漂亮女同学与一匈牙利男留学生恋爱，劳动期间躲入匈牙利留学生宿舍。忽如一夜春风来，千树万树梨花开，大字报直贴至留学生宿舍。该女同学以留学生宿舍为城堡，坚守不出。多日后，匈牙大使馆通知中国外交部，该女士与匈牙利公民结婚，按匈国国籍法，已成为匈牙利公民，现派该女公民至中国北京大学留学。万千大字报先为风雨冲刷，后为学校工友细心洗去。

最不可思议的惩罚：

宿舍走廊上有女工摆摊，为学生洗衣。衬衣一件4分，裤子一条7分，袜子2分。本班某同学，对其中之一女工，虽未对谈，颇有好感，乃于衣物中留一条曰："请于某时至未名湖一谈。"当吾同学欣然到达湖边之时，不意于土坡背后跳出一彪形大汉，乃女工之丈夫也。将吾同学扭送至校卫队，后为公安局"传讯"7日。团支部开会，批判其道德堕落。全体女同学义愤填膺，莫不面红耳赤。支部一致决议，开除团籍。嗣后，学校方面做出勒令退学之决定。

最耐人寻味的：

一位从福建师大至北大的进修生告诉我，北大课堂有三怪。其一曰：《中国文学史》课程从未上完，常常到隋唐就不了了之。其二曰：讲义，最多也就发到宋朝。时为1958年春天，正是火烧知识分子个人主义运动如火如荼之时，若在地方高校，则大字报上烈火熊熊，声讨之声四起。北大大字报一日多达千余张，无一张涉及此事。其三曰：教学如此无系统，然而考试却极有系统，北大学生安之若素，处之坦然。

最好笑的：

1958年火烧个人主义运动，有一教授在课堂上作自我批评曰："很少和同学接触，失去向同学学习之机会。至今所有同学均不认识，只叫得出贵班班长，张××同学。"全场哄笑。教授问所笑为何，答曰："班长姓吴。"

最尴尬的：

时常走错课堂，一旦铃响，发现误入，早已身陷桌椅及端坐之人群之中，脱身难于李白出蜀道。一日，坐入200人之阶梯大教室，待发现所来非中文系教授，不戴帽子，仅戴一蓝色遮阳帽。所讲之题目为"1加1不等于2"。四座学子，如坐春风，秩序井然，奋笔捷记，沙沙有声。虽然似懂非懂，为不致贻笑大方，乃做深为希腊古典哲学迷醉之状。多年后，每与学人谈及哲学，此一经历成为吹牛之资本：有幸亲耳聆听大哲学家金岳霖之课程者，于今世尚有几人邪?

最瞧不起的：

四楼一同学，独居一室，多年来，独来独往，无人为伴。细问之，此人乃分配至新疆工作，而拒不前往报到者。不服从祖国需要之人，不配为新中国之大学生，理应为我等所不齿，全体同学自觉与其划清界限，理所当然。

最难以实现的格言：

反右前期，吾与一新闻专业同学常常相聚，坚信胡风不是反革命。运动进入第二高潮，"深挖"暗藏之人民敌人阶段，遂忧惧日甚，不知何日沦为右派分子。约定每日于小饭厅

（今日之所谓“三角地”也）边相见，通报祸福。一日姗姗来迟，面色阴沉，云：“吾已成‘分子’矣。”为双方安全计，约定不再见面。该同学临别赠言为：“让我们学会自私吧！”积数十年之经验，坚信言之甚易，行之甚难。王阳明先生知易行难之说，于此又一证明也。

最悲惨的选择：

一同学被划为右派，情节属于最为轻微者，留于班级照常学习，昔日之朋友与之交谈日疏。乃密告其挚友：“如此精神歧视之苦，孤立之痛，不若于小偷群中之平等、自由也。”吾等闻之，皆以为戏言。数日后，该同学于东安市场，从一中年妇女手中，抢得毛线一束。女狂呼，然而追之不及，盖该同学乃长跑运动员也。乃缓步等之，后为公安局拘捕，送劳动教养。至今音信杳然。

最难幽默的：

1958 年春，反右运动过去，乃有“向党交心”之运动，主题是“搞臭个人主义”，凡是见不得人的追求个人名利等龌龊思想，如能公开交心，当众坦白，脱了裤子割尾巴，最为光荣。然而，北大小资产阶级知识分子大多爱面子，运动迟迟不见进展。某日某党员同学毅然于全年级大会带头交心，沉痛检讨进入北大以后忘记党的培养，个人幸福至上，思想腐化，蜕化变质，陷入个人主义泥坑不能自拔。有意于某女同学，屡屡不得逞。乃于一日，持信至女生楼，请意中人一阅。曰：“答应则好，不答应，则立即从楼上跳下。”偶一回头，该女同学满面通红。暴露自我，如此坦诚，众同学莫不自惭形秽。一男同学受此鼓舞，乃于小组坦言，读《史记》，从怀疑刘邦人品，联系到毛主席，此等思想实在危险，当改过自新，等等。数周后，此同学被公安局以污蔑罪逮捕。至 20 多年后方得平反，数年前已经退归林下，侍弄几亩薄地，信中时而流露陶渊明“采菊东篱”之乐。

最无法弥补的：

反右时期向一同学借得罗曼·罗兰之名著《约翰·克利斯朵夫》，乃豪华精装本，系一波兰留学生之馈赠。草草阅读一过，遂乃归还，时该同学已经成右派，未惶交谈，不久即被发往北京郊区劳动，两年后复学，吾已为助教，适往该班辅导，四目不敢相对。至 2000 年，毕业 40 年聚会，方得畅谈。该同学揪吾胸衣曰：“赔吾《约翰·克利斯朵夫》来。”问其故，曰：“当年君于书上胡乱批注甚多：‘枯燥！不通！放屁！胡说！’彼虽心甚恨之，然而限于右派身份，不敢索赔也。”言讫开怀大笑，曰：“待先生百年之后，此乃无价文物也。”

北大图书馆轻喜剧

金圣叹评点《西厢记·拷艳》，连作32则“不亦快哉”，为千古奇文。后梁实秋、林语堂、李敖仿之，分别作《不亦快哉》之文。余甚仰慕焉。闲居学府，时有同感。然，不亦快哉之余，有不亦痛哉之感，故作此文为继，非为续貂，但为表述之私，与前贤互有同异而已。

忆当年，于北大读书，每逢星期之晨，有宰予昼寝之癖，时读书风炽，图书馆较平时更人满为患。虽七点即起，不及漱，赶至馆门排队，乘兴涌入，举目四座皆满，败兴而返。不亦痛哉！

友人曹某密授一策：晨时，但作小寐无妨；然须于洗漱前掷书包为“特命全权代表”，占领座位；然后徐抵饭厅，从容进食，既有益肠胃，又确保读书心态悠然。此法甚妙，但不可以此为心仪之女士效劳，有丧大丈夫气概也。闻之心旷神怡，不亦快哉！

余照猫画虎，数次得逞，私心窃喜，然独享之乐，何若密合同好，共享不可为外人道之诡秘，同窃笑之乐，世之公理也。遂效地下工作者，与密友单线传授，嘱以不可用以为小女子服务丧男子汉威风。然而密友又各以其密友为单线，如树之多枝，枝之多叶，脉脉相连，层层传授，如原子核连反应，单线遂成网络。窃笑之声不闻，而独家之秘遂泄。诸子百家，皆授权于书包。遂有好色者流，以此向女流者取宠。竟有一人超越朱伯庐先生治家格言，四五点即起，为数女占座者。数周后，吾虽六点赴图书馆，其队曲折蛇行，绕楼数匝。黔首如云，磋叹何及，怅然而归，不亦痛哉！

曹君见余唔然，问以故，均以实告。曹君曰：“占座只为读书者，与吾等同好，情有可原，惟重色轻友者，当薄施小惩耳。附耳过来，如此，如此。”

余乃于某星期，黎明即起，窥准彼为数女流占座位三五处者，暗作记号。待其离去之时，悄然足，将彼数处“全权代表”尽情搅乱。有从临窗移至暗处者，有将暗处移至通风口者，有将一书包强行分流者，有将两包实行合股者，有将理论物理与李太白文集进行重叠交叉者，有将英国文学史与分析化学实行混合装配者。如此这般，不亦快哉！待彼从容早餐，怡然自得，欣然自若，如京戏舞台之大臣，迈方步，缓拂袖，轻咳嗽，徐展书。未几，即有数女流从容而至，怡然之色尽改。有惶然者，有愕然者，有如入五里雾中者，有如对世界末日者，更有叽叽喳喳喊叫者，有对献媚者，有拂然作色而疑者，有横眉者，有怒目而视者。尤其动人者，乃是遍寻书包而不得者，对谄媚代为占座者，鼻子不是鼻子，眼睛不是眼睛者，对其无可奈何之苦笑，作阮籍式青白眼者。是日馆中，一改往日安稳之氛围，嘤嘤嗡嗡扰攘之声不绝于耳，达 1 小时 45 分 32 秒。

独余作壁上观，做无事状，与曹君相视而笑。事后，方步出图书馆，往海淀观电影途中，曹君慨然长啸曰："略施小计，使彼等小慧者陷于大愚，不亦快哉！弄彼等于股掌，而彼等不知，不亦壮哉！不为女色所动，而保男子汉大丈夫浩然之气，不亦伟哉！与君共享此秘而不泄，不亦君子哉！"

北大长跑之忆

我小时候，在日本人统治下，学校里根本谈不上体育设施，连跳高的设备都没有。在小学三年级，不知怎的，许多同学却迷上了跳高。有的同学便用芦苇扎成支架，当中横一竹竿。但那竹竿似乎是学校篱笆上抽来的，于是所有参加跳高者都在离校前的“夕会”上，打手心两下。

跳高的高潮就此扑灭了。

后来又兴起了赛跑高潮。从学校操场的这头跑到那头。那头有篱笆，双手一碰篱笆，再跑回来。但似乎没有什么人满足于双手文雅地碰碰篱笆，大家觉得跑到那里往篱笆上扑才过瘾。

其结果是作为学校围墙的篱笆在长久的折磨之后终于全线崩溃。篱笆一旦斜倒了，大家跑到那里干脆躺在篱笆上哈哈大笑。

乐极自然生悲，其结果又是所有肇事者在“夕会”上挨了两板子。

在我记忆中，我和体育的关系就是一种奇妙的混合。起初，它带给你的是无比的开怀，可是后来却是十足的灾难，它让你当众忍受肉体的痛苦和精神的羞辱，特别是后来由于偷偷下河游泳被父亲打了一顿之后，我对体育的感情就更疏远了。不但如此，由于下河游泳，我在初中二年级时发现得了血吸虫病（那时，上海郊区，我们那个中学的班上，有 42%的患者），要不是上海医学院的师生及时治疗，我连考大学的资格都很成问题。中学时体育成绩一直很差，高三毕业考 800 米都晕倒了，口吐白沫，体育老师吓得面如土色。

进入北京大学以后，我的体质是很弱的。一听还要体格复查，就头皮发麻，不敢去，唯恐不合格给刷回家。说也奇怪，北大校医院通知了几次，名字公布在布告栏中，我置之不理，他们也就算了。

但 20 世纪 50 年代北京大学的体育锻炼却是非常严格的，可以说是准军事化。

早上 6 点钟起身，6 点 15 分就要集合，长跑 1500 米。夏天衣服少，还能来得及。有时明明听见起床铃还可以懒一会儿，可是冬天，天又黑，我们南方人穿的衣服又多，常常是衣服纽扣还没有扣完，队伍已经在满是霜白的地上踩出一条整齐的脚印了。

迟到了，也没有人催你，也不见人批评你，可你得追上去。在队伍转弯的时候，还有人向你行注目礼，那是于自尊心很有损害的。

后来，我就发现了一个窍门，内衣扣子可以从略，只要把外衣扣好了，反正跑完1500米，总得洗脸、擦擦眉毛的白霜，那时便有充裕的时间仔细扣上内衣的扣子了。

当然，这也省不了多少时间，有时免不了动脑筋想更有效的主意。比如说，装病。但那得有演员的艺术，一般的人很难装得逼真而不引起任何怀疑。最理想的，还是下雨，一下起来，大雨如注，班长再不敢吹哨子。在高中的时候，上海地区雨水是很多的，每逢有一点小雨，我就大造舆论，小雨点都是以灰尘为中心凝聚起来的，呼吸进去，对肺部危害最大。但是北京不比上海，一年到头不太下雨，好容易盼到天色阴暗了，却下起了雪，雪花是不是以灰尘为中心凝聚起来的呢，我无法找到雄辩的根据，哪怕遇到大雪纷飞的天气，也只好跟着去跑该死的1500米。

那时，我一面跑，一面心里盘算什么时候毕业了，结了婚不住集体宿舍了，就不受这个长跑罪了，当然，找对象得稍稍留神一些，什么人都可以，就是不能要长跑运动员。

果然，5年一晃过去了，顺顺当当毕了业，虽然一时还没有找到对象，但是却出乎意料地当了研究生，发榜的大会上，我还即兴朗诵了诗作《未来从今天开始》。

然而未来并未开始，第二天，6点钟一到，哨子又响了，新班长脸上毫无表情，“快！起来，1500！”颇为令人灰心的是，在可以预见的将来，还没有任何可靠的非长跑女运动员愿意和我结婚，而且自己也老不生病。后来有一天我终于感到自己似乎病了，双腿发软，连上两层楼都累得骨头疼。我想可能是感冒了，便去找班长说：“我跑不动，请假”。班长毫不同情我，说：“跑不动，也不要躺在家里，可以到操场上去看大家跑。这是个革命意志问题。”

我只好拖着沉重的脚步去看同学们乏味的表演。

我感冒好了以后不久，三年困难时期的第一个信号传来了，许多同学由于营养不良得了浮肿病，这时正好由于教学需要，北大中文系要放映早已禁演的电影《武训传》。办好向文化部电影资料馆借片的一切手续以后，在那么多研究生、年轻教师中，居然很难找到能双手提起两盒电影胶片的人，从仓库小路到汽车路不过200来米。最后，居然就只有我和另一个同学被光荣选中。

我有生以来第一次体会到在体格上鹤立鸡群的荣耀。我的体质明显变强了。从这时起，我对体育的观感倒了过来：起初体育带给你的是漫长的折磨，可最后，它留给你的却是无限的开怀。

马寅初的硬幽默

20 世纪 50 年代的马寅初给我第一个印象，是七十开外，身体很硬朗，虽无鹤发，但有童颜。《新体育》杂志报道他，除了经常爬山，不管冬天夏天，每天早上都洗冷水澡。

第二个印象是人挺怪的。他请了李富春做报告，一开口，他并不尊称李富春为李副总理，也不更平等地称他为同志，而是称他为“李先生”。更使我大吃一惊的是，他不是自称“我”，而是“兄弟”。在记忆里这样自称的，在电影上、话剧里，大抵是黑社会分子，或者是国民党反动军官。李富春开始讲话以后，他忽然搬了一张椅子，在靠近讲台的地方泰然自若地坐了下来。听人说，他的耳朵不大好。又想到他是一个民主人士，以前和周恩来总理有很密切的交往，称兄道弟是家常便饭，也就不足为奇了。他似乎只在学校的公众场合中出现，在日常工作和学习中，很难具体地感觉到他的存在，似乎距离非常遥远。只有几次是例外，那是 1956 年“百花齐放”的政策才提出来不久，他在《人民日报》上发表了一篇文章，反对教师在课堂上念讲稿。他说一个教师花上 50 分钟，慢吞吞地所念的篇幅，学生最多只要 20 分钟就看完了。一学期下来，他作了一个统计，光在一个课堂里就浪费同学多少生命。这篇文章，是深入人心，同学们奔走相告。这样，我又强烈地感觉到他作为一个教育家和我的联系了。但是这也只是昙花一现，不久，他又慢慢从我的感觉中消失了。直到 1957 年 5 月，北大大饭厅面前出现了“民主墙”，大字报满天飞了，中文系的几个学生要出版一个同人刊物，名字叫作《广场》，在大饭厅与小饭厅之间竖起横幅“救救孩子”。他在人群中出现了，不久就看到墙上有了马老为《广场》捐助人民币 500 元的消息。这时，我不能不对他投去崇敬的目光。很可惜，几天以后，他的助理，宣布马老撤销了他的捐款，原因似乎是对于这个刊物“不大了解”。以我当时的想象力，完全可以推测，一定是有人对他施加了影响。他的形象，未免暗淡了下去。

过了一年，他关于人口论的文章在中国社会科学院哲学社会科学部的刊物《新建设》

上发出来的时候，我浏览了一下，清清楚楚地感觉到他与严厉批判马尔萨斯人口论的毛泽东唱反调。后来就有一些学者对他表示了不同意，其中包括王亚南先生。但是他并不买账，继续坚持他的论点，进行反驳。对他施加的压力越来越大（1990 年我在德国才看到一本著作，说他此时最大的压力是周恩来找他谈话，要他做一个检讨过关，他痛苦地拒绝了），最后弄到学校里要开会批判他了。由于他的地位和声望，起初，只在哲学楼的一个教研室里开了一个小会，通过扩音器把会场内的发言和他的答辩向全校广播，我记得是在北大的一个小土坡上半躺在那里听的。马老并没有服气，仍然平静地坚持他的观念，他那满口的浙江官话，除了我，周围的同学几乎没有什么人听清楚的。凭良心说，马老也不是没有把柄。例如，当时传为笑谈的是，他在一篇文章中说，中国如果不节制人口，将来就要侵略邻国；还有，中国农村人口增长太快，是因为农村没有电灯。弄到后来，对他的批判发展到开那种大会大轰大嗡的程度。记得是由党委副书记冯定主持（有意思的是冯定自己在几年以后也挨了批判），等很久马老不来，派人去“请”来了，他仍然是拿着一张椅子坐在台前泰然自若。底下就有人喊口号，马寅初很镇静地说：“我这个人每天洗冷水澡，不管多冷的天都不怕。现在天气并不冷，给我洗热水澡，我就更不在乎了。”历史已经给马寅初以最高的赞扬，他的远见卓识已经得到举国一致的称颂。这也并不是说，马寅初的理论，就没有一点粗糙简陋之处。但他在面对高呼口号的群众时仍然能够从容自若，硬着头皮顶住，甚至还能幽默一番，这是当时很多有思想的知识分子都绝对想象不到的。像我们这样遇到压力就检讨过头的苟活的芸芸众生，每当回忆及此，都不能不在他的精神境界面前感到汗颜。

最可惜的是，历史对他的平反来得太晚了。当平反的通知到达时候，他已经是百岁老人，坐在轮椅上，对于崇高的赞扬除了木然的表情，脸上已经没有什么鲜明的生命的痕迹了。

何其芳发脾气

20 世纪 50 年代的北大中文系，教授中泰山北斗式的人物实在太多，但是，大多数教授的讲课水平与他们的名声，有构成反比的倾向。王瑶先生以博学强记闻名，但是讲课时，嘴里老像含着一块热豆腐，好像他越是讲到他得意之处，那块豆腐越是发烫。魏建功是中文系唯一的学部委员，讲到汉字无法形容的妙处，就找不到恰当的词语了，把家乡话搭上，也还是无济于事。王力先生用欧洲人教拉丁文的办法编了一本至今仍然风行的《古代汉语》课本，名满天下，但是上课却缺乏必要的激情，语调总是单调，而且呈下沉趋势，有时简直是越来越低，有如深情的母亲对即将熟睡的婴儿温柔地催眠。

吴组缃、朱德熙、何其芳先生却是例外。何其芳的四川口音属于不可救药一类的，但是他讲话时流露出诗人的气质，讲到动情的地方，他不像朱德熙先生那样冷峻，那样宁静致远，也不像吴组缃那样从容，不动声色，而是十分忘情，还辅之以完全多余的表情，激动时，还带上一句半句任性的话，愤激的话，这时他就显得有些天真。有一次，他给我们诗社做报告，谈到参加延安文艺座谈会讲话的经历。他当时早已经从《画梦录》中走了出来，在国统区，他真正开始了他“不爱云，不爱月亮”，而且要“叽叽喳喳发议论”的阶段。到了延安，他成了歌颂光明派，这个时期他的诗集《夜歌》，一反早期有点晦涩的《预言》，而以明白晓畅的风格出现。他在延安鲁迅艺术学院任中文系主任（才十五六岁、文学基本修养还比较差的贺敬之就是他破格录取的），在开座谈会以前，毛泽东曾找他谈过话。对于丁玲、王实味、萧军、艾青在延安的《解放日报》上发牢骚，他不大同意。他诗歌创作中很强的个人性，和他力图与之妥协的民歌要素发生了冲突。他非常坦然地中断了创作。直到十多年后，在 1954 年，他才写了一首叫作《回答》的诗，那意思不过是：“鬓间的白发警示他四十的来到，身边日子已经落下树叶一样多的日子，而结出的果实却为什么那么稀少。”一些只能欣赏李季式的革命和劳动场景的描绘的读者就发表了一些来信，对他表示失望甚至指责。有一篇文章的题目是:《我们不需要这样的“回答”》。个性温和的他，加上身为领导干部的身份，在讲台上，是很少直接表露自己的情绪的，但在说到这件事的时候，突然愤激起来，他说:“这实在是莫名其妙的，难道一个人工作做得不好，感到难过也不行，倒是工作做不好，心安理得，反而值得自豪吗?”他激动得有点上气不接下气，真正有点发火了，连那油瓶底一样的眼镜滑到鼻尖都顾不上，一直让眼镜处于悬崖上达数分钟之久。大家都笑了，显然有的是笑他的眼镜，有的是惊异于一个著名诗人发脾气。我也笑了，我觉得笑是心灵最短的距离。教授们在讲台上，很少有像他这样任性的，他天性难得的流露，缩短了这个名人和我之间的心理距离，使我分外感动。我记得他给上一届开设《红楼梦》的第一天，我偷偷溜进去听课，座位已经满了，只好和许多不知从什么地方来的偷听者一起坐在冰凉的台阶上听。他在介绍《红楼梦》的版本和在当时的影响的时候，说到一个《红楼梦》迷，弄得家中人不得不把他的手抄本《红楼梦》烧了，而他发现以后就哭了，“奈何烧杀我宝玉!”他说话时脸上流露出一副痴迷的神态，好像那个要哭的不是那个书迷，而是何其芳自己。在那政治运动不断的年代，他担任过北大文学研究所所谓肃反领导小组、反右领导小组的组长，在布告栏里，我看到过一张通知，“有什么历史问题，可向何其芳同志交代。”不知怎么的，看时，觉得心情沉重，无法想象，那个讲坛上的何其芳和坐在办公室听取一些教授、研究员的屈辱的交代的何其芳居然是同一个人。

朱德熙的剥笋壳式雄辩

1992年，朱德熙先生过世的时候，我正在美国，《人民日报》海外版上登着先生在哥伦比亚大学医院逝世的消息，不胜惶然。

我不知道如何形容我的心情，说悲痛罢，我的确还没有达到那样的程度，我不过是朱先生的一个普通的学生，普通到先生即使当面见到我，不管是在当年还是后来，都不可能认得。我没有那种朱先生在一群学生中一眼就认得出来的荣幸。

在20世纪50年代中期，我对他所讲授的现代汉语没有多少兴趣。同学之中，醉心于文学的是绝大多数。在三年级分专门化课程时，志愿学语文的才只有27%。

然而我对于朱先生的现代汉语语法课程却十分欣赏。从欣赏到赞赏，以至于日后，不知不觉地产生了一种崇拜的感觉。这对当年像我这样多少有点狂傲的青年来说，是很稀罕的。

朱先生能把语言课上得那么出神入化，在中国大学中文系如果不是唯一的，至少也是少见的。哲学楼可以容纳200多人的大教室，座位总是挤得满满的。我们年级文学班和语言班加起来才100人，那些多出来的人，不是从哪里钻出来的。过道上、暖气管上挤满了人，每次上课都要提前去，否则就有站着听课的危险。

其实朱先生的课上得很朴素。

他没有王瑶先生那样风趣，那样博闻强记；也没有王力先生那样气魄宏大的理论构架；更没有系主任杨晦先生那样独创到不合时宜的程度；当然，他也没有何其芳、蔡仪先生那样大的名声。说起来，在那20世纪50年代中期，北大中文系学术自由的风气还是十分浓郁的。杨晦先生在世界和平理事会宣布关汉卿为世界文化名人，全国大加纪念的年头，居然在论文中说，关汉卿并不像田汉在剧本中所写的那样充满革命热情，而是一个浪荡文人，可以说是在乌七八糟的环境中的“一头猪”。这引起了戴不凡先生的怒火，说是“对关汉卿的污蔑”。他轻描淡写地笑了笑，说，“我污蔑他干什么，他如果不是猪，在那种年代，他就没法活下去。”

杨先生顺便谈到了夏衍把茅盾的《林家铺子》都给改坏了，本来是表现日本经济和军事侵略的，给他加上了一个资本家大鱼吃小鱼，就走了样。甚至连巴金，他也不以为然，说他的作品不过是像中学生一样写得比较热情一点而已。我提出《家》《春》《秋》还是不错的，他说，如果把这三部删改成一部就好了。

在这些星光灿烂的学术巨星之中，朱先生无疑是一个后辈。他不以惊人之语见长，他的魅力不在片言只语之间，而在他的雄辩。

他上课不像游国恩先生那样发讲义，也不要求大家记笔记，每堂课只发一张油印的例句。他的观点，就从例句中分析出来，往往从第一个例句刚分析出一个观点，到第二个例句中，就变得行不通了，于是他就发展自己的观点，使之能够包容更广泛的客观事实。他不断用最平常的语言材料平静地揭露现有结论的不足，然后寻找新的解释，建构新的理论。

经过几个层次的曲折反复以后，他终于带领我们到了他自己相当独到的结论了。然而，忽然他又提出一个新例句，是和这个结论矛盾的，大家不禁汗然，他却坦然说，如果不用这个观点，而用别的学者的说法，可以避免这样的矛盾，但是他随手举出一连串的例句来，是其他学者的结论，不但不能解决，而且相形之下，那些结论显得十分荒谬。

只有在这时，屏声静息的课堂才开始轻松起来，一些语言班的同学禁不住点头赞叹，而我们文学班的同学也往往相视一笑，表示一种满足。

我虽然极端害怕语言课程，但朱先生的课却例外，每一堂课，我都觉得是一种享受。我逐渐被他迷住了。但我的被迷，并不像他的一些得意门生（如北大教授陆俭明），连走路都学他，我仍然对语言学课程敬而远之，但我却不知不觉被他研究问题的方法所熏陶，受到感染，这是我当时所没有意识到的。

直到许多年以后，我在编选自己的论文选集时，我突然意识到，我那些写得最好的论文，所用的方法，很大程度上，就是朱先生上课所用的。我逐渐发现，我写得最好的论文的思路，都是朱德熙式的，也就是类似剥笋壳的方式，层层自我非难，层层转折逼近的方法。

我觉得朱先生在某种意义上，用他的方法塑造了我（当然，除了朱先生以外，还有普列汉诺夫）。不仅在论文的写作方法上，而且我的讲课方式也深受其影响。我本来是个矛盾的人，一方面心雄万夫，极望有所成就；一方面又十分自卑，特别是在20世纪60年代，“左”得可怕的氛围中，我平均每2.9年就挨一次批判，当时，最大的愿望就是结束挨整的命运，因而对自己有什么优点，竟茫然不觉。

直到20世纪80年代中期，由于广泛被邀请到各省大学讲课，我才知道，我讲课的效果还是挺不错的。意识到这一点之后，我不无认真地分析了一下自己的讲授方法，居然又发现了朱先生的剥笋壳的方法，层层转进的方法，自我非难的方法，是我讲授方法中比较突出的。

这就使我深深地怀念起朱先生来。有时甚至想写一封信给他。然而，又觉得也许是十分唐突的，朱先生不可能记得我这样一个学生。

1992年在美国，误认为朱先生在华盛顿州立大学作研究，得了肺癌，西雅图又离我所在大学英语系不远，因而极想找到朱先生的电话号码，打一电话表示情意。一个朋友到西雅图去演讲，答应帮忙，然而不知怎么的，他没有弄到电话号码，而这时，香港文化教育出版社总编辑田小琳，她也是朱先生20世纪50年代的学生，来信嘱我慰问朱先生，我答应努力。

接着就是学期结束考试，考试后和我合作的教授夫妇请我吃饭，在另一个班上课的教授的丈夫告诉我，美国大学生对我的课评价十分高，有一个学生对他说，这个中国人是“百分之二百的教授”。他劝我说，你是一个很好的教授，我建议你不要抽烟。我告诉他我不抽烟。他抱歉地说，在他印象中，中国人抽烟的太多了。

由抽烟我又想起了朱先生的肺癌，不知朱先生抽不抽烟。

田小琳那里，我还没有回信，朱先生在哥伦比亚大学医院逝世的消息却登在报纸上了。

受伤的蒲公英
——吴组缃的比喻

20世纪50年代，在北大教授中，吴组缃先生的讲课是很叫座的。他是在中国现代文学史上占一席之地的著名作家，和身为诗人的林庚先生一样有着精致的艺术感觉；但是不像林庚先生那样以诗人的潇洒感性，对司空见惯的语言现象，作纯艺术的阐释。他的长处是警策，常常显出小说家对于生活的深思熟虑的洞察。他的精彩的论述往往并不限于对艺术的理解，同时也饱含着对于生活的体验。可是他讲课的姿态说来很有一点冒险，手执一卷讲义，和当时最不受欢迎的念讲稿方式差不多。那薄薄的稿子，有时就是一篇并不太长的论文。但是他创造的奇迹是：薄薄的十几张纸，居然念到一学期还没有念完。

他每念完一段，就从容不迫地即兴发挥起来。讲稿上的，是书面语言的严谨的结论，而他所发挥的，则是他艺术创作和人生体验的结晶。

记得在讲到《红楼梦》中那些人物年纪都在15岁上下，竟然发生了那么多刻骨铭心的爱情，连像若烟那样的小孩子也发生了一些苟且之事。他先作了一个比喻说，你看，那路旁的一株蒲公英，如果它经过路人的践踏，就会提前开放出畸形的花朵来。这些个丫头、小厮，一个个被压抑、被摧残，结果是他们的生命在垂危之际，情感就畸形地开放了。正是因为这样，也就特别地凄丽动人。

吴先生的讲授，不但渗透着艺术鉴赏力，而且贯穿着生活的洞察力。从这一点来说，他比之任何其他教授都略胜一筹。也只有这样双重的睿智，才能有吴组缃式的深邃和无畏。有一次，他给我们开了一个讲座。题目是关于茅盾的《春蚕》。当时众口一词地认为，《春蚕》中的老通宝是一个成功的保守的老农民的形象。他却认为，茅盾善于写城市生活，从根本上来说，不善于写农民。他笔下的老通宝就是一个分裂的角色，一方面，对于新鲜事物，新的科学技术，他是保守的，对于洋货他是敌对的；但是，在决策加大投入，借贷买桑叶时，又是非常冒险的。这种冒险性，事实上是吴荪甫式的，而不该是老通宝式的。他说，每一个作家事实上都有一个自己的模式，这种模式的力量相当强大，往往在不知不觉之中主宰着他，几乎是鬼使神差地让他往他自己的陷阱中陷下去，最可怕的是，作家自己对此一无所知，当他跌下去的时候，他是面带笑容的，舒舒服服的。

正当我们被他的阐释迷住了的时候，吴先生却仍然从容地把手圈成一个空拳，举到嘴边，习惯性咳嗽几声，又继续他沉稳的讲授了。他在学生中有相当多崇拜者，每逢他上课，连向来懒散的、善于在课堂上瞌睡的宰予们一个个都正襟危坐。他的分析方式，不知影响了多少人，就连他圈着手咳嗽的习惯后来影响到他的一个门生，等到他能够在北大讲台上讲课时，也常常情不自禁地作吴组缃式的咳嗽，不过他不仅仅是在课堂上，而且也在书斋里。虽然他这样做也许是不由自主的，但是却给人以假冒伪劣的感觉。

调戏谢冕教授

谢冕教授和我是老同学。年轻时，一起浪漫，一起读诗、写诗，一起以发不正统的歪论为乐，还一起骂人，不过他骂得比较文雅，而我骂得比较恶毒。例如对那些思想比较僵化的同学，他最多说“那些社会主义清教徒”，而我就不过瘾，一定要接着说：“什么清教徒，混教徒还差不多，一个个地瓜脑袋，只配到伪满洲国去当国民。”

眼睛一眨，老母鸡变鸭，他成了诗坛权威了，又是北京大学的博士生导师，桃李满天下。有一次我在美国大学里遇到一个系主任，一个老美，好斗的女权主义者，泼辣（aggressive）得很，可以说辣气逼人，居然是他的学生，还对他礼敬有加。

他为人、做事、做学问都热情。60 岁不改当年的诗人气质，对诗的迷恋使得他比较天真，连到一个不起眼的地方去旅游都兴致勃勃，令人想到小女子散文家。

一帮子很有才华的戴着博士帽的门徒簇拥着他，用崇敬的目光织成光环的网络围困着他。虽然，我知道那些狡猾甚于聪明的博士们的真诚，是要打折扣的，但是，谢冕以大度雍容服众，如孔夫子一般，垂拱而治。开学术会议，有谢冕在场，气氛是自由的，但是又多了一份肃穆，没有什么人敢于像日常生活中那样以胡言乱语为荣，博士生们的黄色幽默笑话一概暂时储入内存。

进入谢冕的家就等于进入了诗的境界，博士生们情不自禁地把脚尖提起来。唯一敢于大大咧咧、嘻嘻哈哈、咋咋呼呼的，就是鄙人。只有我敢于告诉他，人家背后称他为“文坛儿童团长”。

适逢他主编的十一本一套的《百年中国文学总系》出版。第一本就是他自己写的，关于 1898 年中国文学的，这是一本相当学术化的书。比起他过去以才情取胜的书，这本带着更强的学术意味。其中有许多第一手鲜为人知的学术信息，书中有抒情地描述他在空旷无人的图书馆中读《清议报》的情景，尤其动人。在这套书出版的讨论会上，我说，此乃谢冕从以才华取胜转化为以学问取胜的里程碑。

他把才拿到的泛着油墨清香的样书展示在我面前，先不翻开内页，而是把封套里面的相片供我欣赏。说是比之书他更为满意的就是这张相片，得意之色溢于言表。我觉得，这的确是谢冕最好的一张相片。但是，我不想过分奉承他。我故意做异常认真的样子，把眼镜拿下来，端详了一番，点了点头。

他说："不错吧？"

我又点了点头，说："端的不差。"

他说："好在有思想深度，是吧？"

我说："言之有理。这张相片有点像严复，又有点像郭沫若。但是，严复有思想而没有浪漫情调，郭沫若有浪漫情调而缺乏思想。"

谢冕满脸发出青春的光彩，期待我说出他二美兼备的话来。

我让他等了一分钟，才说，"你呀，既没有思想，又没有浪漫情调。"谢冕大笑。

第二天开会后吃饭，他在隔壁一桌。几个年轻人，发表挑拨性的高论：孙绍振比之谢冕更有诗人的激情。

谢冕很谦虚，说："我不是诗人，孙绍振才是。"

我听了连忙走了过去，扶着他的肩膀说："谢冕什么都比我强，就是有四点不如我。"

这一下子大家，包括谢冕，都感兴趣了。

我清理了一下喉咙，慢条斯理地说："第一，吹牛。"满座欢笑。

人问，"这第二呢？"

我清理了两下喉咙，慢条斯理地说："放炮。"又是欢声四起，问第三是什么。

我更加从容地说："这第三嘛，就是骂人。"

在欢笑声中，连谢冕也表示，在这方面他的确自愧不如。

大家催我讲最后一条。

我十分爽快地说："第四就是，造——谣。"全场热烈鼓掌。

我做了一个手势，请大家"雅静"，说，"我什么都比谢冕强，就是一点不如他。"

人问："什么？"

我说，"这方面的差距是十万八千里。"

众人催："快！"

我说："艳遇。"

所有的人都热烈鼓掌，背朝着谢冕的都转过身来。

谢冕也鼓掌，说："这个猴子。"

饭后，会还没有完，我有事，要先走。

北大洪子诚教授，也是我们老同学，对我说：“你这一走，我们的会就只能光开会，而不能开心了。”

我说：“要开心也容易，只要像我一样敢于调戏谢冕。”

谢冕的书斋和童话

谢冕教授家的书迅猛地膨胀。当我来到他那显得窒息的书房的时候，不由得笑了起来。向来号称整饬的谢冕连过道里都摞着高及胸口的杂志，而他那书房则成了书堆的峡谷，我只能像海底的鱼一样侧着身子进去。

就在前不久，我听说，他宣布拒绝买书了。这究竟是幽默还是愤激，我没有细想。

倒是想起来他在香港的报纸上的文章，说是他需要一个书斋。当时我正在香港，觉得很是奇怪。内地的教授固然比较贫寒，但是北京大学中文系的教授多多少少有一点例外。因为他们得天独厚地可以轮流到日本讲学，或者到澳门大学讲学。只要出去一两年，就有足够钱买下一套比较像样的房子。又听说，有一次，北大中文系已经安排他去澳门大学当系主任了。可是人们说，谢冕觉得这么长的时间，离开内地的诗坛，是不负责任的。那时，正好他的弟子张颖武先生在我那里，我就对他说，“这个人真是个书呆子。一边叫着要一个书斋，一边又不肯出访。”张颖武先生说：“为这个事，谢老师还认真考虑了两天两夜。”我说：“活该，谁让他傻乎乎！”

这次要到北京参加一个博士论文的答辩会，顺便就去谢冕家里去玩玩。看到他那越发变得狭小的书房，不由得嘲笑他的糊涂。既然要书房，就该去日本或者中国澳门一行。考虑什么在国内的影响，又不是毛泽东，当年他组织别人去法国勤工俭学，他自己却不去，说是中国的事情还没有弄清楚，暂时不去外国。

他哈哈大笑，说：“谢冕真是太重要了，中国简直一天都离不开他。”听这口气我才感到传言有误。便把张颖武先生如何说的，告诉了他，他更是大笑不已，说：“这简直是一个童话，绝妙的童话。”

在北京大学中文系，教授不说，就是年轻的副教授都已经有百分之七八十去过日本、中国澳门等地，有的已经去了两次。从来也没有任何一个人来和他商量过出访。谢冕夫人是我们当年的同学，她也笑着说，前几天倒是有一个北大中文系的老师向系里领导打了个电话，说是除了他和谢冕以外大都出去当过教授了。我听了不由得愤慨起来，谢冕却哈哈大笑。对于这件谁也说不清的事，当中的阴差阳错，他显得相当超然。看他的神态，好像说的完全不是他的事，而是别人的事。

他似乎并不为空间的狭窄而过分烦恼，也许那些书们，都是他亲密的朋友或者臣民，早已和他一样乐天知命了。这使他引以为豪，但是他最为自豪的倒并不是他相依为命的书，而是他养在 3 只笼子中的 6 只小鸟。他兴致勃勃地告诉我，每一只小鸟都有一个“故事”。我知道他不管什么鸡毛蒜皮的事，永远都是兴致勃勃，永远着迷，完全不像个 60 多岁的权威教授。我顾不上去听他的“鸟故事”。那些被他当作珍禽的鸟们，虽然羽毛上有颇为可观的花纹，我却一眼看出来，不过是花鸟市场上，10 块钱就可以买到一只的虎皮鹦鹉。其叫声以粗粝为特点，却一个个不识相，聒噪不已。我故意扫他的兴，说，“这些鸟虽然好看，但说起话来，老是像你一样兴奋，令我想起来阁下年轻时那个雅号——鸭子。”他就跑到鸟笼面前对着那些鸟们，大声呵斥那些虎皮鹦鹉：“你看看，客人都怪罪了，你们还吵个没完！”说着把其中吵得最凶的一只轻轻地捉起来，抚弄一番，还一定要我也摸摸它的头，我不好扫他的兴，只好照他的吩咐敷衍一番。

他越发兴奋地说起鸟的故事来。其中一只是个花花公子，硬是把一只路过的妙龄小鸟勾引了进来。他说了那只鸟的样子和颜色，我只好装着记住了的样子。另一只鸟的传奇是，有一点特异功能，能把门栅用嘴巴提起来。有一次就这么自由散漫地溜掉了，停在门前的树上，他用笼子去引，它岿然不动。等到他靠近一点时，它就飞得更高。这时，黄昏降临，谢冕的心都碎了，这只负心的鸟却绝情地飞走了。谢冕知道，它这一飞，就意味着死亡。因为家养的鸟是没有觅食的能力的。用不了多久，就会饿死。望着那消失的鸟影，谢冕体验到了一场真正的生离死别。当夜风雨大作，为失去的鸟的忧伤之情，使得他和夫人一夜无话可说。第二天，夫人仍然不死心，说是出去看看，谢冕反正不抱希望。也就由她去了。没想到，不久以后，夫人惊喜地大叫而回。手中捧着的正是那只丢失的小冤家。原来夫人走出去以后不久就听到一声熟悉的鸟叫。循声找寻了一番，在一株小树底下，正是他们家丢失的那个冤家。

我说这是因为它的羽毛淋湿了，不能飞了，而谢冕却说，鸟的羽毛是不会淋湿的，是它调皮地在等待夫人去找它。

这可真是童话了。

谢冕又一次把鸟拿出来让我抚摩的时候，显然进入了童话的境界。现实世界的住房的狭窄，早已消失得无影无踪。什么是他的感觉，什么是童话的幻想早已分不清楚了。

我想起了已故的中国作家协会书记处常务书记鲍昌先生的一句话：“谢冕永远是个儿童

团长。”

但是，这只是他的一个方面，在另一个方面，他又怀着深深的忧思。他为新诗当前陷入对西方现代和后现代派的幼稚模仿而感到十分忧虑。他告诉我，他已经写了一篇《新诗已经离我们远去》，表达他对于新诗失去了使命感而感到忧虑，这一段文字将在《诗刊》上发表出来。我说，我早有这种感觉了。我也为《星星》诗刊写了意思差不多相同的一段话。临别时，我们紧紧地握手。

这时，我第一次非常明晰地感到，在他的心灵中跳动着两根弦：一根弹奏着充满了孩子气的童话色彩的变奏，而另一根上奏响着的则是充满了使命感的、成熟的学者深思熟虑的主题。

上课打瞌睡的理论根据和历史经验

我做学生的时候，是挺调皮的，就是对最敬爱的老师，在背后也曾画过漫画，取过绰号。不管那个老师的课教得多好，年轻人调皮的天性总是以获得表现为荣的。疲倦了，隐蔽地在课堂上小睡片刻的技巧也是吹牛的资本。

记得那是大学二年级的春天，每逢星期四第三、四节课，我都抵挡不了那准时拜访的睡魔。尤其是楼外操场上北大幼儿园的歌声悠然飘来的时候，黑板上的字就开始朦胧、模糊，甚至重叠、舞蹈起来，身体也跟着轻轻地浮游，欲醉、欲仙。浑身的每一个部件都是轻盈的，只有一处是例外，那就是眼皮。游国恩教授是古典文学的泰斗，循循善诱，在这样的长者面前打瞌睡，实在不好意思。可是眼皮却渐渐沉重，缓缓下垂，悠扬如蒲公英的种子，自由、轻盈，但是不可抵挡地垂落。为了尊重游先生，主要是为了不过分委屈自己，我就坐到最后一排去，选择了个两面有墙可以靠头的角落，以保证我安详地入睡时，头部不至于像新生的婴儿一样软软地歪倒。以后，我还买了一个特大的绿色的讲义夹，每逢北大幼儿园的歌声响起的时候，我就把它支起来，挡在脸上，在那绿色大蝴蝶翅膀的庇护下，我就像一颗小豌豆一样开始了我渐入佳境的享受。

最初我还对这精致的发明严格地保密，独享其乐，但是渐渐感到，不和朋友分享也不算是完全意义上的享乐，这种感觉使我终于和几个绝对肝胆的兄弟共享醒来后目光交流的幸福。毕竟是古书上说的是：独乐乐不若与民同乐乐。

等到我自己站到了大学课堂上，却不知为什么对于那些和我当年有同等嗜好的学生怀着某种不快。当然，我是一个人道主义者，我对中学里某些老师把师生关系弄成猫和老鼠的对峙很不以为然。加之，“文化大革命”后期，我所面对的，大都是在农村经历了种种磨难，荒废了不少青春时光的学生，进入大学课堂，年纪已经和我差不多了。好在我来到福建师大时，有关方面停止鼓励学生把教师当敌人，提出一个叫我受宠若惊的口号：师生是同一战壕的战友。这更使我迟到的安全感有了起码的保证，对学生有了充分的体谅，即使他们课堂上有时小睡片刻，我在勉强装聋作哑时，尽可能克制我受到损害的师道尊严。说也奇怪，那些领导班上舆论潮流的几个调皮鬼、老油条，虽然在课堂上有宰予昼寝之癖，只是很有分寸，绝对不发出任何声息，醒来之时脸上颇有羞色，我看在眼里，禁不住产生亲切之感。

从他们身上看到了我年轻时风貌，可又禁不住想，别看他们一个个毕恭毕敬，背后不知道给我取了什么古怪的绰号呢。

时间长了，我确确实实感觉到，他们真正把我当成了朋友，走路时也免不了勾肩搭背，有一个昼寝分子还把最秘密的心事告诉我，并聘请我作为他的“爱情顾问”。很惭愧的是，我当时对他的顽强意志估计不足，我坦率地预言“没有希望”，但是他百折不挠，终于在奋战几年之后大获全胜，我自然愉快地承认失败。

我和他们混得和哥们似的，对于发生在他们宿舍里、课堂上的一切故事，我都有第一手的情报。

不久以后，我带着学生下到三明，那里有一个轰动一时的教学改革经验，说是语文教学改革的主要障碍就是课本，应该废除，由学生自己编写课本。后来在上杭县的一个公社中学就更进了一步，最新的经验是把语文课办成各级党委的宣传队。对于这样时髦的革命主张，我忍不住反叛的本性，说了一句：“祸国殃民！”很快引来围攻的大字报，其声势十分浩大。我的那些肝胆学生便来安慰我，我自然对他们的情义十分感激。这时有一位外系的老师完全出于赶时髦的热情，在课堂上很轻率地批判了我。这在当时本是很平常的现象，我一笑置之。但是我的肝胆学生们却认为不可容忍，他们决定捉弄一下这位可恶的中年女教师。

最初是班上的座位开始空缺，但并未引起注意，于是昼寝分子们就增加了空缺的程度，直到引起这位女士的注意并且采取了每堂课都点名的措施为止。

这位女士点完了名，总是继之以相当漫长的板书作为她的讲授的序曲，而她的讲授又是以高效催眠为最大特点的。昼寝分子们便在应卯以后，女士开始板书之时，公然鱼贯退席。不久，座位的空缺量就使得课堂显得有点凄凉。于是这位女士就进行第二次点名。调皮鬼们便又生一计，在女士点完名继续板书之时，在脚下做出声音，好像鱼贯退席又在继续的样子。女士停止板书回过头来，从老花眼镜上方观察，她看到的是学生一个个正襟危坐，便回头放心板书，才写了几个字，那可疑的各种各样的鞋底（似乎还包括一两双半高跟鞋）与地板摩擦之声又迟迟疑疑地响起了。于是这位善良的女性又不得不回过头来观察动静，她看到的仍然是座无虚席，一片肃静。男女同学一个个眼观鼻，鼻观心，无可挑剔。

只有一个男生拿着一本讲义夹掩着鼻子，发出轻微的鼾声，他被叫了起来以后，仰首挺立，以一种革命烈士的姿态，听女士训话。当她苦口婆心、声泪俱下、循循善诱、温柔敦厚地劝导这个昼寝分子，进入佛家所说的天花乱坠的境界之时，教室里四面八方却逐渐鼾声大作。她把目光射向一方，鼾声便自动化地停止，但其他方面的鼾声依然十分酣畅，她把目光移向另一方，鼾声也是戛然而止，其余方面的鼾声又如野火般地燃起，迅速把她包围。

在调皮鬼们叙述完如何捉弄这个生性糊涂的教师的故事以后，我批评了他们缺乏对弱者起码的尊重。他们唯唯而退。

出乎我意外的是，过了几天，轮到我上课时，却发现，我的昼寝朋友们，都带着讲义夹，我有了一种不祥的预感。果然，不久以后，便有轻微的鼾声。当我把目光移向鼾声的发源地时那鼾声便戛然而止了，我知道这是他们是和我在斗智了。如果我摆出老师的架子来，那是无能的表现。而且从长远的战略眼光来看，越是调皮鬼，在未来的生活中越有可能成为创造力极强的才干和竞争力极强的尖子。以势压人是不明智的，只有比他们更调皮才能赢得他们的尊重，于是我拿出了年轻时老调皮的劲头来。我说："现在有人打瞌睡了，你们以为我怎么想？"小伙子们来神了，眼睛里放出光来了。我说："你们一个个耳朵竖起来，听着！"

"其实，上课打瞌睡，并不一定是对老师的不尊重，也许是最大的信任，因为他相信，这个老师不会训斥他，不会在考卷上扣他的分数。这正是对老师人格的表扬，现在我就受到了某某同学的表扬。（有人往调皮鬼那边瞧了瞧，微微一笑）当然，这种表扬除了甜蜜的一面，还有苦涩的一面，那就是对教师结结实实的批评。学生打瞌睡，这说明听不下去了。听不下去，无非是两个原因，第一就是教师讲得太差劲，再听下去太折磨自己，有碍健康。第二就是实在太困，怎么办呢？我给你们讲讲我当年的经验。

"我年轻的时候，上课也有困得不行的时候，这时，我就想，是使劲睁着眼睛装着十分着迷地听下去呢，还是干脆小睡片刻？采取前一种做法，眼睛是睁着了，耳朵却是聋了，一堂课下来，什么也没听。别看你睁着两个青蛙眼，其实是不老实的、虚伪的表现。不但是在欺骗自己，而且是在欺骗老师。

"（有的同学开始笑起来，气氛开始活跃）其实这样也不合算，因为白浪费了50分钟的青春。最好的，也就是最经济的办法，就是干脆小睡片刻，然后精神饱满地听课，以特高的效率，把那损失了的时间补回来。（有人在推调皮鬼了，调皮鬼装作刚刚醒的样子，在揉眼睛）所以我年轻的时候每逢发困，就干脆小睡10分钟左右，就是为了醒后心灵像海绵一样地吸收老师所播种的真理。其实这个道理也不是我的发明，我是从毛泽东那里学来的。年轻的时候，我听过陈毅一个报告，他讲过一个故事，十几年了，我至今记忆犹新，你们

要不要听一听这个故事？（大家马上鼓掌，调皮鬼收起了他的讲义夹，开始倾听）

“正当淮海战役打得很紧张的时候，深夜开军事会议，毛泽东在讲话，座中一个将军却发出了鼾声，在座的将军不禁为他捏了一把汗。毛泽东不动声色地讲完了话。别人讲话，他却轻轻地对此人说：‘嘘……讲话轻一点，有同志在睡觉’。大家笑起来，把那个将军惊醒了。

“现在我看到某某同学醒了而且笑了。（其实，调皮鬼本来并没有来得及笑，我这么一说，他忍俊不禁，笑了出来，大家一起为他的笑而笑了起来）我说这个故事的目的是让某某同学像那位将军一样清醒过来，现在他已经达到了那位将军的水平，让我们对他表示祝贺！（大家鼓掌，调皮鬼也鼓掌）但是，像世界上没有两片相同的叶子一样，某某同学的及时清醒，和那位将军也不完全相同，我刚才忘记了告诉你们，那位将军醒来时，并没有鼓掌，而是满面通红。我注意到的某某同学醒来时，面不改色，这说明他还缺乏真正的大将风度。（满堂欢笑）就在我说话的时候，这位同学的面孔红了，这说明他还是有了大将风度。让我们为他在如此之短的时间里获得大将风度而再次祝贺他。（大家鼓掌，然而调皮鬼此时虽举起手来却不知是否应该鼓掌）我注意到某某同学手已经举起来了，可是他不知道究竟应不应该鼓掌，我想就这个问题和诸位讨论一下，他应不应该鼓掌？（大家开始纷纷议论起来，可是没有一个人敢于站起来作正面回答）我不想再为难你们，也不想把我自己的答案强加给你们，我只想讲一个故事，要听的请鼓掌。（空前热烈地鼓掌）

“马克西姆·高尔基到喀山去念大学，根本就没有门，他既没有文凭，又没有钱，只好请了一个老师，给他们几个志同道合的哥们讲讲经济学。有一天时间到了，老师还没有来，他们大喜，就买了一点啤酒、香肠，小小改善一番，正喝得起劲，老师的脚步声来了，于是他们赶紧把啤酒之类偷偷放到桌子底下去。老师进来，马上开始讲课。他走来走去，从容地讲着，大家也一本正经地装作什么事也没有发生。忽然老师的脚把藏在桌子底下的一只酒瓶踢翻了。老师低下头去，仔细观察了一番。大家紧张得不得了，唯恐老师发现他们的秘密。但是老师在看清楚了桌子底下的东西以后，又平静地抬起身来，什么也没有说，继续讲课，大家松了一口气。

“现在我要问问大家，高尔基这时怎么想？”

课堂里议论纷纷，但是没有一个人能回答我的问题。

过了好久，调皮鬼举起手来说：“我没有看过高尔基的《我的大学》，但是我猜出来，他这时恨不得老师把他大骂一顿。”他说完后，脸腾地一下红了。

我说：“我十分高兴，你的心灵和高尔基之间如此的一致，不过我更欣赏你第二次的脸红，比之第一次的脸红，在我看来更值得你终生珍惜。”（全班为他热烈鼓掌）

事情过去 20 年了，调皮鬼果然如我所料，在分配到家乡一所中学去以后，很有出息，当了校长，最近他那里一个毕业生，考进了我们这所大学，他嘱咐这个孩子带来了他的问候。我问了他的近况，学生说，他现在是当地中学语文界的绝对权威，连县委书记都要走后门才能把孩子弄到他的班上去。他上课很民主，允许同学在课堂上和他辩论。但是他最讨厌我们在课堂上打瞌睡。最初，我们一打瞌睡，他就设法讲个笑话让我们开心一番，但是他的笑话，常常并不好笑，以后每逢有人打瞌睡时，他往往沉默，脸色难看。为了不让他太伤心，我们就约好有意地笑起来，但是常常被他看出来。

时代变了，连调皮鬼都更新换代了。

我收下了这个新一代的调皮鬼为他送来的礼物和一封问候信，但是过了很久却不知道如何给他回信。

温小钰的笑声

去年8月15日从电话里得到温小钰去世的消息，说真的，感到意外的震惊，同时又觉得并不十分意外。小钰患病已经七八年了，健康状况一直在缓慢地恶化。前几年，我就得知她生活已很难自理，连上厕所都要她丈夫汪浙成扶持。大家都称赞汪浙成难得，一连好几年，每夜起来几次，而且毫无怨言，在目前这种人心不古的世道可说是可敬了。后来又听说小钰的病有所好转。一个在北京工作的老同学去看过她，说她仍然像过去那样爱吃零食，她嘱我回到福建买一点橄榄之类的给她寄去，并说，不要寄到汪浙成工作的《江南》编辑部，小钰离不开浙成，别让他专门为这点东西去跑一趟。她答应把小钰的家庭地址给我。我东西买好了，她也曾给我来信，却没有提到地址，我以为反正事情也不太紧急，便没有专门去信追索。

想不到几个星期以后，这包零食竟化为发往杭州的一份唁电。

发完唁电之后，我突然觉得，很难接受小钰过世这样的事实了。

在北京大学中文系1955级的同学中，大家公认小钰最活泼，最热闹，最爱吵吵嚷嚷、叽叽喳喳，可以说是走到哪里就把欢乐和笑带到哪里。不仅在青年时期这样，就是到了40多岁也仍然是这样。20世纪80年代初，我的一个朋友和她一起参加一次文艺理论学术讨论会。他回来对我说，你们那个温小钰真名不虚传，走到什么地方都不陌生，这次在火车上和几个从未见过面的华侨旅客，谈笑一番之后，居然就站在车厢里指挥大家唱起歌来，那些并不年轻的陌生人也就很自然地唱了起来。

小钰有一种感染力，能给生活带来无拘无束的歌声和笑声，她的这种个性很令我羡慕。我青年的时候，自认是个爱笑、爱闹、爱吹甚至爱吵架的家伙，但是在陌生人面前，在生疏环境中，我往往失去自由，而变得拘谨甚至羞涩。但是如果有小钰在场，再陌生的环境她也不在乎，不但她自己很自在，她还能用她的欢乐主宰一切，让大家解除拘谨和不自在。

直到现在我还记得一个场面，那是1957年，我们班上纪念苏联十月革命40周年，请了几个苏联留学生来参加，让他们讲话，那几个苏联人中国话讲得结结巴巴，经常哼哼哈哈讲不下去，因而气氛有点紧张起来，大家在一旁干着急。这时小钰轻松愉快地插起话来，替那个满头大汗的苏联人填充一些词语。她填得是那样自然，一点没有冒犯的意味，相反地让苏联人感到轻松，目光中流露出由衷的感激，我们和苏联人不由得一起鼓起掌来。

当年，我一向以自己的聪明而自豪。在中学时代，我曾经和一伙自认为聪明的朋友比赛，在考生物以前，只许看一天书，看完大家一起去玩，结果我考了 99 分，老师说，那一分是因为我字写得潦草扣掉的。我一向自命不凡，尤其是在女同学面前，觉得女同学的头脑绝对赶不上我。但是在大学里，念了两三年以后，我不得不承认温小钰不但不亚于我，而且在许多方面超过我。当时，大学里用苏联式的 5 分制，不及我国传统的百分制能细致地分出彼此来，我们差不多门门都是 5 分。但是我仍然佩服小钰的聪明，因为她成绩不亚于我们，但是她玩得比我们多，比我们痛快。那时，我们都很有上进心，都很用功，大家多少有点互相较劲的意气，只要一听说别人念过什么书，大都要不声不响地去弄来念了才安心。尤其是女同学，虽然表面上，她们哪怕弄到一个萝卜都要平均分来吃，但是在学习上是没有什么人自认是弱者的。我就听说过一个女同学因为听说小钰念过《战争与和平》和《静静的顿河》，而开了一个星期的夜车看完了才安心。但小钰好像不那么刻苦。她不像我们星期天早一点起来去图书馆占座位，因为去晚了就满了，而在宿舍里是念不成书的，只要有一个人开口，就分了神，效率就很差了。

在我印象中小钰念书的时间肯定比我们少得多。她是个活跃分子，是北大话剧团的演员，在柯灵的《夜店》中演过一个角色；又是朗诵队的成员，我听她朗诵过鲁迅的《这样的战士》；她还是北大女子排球队的队员，每到下午 5 点就可以看到她在燕南园旁边的排球场上练球。她的姐姐在 20 世纪 50 年代后期是国家女子体操队的教练，大约住在北京市区，因而差不多每个星期小钰都进城。她的交游特别广泛，在交际上花的时间也特多，而且很早和汪浙成就谈上恋爱，据说在走廊上接吻都给同学看到了，她在这方面精力肯定花得不少，但出奇的是她考试的成绩也毫不亚于我们。

我十分羡慕她这样轻松自在的活法，尤其是，她不管走到哪里都有一大堆的朋友和熟人。

她是全校乃至北京西郊八大学院区的大名人，许多和她没有什么交往的人都叫她“小钰”，这很使我奇怪。北京不同于南方，朋友和熟人之间，很少把姓省略，而简称其名的，尤其是男女同学之间，没有特别亲密关系是不敢把姓省略掉的，在我们 1955 级 100 个同学中，连在男同学之间，也很少把姓省掉的，然而她的姓不知什么时候被大家很自然地省略了。

她就这样很自然地赢得了集体的宠爱，甚至对她在当时看来是严重的错误都宽容了。我记得她入大学时还不是共青团员，原因是她在中学生时代有一次去看望她遭冤的父亲。当时她父亲已在打石子，她也许不忍看着父亲如此艰辛，就为父亲代劳了一会儿。我记得在她后来入团的节骨眼上，并没有引起追究。

也许这个阴影在她心头并不浓重吧，因而她的生活在那“左”风严酷的年代还是充满欢乐的笑。她最值得我羡慕的是她总是享受着来自四面八方的亲密的友情，她好像是在鲜花掌声中长大的，自然从今天看来，这仅仅是她生活的一个方面。在后来的岁月中，尤其是在“文革”中，她肯定也是经历了许多心灵苦难的。但她远在内蒙古，我在福建，我们很少联系，直到浩劫后期，她有一个孩子以后，我们才联系上了。她在一封信中详细地描写了为了给孩子订上一瓶牛奶所费的周折，什么花招、什么好话都说了，就是不成，人家就是把她撂在办公室一角，她绝望了，悲从中来，于是就当着那些大男人们的面哭了起来，哭得很痛快，其结果是她的眼泪战胜了当时冷漠的人际关系，于是她给孩子就订上了一瓶牛奶。

十年浩劫以后，她和丈夫汪浙成的创作有如火山爆发，一下子在国内有了相当的影响，他们的《土壤》和《苦夏》，还两次得了全国小说的大奖。虽然在思想上我对他们的追求并非完全没有保留，但我仍为老朋友的成功感到欢欣，并且为他们的成功而骄傲。

后来，他们的日子就顺利了，从内蒙古调到杭州以后，她还当了浙江文艺出版社的党委书记。有好长一段时间，我无法把我印象中那个说笑就笑说哭就哭的她和一个党委书记的形象统一起来。更使我感到意外的是，不久以后，她得了帕金森综合征，我去看她，她居然连从床上坐起来迎接我都困难。但是一旦打开话匣子，她就逐渐活跃起来，好像往日那个小钰又复活了。

然而在病床上折腾了六七年之后，她终究离开这个使她不断发出笑声的世界，而留在我心中的除了她欢乐的风风火火的形象以外，还有那一包至今没有寄出的橄榄所引起的永恒的遗憾。

难兄难弟张毓茂

20世纪50年代，我跟张毓茂同在北大1955级二班。两人常在一起发谬论，对于那些所谓“正统”的观念，我们有些怀疑，但也不那么明确，总以表示不满足已有的为乐趣。在那思想比较单调的年代，有些反叛的念头，一般是不能跟没有水平的人随便讲的。哪怕自己认为比较可靠，而且智力相当的人，还要找到适当的机会，才能交换一下，常以英雄所见略同为乐。但我俩在交换的过程中，他有一个习惯，就是嘲笑我的幼稚，为了反抗，我也尽可嘲笑他的“封建”。那时班上女同学很少，全年级100同学中才有10个，这些女士未免受到过分的宠爱和宽容，一个个都以生活中的鲜花自居，享受惯了倾慕的目光。我们两个都对一些对女同学发出谄媚笑容的男同学表示蔑视。当时，来自延边大学寄读的朝鲜族男同学经常嘲笑我们族男同学是女同学的“奴隶”，女同学到天安门去当仪仗队员，手里挥舞的鲜花都要我们男同学做，而他们男同学的衣服好多都是女同学主动拿去洗的。有一次和我同宿舍的朝鲜族同学南光福过节喝了酒，吃了不少狗肉。吐了，朝鲜族一伙女同学半夜里闻风而至，一个个来替他洗床单、被子和衣物。朝鲜族男同学很引以为荣，而我们虽羡慕不已，却无可奈何，只有张毓茂表示不平。在我印象中，他对我们班上女同学没有什么好印象，就是最活泼的温小钰，他也看不惯，说她成天疯疯癫癫的，不像个女孩子的样子。

凭良心说，我也不是没有一点大男子主义的潜意识，只是没有他那么自信罢了。我读了太多屠格涅夫的东西，又加上苏联文化的影响，英语里的女士优先（lady first），在当时还没有成为流行的话语，但是强大的苏联文化的影响已经使很多男同学有了某种女性崇拜的风气。在这个问题上，大家和张毓茂也有些争论，他往往笑而不答。后来有些同学就叫他孔老二，每逢他被同学围攻，而且无言以对之时，我就感到乐不可支。因为他嘲笑我时，我往往找不到什么口实可以嘲笑他，每当他陷入被动时，我就特别开怀，夸张地对他发出藐视的笑容。他是东北人，我就挖苦他是“伪满洲国的国民”，他的家乡在盖平，我有时称他为薛仁贵征东时辽国大将“盖苏文”的后代，他也无所谓。

话虽如此，有一点我不得不服气，那就是他在漂亮的校花孙明慧面前都是一股不屑一顾的神气，那种男子汉的气概，颇使我对他暗暗仰慕。这种仰慕还不仅仅限于对于女性的不卑不亢方面，还在于他对于许多事情都很有主见。

当时北大虽然号称最高学府，但是上课的质量实在很不平衡。有些教授，上课念讲稿，其内容又是从苏联一个二三流学者毕达可夫那里搬来的一套，老是几个干巴巴的概念，把人民性、爱国主义之类的标签往中国古典文学作品上贴，十分沉闷。我就在课堂笔记上给这些念讲稿的教授画漫画，有一次还在笔记本上批了一句“腐儒”，被他从背后窥视到了。这样不尊重教授，这样狂妄，在当时是有可能受到团小组的批评的。他抓住了我的把柄，心花怒放。我只好向他求饶，坦白交代说，我认为那些念讲稿的先生在浪费我们的青春，在课堂上讲些废话，实在是无异于谋财害命。因而我每上这种课时，大都在偷偷读文科楼阅览室里借来的指定参考书。记得何其芳先生作过一个报告，说他年轻时候在北大读哲学系，他的哲学兴趣，全被一个哲学教授摧毁了。那位戴着油瓶底眼镜的老先生，上课就是把他那陈年讲义拿来“嗅一遍”。于是何其芳就有计划地缺课到接近被开除的极限，以便把图书馆的参考书一架一架地读下去。当然我没有何其芳先生那样的魄力，只敢拿个大讲义夹支在脸上，上到无法听下去的时候，就在讲义夹后面读规定的参考书。他听了以后咯咯吱吱地笑了起来，做出很藐视我的样子说：“看那个干什么？那些书在什么地方都可以借到，要看就看那些将来离开北大就看不到的书。”他借的书，大抵都是中华人民共和国成立前出版的学术书籍，如克罗齐、柏格森、格伊德、厨川白村的书。我听了他的话，就没命地看起来。但是我不得不承认，我对于这些书读起来十分吃力。有时看了几天，一句话也说不出来。他好像对这些书有天然的亲和力，有一次，他很简明地把厨川白村的苦闷的象征文学理论复述给我听，他讲述学术观点的时候常常并不是一本正经的，而是嘴角上带三分诡谲的笑容，很有一点像中央电视台《实话实说》中那个主持人崔永元，那种藐视我的神态，我至今仍然历历如在眼前。

有时，他会告诉我一些报刊上看不到的学术史料，比如有关鲁迅先生的前妻朱安的故事，这在今天已经是见诸文献了，可在当时只在口耳相传间，是十分发人深省的。当时他的舅父大人在北京师大进修，从黄药眠先生那里得到不少这类十分令人开窍的故事，他似乎也只跟我分享。我的阅读范围比他窄，没有什么可以奉献给他的，这使我长时间感到遗憾。终于有一次，新闻专业四年级的邓萌柯告诉我，有一个赫鲁晓夫的“秘密报告”登在英国共产党的《工人日报》(《*Daily worker*》) 和美国共产党的《国民前卫》(《*National gardian*》）报上。我去借来看了一下，斯大林杀了那么多老布尔什维克，我感到心情十分沉重，有一种幻灭之感，不敢跟任何人讲，只好悄悄地告诉了他。我感到，他可能是第一次没有带着诡谲的笑容嘲讽我，而是非常认真地沉思了一会儿以后，严肃地对我说："这个问题太大，我们党还没有表态，你千万不要到处乱讲。"我听了他的话。但是，这并不妨碍我向他表达我联翩而至的想法。我们偷偷地交换了关于胡风问题的看法，他自然是和我一样认为胡风不可能是反革命的。但是，我们唯一能做的也只是暗中交换。他向来认为我这个人是喜欢到处侃大山，嘴巴不稳，但是这件事，他给了我信任，我也居然相当成功地保密了非常久的一段儿时间。

对当时一些流行的理论，我们总是能找到一些疑点，互相诘难，这种诘难常常是在互相嘲笑的过程中进行的。我那些比较粗糙的马列主义常识经不住他那深入的诘问，常常不能维持逻辑的连贯。我不得不承认"我的马列主义篱笆"漏洞很多，这时他就非常得意地咯咯吱吱地笑了。他有一句话我印象很深：马列主义的经典，是很正的，都是你们这些歪嘴和尚念歪了。和班上一些比较正统的同学不同，我们总是能找到一些比较有意思的问题来展开这种智力的竞赛，半是游戏，半是求知，享受一种追求真理的乐趣。他不像我那样喜欢争论，而更喜欢无声无息地思考，甚至不声不响地干出一些在当时看来是比较出格的行动。有一次他悄悄地告诉我，他去访问了萧军。还告诉我，他问了萧军："胡风是不是反革命？"萧军的回答是："历史会做出回答。"这给我很大的震动。后来他还和萧军通信，我记得萧军的信是用毛笔写的，开头一段是谈他的小说《第三代》的。20 世纪 90 年代他出版了《萧军传》，其中有许多鲜为人知的，包括萧军和毛泽东往来的书信这一类的珍贵历史资料。他对于萧军绿林气的描写可谓入木三分，没有他与萧军前后几十年跨度的交往是不可想象的。但是可惜的是其中还有一些内容（据说有 10 万字）当时被编者删去了，不知什么时候再版才能让我们得以看到有关萧军的全部历史真相。

1957 年春天整风的时候，我并没有兴趣，甚至到了 5 月下旬，北大学生贴了许多大字报，我还是不大在意，我那时正沉醉在海涅的爱情诗中。有一天，我在文史楼的阅览室看书，四周人烟寥落，大家都去听大饭厅前的辩论会去了。他风风火火地走进来，说："你还在这里，再不出去就终生遗憾了，外边已经在辩论胡风是不是反革命的问题了。"我马上跳起来跑了出去。在十六斋前面辩论正火热地进行，我和他就没头没脑地陷了进去。后来在反右结束时，我们作为共青团员都受了处分。他和萧军的联系是挺隐秘的，虽然知道的人很少，但是在反右派运动中还是给他带来很大的麻烦，我记不得是不是我这张快嘴给他捅出去的。我在运动结束时，在共青团内得了严重警告的处分。我们的团支部和党支部，也都认为我所说的话比他更严重，考虑到我的有口无心，起初我们的处分是一样的，但是据说有一个团总支的领导，认为他这个人很深沉，所以给他处分加了码，变成了留团察看。我受了处分非常痛苦，他当然也不轻松。也许今天的年轻人很难想象我们当年的心灵的灾难：一方面，要追求真理，一方面又不能忍受当“人民的敌人”的痛苦。我和张毓茂都还没有自信到自己比党更高明的程度，但是凭良心说，胡风的问题，反右的问题，始终是我们心头的一个大结。尽管我们也曾真诚地忏悔，但是这个结始终没法打开。只是他不像我那么神经质，那么脆弱，我总感到他把精神上那么大的压力更多地压到了内心，在外表上多多少少比我坦然一点。

有人就把他的这种坦然说成是城府很深，而我却觉得他很能沉得住气，至少在胆略上比我强多了。但是这种印象并没有维持多久，原因是在一件事上，他显得比我还缺乏勇气。

那时，快到毕业了，我们除了谈国家大事、弗洛伊德以外，总免不了要涉及终身大事。他告诉我，他妈妈来信说，有一位王君平女士新近考进了北京建筑工程学院。这是他们家的老邻居，他和她从小一起长大的，妈妈的意思是要他去看一下这位女士，他来和我商量，如何去。我觉得去就是了，还有什么必要商量呢？他说：“你不懂，这事一个人去不行。”我也没有仔细盘问他为什么看一个老乡、老邻居要有那么多讲究，就说，“那我陪你去。”一进了在西直门城墙角落里的建筑工程学院的女生宿舍，我才明白了平时胆子很大，而且对女孩子向来嗤之以鼻的他为什么这么失去大将风度了。原来这位王君平女士长得非常漂亮，当时，我的感觉是美得耀眼。张毓茂对付我的诡谲的笑容一时消失得无影无踪，他游刃有余的雄辩的口才也无从发挥。好在我是轻松的，没有什么目的，可以信口开河，总算大大方方把一个下午对付了过去。过了几天，他又来要求我陪他去了，我当然义不容辞，但是他提出要找一个比较好的借口。我寻思了一番，正好一个朋友有一架苏联相机，“接班人”牌的，放在我这里，以照相的名义去可以有进有退。他觉得十分得体，欣然同意。我们一路风驰电掣，不知不觉到了建筑工程学院的女生宿舍的院子里。待我跨进了那座小楼的矮门，他却不肯走了。我说：“走啊。”他说：“你别忙，让我想一想。”我说：“人都到了这里，你还想什么？”他说：“不行，你得让我想一想。”说着就坐在那小门前只有两级的台阶上。我看他像个陕北老农民蹲在土坑上似的，就威胁他说，“你再想，我就上去告诉王君平，张毓茂在楼底下不敢上来。”他没有办法，只好跟我上去了。我们进去胡扯一阵，我就提议出去照相。我根本不会照相，那天照的那些相可以说是全世界最差的相片。按照往常，这又要成为张毓茂嘲笑我的口实了，但是他却没有。不过在回来以后，我倒是想嘲弄他一下的，但是我没敢，因为我实实在在觉得，这已经到了不能开玩笑的时候了。我想等他们成功以后再说，很可惜的是，不久以后我就被“流放”到了福建，临行之时还没有弄清楚他们的事情进展得如何了，只是知道，他和她来往已经不需要我这样一个列席参谋了。我只记得他们那时经常去逛大街，一个同学突然很一本正经地对他说："我对你有一个建议。"他问什么建议，此人说："买一双底子厚一些的鞋子。"我觉得这句话很得体，很聪明，在很长一段时间里，我老是感到遗憾，这句话居然不是我而是一个并不了解他的人说出来的。如果是我对着他们两个人第一次说出来的，那该轮到我对他咯咯吱吱地笑了。

后记：本文写就以后，送张毓茂一阅，张将此文置于案头，其女发现此文，读之大喜。谓其母曰："妈妈，你当年还美得耀眼呐。"其母读此文曰："这个孙绍振，这么大年纪了，还倒腾这些事！"其女又手指其父曰："爸，我说你是农民嘛，你还不承认！人家孙叔叔就说你是农民！"其父曰："我是东北农民，孙绍振把我弄成蹲在门槛上的西北农民了。"

智者生命的质量
——悼念徐迟

第一次见到徐迟先生是在 1959 年，身为《诗刊》副主编的他和沙鸥来到了我们北大中文系学生宿舍。他是来约我们为《诗刊》写连载的“新诗发展讲话”的。当时应邀的有北大诗坛上风云人物谢冕、刘登翰、孙玉石，还有我和洪子诚。我是第一次见到这样的大人物，像小学生一样怀着虔诚的心情聆听他的教诲，但是他没有使我感到在他面前自己渺小得许多。我的第一印象，倒不是他那堪称英俊的脸庞，而是他那谈吐间对于艺术的执着和忘情。记得他是坐在双层床的下铺，忽然讲起了他所喜爱的《荷马史诗》，他是曾经翻译过这部史诗的片段的。他激动起来了。说到荷马描写一群大雁飞越天空的情景，不想头就碰到了双层床上的横木上。他只是用手捂了一下头，既没有停顿，也没有皱眉。我本想笑的，看到他专注到若无其事，也就很有修养地装作什么也没有看见的样子。后来我们这几个年轻人的稿子几乎每一篇都是经过他的修改的。我记得凡是写到他的地方，都给他删去了。那时我们都还年轻，除了孙玉石、刘登翰的字写得比较工整以外，其他的几个，尤其是我，向来是以笔走龙蛇为特点的。而且懒得抄写，涂涂改改勾来勾去，想来他是不胜其苦，当然对于我们的书法风格不可能欣赏，但是也不正面责怪我们，只是似乎很随便地提起“茅公”（茅盾）的稿子，大都是工细的小楷，每页只要有三个左右的错字，就要撕掉重写。我不知道谢冕听了有什么特别的感觉，反正我自己是脸上感到有一点热辣辣的。

我没有想到，由徐迟发动的那一次的合作，竟决定了我们在二三十年后所从事的诗歌评论事业的起点。谢冕早在 20 世纪 60 年代初期，就成了著名的诗评家，刘登翰则到了 80 年代成了台湾诗歌权威。孙玉石则也在 20 世纪 80 年代初期对中国现代象征诗派做出了贡献。而在朦胧诗的大辩论中，诗界的“三个崛起”中两个竟是当年被徐迟看中的。

1978 年他率领中国作家协会恢复工作以后的第一个代表团往大庆访问时，我和刘登翰都是团员。那时正是反对“两个凡是”，“实践是检验真理的唯一标准”大辩论的前夕，他的《哥德巴赫猜想》轰动全国，他的政论家才华和诗人的激情第一次得到充分的结合。在从北京到鞍山，从鞍山到大庆的旅途中，所到之处，他自然是关注的焦点，全被景仰的目光所包围。就在此时，他还念念不忘我们那些并没有最后完成的新诗发展史，我们当时也曾决心在新的思想和艺术解放的基础上重新合作，但是由于种种原因，最终没有完成，有负于他的器重，至今想来是不能不感到愧疚的。

这次动身去北京参加第五次作家代表大会，本以为会看到他的。想到多年不见，而今我们已经近花甲之年，能在聆听教诲之时体验一下人生的感慨，多少是有些令人神往的。没想到一到会上就得到他已经去世的消息，而且采取的竟是从病房的窗户上跳下来的方法。就在差不多同时，发到手头的《人民文学》第 11 期上还赫然刊着他的散文《自然、地球、人类》，在中国当代老作家甚至在中青年作家中，他可能是最有自然科学史和自然哲学的修养的，对于大自然和人类关系可能是最具有深邃的睿智和超迈神思的，更何况，他虽然年过八十，但其活跃的创造力仍然是不亚于某些中年作家。这在我看来他创造了一个奇迹，在年过古稀之后，他的作品的质和量，甚至比他在 20 世纪 50 年代当《诗刊》副主编那风华正茂的时候更高，这种老年开花的奇迹可以称之为文坛上的“徐迟现象”。早在 1985 年秋天，我曾经造访过他，而且非常难得地和他讨论过老人生活中的寂寞问题。

当时，他的夫人去世不久，我到他那在武汉颇有一点名气的“高知楼”的时候，两间空荡荡的房间里竟放着两架钢琴，他告诉我说，那是他女儿的。女儿上班去了，自己工作的一间小房子除了书以外什么也没有。快到中午了，仍不见有人要做饭的样子。他说，他一个人住在整整一层楼中，心灵获得了最大限度的自由。美国大城市严重的喧嚣都无法干扰他宁静的思绪。他解释说，这是一种和中国乡村文化不同的城市文化的心灵自由，他已经进入了这种境界，女儿的存在有时反而令他感到扰乱思绪。我当时还比较年轻，不可能理解他的这种欧洲式的文化心理境界，但是我为他能够在晚年丧妻之后，借助于他的高度西方文化修养而超脱于东方式的孤独而庆幸。

那次他谈得很多，主要是他年轻时的一些回忆，他说他是受了乔冠华的影响而走向革命的，而且在 20 世纪 40 年代的国统区，他是第一个写毛泽东颂歌的人。所以在 1945 年毛主席到重庆的时候，肯定是有什么人向毛主席介绍了他，因而毛主席接见了他，他还拿一个本子请毛主席题词，那就是后来颇为流传的“诗言志”。自然也谈到了 1983 年，我因为那篇《新的美学原则在崛起》受到那么多的非议的时候，那时他过访福州，以他的地位，当然受到文化界高层的重视，然而，他却点名要看看我这个无名小辈，并且亲自登门，这令我感动万分。我想他的枉驾屈尊并非出于偶然，他年轻时候本是和戴望舒一起编现代派诗刊的，杜衡等都是他的朋友，艾青早年也用过莪伽的笔名写过这类诗歌，我想这不过是反抗艺术的陈规的一种冲击。到了抗战期间，这种反抗很自然地转向了日本帝国主义，他改变诗风，完全用另一种声音和话语，把诗献给了革命，他以朗诵诗《最强音》而名噪一时。他在中国作家和诗人中，是受西方文化熏陶较深的。他虽然走向了革命，还支持袁水拍以马凡陀的笔名发表政治讽刺性《马凡陀山歌》，可是他的艺术趣味却不可能一下子和当时的革命文化潮流完全融合。他告诉我，在中华人民共和国成立前夕，他从香港到达北京，第一次和大家一起高呼“毛主席万岁”的时候，还感到过某种“犹豫、不自然”。但是很快，他就在情感上把自己融化到当时的群众情绪的洪流中去了，把全部热烈的诗情奉献给了年轻的中华人民共和国。他的作品完全是颂歌性质的，主题可以用他一本去云南访问的诗集《美丽、神奇、丰富》来概括。然而，他的诗风却和接近戴望舒时所受的艺术熏陶不能统一起来。在庞大的颂歌洪流中，他的诗歌，苛刻一点说，并不见得出类拔萃。直到1962年，他奇迹似的发表了报告文学《祁连山下》，写的是常书鸿对于敦煌艺术事业的献身精神和业绩。一个写知识分子的作品竟然分两期在《人民文学》上连载，这在强调工农兵题材的时代是罕见的。圈子里的人们，第一次认识了一个真正的徐迟，一个不同凡响的徐迟，一个叙事才智和造型艺术修养在一般作家之上的徐迟。王维诗云：“宿世谬词客，前身应画师。”徐迟一直自认为是个诗人，而且也被公认为是个诗人，但是他在诗中表现出来的比之在叙事文学中的辉煌的、堪称独步的才华不能不显得暗淡。他的散文作品，如果公平一点说，在艺术上是大大超过当年执牛耳的头等作家的，然而，由于题材，他的成就只在有限的圈子里得到赞赏。要等到1978年他的《哥德巴赫猜想》发表，主流文坛才能认同他的才华。当年曾为政论家的乔冠华在他心灵中播下的种子竟然这么晚才开花，这只能说明一个作家要找到自我是多么的不容易。

然而奇怪的是，正当以晚熟的成就令文坛对他充满着期待的时候，造物主却阴差阳错突然摧折了他带着艳丽的夕阳的札枝。

也许，他毕竟是一个地地道道的中国人，当年所说的一个连亲人在身边都感到是一种思考的干扰境界，毕竟只是在他思想的表层，在他心灵的深层，他还是深深地埋藏着东方的家庭价值观。他的西方文化修养终究抵挡不住东方的老年孤独感，然而他最后的选择却不是东方的，而是海明威式的。但是从他那温文尔雅的外貌来看，除了那略微有点高的鼻子以外，我找不到一点海明威式孤独的硬汉子的痕迹。他从一个现代派诗人，变成一个革命的朗诵诗人，又从一个革命诗人变成一个专门歌颂高级知识分子科学创造的叙事作家，他似乎在不断地给文坛以惊异。正当人们期待他从报告文学领域走向充满自然科学奇趣的散文，等待他再一次给文坛一个不大不小的惊异的时候，他却用最后的生命给了我们这样一个惊叹号。这只能说明：艺术家的生命总是要超越于世俗的人生价值之上，而且他们总是把生命的质量看得比生命更为重要。

北大中文系，让我把你摇醒
——读《学者吴小如》兼谈钱学森世纪之问

近日得友人赠《学者吴小如》，读之感慨良多，非但为吴先生，而且为北大，为中文系。

细读此书，54年前聆听吴先生的讲课种种印象不时涌上心头。在当时能让他这样一个讲师上中文系的讲台，可以说是某种历史的吊诡。

初进北大中文系，一眼就可以看出，不要说讲师、副教授，就是不太知名的教授也只能到新闻专业去上课，一般讲师只能上上辅导课。当然，刚刚从保加利亚讲学归来的朱德熙副教授似乎是个例外。现代汉语本来是中文系大部分学生觉得最枯燥的，但是，朱德熙却以他原创的概括、缜密的推理和雄辩的逻辑获得爆棚效应，200人的课堂，去晚了就没有座位，只好靠在墙边暖气管上站着。何其芳先生那时是北大文学研究所的副所长（所长是郑振铎），与吴组缃先生先后开设《红楼梦》专题。吴先生得力于作家创作经验，对人生有深邃的洞察，对艺术有独到的分析；而何其芳先生颇有人道主义胸怀，不同意他把薛宝钗分析为“女曹操”，认为她不过是一种家族体制礼教意识的牺牲品，两人同样受到欢迎。一次，我在北大医院排队挂号，护士问前面一人姓名，听到四川口音很重：“我叫何其芳。”不免多看几眼。

然北大泰斗甚众，高名凯先生精通4种外语，可以借助工具书运用的达12种，游国恩先生文献功底深厚，不要说讲诗经楚辞，就是魏晋志怪也颇能出口成诵。然学富五车者众，善于讲授者寡，加之北大学生眼高，哪怕学术泰斗，讲授不得法，公然打瞌睡者有之，默默自习者有之，递纸条、画漫画者有之。古代汉语本来是魏建功先生开设，但公务繁忙，往往从课堂上被叫出去开会，且到比较关键地方，又茶壶煮饺子，学生替他着急的时候。此课后来，改由王力先生开设，先生取西欧人学拉丁文之长，构造了中国古代汉语课程体系，举国传承至今。创汉语史课程，于音韵词汇皆成体系，堪称一代宗师。我听过他的《汉语史》《汉语诗律学》，但是语调往往由高到低，余音袅袅，杳不可辨。先生治学严谨，第二堂课往往花几分钟订正前堂之误，上午第五六节课要上到12点，每每拖课，调皮如我，遂将随身携带的搪瓷饭碗从阶梯教室的台阶上滚下，先生愕然问："何事？"答曰："饭碗肚子饿了。"先生乃恍然而笑。王瑶先生自然是公认的博闻强记，博古通今，才华横溢，然一口山西腔，不知为何给人以口中含有热豆腐，口头赶不上思想之感。系主任杨晦先生德高望重，讲中国文艺思想史，出入经史、小学、钟鼎艺术，其广度深度非同小可，常有思想灵光，一语惊人，令人终生难忘。其批评郭绍虞新版《中国文学批评史》曰：用现实主义的原则去修改，还不如1949年前那本有实实在在的资料。其批评巴金《家》《春》《秋》好在激情，然如"中学生作文"，如果把三部并成一部就好。最惊人的莫过于载于北大学报之长文，断言：《西厢记》作者非王实甫而是关汉卿，且关汉卿之为人于当时的政治高压中，如在龌龊环境中之"猪"，引起了戴不凡先生于《文艺报》为文愤怒反诘。他讲授《中国文艺批评史》讲了半学期，装着讲义的皮包还没有打开，学生也无法记笔记，两个多月过去了，还未讲到孔夫子，在学生的抗议下，不得不草草停课。宋元文学权威浦江清先生英年早逝，乃请中山大学王季思教授讲宋元戏曲，王先生舍长用短，以毛泽东《矛盾论》中之主要矛盾、次要矛盾分析《墙头马上》《陈州放粮》，心高气傲的北大学生，保持着对客人的礼貌，纷纷抢占最后数排以便自由阅读。

那是1958年"大跃进""拔白旗"的年代，大字报贴满了文史楼，从学术泰斗到吴小如这样的青年教师，无不被肆意丑化。王瑶先生已经失去上讲台的权利，就在这种情况下，小如先生为我们讲宋代诗文。当时怀着姑妄听之的心情走进课堂。吴先生的姿态，我至今还记得，双手笼在袖子里，眼睛不看学生，给人一种硬着头皮往下讲的感觉。然中气甚足，滔滔不绝，居然是听得下去，接下来几课，还颇感吸引力。我对朋友说平心而论，这个讲师从学养到口才都相当不错。一些具体分析，显然和以艺术分析见长的林庚先生路数不同，然而明快、果断。至今仍然记得他对陆游晚年的诗的批评是，用写日记的方法写诗，以至出现了"洗脚上床真一快"这样的败笔。

"大跃进"很快把课堂教学冲垮，下乡劳动有时长达一个月，课上不下去，后来干脆就停课了。我对吴先生印象也就停留在当年粗浅的层次上。这次从《学者吴小如》上，读到彭庆生同学对他的评价："先生口才不逊文才，三尺讲台，传道授业，解惑沁入学子心脾，20世纪50年代北大中文系学生中便有'讲课最成功的吴小如'之说，故课堂常常人满为患。"庆生同学晚我一年毕业，可能系统听过吴先生的课，有权作全面评价，当然，不无偏爱，若论启人心智，和朱德熙先生那种俯视苏联汉学家，放眼世界语言学，深入浅出，在学术上开宗立派的大气魄相比，吴先生应该略逊一筹。不可忽略的是，庆生当年可归入全系攻读最为刻苦者之列，曾经以躲入冬日暂闭之洗澡间抄写刘大杰1949年前出版的《中国文学发展史》而闻名。吴先生能得如此学生的如此评语，当有此生足矣之感。

近日吴先生答《中华读书报》记者问，虽然自谦为“教书匠”，但是，就是在当年，我还是感到了他学养深厚，曾阅读北大中文系所编先秦、两汉《文学史参考资料》，感到极大的满足。毕业后不久才知道，这两本资料主要是吴先生执笔通稿的。然而意味深长的是，竟然是反右以后留校的一位“左”派语重心长地警示：这两本资料，尤其是两汉卷，资料过详，执笔者意在“多挣稿费”。这在当时，就给我以小人之心度君子之腹的感觉。当然，仅凭此二册，对于先生的学养，所知毕竟有限。直到20世纪90年代先生耄耋之年，居然以“学术警察”形象出现于文坛，对于学界之虚浮硬伤，笔阵横扫，语言凌厉，锋芒毕露，不由得使我增加了对先生的敬意。后来又读到先生关于京剧的巨著，更惊讶于先生于中文系视为冷门的京戏，有中文系教授堪称独步的修养。此番阅读《学者吴小如》才知先生不但于古典文学和京戏有不凡的造诣，而且在23—26岁的“少作”，对于当时的权威作家的批评就显露出，可以毫不夸张地说，是惊人的才智和豪气。70多年过去了，先生散落的文章，有幸被收集起来，读来无异于一席精神的大餐。

对于当年尚为青年的汪曾祺，他独具慧眼赏识其“清隽”地预言：“10年20年后也许成为一代宗师。”他的艺术眼光之苛刻，与他的才气相称。对当时的名家从不一味赞赏，就是对钱锺书，虽大笔浓墨，淋漓尽致地称道其“天才和学力”，“在文坛上扩充领域无往而不胜”，甚至还预言其“足以震撼今后的文坛”。但是，他也指出钱氏的缺失在于“好炫才”，给读者的印象是“虚矫”。对于钱氏的幽默，他质疑其全为善意，“谑而虐的文章与态度恐非上乘”；他赞赏巴金的作品“能抓住年轻人的心”，但又指出“文章过于奔放，也难免使人感到费词”；对于张爱玲，他的评价是“她的叙事技巧也很好，故小说亦精彩，但我认为她的叙事，更宜于写散文”。就是对于受业的师长沈从文，他在称赞其《湘西》比之《湘行散记》内容更为丰腴，但是，也直率地指出其不足“格局狭隘一点，气象不够巍峨”。他评卞之琳的《汉园草》，“长的不如短的，短的不如顶短的，新的不如老的，却比更老的更好”。文章自信的风格与先生的学术文章迥然不同，在少年的豪性和深邃的洞见中渗透着为历史证明的预言。为文的真诚和勇敢，艺术上高瞻远瞩，实在令我辈汗颜。当然，作为学者，先生的学术著作凡数十种，仅其中《读书丛札》在香港、北京两地出版，前辈学者周祖谟、吴组缃、林庚先生均给予高度评价。吴组缃先生认为“吴小如学识渊博，小学功夫与思辨能力兼优”，甚至有“无出其右者”之赞语，哥伦比亚大学权威教授夏志清曾言“凡治中文者当人手一册。”

到了20世纪80年代，在改革开放形势下，这位当了30年讲师的“讲师精”，被历史耽误了，有目共睹；又有吴组缃、林庚先生推荐其直接提升为教授，应该顺理成章，一路绿灯。但是，煌煌北大中文系，居然不能通过，差一点被慧眼识珠的中华书局引进。不可思议的是，吴先生没有走成，居然不是中文系的幡然悔悟，而是比中文系当道者在学术上权威得多的历史系的周一良和邓广铭教授。“三顾茅庐”的结果是小如先生成了历史系教授。

对于这样的荒诞，中文系的当道者至今没有感到荒诞，而作为中文系的校友，突然想到鲁迅先生的一句话：“呜呼，我说不出话。”

但是，痛定思痛之后，我仍然逼出了一句话：这是中文系的耻辱。

对这种耻辱的麻木，则是更大的耻辱。

在这种耻辱感麻木的背后，我看到一种令人沉重的潜规则。

回顾系史，20世纪50年代初，容不下沈从文，把他弄到历史博物馆去当讲解员，这还可以归咎于当时的历史环境和时代氛围。1957年驱逐了后来成为唐诗顶级权威的傅璇琮，也可以用他当了右派来辩解。但是，杨天石在1955级当学生的时候，就以学养深厚著称，后来，独立开创了蒋介石研究，自成一家，享誉海内外。当年他并不是右派，然而中文系就是不要他，分配到一个培养拖拉机手的短训班，后来靠刻苦治学，转辗多方，调入社科院近代史所。在他获得盛名之后，中文系有没有表现出任何回收的愿望呢？没有。钱理群是学生公推的最受欢迎的教授，可是在他盛年之际，就“按规定”退休了。然而，成立语文教学研究所，又挂上了他的大名，可是，有名无实，连开个作文研讨会都没有他的份。

从这里，似乎可以归纳出一条定律：这些被驱逐的，本来是可以为北大中文系增光，为北大校徽提高含金量的；而留下的，能为北大争光的当然不在少数；但是，靠北大中文系这块牌子为自身增光，从而降低北大校徽含金量的也不在少数；更为不堪的是，还有一些为北大中文系丢丑的，如卖身投靠作学术投机的；至于一些在学术上长期不下蛋的母鸡，却顺利地评上了教授，对于这些人，中文系倒是相当宽容的。

从学术体制上说，这就叫作人才的逆向淘汰，打着神圣的旗号，却使学术素质的整体退化不可避免。

当然，北大中文系毕竟是北大中文系，在逆向淘汰机制铁桶般围困的时候，选择学术良知的仍然不乏其人。最突出的就是系主任杨晦在1962年为吴小如讲话，盛赞他的贡献，其结果是到了1964年在党内遭到两星期的严厉批判。据知情人告，当时骨气奇高的杨先生一度产生跳楼的念头。1984年严家炎先生为系主任时，一度欲请吴先生回系。然吴先生出于对周一良先生、邓广铭先生的知遇之恩，婉言谢绝。这样的学术良知，不成潮流，与打着神圣旗号的逆向淘汰横流相比，显得多么微弱。这就使逆向淘汰持续了半个世纪，1949年以前幸存下来的学术泰斗先后谢世，北大中文系不但丧失了20世纪50年代学术上那种显赫的优势，而且在许多方面呈现衰微的危机，北大中文系这块招牌的含金量已经到了历史的最低点。

近年报刊上风传钱学森世纪之问：“为什么我们的学校总是培养不出杰出的科技创新人才？”纷纭的讨论至今未能切中肯綮。其原因盖在于，从概念到概念的演绎，如果以吴小如先生为个案作细胞形态分析，则不难看出逆向淘汰的潜规则之所以不可阻挡，原因就在神圣不可侵犯的旗号下，具有学术良知者，在行政体制中显得非常孤立，因而脆弱，明于此，也许能够把钱学森之问的讨论切实地推进一步。

这几年北大中文系当道者不乏从内地到港台反复宣扬“大学精神”，为蔡元培先生的“兼容并包”自豪者。但是，把“兼容并包”讲上一万遍，如果不与痛苦的历史经验教训相结合，在危机中还以先觉先知自慰自得，甚至还流露出优越感，其所云无异于欺人之谈，北大中文系沿着九斤老太的逻辑滑行并非绝对不可能。

吴小如先生九十高寿，学生们想到了为之祝寿，北大中文系当道者居然毫无感觉，这只能说明那些动不动拿蔡元培来夸夸其谈的人，其大学精神已经酣睡如泥。我作这篇文章，除了有意于把钱学森之问的讨论加以深化之外，还有一种出于系友的奢望：把我的母系狠狠地摇醒。

2012年8月24日，9月28日增补

华侨大学第一夜

1961年，大约是在夏季的一个星期六，北京大学中文系党总支组织干事华幼珠找我谈话，说是现在新成立了一个华侨大学，急需一批“骨干”去支援，组织上考虑，我是比较合适的，希望我能及早前去报到。我一听，自然心里有些复杂的想法和情绪。首先是浮在表层的，这是组织上对我的信任，让我这样一个才毕业不到一年的助教去一所新建的大学贡献自己的青春，这使我想起了我读过的和自己写过的许多诗，心里感到很兴奋。但是也有一种感觉，一种说不清的情绪不轻不重地压在我的心头。因为当时北大中文系一共只派出两个“骨干”（后来又增加了两个），都是助教，而且又都是在1957年的反右运动中“严重右倾”，立场不稳，差一口气就成为“右派分子”的。而且毕业之初，本是分配我和他一起当研究生的，我跟王瑶，他跟吴组缃先生，但过了半年多却通知我们，说改为助教。那时，我就有一种自卑感，一种不祥之感。在遇到那些仍然继续修研究生学业的同学时，未免有些羞惭。但当了助教之后，并没有多少不妙的事，倒是工资涨了4块钱。

正当我把这一切都快淡忘了的时候，事情突然发生，要一举将我调出北京。这倒无所谓，本来在毕业时，我就并没有指望自己能在高等学校一级一级上升到教授的职位上去。许多同事都认为我是个“猴子”，板凳都坐不热，而我自己也认为自己不属于“学院派”，而是“江湖派”的一员，也就是闯荡江湖一番之后，去弄一些文学创作。对于学者生活的枯燥，我望而生畏。我记得大学一年级时，一位著名教授上了几堂古代汉语课，就有一个讲师来上辅导课。当时这位讲师起码40岁以上了，脸色枯黄，十分憔悴。我一学期只听过他两次辅导课。当时，我感慨万分。北大中文系的培养目标是大学教师和研究人员，我想，如果我活到40多岁，青春的颜色已经从我的脸上消退殆尽之时，还只能一学期上两节辅导课，那活着还有多少滋味呢？

从那时起，我就立志逃避学术，逃避在大学里当那消磨青春的助教。我曾想转到新闻系去，那样，似乎离作家的路近一些，但是没有转成。

到了毕业前夕，要填一个志愿表，老实说，我是希望留在北京的，这里的文化氛围、文化环境太优越了，但是我却不敢公开表示。当然，我也不至于浪漫到像我在许多诗中读到的，或者自己也曾写过的那样，主动要求到边疆去，例如西藏、新疆去。我只是很胆怯地在志愿地区上写了一个四川，一个吉林。

我曾经估量过自己，我不可能留在北京。第一，我的出身不好。第二，我在反“右”结束以后，受到过团内“严重警告”处分。所以，我做好了一切远离北京、闯荡江湖的准备。在当时，我有一种本领，那就是主动压抑自己的真实感情，逼迫自己浪漫化。在毕业典礼上，在分配方案即将宣读之前，我宣读了一首诗，其中有几句说“好男儿，志在天下”，还有“骑上龙，跨上马”的豪言。报名单宣读出来以后，大出意外的是，我居然被留下来做研究生。

一方面是感动，一方面又是失落。

还没有来得及细想，不久以后就半从小道，半从大道听到说，周扬作了一个报告，苏共已经“修”了。世界革命的中心，正从俄国莫斯科转向中国北京。北京大学理应成为世界革命理论中心。为此，北大即将成立研究院。我深深庆幸我即将成为北京大学第一代青年革命理论家。

这一年冬天，正是三年困难时期的开始，粮食不足，许多同学都有点浮肿。我也感到倦怠，上三层楼都要在楼梯拐角喘息两回，早晨出操跑步，我向研究生班长请假。他说：“这主要是一个革命意志问题。”于是我仍然每早到操场，跑不动便看别人跑，待他们跑完了，跟着走回宿舍。

当时，浪漫主义不但在读诗写诗的时候主宰着我，而且在生活中成为一种很强烈的激情。早在20世纪50年代中期，我就读过许多英雄主义的小说、传记《卓娅和舒拉的故事》《普通一兵——马特洛索夫》等。那正是我形成自己人生理想的时候，我立志不辜负伟大的时代，在必要的时候，我将贡献出自己最宝贵的生命。但是，战争年代早已过去，战火纷飞的疆场只有在电影和文学作品中才能看到。命运已经注定我不可能把自己的鲜血染上红旗的一角。少年时代曾遗憾自己出生太晚，既没有赶上抗日战争，也没有赶上解放战争，甚至连抗美援朝战争都没有赶上。现在不用遗憾了，新的考验，也就是三年困难时期饥饿的考验来了。这种考验自然不比那血与火的考验严峻，但却十分折磨人。

人老是被饥饿折磨，是很难受的，才吃完饭便又想吃饭的感觉很难驱逐。最难受的还不是饥饿，而是一种想偷点什么东西来满足一下的冲动。记得有一次在王府井一条胡同里，我跟着一辆车走，发现车上拉着一大片一大片的猪肉，说实在的，当时我真想拿起一块飞奔而去。还有一次，每个月2两的购糖证，买了以后，售货员居然没有盖章，归来以后喜滋滋地想了好久，力图总结出再一次让售货员忘掉盖章的经验来。

如此种种，想时甚为滋润，事后又十分屈辱，这与我那浪漫的热情、献身伟大事业的英雄主义极不相称，相当煞风景。还是在高中阶段，读世界近代史，一位老师讲到空想社会主义者圣西门时说，他每天都让仆人在清早这样唤醒他：“伯爵，醒来吧，伟大的事业在等待着你。”每当我的浪漫情调发作的时候，便时常有一种当代圣西门的感觉。

不过，我想，我所面临的历史使命要比圣西门的伟大得多。正因为这样，我也时常自我反省，是否曾经有过有悖于我们伟大时代的不良思绪？我不能不承认，像我这样纯洁的革命者，居然也被嘴巴馋这样一种卑微的动物性冲动所困扰，我感到羞惭。

自然，当我感到在自我修养上达到一种光明纯洁境界之时，我是很容易接受某种庄严神圣的使命的。我开始有意识地培养我的理论兴趣，以服从时代的需要，我深深为我的自觉服从而感到自豪。每当我想到在未来的几十年内，北京将成为世界革命的理论红旗唯一高高飘扬的地方，就感到自豪。

然而，这种自豪却遭到了严重的打击。

我得到通知调往华大以后，有一种隐隐约约的悲壮感。似乎这个红色的理论中心并不需要我，但是我却热恋着她。对这种感觉，我好久找不到恰当的语言来表述、来形容。我们家乡有一句俗话叫作“热脸碰到个冷屁股”，很有点像我当时心灵深处的那种压抑不住的失落感。但是，我又觉得用这样粗俗的语言来表达是太亵渎了。

不管意识深处多么痛苦，但在表面上，我还是按当时最起码的理性和良知努力说服自己愉快地接受“人民”的分派。在当时，这也几乎是别无选择的。不服从祖国分配的人被认为是可耻的。我记得，在我们宿舍的上一层住着一个大学生，他成天独来独往，不像是生活在集体之中的样子。我曾经问过我的小组长，这个像孤魂野鬼一样的家伙是怎么回事。他说，“这是一个不服从祖国分配的个人主义者，把他分配到新疆，他不去，就这么赖在学校，已经一年了。大家都很瞧不起他，你不要和他讲话。”

所以，当系组织干事讲完了话以后，我立刻表示，我很愉快地接受祖国的挑选。只是到了离开的时刻，我才忍不住问了她一句：“华侨大学在哪里？”她说，她也不知道，只知道在福建，我应该先到福建省教育厅去报到。

我心里“咯噔”一下，福建，在我心目中是太遥远了。我记得我的第一印象是那里的交通很不方便，一个来自福清高山的同学曾经对我说，直到1949年解放军来了，他才第一次看到汽车，和大家一起欢呼着去“看汽车”。还有一个印象，高中毕业时，一个同学考取了厦门大学，当时鹰厦铁路还没有修筑。这同学从上海出发，乘火车先到江西鹰潭，然后改乘汽车和轮船，最后到厦门，一共要花一个星期的时间。

不过，当我出发的时候，北京到福州已有了直达火车。我在上海稍事停留，关心我的亲朋问我华侨大学在哪里，我都答不出。他们脸上便有悲壮之色，好像我是被流放到什么“远恶军州”一般。那时候，上海人向来以为上海是中国的，乃至世界的天堂，除了北京还马马虎虎以外，去其他地方都是受苦。他们同情的神色和忧虑的表情都给我一种刺激，使我产生一种闯荡四方的豪迈之感。

火车开过了杭州，我遇到一个自称是福建人的旅客，问他知道不知道有一个华侨大学。他说，知道。我问他在什么地方，他说，在泉州。我有生以来第一次知道，世界上还有“泉州”这么一个地方，便问泉州在何处。答曰：在福州与厦门之间。这时，我估计，肯定是个小地方了，于是悲壮之感更加强烈。但是我没有让它流露出来，尽可能让一种诗意的浪漫淹没那种煞风景的念头。

到了福州，我的行李很简单，但也得叫一辆三轮车啊。我在道边找到一个晒得乌黑、浑身皮肤绷得很紧的车夫。我问他：“去华侨大学多少钱？”他答：“没有去！”我说：“没有去，现在可以去啊。”

他的回答仍然是：“没有去！”

我非常耐心地重复：“刚才你没有去，我已经知道了。可你现在可以去呀！”

他仍然不屑一顾地说：“没有去！”

我这才意识到，福州话、福建话的语法和北京话不太一样。等到我听到几个车夫用福州话交流（很显然在笑我）时，我更是大吃一惊，当时感觉是，他们讲的话更接近于日本话。

我傻了。我意识到自己果真是来到一个蛮荒之地，处身于佶屈聱牙的异类之中了。

到福建省教育厅报到以后，说是华侨大学还没有建校，现借福州师专上课。福州师专在一个叫作“臭兜”的地方，光这个名字就够吓人的。好容易走到那里，才发现根本没有什么校舍，刚刚招收的中文系学生借着一座长达几十米的大席棚在上课，自然同时也就是饭厅。我去的时候，正开晚饭。一些职工和明显是南洋打扮的学生（男同学头发上油光水滑，女同学身上穿一色白衣白裙）正从蒸笼里乱纷纷地取饭。

几经转折，我终于找到华大办事处的一个负责人。

引路的人对他说：“这是‘中央’派来的老师。”

这位负责人倒是很热情。但是他光着脚穿着拖鞋坐在办公桌后的样子却令我失望。这和我在北大看到的一派学者风度的领导相去太远了。他问我吃饭了没有。我照实说，没有。他随即抱歉，说这里已经开饭，饭都是提前自己去蒸的，所以，不能安排“中央”来的老师吃饭。我说，我带了一点干粮。他大喜，说："那就先安排你们（和我同来的还有一个北大同学）住宿吧。由于福州师专校舍不足，目前只好借住在附近农民家里。今天天色已晚，工作人员都下班了，明天再替你们找农民借房子。"他指指办公室说，"今天就在这里搭个铺吧。"我们都表示同意。

这一夜，是我到达福建，也是到达华侨大学的第一夜。当夜躺在临时搭起来的木板床上，究竟有什么感受，我现在完全记不得了。只记得既没有浪漫的感觉，也没悲壮的感觉。也许由于旅途劳累，我一躺下就沉沉睡去，第二天一早醒来，阳光已经照到我的脸了。我伸了一个懒腰，十分轻松地跳下床来，欣赏着四周一碧如洗的秧田。

而和我同来的那位同学说："你昨夜睡得好沉，我一夜都没有合眼。蚊子太多，一抓一把。我只好把床单拿在手中挥舞了一夜。"他把手臂伸给我看，上面有好些红点。

我不觉想到了自己，一看自己，手臂、手背、大腿、小腿、脚面上满是密密麻麻的蚊子点。同学拿了镜子来，我看到自己变成了红脸麻子。

也不知为什么，我现在还能清楚地记得，我一点没有痛苦、委屈之感，甚至连悲壮之感都没有，只有一种好玩的感觉。我在北京6年，从来没有挂过蚊帐，福建的蚊子这样一视同仁，不把我当外人，反而使我淡化了的浪漫之情油然而生。我因此而想起了许多美丽的诗句。例如，"哪里的鸟不飞、草不长，哪里就是我应该选择的地方"。不仅如此，我还在日记上写了誓言："要经得起祖国的考验，不能有丝毫的自私自利之心。要在这里扎下根来，在这里开花结果。如果我要回北京去，那也不该是通过工作调动钻空子，而应该作为英雄模范人物到首都北京去和我的朋友们、同学们聚会。"在那最初的几天里，我想得很多，我甚至想起了中学时看过的一部电影叫作《罗马——不设防的城市》。有一个共产党员被法西斯逮捕了，敌人用烙铁烤他的胸脯（发出吱吱的声音，冒着烟），那个主人公坚贞不屈、守口如瓶。我当时曾问过自己，如果我遇到这样的考验，我能顶得住吗？如果能顶得住自然好，如果顶不住那就是叛徒。那真是太可怕了。自然，到了华大住了一夜之后，我已明白，那火灼胸脯的考验我是轮不上了，可是另一种考验，却更漫长，我如果顶不住，仍然是狗熊。

我的浪漫主义的琴弦又被拨动了，我甚至在日记本上写起诗来，很可惜，不久以后，这种热情很快被一桶又一桶的冰水浇灭。20世纪60年代华大"左"得荒谬的作风，比之北京要严酷多了，在以后的几年中我一直是处于接二连三被批判的火网之中，差不多每一两星期就挨一次小批，形式是系主任在报告中直接、间接地（点名或不点名）"刮胡子"。大约不到三年挨一次大批，形式是全系性的所谓"面对面地斗争"，甚至是大字报、小字报、批判会之类。

现在回忆起来，当我站在台上挨批，或者看那些谩骂我的大字报时，我的情绪是绝对的空白，真的是破帽遮颜，不管是浪漫的还是悲壮的情绪一概不存在。留在记忆中的只是一种祈求，那就是下一次开会，不要点我的名字，让人们把我忘掉好了。至于罗马的共产党员和苏联的青年英雄则退到了遥远的地平线以外去了。让我平庸地，甚至是自私地活下去吧，只要不再有人来整我就成。

有一段时期，我最羡慕的人是中文系资料室一位女工作人员，说起来，她还参加过解放军，后来从厦门大学中文系毕业。但是她一点英雄主义的浪漫情调都没有，本来她可以教书，但她拒绝了，宁愿在中文系资料室看着那几本杂志不要长出腿来跑掉。每逢节假日，她总是请假回福州家中，总要磨蹭几天才回来。这样的人，当时叫作革命意志衰退者，我是很瞧不起的。但是每逢运动到来的时候，她却比什么人都平安，绝对不会有任何人批评她。

大家都把她忘了。

我所向往的就是大家忘掉我。

然而我不安分的天性决定了我不可能享有这样的清福。“文化大革命”中不要说，就是在粉碎“四人帮”以后，我还是依然故我。我天生就是这种命，不是被人视为异端，就是被人视为尤物。

如今我已经步入老境，对于自己的一切都听其自然了，但是有一点是很坚定的，那就是我绝对不可能再羡慕做一天和尚撞一天钟的庸人了。

厦门好人

1969年底，或者是1970年初，我的记忆有点模糊了，反正是春节前夕。我从上海得到通知：华侨大学解散，教师务必迅速回校，下放农村和贫下中农过一个革命化的春节。虽然冠以神圣的“蹲点毛泽东思想宣传队”的名义，但是，在最亲近的人弃我而去的日子里，又碰到这样的事，心情就像上海的天气一样阴沉起来。挥别送我上车的堂兄，上了火车以后，就发现皮夹不见了，连吃饭都成了问题。坐在对面的一位复员军官和他的太太，大概正处在浪漫蜜月期，立即表示可以解囊相助。但是，残余的自尊心使我搜遍身上所有的口袋，找到了一块钱和几张毛票，就婉言谢绝了。好在火车到漳平的时候，我要下车到同事林子贵家去拿两个樟木箱（那时，上海人结婚，福建的樟木箱是上等的嫁妆），可以借一点钱。樟木箱挺大，力气比我大得多的林子贵抢着为我挑到火车站，我向他借了5块钱，算一算到厦门住一夜旅馆一块钱，吃一顿晚饭5毛钱，可以饱得打嗝，到泉州的汽车票是2块5左右，再花1角5分钱，乘公共汽车到华侨大学。“多乎哉，不多也。”孔乙已的喟叹冒出我的嘴边，心情为之一振。

可是樟木箱一上了火车，乘务员说太大，要补托运票，一下子花去了2块多。火车上一顿饭起码是3毛钱，全部财产只剩下不到2块钱，买一张汽车票到泉州是绝对不够了。

当火车在厦门火车站停下来的时候，已经是下午6点左右了。我挑着两个大樟木箱，从台阶上走下来的时候，满头大汗，顾不得心疼箱子不断磕着水泥棱角。

虽然是极“左”的时代，然而厦门人的生意头脑还是相当灵活。车站前一群小伙子，推着自行车，帮助运送行李。我的狼狈相马上引起其中一个的注意。我记得清清楚楚，他穿着皮夹克，挺帅的，推着车子过来兜揽生意。我老远就嚷嚷：“别来找我，我身上没有钱。”

真是一分钱逼死英雄汉。早知如此困窘，向林子贵多借5块钱，也不至于狼狈如此。智者千虑，必有一失。

突然想起来几年前的一件事，贫困常常使我为钱而生出些鬼点子，连自己都有点才智横溢的感觉。大概是老爸资产阶级的遗传基因顽强繁殖，一不留心，就大肆泛滥起来的。金钱乃万恶之源，对钱算计着迷，往往使我忘记对阶级的劣根性的警惕。

那时也真是有点人穷志气短。要回上海，泉州到福州的汽车票5块，福州到上海，火车票20块；加上一天三顿伙食，至少也得两块，没有27块钱是过不了关的。可是我口袋里的全部资金，连同硬币和毛票是22块。经过一夜的苦思冥想，终于有了灵感，到福州以后，不买去上海的票，而向一个朋友磋商，挪借一点，买了一张福州到北京的火车票，38块，而上海到北京的火车票是24块。这不是浪费了吗？不，我有把握。从孩提时代起，从老爸那里耳濡目染，就知道大无畏、敢冒风险的精神，对于生意的重要性。舍不了孩子，套不了狼，安分守己，树叶掉下来怕打破头，永远发不了财。

那是“文化大革命”以前，上海到北京的票子很紧张，在金陵东路的预售处，要排上一个上午。到上海一下车，我就直奔预售处，向排在最尾巴上的一个人兜售。他不太相信。我陪他去签了票，他很高兴地给了我24元人民币。剩下来的算术就简单了：38减去24，我只花了14块钱，而不是20块钱堂而皇之地乘着人民的火车到了上海。当我把这个天才发明偷偷地告诉一个密友的时候，他很严肃地对我说，“你这个人，挨了这么多整，阶级本性不改，不以为羞，反以为荣。弄不好，给人家汇报上去，又是一顿好批。”

我感谢他对我的爱护，特别感激他为我保密。

如今，当我站在厦门车站的台阶上，手里摸着1块钱和几张毛票，回忆起这种感激，最苦恼的倒不是明天的汽车票，而是对我的经商天才的羞怯。既然《国际歌》上说过，从来就没有救世主，也没有神仙和皇帝，只能自己救自己，可是我这个资产阶级的后代，偏偏不能按照《国际歌》的教导自己救自己。我的心情真是糟透了。

人在这种情况下，往往把所有难堪的苦恼都发泄在最关心自己的人身上。多少年后回想起来，我对那个向我走来的小伙子拒绝的那语气是凶狠了一点，和经历过无产阶级“文化大革命”红色洗礼的年轻一代是很不相称的。

但是，小伙子仍然把车子向我这边从容地推过来。

我绝望地望了他一眼：“我连住旅馆的钱，还不知道在哪里呢？”

他把车子往起一支：“没关系。我不要钱。”他那闽南人的豪爽使我震惊了。

他穿着当时甚为罕见的皮夹克，很鲜亮的，可以闻到一种新鲜的皮革味道；那车子也簇崭全新，没有用“侨汇券”的人是有钱也买不到的。那时自家有一辆自行车，相当于今天的桑塔纳，外加缝纫机、手表，是结婚的“三大件”，中产阶级，挺神气的。

他从容不迫地把樟木箱往他车子加长的后架上绑牢，就领着我到了一家小旅店。他用厦门话向一个小老头诉说我的困境。那小店负责人显然是他的朋友，显得颇为动容，表示可以免费提供住宿。床位都看好以后，就拿出登记本来，要工作证。可是我的工作证已经被小偷提溜走了。当时阶级斗争形势空前紧张，“清理阶级队伍”进入高潮，阶级敌人无孔不入，革命的警惕性成为人生第一荣誉。那小伙子向他说情：“人家上海来的知识分子，白面书生，你看看他哪一点像外逃的阶级异己分子；年纪轻轻，哪一点像历史反革命？”

他说得振振有词，可他的朋友无动于衷。两个人在我是否可能是坏人的问题上，产生了原则性的分歧。小伙子反复说，怎么可能！小店负责人反复说：怎么就一定不可能！连我都觉得我那萍水相逢的朋友，只有论点，没有论据，论证很软弱，就拉拉他的手。他却越来越火了，加大了嗓门，显出闽南人特有的忠于朋友，忠于自己感觉的固执。然而，那老头子也是闽南人，他俩忠于自己的感觉的程度是相等的。小伙子冒火了，闽南人使用频率最高的骂娘的话，时不时地冒出来，对方的句子里自然也不规则地飞溅着这个不文雅的词语。随着争执的热度上升，双方口头禅的使用频率以几何级数作正比例提高。

口头禅的功能是很奇妙的，本来是很粗野的话，其侮辱性的意义与使用的频率会成反比。到了后来，实际上成了某种必要的停顿和思索的过渡，有点像标点符号了。不同的是，标点符号是在句子中间的，而闽南口头禅的伟大特点，却是不时在句子开头出现。

我看得出来，小伙子最大的愤怒倒不在于他的朋友不信服他的论证，而是，居然不信任他所信任的人。这种不够肝胆的表现，是不可容忍的。

最后，他绝望了，用最清晰的语调，一字一顿地，狠毒地把那个平时省略了的，最后也是最脏的字眼讲了出来。老头子气得直翻白眼，一时像被鲁智深拳打的镇关西，只有出的气，没有入的气。没有等他反应过来，小伙子已经飞快地拉着我的手远走高飞了。

我非常惭愧，向他表示歉意，都怪我破坏了他们的友谊。他用闽南腔极重的普通话说：“没有关系，这种人，不是人，不肝胆。老子再理他，是你儿子。”

他很快恢复了情绪，把我带到厦门汽车站，找到当时革命委员会的负责人，一个中年妇女。他们大概有点认识吧，也许曾经是邻居吧，或者是什么堂亲吧，我一下子来不及想。但她显然很信任他，因而也就很同情我。还没有听完他的叙述，就叫食堂工友给我打了一碗饭，还有一份花菜，上面有 1.5 片猪肉（因为其中一片实在太小了，而且不够完整）。

这时，我才感到肠子在肚子里蠕动，正在发出某种声音。我来不及想清楚是欢呼那喷香的饭食，还是否极泰来，绝处逢生，悲极生乐的呜咽。当时道谢了没有，现在记不得了。只是每次回忆起来，总是想到韩信遇到漂母给他吃饭的故事，还有李白的诗句：“令人惭漂母，三谢不能餐。”李白毕竟是文豪，肚子饿得快扁了，还很有礼貌，能忍着口水，推辞三次。我没有这份诗情，究竟是李白过分矫情了，还是我太粗野了，留给后代去争论好了。

我本来只指望她让我在候车室坐上一夜，没想到她竟主动提出让我到工会办公室去，那里有一个长沙发。她说，正好有八个复员的海军经过这里，没有买上今天的车票，你们做个伴吧。

我本来以为，男人大都以肝胆为荣，女人都比较小气，然而，在厦门，居然有女人不但超过男人，而且超过了韩信遇到的“漂母”。

至今我还记得，那张长沙发上有紫色的棉布套子，我睡的那一头，弹簧已经瘪下去了。在当时沙发是很少见的，就是住旅馆也不能享受弹簧阴性的柔情。但是，我仍然不能安眠。因为我口袋里的钱还不够买一张到泉州的票子。那小伙子看出我的忧虑，就主动提出：有什么东西可以拍卖的？

我吓了一跳。身为读书人，习惯于以清高为自豪，对于金钱的盘算，从童年时代就觉得，是非常臭的。何况，密友的批判，余音犹在。再说，叫我到大街上叫卖，怎么开口呢？他说，没有关系，你这样的白面书生，只要往那儿一站，就是招牌，我替你叫好了。

既然明天我不能把樟木箱挑到泉州去（100 公里啊），就顾不得什么资产阶级劣根性了，唯一的选择就是把旅行袋提起来跟他回到火车站。

说起来，我那旅行袋里也真可怜，除了一袋上海的大白兔糖果以外，只有几件衣服。他就把大白兔糖果鲜艳的包装露在外面，大声叫卖起来，马上就引来了一堆围观的人。可惜的是，没有人对糖果有兴趣。叫了半天，只有一个搬运工模样的人，把我的旅行袋打开来仔细察看了一番，提出了我十年前做大学生时穿的，已经褪色了的绒衣，正面、反面反复观察、抚摩，又紧张思索了一番以后，问我多少钱肯卖。我想十年前 3 块 6 毛钱买的，现在最多只值 1 块钱。但是，1 块钱，加上我口袋里的 1 块多钱，还不够到泉州的车票，从泉州汽车站到华侨大学的公共汽车票还得 1 毛 5。我就狠狠心，让我那资产阶级的劣根性发作了一下：1 块 5 毛。那搬运工，马上就要掏钱。可是小伙子厉声嚷嚷起来：“1 块 5 怎么行？这么厚的绒衣，起码五尺布票，一尺布票就要 1 块钱了。”

我突然紧张起来，按党的政策来，买卖布票是违法的。但是，我的舌头失去了抗辩的力量，听任小伙子做主，以 5 块钱成交。

当我拿着一把带着那工人阶级体温的、黏着草屑和污泥的毛票和硬币的时候，心里并不仅仅是兴奋感激。当时来不及细想，只是本能地用最为文雅的姿态和小伙子握手，对他表示感激，隐隐感到所有感激的语言此刻都显得苍白而空洞。

当小伙子离开的时候，我望着他的背影，并不像鲁迅在《一件小事》中所写的感到越来越高大，却有一种压抑和怅惘像阴影笼罩我的心头。

晚间我在那张红色沙发上躺下来的时候，我才意识到，我的资产阶级唯利是图的本性是不可救药的。我为铜臭又一次使我堕落而感到无限忏悔。

小伙子是我灾难中的救星，还是恶魔的引诱呢？他是可爱的，还是可恨的呢？

如果，这个故事让我的密友知道了，我该是多么羞惭啊……

不过，那一夜，我没失眠。

2002 年 3 月 16 日

“铁嘴”沉浮记

大约是在20世纪70年代末吧，我听到一种反映，说是我讲课挺生动，号称福建师大中文系的“铁嘴”。起初，我有点沾沾自喜，但也不十分认真看待，因为当面对我说这样话的人，不是我的哥儿们就是我的得意门生。更何况我课讲得不多，在“文化大革命”期间，差不多一学期才讲一堂课。其中还有一次，在才溪“开门办学”，一个报告做下来败得非常惨，许多同学都反映听不懂，为此，系领导还找我谈过话，批评我有天才教育的倾向。至于“文化大革命”以前，我在华侨大学中文系，一共才讲了一年多的课，挨系主任的批评（当时叫“刮胡子”）几乎是每周一次，差不多每次都是批评我“旁征博引，东拉西扯”。不管领导多么费劲地批评，可我却总是改不了。原因是我想得比说得快，总是一个意思没说完，另一个意思就不知不觉脱口而出。后来我总是提心吊胆地告诫自己要少讲一些，多来一些停顿，让学生有个思考、记笔记的机会。我还在自己的讲义边上注明，什么地方慢，一字一板，一板三眼，什么地方要重复两遍，什么地方要重复三遍。该重复两遍的地方，我画上蓝线，该重复三遍的地方画上红线，特别关键的地方还画上红蓝双色的惊叹号。

然而所有这一切都是白费。

一上讲台，经过最初几句的一板三眼之后，我的想象、记忆、联想就纷至沓来，嘴巴绝对赶不上思绪，纷纭的词语和意外投胎的观念汹涌起来，对我形成一种压力，我迫不及待地要把那些电光石火般的灵感抓住，把它化作有声有色的语言，稍一迟疑，它就可能被突然涌现的精彩观念挤掉，像流星一样，落入黑暗的宇宙，一去不返，事后不管如何狠抓头发回忆也是白搭，那不但在当时，而且在日后都是一种痛苦。

如果我的表述速度能够勉强赶上我的思想形成、跳荡的过程，能够把那过程中的情绪感觉的色彩、决断和犹豫的紧张化为词句，我的舌头就有一种舞蹈的感觉。望着下面一双双被我的观念和思绪的暴风骤雨所震慑的一愣一愣的眼睛，学生连笔记都忘了记，我就感到一种痴迷的欢畅，享受到一种欲仙欲死的幸福，哪里还顾得上讲义上的红线和蓝线，有时则完全离开了讲义自由发挥一番。一切准备好了的都显得冷漠，倒是即兴发挥的却充满了冒着热气的新鲜的智慧。

可惜，这样的自由只能是一种暂时的陶醉，结果却是长久的痛苦。不久以后，系主任便认定我不可救药，断然决定取消我讲课的资格，把我从现代文学讲座上拉下来，调到写作组去给一个年轻的讲师当助教，任务是替他改作文。这在当时不但是最苦的差事，而且十分丢脸。作文一改就是三年，直到“文化大革命”爆发，大家都无课可讲为止。

从讲台上拉下来之初，我本以为会太平一些，至少领导会因此缺“刮胡子”的素材，然而没想到，情势却变得更加严峻了。

我这个人好发牢骚，许多不太正常的事，别人还没有来得及注意，我已经脱口而出地加以评论了。例如，当时中文系只有一份《参考消息》，大家都争着看，可系主任乐澄清却命令通讯员先送到他家里去，待他享受完了再拿到系办公室，夹在报架上。在饭厅吃饭时我就评论道：“这是特权思想，不像个老共产党员！”我们这位系主任的一大爱好就是召集全体教师发表讲话，而且喜欢看到大家毕恭毕敬记笔记。当然，也有几个不记的，其中自然有鄙人。于是系主任便用一种威胁性的目光反复盯着我们，不久，有几个识时务的便拿起了笔，随便找一张纸做记录状，只剩下一个老先生和我们几个顽固派无动于衷。

这老先生，他本以为年龄和花白的胡子足以成为赦免的筹码，然而系主任却突然声色俱厉地叫了他的名字，并且命令旁边的年轻人拿纸和笔给他作记录。老先生屈辱得脖子都红了，勉强做着记录的样子，其实一个字也写不下来，系主任却满意地缓解了怒容。但是我们几个年轻的仍然不想做出寻找纸笔的样子，只是把眼睛避开了系主任的凶焰，而且面带笑容，相持一番之后，系主任终于在怒目注视了我半分钟以后无心恋战，继续发表他的演讲去了。事后在饭厅里，我们几个非常得意地谈到这场心理对抗的胜利，我脱口而出：“我在北京，连周扬、陈伯达做报告我都不记，小小一个系主任，也摆威风！其实，他1938年入党，又是大学生，在抗日根据地当过区长，弄到现在，才混一个系主任，处级干部，够没出息的了，肯定是犯过错误！”

说完，大家哄堂大笑，我也十分得意自己的伶牙俐齿、思维敏捷。没想到过了几天，一场灾难降临了。我的那些言论被系主任在大会上定性为“反党”，“散布对党的仇恨”，我被他这么可怕的政治帽子吓得起码有半个月脸色苍白。

从此，我暗暗告诫自己，千万不要随便说话，不要看见什么事情，别人还没有来得及反应过来，自己就不假思索脱口而出。

为了确保这一点，我采取了两条措施。第一，不到饭厅吃饭，买了饭我回到房间吃，在大庭广众之间信口胡说的机遇没有了，人身安全也就有了保障。第二，在自己书桌前贴上一张条子，上面写：“反思，慎言，毋躁！”

我觉得自己的不幸大体都由于观点形成太快，语言表述迅猛，说得比想得快，在开口之前还不知要说什么，等到一开口，临时冒出来的词语，就汹涌起来。待话说完了，自己都惊异，那一大堆话，一些精彩的、尖刻的、调皮的、机智的、神妙的话不知是从哪里来的。

正是在这种原始的、本能的话语中，我的资产阶级本性暴露无遗。

我不是要下功夫把自己改造成无产阶级的战士吗？最艰苦的磨炼倒不在当时相当艰苦的物质生活，例如，定量供应的 27 斤粮食，每天只能吃 9 两，早晨 2 两，中午 4 两，晚上就只能吃 3 两，如果哪一顿控制不住，放任一下馋虫，多吃了 1 两，下一顿就只好委屈一下肚子，少吃 1 两，至少在半天的时间内，忍受半饥不饱的痛苦。这一切都不成问题，红军二万五千里长征都过来了，树皮、草根、皮带，才出革命英雄。最艰巨的磨炼是思想，而思想的磨炼不在它投胎之后，等到成了形，化为语言，就定了性，是资产阶级的基因，就是动手术也很难把它改变成无产阶级的基因。

像我这样的人，用当时流行的话“狠斗私字一闪念”来改造，是不够的。人家的私字是一闪念，没有说出来，所以是“私想”，而私想是可以斗掉的，所以人家都很安全。而我的“私想”，常常不择地、不择时脱口而出，一出口，就不是“私想”，成了公开的，就是“公想”了。孙中山在他的遗嘱中说“积四十年之经验”，深知该如何如何。我还没有到 40 岁，积 1957 年以来几年的经验，改造自己最有效的法门，就是在形成思想和语言之前的那一刹那开始！不让“私想”变成“公想”，我把这叫作“私想”的打胎。我很为自己的理论而高兴，尤其为这种理论的可操作性而自豪。

万万没想到我的自戒又成了罪状，系主任例行的报告中不无得意地说：“有些人不想好好改造自己资产阶级反动思想，却把它藏起来，弄什么‘反思、慎言’！”

这样一来，不但苦了我的思想，而且苦了我的舌头。我自知，这是我的“私想”变成“公想”的桥梁。要拆掉它等于让我进拔舌地狱。唯一自救的办法就是努力躲起来，尽可能不和大家讲话。把饭拿到房间里吃，自然有许多好处，但是却有一条坏处，那就是一肚子见解，无处发表。本来，在饭厅里交流一天的情报，讲些开心的事，嘲笑一下可恶的家伙，发一些精致的牢骚是一大享受。只要有人听我讲话，只要我的话引起他们的兴趣，我就感到心旷神怡。我最得意的就是为很普通的话找到一种全新俏皮的表达，引得同桌朋友傻乎乎地一笑，我就感到无限的滋润，哪怕是再差的菜也变得十分鲜美。

满腹感想，无处发表，那实在是一种揪心的痛苦。几个星期的闭门用餐，使我变得形容憔悴，终于憋不住又回到饭厅里来享用那年轻人在一起的语言的宴飨。

那时，正是20世纪60年代初经济困难时期，起初定量供应的粮食并不够吃，还要搭配20%的地瓜干。后来形势渐好，地瓜干遂遭冷落，大家把它放在走廊的栏杆上晒，也不认真拿来掺在米里去蒸，风一吹都掉在地板上了，也没有什么人表示可惜。我记得我就是踩着一路的地瓜干走向饭厅的，正好那一天一位女同事林琪英把她蒸了三次的一罐饭，因为有点馊，倒掉了，她说，很可惜，饭里还有一些罐头猪肉。我的灵感突然来了，随口就把杜甫的名句改动了一下说道："你是'朱门酒肉臭'，我们是'路有地瓜干'！"大家哈哈一笑，我也感到这句话讲得有水平，富有谐趣，我郁积了几个星期的闷气在一笑中得到化解。

然而，没想到，系主任把我找去，问及这件事，我连忙如实作了解释，他也没有十分追究，只是说，你自己无心，可别人听起来可能理解成你在攻击社会主义！我没话可说，好在系主任的纲，并没有上死，我颇怀感激地倾听了他的一番教育后离去。

万万没想到的是，以后每逢有什么风吹草动，这个"路有地瓜干"的名言都要被重新拿出来示众一番，从此，成了我头上的紧箍咒，我也因此在人群中矮了一截。我自己也十分纳闷，为何弄得这般狼狈！扪心自问，自己也是十分热情地追求进步，一心想把自己的青春奉献给共产主义伟大事业的。但凡个人利益与国家、集体需要发生矛盾之时，我都是以牺牲个人利益为荣的，苦苦思索的结果仍然是我的嘴不好。

于是我更加致力于抑制我讲话追求新异的冲动。

我几乎时时刻刻都要和自己活泼的天性作斗争。最大的痛苦就是在自己话语汹涌起来，思想快要投胎的时候，却要强迫自己把它闷死，这种思想的谋杀是一种何样的苦刑啊！但是现实的压力迫使我改变自己，我真正体会到伟大人物所说的"脱胎换骨""夹起尾巴做人"的全部艰难。

皇天不负苦心人，我的自我修炼没有白费，改变自己的努力初见成效。在很长一段时间里，我惊喜地发现，在大家谈笑风生之际，我可以把一顿饭宁静地吃完，不但顺利地消灭了自己舌根发痒的冲动，而且还能做到不附和任何人的俏皮话。

我的思想打胎术成功了。

然而这并没有给我太多的安全感。没有多久，"文化大革命"爆发了。一夜之间全校数千师生集中贴两个人的大字报，本人独享一千张。教室里、走廊上，我的名字被打上红叉，主要罪行，除了那个老掉牙的"路有地瓜干"以外，又冒出来一条，说我曾经高呼过"美帝国主义万岁"的反动口号。我绝对无法想象我会喊出这样可怕而又可笑的口号，在强大的政治压力下，我苦思冥想几十个小时，也回忆不起任何线索。直到"文化大革命"结束前夕，一个朋友才告诉我，事实不是这样的，而是正在争取入党的黄讯吉先生加工的：早在20世纪60年代初期，当时我是中文系教工排球队长，有一次打排球，我觉得随便打打不过瘾，便把队员分为固定的两队，甲队叫社会主义队，乙队叫帝国主义队，我自愿加入帝国主义队，那一场比赛下来，我们队赢了，于是我欢呼起来："帝国主义队还赢了呢！"

这是在我思想打胎术发明之前的事，思想的胎儿已经生下来了，但是，是个怪胎，经人家一加工，变成了毒胎。

就是为了这句话，在"文化大革命"的大部分时间里，我只能破帽遮颜，真所谓"尾巴和嘴巴一直夹紧起来做人"。我的思想打胎实行得很成功，不管朋友在议论什么令人动心的话题，我都要表现得冷漠，最多陪着别人做有限度的微笑。有时，朋友的言论太有趣了，忍不住纵声大笑，但笑到一半，突然想到自己的身份和别人不同，想到"私想"快要变成"公想"了，便赶紧刹住，免得有人会说，这家伙又翘尾巴了。

有很长一段时间，我非常痛恨自己，特别痛恨自己的快嘴，厌恶那些冒到嘴边又咽回去的俏皮话。经过几年的磨炼，我觉得自己多少有些改变了，我已经不那么神往于高谈阔论了。我为我自己的言谈变得平庸而感到庆幸，它虽然使我评讲作文平淡枯燥，学生有意见，但是却能保证我的安全，使我远离灾祸。

我以为，我是真正得到改造，成了一个沉默的无产阶级。

我没想到，我的这种变化是暂时的，表面的。改革开放以后，我有了许多在公众场所发言和到外省、外国讲课的机会，当年痛苦的记忆由于时间的距离逐渐变成了温馨的怀恋，我的舌头也随之恢复了舞蹈的感觉，而且我的表述也日益变得更加自由、更加谐趣起来。这些年来，我已经习惯了在雷动的掌声中走进报告大厅，甚至在开讲之前接受少先队员的献花，我神采飞扬，成百上千双眼睛闪耀着信任的光芒，期待我展示我的心灵的宝藏，当我即兴调侃的时候，听众中欢声四起。在最高潮时，讲台上下会形成一种氛围，哪怕是我一扬眉，一举手，甚至一个意味深长的停顿，都会引起他们的共鸣，掌声笑声也会随之而起，我纷纭的思绪和汹涌的情感几乎是不经思索就化为平时绝对想不出来的连珠妙语，一种痴迷的欢畅时常使我得到超常的发挥。我因而受到称赞，甚至崇拜。1994年5月在福建师大"专家论坛"作报告时，喜爱我的学生们把图书馆报告厅的门都挤破了。

像年轻时代一样，我仍然追求一种即兴发挥的效果，这并不是说，我没有遇到过惊险。我记得最紧张的一次是到福州大学演讲，题目是"雄辩与幽默"，到了约定的前一天，福州大学学生会方面来电话说，希望改期，理由是届时在我演讲的大厅对面有一个"青年歌手大奖赛"，他们担心听众会被抢走。但我那几天日程排得很满，考虑再三，我决定日期照旧。到了那天，我硬着头皮走向福大，还没到会场，我就看到走廊上站着一些游离的听众，而教室里却空着一些座位。根据我的经验，在所有听众中最可怕、也可能是最忠实的就是这些随时准备溜走的家伙。我还没有来得及明确想出什么可靠的办法把这些动摇分子稳住，人已到了讲台上。像往常一样我只好把自己交给兴之所至和自由发挥了。我只能拣那首先到嘴边的意思说，我说，在走向这个会场的时候，我看到这么多小伙子、姑娘站在走廊里，不由得由衷地感动。他们显然经过仔细的比较以后，才做出决定，走到这里来的。他们在年轻的歌手和我这个老头子之间，在说的和唱的之间，选择了我，因为他们坚信，说的肯定比唱的好听。

走廊内外的听众笑了，鼓掌了，教室里的空位立刻被填满，而走廊里又增加了站着的。我和他们之间的情绪沟通了，一种互相鼓舞的氛围形成了。从那以后，哪怕是我一个简单动作，甚至一声咳嗽都赢得他们的掌声。

以后类似的事，还发生过不少。

有一次，在漳州师范学院（现闽南师范大学）演讲，我讲了一个故事：一个顾客来到一个咖啡馆，小姐给他端上啤酒，但啤酒里有一只苍蝇。故事说，如果这个顾客是个英国人，英国人是十分讲究绅士风度的，他就耸耸肩走了；如果这个顾客是德国人，德国人是很讲究科学的，为了避免别的人再受害，就把啤酒倒掉了；如果这他是个日本人，他就会把经理叫过来训一顿，要求他检查管理方面有什么漏洞；如果这个顾客，是个俄国人，俄国人是很讲究实际的，他想，啤酒里面有酒精，是可以消毒的，苍蝇身上的细菌已经给杀死了，他就把苍蝇从啤酒杯里挑出来，把啤酒喝掉了；如果他是个美国人（这个故事大概是美国人编的）他就会把小姐叫来，说，“我有一个建议，如果以后再发现苍蝇在杯子里，我建议，把苍蝇和啤酒分开，一个杯子装啤酒，一个杯子装苍蝇，送给顾客。”

听众大笑。

到了最后，一个听众，递上一张条子来：如果你是那个顾客，你会怎样说呢？

我一点准备没有。读条子的时候，我还不知道怎样答。可是读完条子，思想却跟着舌头讲起来。我说，我会指着苍蝇对着小姐说：“小姐，我想，你之所以把这样一只苍蝇奉献给我，我肯定，这只苍蝇是一只经过精心培育，最没有污染，排毒、止泻的营养品。”

台下的听众，为我热烈鼓掌。

就在写这篇文章的前两天，我应邀到福建省经济管理干部学院（现并入福建江夏学院）去做报告。一个学生递上来一个条子，说：我们班主任今天本来布置我参加一个会，但是我没有去。如果你是我，回去以后如何向班主任交代呢？

我不假思索地说，我会对班主任说：“主任你也年轻过，当年你有没有过像我这样因为要听一个好报告而逃掉班上的会议的历史记录？如果你从来没有，请允许我从明天开始向你学习。如果也和我一样，逃过会，那从现在开始，让我们交流既逃会，又不让班主任生气的经验。”

台下的听众，自然是为我思想的迅速投胎而鼓掌欢呼。

在当时，我并没有细想这是为什么，直到我写了一本关于幽默谈吐的书，并且因此被中央电视台邀请去作了20集的《幽默漫谈》讲座，我才明白，我的口头表达具有幽默感，正是因为幽默，我很容易达到和朋友、和学生间心灵的沟通，我把心交给他们，他们以微笑和掌声给我以回报。

这本是一种珍贵的天赋，可是在不正常的气候中它给我带来灾难。我没有想到这种天性是这么顽强，不但长期的凶残的外力扼杀不死，连我真诚的自我摧残也无济于事。

人要认识自己的天性中丰富的“私想”是多么艰难啊！

归化泉州

1961 年 5 月之前，泉州对于我几乎就是一个谜。

在北大中文系办公室，总支组织干事对我说，“成立了一所华侨大学，要求北大支援一批骨干，你在业务上和政治上都是很强的，就派了你去。”从反右斗争以来，我就背上了相当沉重的精神包袱。只差一口气就要当右派的人，做什么都比别人低一等。能在北大中文系待上一年已经是够走运的了。有什么边远的地方，觉悟比我高的就是写了血书也不批准，我等边缘分子，即使怀着破帽遮颜的悲哀，也要做出豪壮的姿态踊跃奔赴。但是，把“骨干”这样庄严的词语用到我的头上，反而引起我大逆不道的失落感。而且支持边远地区的光荣，即使是虚假的，也总比公然宣判下放要好看一点。

这么复杂的想法，在当时，只是百分之一秒的闪念，好在长期自我压抑的心理惯性帮助我把这可怕的一闪念成功地消灭了。我豪迈地表示服从组织调动。虽然如此，我还是压抑不住一种强烈的愿望想知道华侨大学在什么地方。这毕竟关系到我未来在什么样的自然、社会和物质条件下生活。但是，在奔赴远方之前，考虑的不是如何献身，而是生活条件，是可耻的。我暗暗折腾良久，仍然羞于出口。想起自己写过诗“哪里的草不绿，哪里的鸟不飞，那里就是我该奔赴的地方”，有一种惭愧之感。但是，走到门口的时候，一种更加强大的冲动，征服了我，我嗫嚅着，问：“华侨大学在什么地方？”话一出口，就后悔了，会不会有失体统？我的脸红得发烫。

她木然地说：“不知道。你就先到福州去报到好了。”

她简短地回答，而没有追究我的动机，让我产生一种感恩的解脱。

许多年以后，每当想到这一点，我就觉得当时是太善良了，居然看不出她的虚弱。调动一个干部绝并不是一个小小的总支干事能够决定的，肯定要经过领导认真研究。城市的大小表明生活供应的档次和政治上受信任的程度，哪有连这一点都不考虑的道理。

当时，我还没有今天这样狡诈。

我在天安门前做了好几种豪迈的姿态，让好朋友给照了几张相，挥一挥手就登上了火车。

这时我才深深感到内心骚动着强烈的愿望：我是要回来的。但是，我决不会像那些没出息的家伙，千方百计调动回来，仅仅为了享受首都居民的荣誉和物资供应。我重返之时，胸前应该戴着劳动模范的红花。

中国的大学名称，除了像清华、复旦这样全国著名的以外，绝大多数都是以所在地名来命名的。可这个华侨大学却是既没有名声，也没有地方名称来索引。我问了不少同车的旅客，都困惑地摇头。

好不叫我牵肠挂肚。

车子过了上海，终于一个旅客非常激动地告诉我，这所大学在泉州，泉州市，泉水的泉……他滔滔不绝。

我生平还是第一次听到泉州这个地名。

本来，福建在我心目就是一片蛮荒之地。1955 年，一个同学考取厦门大学。当时，福建还没有铁路。他从上海乘火车到江西鹰潭，改乘汽车到南平，转乘轮船到福州，再从福州乘汽车到厦门。折腾了整整一个星期。在一些把上海看成天堂的上海人看来，到福建无异于林冲充军到沧州牢城营。

当我问他泉州在哪里，他大为惊讶，怎么，连泉州都不知道！我说，我生平还是第一次听到这么个地名。他简直是气愤起来，露出蔑视的神情。

我问："泉州有多大？"

他说："很大。"

我说："究竟有多大？"

他用手比画了一番，我不得要领。他急得团团转。

"有没有北京那么大？"

"那，那要小一点。"

"比上海呢？"

"那，也，也，也要小一点。"

当时正经过杭州。我问，"那么，比杭州呢？"他兴奋起来："那可是大，大，大多了。"

我们伟大的祖国有一个比之杭州还要大的城市，我这个志在四海的革命青年居然一无所知，实在是不胜惭愧。

他滔滔不绝地讲起了清源山、开元寺、清真寺、郑成功……充满了启蒙主义思想家和布道者的虔诚。

他的普通话说得稀奇古怪，词语中有许多入声的闭塞韵尾，给人一种时时要断气之感。捉摸着他那不可动摇的神气，我断定他就是泉州人，显然以泉州人而自豪。如果有可能，把上有天堂，下有苏杭，改成下有泉漳，即使冒天下之大不韪，他也义不容辞。

到了泉州，才知道泉州人之土，可以说达到了掉渣的程度。明明是中山装，却要在领口上拉出一条，还要钉上两粒按钮，把脖子像绑腿一样包个密不透风。

终于找了一个星期天，到那唯一可以称之为大街的中山路上走了一趟，泉州之小和泉州人热爱乡土的气魄之大，两者之间的反差，对我想象力的开拓，大有好处。

满街都是公式化的骑楼，而那柱子，一律都漆成红色，却不鲜亮，近似猪肝的颜色，斑斓驳蚀，像老式救火会，令人想起《三国演义》中火烧连营七百里。很可惜，诸葛亮和陆逊的血肉和骨头都已化为肥料，那坟上的草木也腐烂过上千回了。我忍不住狠毒地联想，要真的让他们来把泉州烧上一回，倒是不错。至少，我可以不用再听泉州人讲大话了。

那土里土气的泉州话，能算是中国的方言？我走南闯北，宁波话、苏州话、四川话，甚至云南话都听过，哪怕是第一次接触，我都能无师自通。哪有这样佶屈聱牙的？泉州人讲话那声嘶力竭的样子，好像是有一个鬼在卡着他的脖子，另一个鬼在往他嘴巴里洒辣椒粉，他的舌头就在口腔里像蛇信子一样乱扭。哪里比得上我中学里苏州女同学、杭州女教师，就是发火了，也是抑扬顿挫，阴阳上去，流利回旋，悠扬婉转，像小巷里的琵琶，空山中的鸟语。

为什么要把男人叫作“打捕”，女人叫作“茶窝”？

这完全是对祖国语言的亵渎！

但是，听泉州人一本正经讲话是一回事，而听他们用泉州话吹牛又是一回事。

有一个故事说，别看面线糊摊点不起眼，还真有人发了财。有一户人家偶然捉得一只大老鼠，连尾巴足足有一尺来长，称起来是一斤多重。一个更大的发现是，老鼠杀下来，居然一丝肥肉都没有，全是红肉（泉州话：精肉）。这家人就用泉州人最伟大的想象力开发了市场：先把全部红肉拿来磨细成浆，再和上地瓜粉，做了近百碗的“牛肉汤”，每碗大洋5元。正是困难时期，老百姓早已和当年的孔夫子一样，三月不知肉味了，热销的肉汤，连同加水制成的“牛肉面”，居然为他们积累下好大一笔资金，挣下了可观的家当。

这个故事显而易见地夸张。但在那发财就是犯罪的当年，只有泉州人才创造得出这样的故事。不要说在北京、沈阳，这样的故事，无法想象，就是漳州人也缺乏这样发财的迷狂。我第一次感到：泉州人和我们最大的不同，就是我们对于贫困有一种安贫乐道的大度，而他们对于贫困则是只争朝夕地反抗。

哪怕是在编造故事，他们也在塑造着和贫困的、窝囊的日子胜利搏斗的理想英雄。

这场搏斗是不轻松的，不是戴着白手套干的，他们可以付出任何代价，甚至是道德、人伦的代价。

一个本地朋友告诉我，罗克照相馆里一个开发票的女郎，实在是美得耀眼，不可逼视。有个好色的同事花了 2 角钱公共汽车费，到那里从各个角度观察了一番，回来赞叹说：端的是玉人。

我记得周扬翻译的《生活美学》，在那里面，作者车尔尼雪夫斯基说，最美的大理石雕像，也不如彼得堡街涅瓦大街上红脸膛的少女。我想象不出冰冷的玉琢成的人，会比能够微笑、会做媚眼、还会说美丽的谎言的女郎漂亮到哪里去。我只是觉得身为一介书生，又那么穷，凡事不当有非分之想，就用一句土话来打击他的幻想："这样的美女，大抵是庙里的猪头——有了主儿的。"

然而事实却是，这位美丽的猪头还没有主儿，她妈妈放出了风声，谁出 2 万，就把她领走。据说，不久以后，这位绝世美女，就被一个港客领走了。

但是泉州也不是绝对可恶，有些东西多少还是可爱的。

光是那骑楼下密密麻麻的小吃摊子，其繁荣昌盛的程度，绝不亚于《清明上河图》。此乃 20 世纪 60 年代一大奇迹，中国城市历史文化的一大景观。在北京、上海，这样的资本主义残余早已随着"大跃进"、人民公社的风暴进了历史的垃圾堆。这些泉州人，公然、坦然、悍然地翘着最后一截资本主义的短尾巴，还翘得像陶渊明所说的那样"怡然自得"。尤其是那罗克照相馆门口的那一家，掌勺的是一个镶着金牙的女人，早已过了徐娘半老的年纪，少说也有五十开外了，头上还戴着鲜花，盘成一圈，绕在脑后发结上。就算是一个美丽的花圃罢，你把它放在脑袋后面干什么嘛!

最可怕的是，那泉州面线糊的香气，不管你想不想闻，总是殷勤地直往你鼻子里钻。满满一碗，表面飘着一层油，每一根面线都玉一样透明，而汤则如玛瑙一样半透明，上面还有几颗花生米，油亮油亮，显示出总有一天要变得透明的倾向。闽南人发明了这种东西，本是缓解肠胃骚动的，而在我却是恰恰相反，越看肠胃越造反。不用多久，腹中的骚动就变成冲动，弄得心里乱乱的、眼睛直直的、舌头软软的、口水汹汹的。再舍不得离开，就可能大坝决口。

她一笑，露出 32 个大金牙，当中的门牙上还沾着一片绿色的韭菜。

不用翻译，我也知道她的意思是：来一碗怎么样?

但是，每个月 25 斤粮票，470 毛人民币的工资，使我自卑。我不得不拿出革命家的毅力来，傲然离去。但是，软弱的脚步怎能敌得过肠胃漫长的抗议？直到连看到农民挑着地瓜都要噎口水的时候，小生也就忍不住到罗克照相馆前面行走一番也。

忍痛付出一笔在当时是相当巨大的款子以后，我克制着自己，让自己表现得得体、从容。大金牙从口音听出我来自遥远的北方，就在我的面线糊上，加了一把油得发出红光的花生米。其豪爽的程度，绝不亚于《水浒传》里的孙二娘。不过这里没有十字坡的蒙汗药，吃下去只会增加卡路里，没有一会儿就“倒也，倒也”的危险。

泉州，毕竟是个文化古城，就是半老徐娘也没有丧失传统的豪爽。泉州人追求发财是不可救药的，但又是好客的，似乎有一条不成文的民俗：对于来自大地方，尤其是对于舌头可以卷成三个圈的北方人，总怀着神秘的敬意。一听舌头卷得溜溜的，就头把抬起来，把眼眶尽量睁大一点。那目光中的虔敬和艳羡并不完全是奉献给你个人的，而是奉献给“中央”的，好像你和中央首长天天握手似的。

比之福州人和广州人，泉州人真是可爱多了。

福州人，虽然并不歧视外地人，但是，不管你说话的腔调是属于“两个声音”的北方人，还是属于来自莆田的“阿烧”，他都是像保护着菜市场里还价省出来的分币一样，吝啬着他们有限的表情；至于广州人，那就更可怕了，如果你不会讲几句洋泾浜的广州话，就连买日用品都很困难。

有一次我到了广州。在一家商场里看到一种把两个小热水瓶连在一起、可以随身携带的保温瓶。就问：“同志（那时不叫小姐），这个多少钱一个？”那位女士不要说不想浪费表情，就是起码的反应都节约着。她径直从我面前，向一个讲广州话的顾客走去了。在人屋檐下，谁敢不低头！我耐着性子，等着她把生意做完，向我这边走来的时候，连忙把声音拉长一点，加上一点颤音：“同——志，这——个多少钱？”她仍然眼观鼻，鼻观心，越过我的脸和躯体，走向另一面，给讲广州话的顾客拿东西。

如此再三。

直到我的耐性消耗殆尽，不得不采取果断措施：待她再一次经过我的面前，向广州顾客走去的时候，我用武松捉孙二娘的招数，把她一把抓住。

她用广州常见深凹的、美丽的、乌亮的大眼睛瞪着我，眼珠发出无声的冷笑：干什么？识相点！我打定主意，决不再浪费伟大祖国标准语音的任何一个音节。我把另一只手腾出来，指了指货架上东西。

我们四目对视。

从她眼里飞出来的是一串冷冰冰的钉子，从我眼中飞出去的则是一串没有温度的火焰。我们对峙了大约有两分钟，她眼睛里的冰融化了，藐视变成了妥协前的威胁：哼！我也从眼里还她一个字：哼。她用美丽的大眼睛示意我把手放开，让她过去拿保温瓶。我则用福州人无动于衷的眼神表示，不用放开，她一伸手就可以够得着。她无可奈何地、不胜哀怨地、自认倒霉地、屈辱地、让一只手留在我手里，当作抵押，将另一只手伸长到最大限度，够着了保温瓶，眼睛也不看地递给我。我不接，用眼睛无声地问：多少钱？她不得不用又大又黑的眼睛瞄了我零点一秒，用手指了指插在背带上的价格牌，我把钱掏在玻璃柜台上，用手指慢吞吞地划，等划够了数，我仍然用这只手把剩下的钱放进口袋，再把保温瓶很费周折地背上肩头。然后，又使劲地看了她三秒钟，才慢吞吞地把她的手放开。看着她皱着眉头揉着发红的手脖子，我懒洋洋地扬长而去。

过了一段时间以后，我对于泉州人、泉州语音逐渐有了亲切感。

难忘洛阳桥那家夫妻小店的主人，一听我的口音，就把别人晾在一边，专门来招待我。把最好的笋干，一片一片地挑出来，还跟我讲解：什么样的是玉兰片，什么样的是烟熏笋。另一家小店甚至把上等的桂圆特地留着，等我寒假回家的时候才拿出来。当他们得知，在这座城市里，我没有任何一个亲戚的时候，眼睛里充满了真诚的同情和关切。更不能忘记，骑自行车经过泉州东门外施公岭高坡时，泉州特有的大风顶着我，实在骑不动了，只好下来推。一听我讲的是普通话，就有几个虎背熊腰的农民前来载我。虽然我的话他们并不完全懂，而他们的普通话词汇表，不超过 10 个。我们像原始人一样，靠手势缝补不连贯的词汇。但是，笑容却沟通了我们的心灵，温暖却长期地留在我的心中。

最难忘的是，1970 年，春节前的几天，学校解散了。作为一个准右派，我在享受了近千张大字报和几场大呼小叫的批斗以后，更进一步沦落为三等公民，所去的地方的条件，和政治上可靠的程度成正比。许多人都争取到了尽可能好一点的地方去。我自知没有这样的权利，无动于衷地听从分配，最后下放到一个最偏僻的山村。没想到，在农民中间，我却享受到了少有的平等和友谊。农民才不管你右派不右派，他们只认你的为人实在不实在。我成了他们的朋友。我买了一副理发工具，为他们理发。享受他们招待孕妇和打铁、箍桶师傅的红米酒。那酒初喝时，像饮料，可是很有后劲。有一次我就在给一个差不多一年没有理发的孩子理发之前喝了他们的红米酒。结果是理到一半，脸就慢慢红得要滴血。最后终于像水浒英雄那样“倒也，倒也”。这在很长一段时间里成了周围几十里农村共同享受的笑料，每逢提起的时候，他们笑，我也笑。我记得，在那极“左”的年代，我已经多少年没有这样开怀地笑了。

在严寒的早春，农民下冷水梯田挖土，我也去了。他们真心真意地劝我不要去，没有一个下放干部会这样做。我白嫩的脚踩入薄冰才化的水里，冷得牙齿打战。尤其是脚趾伸入到烂泥深处时，那更是冷彻骨髓，我感到背上有他们怜惜的目光，甚至那目光的压力我都感觉得到，显然，只要我稍微表示一下软弱，他们就会坚决把我送回去。但是，他们关切的目光，反而鼓舞了我的自尊。我咬着牙关，通过了关切的考验，就这样，我结束了客人的身份，成了他们中的一员。我感到了少有的自豪和自由。这里不但没有人在政治上歧视我，而且在劳动上，我和他们也是平等的。他们终于对我放了心，我和他们一起享受着开怀的大笑，我甚至听懂了他们黄色的笑话，而且一点也不矜持地表示欣赏这种性幽默。

没想到，就在欢乐达到高潮的时候，一辆豪华的三角牌小轿车停在了公路边上。下来几个人，那是我的学生，他们冷漠地宣称我得回去交代问题，接受批判。7个月后，我被学校放回来。我最难过的倒不是老是让人像小鸡一样揪来揪去，而是，我初交的农民朋友将会歧视我。我这样一个被他们称为最老实、最爱劳动的下放干部，在他们的眼中，会变成一个什么样的可疑分子？我将不得不又一次像在学校那样破帽遮颜，走路不敢与朋友目光相触。然而完全出乎我的意料之外，我回来的消息传出的时候，农民们奔走相告，从四面八方送来了糕、米果，连小孩子、老太婆都絮说为我担忧，做梦见到我归来的情景。不知什么人为我打扫了房间，妇女们抢着为我挑来最干的柴火和引火的油松。当油松的黑烟和香气弥漫在整个房间的时候，我第一次在异乡感到一种家庭的温馨。

也许就是从这个时候起，我被泉州同化了。以后回到上海，不管什么亲戚说泉州土，我就用最没有礼貌的脸色去回应，直到他有所醒悟，戛然而止。

三年以后，我接到了福建师大的调令。这时，我已会说不少闽南话，甚至能够结结巴巴发表演说。我用国际音标记录了大量的闽南语音和词汇，像学英语那样，背诵那些特别古怪的词语。当我从泉州长途汽车站下来的时候，一群泉州姑娘从我身边擦肩而过，我第一次听懂了泉州人大段的对话。我突然觉得，泉州话真是很好听，那音韵，实在是很高雅，用古色古香来形容绝对准确。泉州人把“进来”叫作“入来”，把“晒太阳”叫作“曝日”，把“锅”叫作“鼎”，都是古代汉语中最文雅的词语。从汉语史的角度考察，泉州话中系统地保存着中原语音。一个泉州农村老太太所说的土话，和诸葛亮、杜甫、岳飞当年的语音最为接近。

今天最土的泉州话，正是古代高级知识分子笔下的文言。

正是这种语言塑造了泉州人的文化性格，他们既是最土的，又是最现代的。随便查考一下古代文化典籍就不难得知：泉州古代思想家留下的，既是最为商业化、最为不守礼法的，又是最为温情脉脉的。从古以来，泉州人就是既敢于不要命地冒险，又坦然地保守；既会做生意骗人甚至骗亲戚，又乐善好施；既不要命的意气用事，为朋友不惜两肋插刀，又是和乡亲把算盘打得最精明的。正是由于这样的文化心理传统，他们在东南沿海属于那最不安分的一群。没有什么教条能够束缚得住他们的手脚。就是“四人帮”时期，也是他们首先偷偷实行了“井田制”，除了当中一块田用来交公粮，其他的就自作主张分了；当福州人对于彩票还投之以怀疑的目光的时候，泉州人却把卖彩票的广场挤得水泄不通，一夜之间抢购一空。就是这种不安分的冒险天分，使他们不但创造了闽南金三角的经济奇迹，而且创造了闽南传统文化现代化的精神奇迹。他们的现代价值观念和传统文化性格结合得天衣无缝，虽有矛盾而没有裂痕，这才是真正的现代神话。

泉州人在反抗贫困的搏斗中，付出了比别人更大的代价，在保存自己地方文化个性方面，取得了更大的成功。

今天，不但是走在泉州大街上，而且哪怕是走在王府井，走在纽约的第五大街，走在巴黎的凯旋门大街，走在柏林的布兰登堡门，他们完全有理由，也更有本钱自豪地挺起肚子。不但以他们所创造的经济奇迹，他们的钢筋玻璃大厦，而且也因为他们泉州人的气质、泉州的花岗岩镶边的红砖大楼，为他们的把现代和传统建筑文化完美地结合起来的状元街，为那街上的状元牌坊，为牌坊上的“圣旨”而自豪。看着一位省里的领导为这条街所题的“八闽第一街”石碑，我想象，这才是名副其实的海上丝绸之路的起点。当年在泉州，满街上曾经走着大鼻子、络腮胡子的阿拉伯人，而今天却满街挤着来自天府之国的漂亮的四川打工妹。

在泉州，我度过了我生命中最为艰难的日子。但是，留在我记忆中的泉州，不是苦难的炼狱，而是精神的庇护所。如果要我选择灵魂的故乡，我将毫不犹豫地选择泉州，并且为此而感到自豪。

泉州状元街上的风

两年前，我在福州环境艺术学会的年会上说过，城市建设发展得如此之快，高楼大厦鳞次栉比，看惯了玻璃立面上的天光云影，以至于，一到台北，居然有一种很旧的感觉。这自然很令人兴奋、鼓舞。但是，细思一番，也不免有所忧虑。许多城市的大楼的风格，趋近于雷同，从深圳到上海，从福州到广州，几乎没有什么特点，好像同样一张图纸从深圳一直照抄到哈尔滨。不要说与欧洲各城的建筑相比，就是和美国那些假古董建筑相比，也显得缺乏民族和地方风格。我还说过，德国的民居是花园文化，美国的民居是草坪文化，中国香港的建筑是海洋文化，我们福州的建筑的性格是什么呢？至今仍然处在自发幼稚的模仿阶段，福建建筑学界如果不能回答这个问题，将留下历史的遗憾。

两年以后，我到泉州，两次造访泉州的东街，尤其是状元街，我看到了闽南建筑传统与现代科学技术的结合，感到真正的鼓舞。这才是福建建筑学界的光荣。

难怪街上立着一块“八闽第一街”的石碑。

泉州自然也有福州、厦门一样的玻璃立面的钢筋大厦，但是泉州人不满足于与其他城市雷同的东西，他们像美国科罗拉多州首府丹佛一样，发挥了红砖文化的优长，但是，又在闽南民居的红砖的基础上，把花岗岩作为边缘的装饰，显示了闽南红砖文化的神采。

那是一个夏日的傍晚，车子开进泉州东街的时候，我并没有思想准备。突然那扑面排闼而来的闽南传统民居和现代科技水乳交融的神采，好像一阵精神的飓风给我的视觉以冲击。在这里，我作为一个外乡人，突然涌起了在闽南度过十多年生涯，熟悉闽南民居、民俗的自豪。

泉州人真是好样的。好就好在全国的建筑都陷于模仿，失去了建筑话语的自由的时候，泉州人创造了奇迹，找到了自己独特的充满了传统自豪感的建筑语言。光用乡土的自信和自豪感来解释是不够的，厦门人的乡土自豪和自信并不亚于泉州人，但是他们的高楼大厦似乎并没有从强势的西方建筑权力话语中解放出来。在建筑文化的自信心和创造勇气方面，他们似乎应该向泉州人学习。光看东街，我还有些担心，也许趣味更高雅的人士可能有时代色彩不足之感。一到状元街，这种担心就一扫而空了。到了这里，不但传统的感觉更加深厚了，而且现代精神更为强烈了。

每一家，与其说是商店，倒不如说是一座文化浮雕，那参差的飞檐，每一家都不甘愿有所雷同，那红色的廊柱，那古色古香的窗饰，好像把泉州往昔的繁荣浓缩在你面前。虽然商业性那么强烈，但是，陈列书画、瓷器莫不古色古香，充满了文化气息。尤其是那把整个街道划分为三个段落的牌坊：那牌坊上风化了圣旨的匾额，真切地显示出岁月的沧桑。而那粗拙的石檐，繁复的间架结构，不啻高耸的立面，令人回忆起那东岳山下几十座永远消失了的牌坊。旌表状元及第的、颂扬贞节烈女的，每一座牌坊都是泉州的精神化石，睿智和保守在那文雅的对联上交织着，悲剧和喜剧在匾额上交响着，成为今天泉州乡土文化不朽的注解。只有能听懂这无声的交响的人，才能理解现代泉州人的性格，才能感到在牌坊上面看到自然沧桑感和文化沧桑感的交织，看到现代文明先锋和历史传统的对比，而且在那中段露天广场的茶座上，感到现代人所特有的对于室外无方向的、自由的、即兴的风的偏爱。

当我在那榕树下露天的白色圈椅上坐下的时候，扑上我面颊的风，也许来自海上丝绸之路，也许来自布满鲜花的巴黎，或者来自到处是露天咖啡座的汉堡。

除了默默聆听这无声的音乐之外，我无心做任何别的事情。

《人民日报》1999年7月30日第11版

炉子啊，悲惨的炉子

这几年人们的口袋比较鼓了，活法也就发生了变化，客来泡茶早已不全是为了解渴，而是为了共享一种情调。

1990 年我到德国去的时候，还舍不得买那种用各种各样的花瓣干制成的茶，前年到台湾，虽然价钱更贵了，但是，为了一点回忆，一下子买了许多。商家另送一个玻璃小壶还加一个磁座，里面可以点上精制的小蜡盘。尊贵的朋友来了，像德国人那样白天点起蜡烛，为花茶保温。其实那茶也并不特别好喝，不过是和朋友分享那德国式的甜味的芬芳。

那是唯有德国花园里露天玻璃茶室才有的气味。这虽然引起了他的好奇，但是，并没有给朋友留下特殊的印象，这多多少少使我有点扫兴。

我们是共过患难的，在浩劫期间，在一个小山村度过了三年半的光阴。他说，我没有你那么稀罕洋玩意，到我家来一点土的吧。

他用一个红泥小火炉点上木炭烹茶招待我，木炭发出轻微的爆裂声之后，火焰就渐渐由暗红变得发蓝了。望着那幽幽的蓝火，那透明的光焰抖动得那么生动，我不由得产生一种久违了的感觉。朋友不无得意地笑了，这笑容中的内涵只有共享过苦难经历的人才能心领神会。

第一次，和小火炉发生关系是在 1970 年 1 月，还有几天就是春节了。

华侨大学早已不上课了，教师同学都回家去逍遥。我还在上海，突然接到紧急通知：火速回校。从汽车上下来以后，才知道学校已经解散。所有教职员工都下放到山区“接受贫下中农再教育”。当我走向宿舍的时候，踩着沙沙作响的报纸和书，每一个房间里都传出来惊天动地的敲打声，床上的被子已经捆了起来，书架上只剩下了长满绿毛的浆糊瓶。收购旧书、废纸的小贩在阳台下面，叮叮当当地敲着小锣。我呆呆地伏在阳台上，看着全校屈指可数的教授之一，用秤称着 20 卷的《世界美术全集》，和那个普通话都不清楚的小贩计较着分量和价钱。

30年后回忆起来，当时的心情是：来不及凄凉。一切的感觉都因为忙乱地收拾而麻木了，光是买绳子、钉子就反复跑了好几趟。

来到华侨大学，由于我那语不惊人死不休的习性，就九年一贯制地挨整。我惊险而成功地扮演了在敌我矛盾和人民内部矛盾的两大悬崖上走钢丝的角色，天可怜见，总算没有一回失足。

乍一听学校解散，不免一愣，不久就转而为自己走钢丝的绝技枉费了几个“左”派同人的苦心而自豪，外带一点阿Q式的欣慰：这下于我终于和他们平等了，不管老几，都和我这样一个只差一口气就变成牛鬼蛇神的家伙没有什么两样了。说真的，我早就巴不得离开这个差一点要了我老命的鬼地方，省得有些人看见我就为阶级斗争没有进行到底而遗憾，我也可以了结了在密友和得意门生面前忍受破帽遮颜面的历史。

出发那天早上，不紧不慢地下起了细雨。欢送的锣鼓声是夸张而空洞的，留守人员伸过来的手，我勉强握了一下，没有任何惜别之意，对方脸上的笑容似乎有一种宽容，但是，在我自发地露出一点和解的意味之后，立刻后悔不迭，马上把脸皮拉紧。

大家都很失落，我却因为失落得少而有点得意，多么想做出一点比他们潇洒的表情，但是，没有心绪。

我把脸无力地贴在玻璃车窗上，感受着发动机的颤动，望着那雨丝中的花岗岩建筑，意味着我告别了名字在大字报上被打叉的屈辱，但也标志着我十几年和大学联系在一起的梦想终结。

窗外的细雨闲闲地下着，和平常没有什么两样。

车子到达永春的时候，有中学生列队很热烈地鼓掌。

墙上的标语是“欢迎下放干部建设社会主义新农村”。闽南人非常普及的毛笔书法，我一向欣赏，哪怕是敌对派别用词凶恶的大字报的标题。

标语已经被雨水打湿了。墨汁发亮，每一笔都煞风景地淋漓着，不断地浪漫着。

到了德化，标语是同样的，书法却不济，墨迹更漶漫，纸都湿透了，纸角沉重地耷拉着。

大街上空无一人。一只瘦得出奇的狗望了我们几眼，抖了抖身上的湿毛，连应景的、好奇的意见都懒得发表。

吃了一顿红米饭，我听到自己被分配到戴云山区一个山村。出发之前，戴着黄呢军帽（团级干部的标志？）的县领导在食堂对我说，我去的上涌公社是这里“最大的平原”，号称“小上海”。车子开到已经没有汽车可走的路的时候，我才明白，所谓“小上海”就是两座山之间一条三四百米长的狭长平地。公社就在用鹅卵石子垒成的围墙里面。石缝中长出颇为粗壮的树，枝干上湿漉漉地淋着水。

这里干脆连标语也省略了，自然也就没有什么书法留给我欣赏。

可是我的想象和联想却没有停止。

望着公社的鹅卵石围墙，我油然想象起土匪窝，也许多少年前，座山雕之类曾经在这里盘踞。还没有想多久，自己就被这种亵渎性的想象吓了一跳。到了这种时候，还把神圣的公社和这样反动的念头联系在一起。

有几个人在供销社里抄着手发呆，离得很远，加上没有表情，看起来心灵更加荒漠。

一个干部模样的人被唤出来迎接我们。此人热情地笑，露出几十个金牙。

他说，他也才从县里下放来。经他里里外外张罗了一阵，来了个年轻的农民来挑我们的行李。我们的鞋底在山谷和独木桥之间，和泥沙、卵石、尖锐的岩石互相折磨了一个多小时，终于来到了一个比较平坦的坡上。这里有几间平房，其中一大间是小学校一、二、三、四年级的教室，一个女教师把孩子背在背上用教鞭指着黑板上的字。孩子睡着了，头不断地往下歪，脖子时时刻刻有濒临折断的危机，我老是提心吊胆地回头张望。而那位女教师显然是很不乐意让戴眼镜的人看到她黑板上令她自卑的书法，就赶紧把字全部擦了。

于是我们就坐到一条最原始的长凳上刮鞋底上的泥。

围过来一群小学生。天气奇寒，他们一个个都穿着只有在这里山区才有的单层斜扣的半长黑色上衣。抖抖索索的孩子把火笼放在长上衣下摆里面，身上发出一种不是很好闻的气味。一个小学生指着那被缭绕的云雾截断了的山峰说，那里才是我们去“插队”的地方。我翘起下巴望着那海拔起码有1000米以上的山顶，立刻想起了“白云生处有人家”的诗句，顾不得那诗意有了熘了醋的味道，就赶紧跟在挑着担子的农民后面攀登。

挑着行李的年轻农民，显然是拿出了看家本领，故意健步如飞，常常把我们落得老远，不时停下来笑嘻嘻地看着我们。

为了不让农民小看，我们奋力上了几百级陡直的石阶。当农民第五次回过头来时候，我已经把毛衣、时髦的棉军装都脱了下来，用一根竹竿挑了一担。年轻农民望着我满头像蒸笼一样冒着热气的样子，狡黠的笑中有了几许赞许和同情。

行李被放在一座废弃了的祠堂里。

几十年前一个老太太死了以后，这里就一直没有人住，墙根下长着绿色的、黑色的苔藓。大井里的草有的已经枯萎了，叶子都烂成了灰褐色甚至黑色的，有些却蓬勃异常，还有一株开出了鲜艳的小花。大厅里祖宗牌位还在，台阶上却零乱地堆着旧梁柱。跨过一堆堆显然是作为肥料的草木灰，我推开木板窗看房间，什么也没有看见，只闻到一股冲鼻的、发霉的气味。如果硬要归类，那只能是属于棺材或者坟墓一类。这种不由自主的归类，又把自己吓了一跳。

我对自己的联想实在无可奈何。

许多年以后，我分析自己当时的情绪，才清晰地看出来，我在走向山村的每一秒钟，心里都在增加着失望和沉重，我有意识地抑制，但在潜意识里是徒劳的。

后来我们听说，两个公社干部在这里蹲点，只是在前天的大队会议上说："又要来两个华侨大学的了。"农民以为大学教师都胡子白白的。一个小学生看到我们年轻的样子，就在我身边转来转去，追着我们念毛主席语录：知识青年到农村去接受贫下中农再教育，很有必要……等到发现我们是华侨大学的教师以后，那个挑行李的年轻农民就愤愤不平起来，说是，太没有面子了。

马上就有农民把新造好的两层木楼借给我们住。那房子全是崭新的杉木搭成的，在一片旧得发黑的农家房子之中，显得像白宫一样鲜亮，几步之外就可以闻到木头的香气。说起来真是一个建筑的奇迹，连一根铁钉都没有，不要说玻璃了，窗板也是木头的。往起一推，黑得像照相馆的暗房。一大堆小学生，兴奋得连课也不上了，主动为我们忙上忙下。

妇女们第一次看见那么远的来客，纷纷抱着孩子用土话评论我们，还大声地笑。

我们当然听不懂她们的话，却明白她们对我们的一切，从毛衣的质量到牙膏的牌子，都充满了惊异。一个小学生翻译，她们最不能理解的是，为什么不在春节过了以后再来。妻子老人不会反对吗？有一个女人说着眼皮都红了。

不久来了这个山村中年事最高的一位长者，也是穿着那种半长的上衣，下摆里面是火笼。他特地来问一件事。通过翻译，我才明白他想要知道的是：听说我们家乡比较平坦，究竟是怎么个平法？我想了一下，说："大概汽车开上两三个小时看不到山。"他哈哈大笑，连说："开玩笑，开玩笑，你们这两个人不老实，不老实。"

对于这位长者的想象力我无可奈何，也来不及设法取得他的信任。但是这个长者的孙子却为我们解决了在这个山村里生存下来的最大难题——煮饭。

楼下有个灶房，里面有两口直径差不多 1 米的大锅。看来平时可以煮几头猪的饲料，农忙时足够用来招待几十个帮工。几个活跃的小学生送来了一捆带着树皮的木棍，还有一把油松片。那油松片是半透明的，还发出香气，火柴一点就着了，冒着乌黑的浓烟。可是那锅膛是那么庞大，好容易把火点着了，开心地望着那木棍尾巴上冒出来吱吱作响的水。但是，不久以后，那火就无情地暗淡了，不可救药地灭了。一把油松都点光了，我们两个大活人不但没有把火点起来，反而被烟火熏得泪流满面。

我们互相埋怨，孩子们哈哈大笑。

有人送来了过年的糕点和包着竹叶的米果，送的人笑得很甜，我们也无可奈何地赔笑，互相对笑使得我们感到了几分温暖。

那些女人说：“他们这样白嫩的手要练出做饭的功夫，恐怕只能在春节以后了。”

第二天，我们就走到公社去，要求在节日前暂且在公社食堂吃饭。起初一个老干部倒是通情达理地同意了，可是来了一个年轻一些的公社书记，他显然不是军人出身，但唯一让人肃然起敬的地方，就是当时很时髦的黄色军呢帽，他一字一板地说：“既然下来了，还是和贫下中农一起过一个革命化的春节吧。”

这样神圣的语言，使我们义无反顾。

回到山村，来了一个中年人，中山装的口袋里别着一支钢笔。他是那个老头子的孙子，在隔壁乡供销社当干部，那个老头子委派来的。他察看了一下锅灶，说灶膛太大，锅也太大。烧不热锅膛，就不可能点着火。你们才两个人，应该买一个小火炉，用木炭煮饭，他有胃病，有时要煮一点儿点心，有这样的小火炉。他慷慨地把这个全村唯一的高级厨具借给了我们，这种小炉子也许和白居易所描写的那个红泥小火炉没有什么两样，但我们却没有任何白居易式的雅兴。

临走时，这个中年干部叮嘱我们：这样的炉子，很单薄。经不起天天烧，烧坏了，要到泉州才买得到。他建议，今天就不要用了。先用淘米水浸一下，等到阴干了，再用一条铁丝缚一下，就不会裂了。

这个深入林区的小山村盛产木炭，不过几分钟以后，追着我们念毛主席语录的小学生又把木炭送来了。木炭的质量很好，互相敲击起来充满金属的声音。

我们很小心地把小火炉用淘米水浸透了，放在走廊上晾。第二天起来一看，炉子已经干了。遵照那位好心的干部的嘱咐，先用铁丝缚了一下。我们虽然手脚很笨，但是把木炭点燃的本事还是绰绰有余的。

望着那蓝色的火苗，我简直感受到童年做游戏的快乐。

第一次吃着向贫下中农学来的学问煮成的稀饭，真有说不出的精彩。一些孩子又送来了这个村子特产的菜头（萝卜）菜尾，我们一边学着闽南土话，一边教他们普通话，一顿饭不知不觉就吃完了。

当我怀着革命者四海为家的豪迈情怀去洗碗的时候，却发现那炉子不祥地裂开了一道很粗的缝。我小心翼翼地试试炉子的强度是否受到影响。才移动了一下，炉子就不顾那铁丝的约束，不可救药地土崩瓦解了。

我们悲惨到神经完全崩溃，小孩子们却快乐到像开庆祝会。

那个中年干部立刻赶来抢救炉子，但是他在哎呀哎呀了一番以后，表示无能为力。等他平静下来才说，炉子在水里浸了以后，要阴上三五天才真正干透，你们才晾了一夜，白糟蹋了炉子。

我们惭愧得无地自容。

然而，不久以后，形势突变，我们的手被好几双不同的手向相反的方向拉。

原来是全村的农民闻讯纷纷赶来援助。首先出现的就是那个老人家，他提着起码10斤的米糕交给我，摇了摇头说，“你们这些人呐，就是喜欢开玩笑，做饭也是一件老老实实的事啊。”在他的带动下，其他各家农民抢着请我们吃饭，我们的手臂都快被拉断了。后来达成协议，分自然村轮流吃。

山里人最隆重的礼遇是给予手工师傅的。村子里洋溢着一股浓烈的节日气氛，离春节还差几天，这个村子却为了我们提前过节了。农村妇女坐月子才喝的家酿的红酒，还有茶油，从仓库里慎重地端了出来。我生平第一次看到，普普通通的萝卜、竹笋加上红色的酒糟居然可以做出十几种菜来。

我们做饭的故事，炉子的故事，成了饭桌上最好的下酒菜。

我们虽然不会喝酒，却把红米酒喝了个饱。那种酒初喝像饮料，可是不久以后，我们的脸就红得像关公了。这个典故以后在附近的小山村里流传了好几年。

春节过后，公社开扩大干部会议。我已经托人从泉州带来了两只小红泥火炉。

那个戴黄呢军帽的公社书记见到我，问，怎么样？和贫下中农在一起过一个革命化的春节的感觉怎么样？

我说，真是好极了。

他十分满意地说：“我说嘛，这是你待在大学里一辈子也碰不上的好机会。嘿嘿。”

我忙不迭地点头，加倍地嘿嘿，嘿嘿。

他却忽然严肃起来，拍拍我的肩膀，对着我的耳朵说：“听说你们第一次一把火烧破了农民的一口大锅。有没有赔偿人家啊？”我说，没赔。他严肃起来：“为什么？”

我平静地说，“不为什么。我高兴。”

不管他多么困惑地盯着，我把手插在裤袋里径自走了。

28年过去了，那炉子的具体形状早已沉入了黑暗的遗忘之中了。火苗却使我想起了当年的火苗，同样的蓝色，同样的透明，只是比起当年那只小火炉里的火苗，实在不够生动。

但是我仍夸张地欣赏它，赞美它，而且一点也不感到虚伪。

所有美好的感觉，都是环境和心绪在那特定瞬间猝然遇合所创造的，最美的感觉都是不可重复的。

同样是红泥火炉中的蓝色火苗，同样的从容，同样的悠扬，但是在失败中被孩子们嘲笑，又无可奈何地赔笑的感觉是一去不返了。

拉开了时间和空间的距离之后，危机的迫切性淡化了，就使回忆从现实的束缚中解放出来，正是因为这样，回忆有一种功能：为逝去了的灾难渗入当时也许并不存在的诗意的情调。

怀念一个眼神

25 年没有回德化，到了德化，就感到遗憾了。回来的意义也并不完全是看风景。穷困的山区小城，变成了现代化的城市，高楼大厦，气魄宏大。难道真的比我在福州、厦门，甚至法兰克福、纽约、巴黎看到的还阔气、神气吗？然而不管别的地方多么豪华，都抵不上德化新建的大街，它们在我心目中的位置是不可替代的，这里有我留下的记忆。在人生最为艰险，甚至走到自杀的边缘的时候，德化用大山一样宽宏的胸怀收容了我，给了我难得的温情。在下放（或者流放）到德化之前，我总是不断地为自己的轻信朋友而后悔。生活教训了我：不要相信任何人，尤其是朋友，让我学会自私吧。但是在德化却不然，农民，哪怕是第一次相见，也都把我当作关切的对象。在德化人中间，是不需要对任何人都心怀戒备的。

那小河上的石桥，还在吗？我曾经倚在那有点发烫的栏杆上，遇到一个农村干部，虽然，在当时和后来，我连名字都叫不出，可是他却把我当作知己，告诉我林彪爆炸的绝密消息，至今我还记得当时的惊心动魄之感。他要求我千万保密，我也虔诚地点头，但是，五分钟后，我就把这个大快人心的新闻，告诉了我所见到的第一个人，虽然那个人和我谈不上知心。那公社食堂呢？我曾经在那远近几十公里方圆之内唯一的乒乓球桌上，打得大汗从鼻子上往下滴。烧饭的老阿姆非常认真地问我："老孙啊，干什么这样辛苦啊？赢了球又不记工分！"德化方言，我还没有学到可以自由表达的程度，只是意味含混地笑了笑。然而这并不妨碍她打一盆温水，放在我身后。我这个老是在右派边缘上走钢丝的分子，多少年了，连平等地对我笑一笑的人都很稀罕，就是最同情我的朋友也只能在宿舍里和我平静地说话，一走出房间，就不能不马上就做出一脸冷若冰霜的样子，好好地一块进食堂，突然和我拉开了距离。这些我都习惯了，朋友受我的连累已经够多的了。但是在德化的农民中间，我体验到一种久违了的平等的默契。听说，那条从大队通往附近小镇的山路已经改成了公路，这多可惜，在这条路上，留下了我和农民朋友多少赶集的脚印。那路边有芦稷草丛，有原始的椿树、杉树、楠树，甚至眼下已经贵族化了的红豆杉树，在那遮天蔽日的浓荫下，空气里还震荡着当时讲故事的声音吗？原始的大自然让人们的心解除了戒备。不能忘记一个叫卢衡权的农民。他知道我当时在政治上的险恶处境，就在有意无意之间保护我：有一次在赶集的时候，一个年轻的姑娘问我："什么时候回家，我们一起走好吗？"我随意地答应了。随即感到衣服被他有力的手拉了好几下，我无声地跟他走到一个角落上。他说："这个女人是个'破鞋'，你跟她走，要经过好几里没有人家的地方。不管你和她有没有发生什么事，回来以后你就是跳进黄河也洗不清了。"对一个陌生人发出这样的警告，这在城市里是需要多大的勇气啊。然而在这里，并没有任何冒风险的感觉。

最难忘的是，我在一个白云深处的生产小队，劳动了几个月以后，突然来了个"一打三反"运动。一辆当时德化农民从来没有见过的英国三角牌小轿车停在了公路边上，下来的居然是我的几个学生和几个如狼似虎的专案人员。从春耕的水田里，我被拉走了。所有的农民都流露出惊诧的眼神，他们沉默着向两边让着路。我不知道是为我，还是为当时神气活现的专案人员。

当我被背后三双冷漠的目光押解着走向公路边的时候，一个刚刚认识不久的年轻朋友，一个民办教师，向我迎面走来。我在农民当中早已遗忘了的政治自卑感，突然冒了出来，不由自主地回避他的目光，然而他却主动地迎接上来。那虽然也许只是短短的一秒钟的对视，却比一个小时的对话还要震撼我的心灵。那目光中充满了火热的同情和悲哀，忧虑和关切，还有不平的问讯：这是怎么回事？

已经多少年了，这样温情的目光在我这个备受歧视的人的脸上已经久违了。当时，我那软弱的心不能承受这样的温情，惭愧地低下了头。然而，他的目光却坚持着，像一阵固执的风，在我脸上一停就是 28 年。

这次到了德化，却找不到他了。他当时是个民办教师，我不知道他现在是不是"转正"了。打听了好多人，直到快要离开，才偶然地从陪同的人员口中得知，他转正以后，还当了一个时期的中心小学的校长。这使我深深庆幸。但是他最初告诉我的联系方式却是错误的，等到得到比较确切的地址时，已是快要启程回家的时刻。

本来，回到德化最大的享受就是和他这样的朋友聚谈，天南海北，神聊胡侃。但是天不作美，我只能托工作人员给他带上一本散文，其中不少篇幅是描写我在国外大学的情感经历的。但是这只能让他知道我这几年的情况，而他的情况，却是空白。他那当年美丽的，几年以后就像花一样憔悴了的妻子如何了？他的孩子当年还没有出世吧，那些当年的朋友这几年的日子过得怎么样？这一切都只能有待来日了。

他是一个普通的德化人，很聪明的，只是没有正规文凭。我时常想：如果他和我一样有机会受到良好的教育，我相信他的成绩当不在我的许多有文凭的朋友之下。

他的名字叫郑进贺，我相信他是一个普通的德化知识分子。虽然是个小知识分子，但是在我记忆中，却有着当时大知识分子少有的天然的正义感。

晒干的胎儿
——幽默不起来的故事

1974年，我从福州出差到宁德，住在一家非常简陋的旅馆里，同房间一个采购员对我讲了一个故事，20多年来，我一直没有忘记。

事情发生在武夷山区一个偏僻的小镇。主人公是一个公社的主任。其人长得相当英武，用闽南话来说，就是“猪哥”（公猪），用今天的话来说，也就是相当性烈。不管这个镇上来了多么骄傲的城里女人，邮电局的报务员也好，保健院的护士也好，甚至那些自视甚高的中学女教师，凡有几分姿色，有一点水灵的，都一个不漏地被他勾搭上手，不久又毫无例外地丢弃，听任嘤嘤的哭泣声在半夜里飘满全镇。

不久兽医站来了一个眼睛撩人的女人，那花花太岁立即和她有密切的来往。镇上眼睛比嘴巴更为尖刻的女人，很快就发现，那女人的肚子渐渐显出了一条隆起的弧线。一些缺乏雄性激素的男人和有过多雌性激素的女人，就毫不掩饰地期待着夜间侧耳倾听到嘤嘤的哭声。

然而，令他们失望的是，几个月过去了，哭声不但没有听到，相反，这个女人的脸上放射出了耀眼的幸福光彩。

眼睛撩人的女人早就料到花花太岁的本性，在她怀孕之后，服从了他人工流产的决策，但是她不动声色地留下了杀手锏。在那花花太岁以为万事大吉，把目光转向从城里新来的女人之后，她不动声色地走进了他的房间，不慌不忙地取出了一个包扎得很紧的小塑料袋，一层又一层地揭开透明塑料薄膜，拿出来一团小小的肉干。

那花花太岁厉声问：“把一团肉干拿来干什么？”

那女人脸上带着灿烂的笑容说：“这就是你的儿子。我把他打下来，放在屋顶上晒干的。”

花花太岁对着干瘪的胎儿看了一眼，皱巴巴的脸，像烧焦了的核桃一样，那骷髅一样的眼窝上还带着紫色的血块。

他恐惧地大叫一声，就什么话也说不出来了。

他们不久就结婚了。花花太岁即使偶尔拈花惹草的旧病复发，只要眼睛撩人的女人把塑料袋往起一扬，他就服帖了。

我想象不出这个可怕的女人在生活中是个什么样子。

她是个泼妇吗？她骂起人来，尤其是骂起丈夫来，一定是别出心裁的吧。

前几天，我又碰到了当时的采购员，闲谈中问起这位花花太岁。他说，改革开放初期，那个眼睛撩人的女人和他，走私、制假，大大发了一笔。可惜的是，这家伙得了癌症，这些年走路都像散了架，可那女人的眼睛还是像年轻时代一样撩人。

镇上那些暴发户没少打过她的主意，一个个都碰了一鼻子的灰。

她只是忙着照顾自己的丈夫：喂食，穿衣，拉屎，撒尿，一手包办。这位采购员（现在他已经有了更大的官衔）说着，脸上露出无限的艳羡之情，随后他漫不经心地补充了一句："可是，她经常骂他，那个骂法，是男人都难以出口的，骂得他一佛出世，二佛升天，是她的乐趣。声音还挺高，家家户户都熄灯的时候，全镇都听得一清二楚。真是花样翻新，每天骂法都不一样。"

"那他呢？我说的是，那个花花太岁呢？一点反抗都没有吗？"

那采购员笑笑，说："他说：'我现在这个样子，只好当自己是聋子。'"

那采购员把没有抽完的香烟放在耳朵上，说："他还有一句话挺逗，说是，'每逢她骂，我就当她唱歌。她可真有一副好嗓子。'"

我却觉得这有点恐怖。

而他却觉得这很幽默。

他笑着，脱下袜子，挖着脚丫。

德化一中：我的生命转折点

回顾80多年生命史，透视时光的隧道，最为黑暗的就是“文化大革命”中期，而从黑暗的尽头透露出一线光明的转折点就是德化一中。

1970年春，华侨大学解散，教师全部下放农村。当时的感受真是五味杂陈，心乱如麻。1960年我从北京大学毕业，第二年从北大“调动”到华侨大学，明知被贬，仍然怀着奉献青春的浪漫情怀来到我心灵地图上还不存在的泉州。接着一连5年被打入教学冷宫，“文化大革命”一开始，两句完全是捏造的谎言，引发大字报围攻，全校2000张，我独享1000。接下来整整4年，破帽遮颜，忍受着学生的冷眼、鄙视和敌视，就是挚友也只能在宿舍交谈，不敢在公开场合与我言笑。

学校解散，全体下放，一则以喜，终于可以脱离这个千夫所指的恐怖氛围，一则以忧，这也许是和大学校园最后的告别了。前途渺茫，难道就此变成日出而作的农民？到了德化，最高的理想是留在城关中学，教小学也成。但是，领导讲话传达了，不能让大学里思想不好的到中小学，孩子心灵白纸一张，容易受到污染。下到德化的几十名教师，留在城关教小学的只有一两个。余下的都到公社，也就是今天的乡镇。虽然乡镇也有学校，甚至有中学，但是我没有资格。行李搬到大队，在大队蹲点的干部，又把我“分配”到生产队。还要攀两三百级石阶，才到达云雾缥缈的木屋。早上起来，第一件事就是到田里挑水，用木炭炉烧水，洗脸，煮饭，然后是洗碗，涮锅，再洗脸，洗手。一套程序下来，九点多钟了。按习惯本该是读读书的时间了，但是，米和菜要到10里开外的公社去买。把一个月28斤的米背到木屋，已经是12点多。煮饭，午休，2点半了。该读书了，想到晚饭要煮，又开始生炉子。吃了晚饭，洗洗涮涮，天黑了。点上煤油灯，拿出仇注的杜甫全集。不知是筋疲力尽还是心灵空虚，竟提不起劲头，勉强坚持了几天，深深感到在这点灯都用松明的地方，读杜甫有什么用呢？改读英文本《老人与海》，薄薄的一本，居然读了半年，洗脸时，发现鼻孔里的煤烟越来越厚。真像海明威笔下的圣地亚哥一样孤独，但却缺乏他那种失败了的硬汉子精神。社会不需要杜甫，这里善良的农民也不需要海明威，更不需要我。

从来把读书当作第一生命的我，正是而立的壮年，只能浑浑噩噩混日子，浪费着只有一次的生命。但是，也不无自慰，已经沉沦到生活最底层，几乎就是农民了，再有什么运动，也不能整到哪里去了。偶尔和纯朴的农民谈笑，还是不能抑制不时袭来的无名的郁闷。我在北大，大大小小也算是个才子，在大学里，习惯于享受尊敬的目光，如今却沦落到为人漠视，最多是怜悯的对象。我不无委屈地感到自己成了俄国文学里那种“多余人”。

也许是应了《易经》所说“否极泰来”的规律，突如其来，吩咐我到县城报到。

教育组负责人眼睛都不看我，命我到德化最高学府——德化一中去教语文。这当然是喜从天降。但是，翻一翻语文课本，却感到惶恐。第一课就是毛主席的《为人民服务》，全是崇高的命题，我自知思想落后，处于“反动”的边缘，哪里能领悟其中博大精深的内涵？弄不好犯政治错误。我说，我不会教语文。那个负责人，有点不耐烦，冷冷一笑，你中文系毕业的，怎么不会？我说，我的思想有问题，教不好伟大领袖的伟大思想。他不说什么，只把眼睛威胁性地斜视着我。要知道当时多少陷在农村的知识分子最高的理想就是上调城关，我这样不识抬举，有可能被退回农村。我感到了事情的危急，努力用一种卑微的口气说，我可以教英语。

那是1973年的春天，美国国务卿基辛格年前访华，引发了全国规模的学英语热潮。广播台的英语学习节目甚为风行，民间流传着一本《英语九百句》，洛阳纸贵。他有点惊讶了，终于把眼睛正对着我了，但是，没有说话，我立马读懂了他眼睛里写着的疑问。说：“我从小学四年级开始学英语，初中、高中前后十几年都在学。大学生时期就能读英文原版的《简爱》，大学毕业后十年如一日，坚持学英语。”他当然不懂得什么《简爱》，可眼光里的惊异渐渐消失，终于施舍一丝笑意。我知道，那时中学增开英语课程，根本没地方去找教师。他做出宽宏大量的姿态，拍拍我的肩膀，说：“那好吧，过几天，有专家来县里巡回培训，你去参加吧。”

虽然觉得培训对我来说，完全是第六个指头，但是，机不可失，还是去了。

我有意坐到后排，培训教师一进门，我就认出是华侨大学外语系的朝夕相见的朋友，他问：“你来干什么？”我说：“接受你们的培训啊。”他笑了：“你还要培训什么？你应该去培训他们。”其实，他们的培训实在是太小儿科了。就是最简单的读音，加上国际音标之类。不过，我不敢掉以轻心，一连几天，坐在后排抄了整整两三本新诗集。

初到德化一中，眼前的一切让我与其说是兴奋，不如说是惊异。这是一片多么神奇的文化景观啊，全城只有百货公司和电影院才有两三层红砖楼，其余房屋都是平房，黄泥巴的土墙，而一中却坐落在一座古色古香的宏伟高大的孔庙之中。一进门就是泮池，拱形的石桥横贯，桥下虽没有鱼，但有几片睡莲叶子。迎面则是大殿。四根直径一尺以上的廊柱高高耸立，猩红的漆泥有些剥落，仍然残存着往日的显赫。“大成至圣”的匾额，积满灰尘和蛛网，我仰望良久，力求辨别上面的比较小的字迹，一不小心感到胯骨疼痛，原来是碰到了廊柱之间的乒乓球桌。

大殿两旁是校舍，分配给我一个单人房间，在2楼，墙壁都用黄泥和碎砖冲压而成，一块砖头都没有，木质地板，墙壁倒是用石灰刷过的。居然还有一张办公桌，一个小小的书架，一张藤椅子，这显得很有点奢华了。把门一关，这就是我的天下了，我的生命将从这里重新开始。那没有校园，没有学生，没有同事的流浪生涯一去不复返了，那种难以驱遣的“多余人”的隐痛消退了。闭上眼睛，听到久违了的上课的铃声，篮球场上的欢笑声。封闭了三年的教师的感觉，一下子复活了。我可以大声地反复朗读海明威了，生命最空虚、最黑暗的阶段结束了。最为难忘的感觉是，不但学生叫我“孙老师”，而且一中的同事，也这样叫，他们是那样的真诚，好像我真是他们的老师似的。

已经三年多，长达1000天，没有听到人们这样叫我了。我再也不是从孩子到成人口中那个“老孙”，那个人前人后都是“老孙”的空洞贫乏的符号消失了。“孙老师”的称呼，意味着生活需要我，我不再是生活中多余的人了。

正是在德化一中，我恢复了为人师的尊严，当教师的幸福感复苏了，生命的转折点就在这里。

未来从今天开始。

那时的英语课本，真是太简单，一开头就是“毛主席万岁”，还有美国人都可能看不懂的“赤脚医生”（bare foot doctor）之类。一课只有四五句，最多七八句。两个班的课程，我上了一个班，课文都背上了。有时，我两手插在裤袋里，不拿书就去上课。学生们觉得我好潇洒，我的语调比较流畅，他们感到有一点洋味。学生们大都由于好奇而专注。

为了给他们真正的英语感觉，我探亲回沪时，买了电唱机和电唱片，在课堂上放给学生听。当然不免脱离实际，毛主席的《为人民服务》，还有诗词，学生哪里可能听懂？后来我就改放一些英语的歌曲，如澳大利亚的《剪羊毛》，还有美国黑人歌曲《老人河》。学生们虽然听不懂，但却会跟着唱。学生习惯于背英语单词，我觉得这是最不好的学习方法。根据自己多年学习英语的经验，我以为最佳的途径乃是造句，在生活中运用。但是，山区的孩子们在家里都讲闽南方言，要让他们在日常生活中用英语对话是很困难的，我就让他们写英语句子，把句子连贯起来，就是一篇简单的文章。我把最好的作业集中起来，出了黑板报。虽然，其中有些句子是中国式的，所谓chinglish，但是这也激起了那些孩子的勇气和兴趣。

电唱机放在我的房间里，放出的歌曲不仅仅是英语的，而且还有一些当时流行的歌曲，诸如兄弟民族的民歌之类，这就吸引了一些不速之客，他们不时到我房间里聚会。语文老师，美术老师，纷纷来谈文说艺。教物理的徐志诚老师，很有才华的，可惜在德化这个偏僻的小地方，委屈了他的才气。美术老师，画得一手很像样的国画，我向他求了一幅。语文组的老师告诉我，当时风行全国的朝鲜电影《卖花姑娘》的主题歌，其主题来自一首西方的乐曲。历史老师本来是山东大学的，借着下放的机遇，回到了家乡。这个似乎是穷乡僻壤的山区中学，藏龙卧虎，人才济济。

一些德化的文艺青年，也不请自来。至今我还清晰地记得，一个青年女歌手来独唱。一时我那陋室居然也就"谈笑有才子，往来无庸人"了，回想起来，那应该是当时德化的一道文化风景。这些常客，后来有不少成名成家的。如德化瓷厂的洪惠镇，20 世纪 80 年代以后，成为画家，权威的美术评论家，厦门大学艺术系教授。

从 1966 年"文革"一开始到 1973 年，文学作品在报刊上长期绝迹。后来我发现，《福建日报》上出现了诗歌。福州出版了《福建文艺》，泉州则有《泉州文艺》。我一看那些诗歌，产生了一种自己都觉得狂妄的想法：就这个水平吗？我随便写写，也比他们强。正好德化也出现了《德化文艺》，主持工作的是陈志泽（后来成为泉州作家协会主席），虽然不是一中老师，但住在一中，因为他太太在一中教书。他是福建师范学院中文系毕业的，我们有共同语言。我的创作冲动得到他的支持，发表出来的第一首诗的开头是当时风行的民歌体："好竹出好笋，好瓜生好藤。顶着那：大暑小暑，奋战着：抢收抢种。"这首幼稚的诗，居然成为我生命质量的另一台阶，我继续写下去，不久就有新作在《福建日报》登出来。今天看来，难免假大空，可在当时，不但是在德化，就是福州，都有些轰动。更多的知识青年到我那土房聚会，其中一个英语相当不错，他母亲是中学英语老师。他的名字叫连心达。我们有时，也谈自学英语的体会。

正是因为这首诗，我被刚刚复办的福建师大和厦门大学中文系注意到了。刘登翰向两个学校的有关负责人士介绍了我。他们惊讶：居然还有一个北京大学中文系的研究生窝在德化！师大中文系的总支书记徐仁杰同志眼明手快，居然就通过省里发了调令。

其时我当然一无所知。

德化教育组不想放我，就采取鸵鸟政策，按兵不动。

但是，他们不知道，我和学生已经建立起了相当亲密的关系。不少学生常到我房间里谈天说地，有些从我这里借书。有一个女同学，姓马的，她热爱文学，从我这里借走了当时还很稀罕的两本小说。两天以后，就来还书，我奇怪了，看书速度这么快？她说，不用看了，你要调走了，省里来了调令。我不太相信：你怎么知道的？她笑眯眯地说，我当然知道。这时我才想起她是新来的县委书记的女儿。

我立马赶到教育组，那个负责人装作若无其事的样子。我说，不要猪鼻子里插葱——装象了，马书记的女儿可是我的学生！他第一次在我面前放下身段，说，那英语课怎么办？谈判的结果是，第一，我可以先到福建师大去报到，但是要把这学期的课上完。第二，推荐一个英语教师。我就把连心达推荐了。这位负责人对这个才是初中生的知青的水平有点怀疑。我说："他的母亲是中学英语老师，他再不行，难道他母亲不会辅导他吗？"改革开放以后，连心达去美国，成了美国一所大学的教授。

他终于妥协了，他的目光似乎变得温暖起来。临别时还拍拍我的肩膀，说："孙老师，我们一言为定。"这是他第二次拍我的肩膀，第一次叫我"孙老师"。

回到宿舍，心情平定下来，我在默默欢欣中，突然冒出来一丝不安，留恋之感油然而生。德化一中，待我不薄，顾我于逆境，温我于冷漠，慰我于异乡，敬我于忧患，我怎么好意思就这样甩手一走？但是，我还是硬着头皮走了。中断的生命价值在召唤我，我终于在学期未了，离开了那泮桥，那大殿，还有那大殿中时常让我脱光了上衣打乒乓球的桌子。带着渴望，带着一丝惭愧。

从 1973 年至今，过去了近半个世纪，这种感恩和惭愧的心情早已忘怀。可就在写这篇文章的时候，这种感觉又复苏了，正如普希金的诗所言：过去了的一切，变成了亲切的怀念。

2019 年 8 月 20 日

德化西溪村：从历史走向未来

终于有一个机会让我实现了重归德化西溪村的宿愿。30 多年来，我一直向往着到那里去，重温我的记忆，和乡亲们分享当年留下的故事。

1970 年，大学解散的风潮把我抛到这个穷乡僻壤。没有上课的铃声，没有学生期待的目光，我的生命失去了价值，变成一片空白。春节前三天，来到一片惊异的目光中，孤零零，没有亲人，没有朋友。这里的生活，并不缺少我。我背着从 10 里开外粮站买来的米，20 斤重，压得气喘吁吁，踏着乱石杂草，穿过农家晒谷场地，跨过积水和猪尿，爬过 200 多级陡峭的石阶，到达我白云深处的小木屋，筋疲力尽，没有力气，也没有心思欣赏云雾缭绕的梯田。小木屋背后的原始森林，佳木葱茏，碧涛泛滥，山茶烂漫，屋后喧哗的瀑布，泻入碧透的水潭，比朱自清的《梅雨潭的绿》还要晶莹，但是，这一切不属于我。夜来风雨声，杜鹃花并没有凋落，反而开得更热烈，也不属于我。窗外彩虹，细密的彩色雾珠，远看则有，触手却无，也不属于我。山中一夜雨，树杪百重泉，更不属于我。我不知道如何把水收集起来做饭。属于我的只是早上到梯田里，在昨天挖过一个小坑的地方，轻轻地用葫芦瓢舀起两桶水，挑起担子回去在炉子上烧开，做饭。

才 30 岁的年纪，生命已经没有了价值，没有未来，没有希望。不知什么时候，还可能失去大学教师物质保障，也不知什么时候，噩耗突如其来，又把揪回去面对狂野的口号。

西溪山高水寒，冬天真是太冷了。农民乡亲，穿着单薄的长及膝盖的黑色夹衣，连毛衣都是稀罕的，大人，小学生，衣袍下，拿着竹编小篮中的木炭炉，周身发散着一种特殊的气味，并不好闻，但是，就是在这样的气味中，我渐渐感到了一丝温暖。

我不会用油松点火，不会做饭，借来的木炭炉子，又被弄破了。老天真是不想让我活了。就在无助发呆的时候，我发现孩子们在对着我发笑，嘻嘻哈哈，替我生着了火，在他们的欢笑中，我终于有了早饭果腹。中午，素不相识的农民拿来过年的米粿。后来我记住了他的名字，叫卢衡权，我听不太懂他的闽南话，他也不能完全听懂我的普通话。可我知道，他们的口粮并不够，1000 亩梯田，养不活 1000 多口人，要偷偷到深山里去种地瓜糊口。米粿过年才能吃上的。他朴素的微笑对着我感激的眼神，心领神会，日后他成为我在西溪村最好的朋友。不止一家的孩子拉着我的手，要我到他们家去吃饭。还有三天就是大年夜了，远在他乡，举目无亲，然而，一种陌生的亲切，无名的温馨，让我几乎掉下了眼泪。

孩子们陪着我去打柴，走进原始树林，整个一上午，才打了轻飘飘一小担，20 斤吧，可在过独木桥的时候，掉到山谷里去了，孩子们一路欢笑，看他们把自己的七八担柴火放到了我的门口，外带好几簇灿烂的野花。

自从“文革”以来，我一直遭受歧视、卑视、敌视，生活在精神孤岛上，我忍受着朋友在公开场合对我保持冷漠的距离，同事们已经习惯了相互莫测的戒备，没有想到，在陌生人之间，我紧张的心理难得地轻松起来，还笑起来，享受着无私的关切。

春节后七天，我和他们一起去挖水田，光着脚踏进冰冷的水，我有点发抖，脚趾深入到软泥深处，那真叫冷彻骨髓，他们就我不要劳动，别的下放干部都不劳动也一样拿到工资啊。

他们以他们的逻辑在关心我。

很快，我们熟悉了，我买了一副理发剪刀，挨家替他们理发，他们把我当作手工师傅一样，用妇女坐月子的红米酒招待我，不知深浅的我，竟然酩酊大醉，成为一时的佳话。就这样，我成了这个贫困的、闭塞的山村的一员，我和他们一起赶集，一起通知开会，从晨光熹微到月上东山，才把几个生产小队跑全。沿路谈天说地。我渐渐听懂了他们的闽南话。听他们发牢骚，骂干部，胡吹海侃，精神上完全不设防。我渐渐从精神孤岛中解放出来。一时忘却了压在我心头的噩运和未来命运的忧虑。我深深为远离大学里那种精神紧张而庆幸。村民们的眼光不再陌生，我已经属于西溪，西溪也属于我。

但是噩运还是来了，正地头和乡亲一起劳动，已经解散的华侨大学留守处突然派人把我押解回去。我穿过两旁惊呆了的人群，迎面走来了民办小学老师郑进贺，他发出了极度惊异略带不平的声音喃喃说，这么回事？！他无声的、同情的眼光停在我的脸上，一停就是 20 多年。他并不知道他的同情和正义感对于我是多么珍贵。7 个月后我从华侨大学回来，内心充满了沉重的忧虑，在那阶级斗争为纲的时代，乡亲们会怎样看我这个被押解回去的异己分子？我会不会重又遭受歧视，忍受白眼和戒备性的疏离？那个已经属于我的西溪村，会不会从此失去？但是，我错了，我的回归，居然不亚于一种胜利的欢庆，慰问性质的糕粿热气腾腾，亲切的问候和玩笑溢出了我的小屋。

西溪村已经成了我精神避难所，雷打不动，永不离异。

不知为什么，我都没有来得及和郑进贺谈起他的眼神，直到 20 多年后，我写了《怀念一个眼神》，在报纸上刊出。他的亲戚看到了。我们在通信中，共享那永恒的刹那。

30 多年来，虽然远离西溪，但是和西溪的情感联系却没有中断，郑进贺时有电话，我那篇怀念眼神的文章颇有影响，把他的名字传到了美国华人圈中。还有一个当年上涌公社的广播员吴秋安，后来考上了师范，也从我怀念泉州和西溪的文章中得到信息，和我建立了相当密切的联系。她为我能够记住她和她的丈夫名字感到高兴。

那过去了的一切变成了珍贵的怀恋。

回到西溪村，本是为了重温那为时间淡化的记忆，可是记忆中的西溪村却消失了，那曲折坎坷的山路已经为高速公路代替，村民委员会主任卢普暖用轿车载着我，风驰电掣，谁还记得当年老旧的汽车两厢呕吐的食物的痕迹？当年那曾经跌死 6 个月的小牛的独木桥变成宽广的大桥，汽车长驱直入。当年根本忽略了的唐僖宗年代古石桥，修建成古色古香的廊桥，俨然成为休闲公园的景观。卢善普的老旧的木屋修建成两层楼，一字展开的阳台，从栏杆上俯视整洁的庭院。乡亲们已经不用像我当年那样去田里挑水，家家户户，自来水龙头随时可打开。当年猪尿流淌的屋前，竹篱围绕着菜园，老人孩子，人手一机，通知开会已经不用走一天崎岖的山路，连最偏僻的石门头那样的角落都通了公路，路边是和城市无异的路灯。层层梯早已没有了庄稼的影子，代之而起的是盘旋而上的果园，一个农业技术公司正在精心经营。

西溪村早已摘掉了贫困村的帽子。这一切，都使我这个西溪村故人感到欣慰。当然，感叹着这样的变化的时候，我们不能忘记泉州石化有限公司，杨思敏作为村支部书记，在此三年卓有成效的劳绩，虽然他已经期满离任，他的后任村民委员会主任卢普暖，仍然将他的理念发扬光大。

但是，欣慰中也有失落。村子繁荣了，熟悉的人却不见了。原来 1000 多人，只留下 100 多人。年轻人、壮年人大都在城里有了事业。当年大队长的孩子，念到小学毕业还讲不清普通话，除了课本上的文字，他想象不出普通话究竟有多么丰富。他曾经很认真地问过我，普通话里有没有骂人的话。然而就是这个孩子却在德化一个瓷厂里成了神气的白领。当年因为年纪较小没有引起我注意的郑英添，实实在在有了自己的瓷厂。他送我一个自己设计的花瓶，还带有红木的底座。

40 多年，西溪村真是换了人间，共同的记忆每天都在增值，变成了传说。一个女孩，我在西溪那年，她还没有出世，特地来和我合影，仅仅是因为他父亲对她说过关于我的传说。这令我感动。但是，我的朋友卢衡权却过世了，人世沧桑，颇为伤感，不无欣慰的是，他那时才 4 岁的孩子已经长成一条大汉，和他的母亲来了，我们合影，作为历史的变迁的证据。郑进贺的兴奋富有感染性，他早已不是民办教师，而是一位中心小学的退休校长，他对地形地貌的解说，充满自豪，货真价实地成为历史的导游。

重游故地，本来出于怀旧，这里的历史本是农民的历史，但是，农民大都进了城，层层梯田已经为农业技术公司承包，这里似乎已经不属于锄头和镰刀，而是属于新的生产力。年轻人都到城市里去飞翔了，承包梯田的公司职员一个个西装革履，话语中，不时夹着英语。

这一切，让我不仅回顾着过去，而且展望着未来，卢普暖坚持让我为西溪村题名，要刻在村口石头上，我想石头是不朽的，可以见证未来，再过 40 年西溪会是个什么样子呢？这个问题，我是没有可能回答了，我挥笔时，怀着期待，期待卢普暖、郑进贺、郑英添、卢衡权的孩子，还有他们孩子的孩子做出美满的回答。

2020 年 6 月 14 日星期日

红土地之梦

30多年前，那是“文革”后期了，把教师当作敌人折磨的风潮已经淡化，新的口号是师生是同一战壕的战友，大学中文系基本不上课，时髦的做法就是所谓开门办学，一两个教师带着十几个学生到山村、渔村去采访革命色彩强烈的故事为文。我两次带着学生去过闽西红色根据地。先是乘火车到龙岩，然后就是步行到革命圣地古田、上杭、长汀，那时流行的说法叫作“拉练”。踏着红土地，每一步都感到红军脚步的回响，唱着革命歌曲前进，呼吸到的每一口空气都是神圣的，革命的浪漫诗意如梦如幻，气壮山河之感油然而生。但是，拉练路上，潜意识中有一种煞风景的情绪不时袭扰。满眼大都是草木稀疏的童山。来时听一个老红军报告说，当年从龙岩到古田的路上，原始森林，子弹都打不透，红军在林深处唱歌，白军可闻而无可奈何。山间的村舍屋瓦残破，小镇大街上，不时有七八岁的男孩子，光着屁股一丝不挂的，嬉笑追逐。女同学只好背过脸去，只有个别比较天真、大胆的女孩子，发出惊异的笑声。徐启庭同学告诉我，他就是在这片土地上长大的，这很颇使我产生艳羡之意。但是，他又说，在三年困难时期，他们村子饿死了不少人，他自己也饿得奄奄一息，连鼻子上有苍蝇都没有力气举手驱赶，幸而有个好人，给了他一块糠饼，他得以延续生命。这对我的浪漫美梦是一个打击。但是当时红土地之梦是如此神圣，隐隐约约的不安很快就被自己当作资产阶级思想一闪念狠狠驱除了。

30多年后重来闽西，已经不用拉练，而是在高速铁路上乘风驭奔，昔日童山已经植被丰茂，重峦叠翠，远近浓淡，逶迤起伏。山间民居丛簇蜿蜒，皆是现代小楼，间有传统飞檐，西式阳台，嫩绿、淡黄、鲜红的立面，鳞次栉比。乾坤飞转，日新月异，这哪里是闽西的穷乡僻壤？我20世纪90年代初到西德乡村的感觉油然被唤醒。昔日古旧荒凉的上杭、长汀，呈现出一派现代都市的壮观，旅馆里豪华大厅完全可以和厦门、福州的五星级宾馆比美。小村才溪的建筑行业，早已在深圳成为一方诸侯，夜晚城市照明工程和才溪第一模范乡光荣亭，流光溢彩，博大的精神在名震华夏的紫金矿业中传承，小城已经盛不下它的气势，其股份的飞涨，令华夏人仰视，客家人世世代代的艰巨坚韧焕发出放眼世界的气魄。客家博物馆里先辈千里跋涉的豪迈和革命元勋的豪迈精神达到饱和状态。闽西人没有守着当年的英雄气概吃老本，也没有完全等待中央对老区的特别照顾，而是以一种淡定的从容，让千年的贫穷和落后在谈笑间灰飞烟灭。

红土地上，春天有漫山遍野的杜鹃，就是冬天也有开不败的三角梅绽放，哪怕是岩石缝隙中的四季不谢的野花也炫耀着红土地的自豪。

红土地中的鲜血渗透得太深了，传统基因太肥沃了，理想之花才显示了这样的风采。

为了红色的梦想，小小一个才溪村4000名青少年，就有3400名放下了锄头，走上了浴血奋战的前线。40年前，我在简陋的才溪纪念馆细读过烈士名单，牺牲在战场上的竟然有1100多名。有名有姓的三兄弟，老大牺牲了，老二参军，老二牺牲了，老三义无反顾，前仆后继，慷慨赴义。老大还是身绑手榴弹，顶着敌人的碉堡与之同归于尽。当时给我的震撼至今记忆犹新。如此英烈居然鲜为人知，可能是太多，也可能是宣传手段欠缺，以致日后黄继光的事迹要从苏联卫国战争期间的马特洛索夫那里找到根源。

相比无数烈士，才溪的烈士还是比较幸运的。毕竟他们的名字还留在那油印的小纸片上，而且还有毁而复建的光荣亭作为永恒的象征。

而那红色交通线上的烈士们，却大多没有留下名字，由于是地下秘密工作，壮烈的事迹几乎被时间磨灭。汀江口那个被白军烧了三次的土房，虽不及光荣亭那样辉煌，烧而复建却同样雄辩地展示着它的不朽。从上海临时中央通往中央苏区的交通线，大都破坏了，为保持这条生命线，一个家庭付出牺牲了七口的代价。英雄的事迹随着家属的远遁他乡而几近消失，如果不是这一家族第三代出了一个颇有文化的后代，也许壮烈的精神就像无人的山涧旁的鲜花一样自开自落了。感谢这个年轻的有心人，悉心收集整理7位先烈的事迹，又惊动了当年曾经在这条交通线上走过的叶剑英的后代，感动了一位企业家，为这个荒僻的山村修了一种简易的公路，先辈的业绩才得以传播。值得一提的是，当年以生命为代价的英雄并不讲究物质报酬。上海临时中央负责人经香港进入苏区首府瑞金，转道汀江口。交通员杀了三只鸭子招待。来人不过意，说，来往人物这么多，你们怎么接待得起？给了3块银圆。直至1949年以后，从报纸上，才知道给银圆的是周恩来。而那些暴露了的交通员，当然不能享受这份惊喜了。他们被绑在木桩上鞭打，英勇不屈，最后在烈火中献身。远避粤地的后代，回忆当年野蛮的场景，烈士的躯体都被烧成鱼干一样，至今他们见到鱼干就发抖。

我想，当年烈士临刑，生命意识最后消失之前，眼前出现的，令他们义无反顾的如梦如幻的景象，也许就是今天红色土地上现代化的一切。

应该承认，今天这样绚烂的景观，远远超越当年的烈士们的梦想。但是，这并不妨碍他们把梦想概括在他们并不彻底理解的外国语“苏维埃”中。也许在他们的梦想中，如梦如幻的未来，是微风吹动下飘拂的红旗，是光彩夺目的红星照耀着郁郁葱葱的丹山碧水，是一阵阵欢庆丰收的客家山歌。不能看到理想的实现是痛苦的，但是，他们并不悲哀，投入血与火战场的时候，他们早就把生死置之度外。为梦想献身，他们愿以生命为代价，有当年的山歌为证：

要吃辣子不怕辣，要当红军不怕杀。

但是，要说他们面临死亡的时候，百分之百绝无遗憾，可能并不全面。翻阅才溪烈士名册 1600 名，可只有 1100 名血染疆场，还有 500 名呢？不可回避的是，他们牺牲在筑梦的路上。红土地的梦不管多么崇高，在追梦的征途中，并没有现成的航图，在乱云飞渡的峰峦，在起伏的惊涛海浪之间，在旋涡与暗礁之中，噩梦有时带着神圣的光泽，敌人的阴险，加上自身的误判，以革命的名义，枪口对准自己的胸膛，500 壮士牺牲了，背上了黑暗的罪名。我曾经看过一个材料。有一天，乡苏维埃的干部得到通知到某村开会，到了会场已经有 7 人在等待，姗姗来迟的主持者带来一份文件，宣布与会者均为“社会党”、“AB 团”分子，当场执行枪决。这令人痛苦的冤案得到平反的时候，已经是 20 年后。

幸而当年尸骨无存的他们终于被列入烈士名单。

在这样的烈士名单面前，“悲欣交集”都难以形容我心灵的震撼。

他们的名字虽然不能刻到天安门前革命纪念碑上，但是，他们的英灵应该当之无愧地享受那来自五湖四海的朝圣的目光。

梦想是美丽的，但是，梦想的火光却往往是星星之火。与黑暗搏斗，是武装斗争，子弹是不长眼的，眼睛有时也会欺骗自己的，自伤是难免的。红土地之子，不但有面对死亡的坚定，而且也有背负冤屈的忍耐。

生活在先烈之梦化为现实之中，我们平凡的每一天，都是他们梦中的节日。我当然是幸运的，但是，内心并不平静。当我向罗汉岭下瞿秋白的丰碑鞠躬的时候，同时也是向那些背负过黑暗的冤名的英烈膜拜，冥冥之中，我似乎看到了他们欣慰地微笑，我想，这肯定是他们生命最后时刻的梦想。

梦想的不确定性，带来的不仅仅是英雄的噩梦，而且还有噩梦后遗的幽灵。我看过一个被冤杀的烈士的妻子的材料。她本是苏维埃的妇女主任，受丈夫的牵连成了反革命家属，失去信任，受到歧视。等到白军复辟，她又成了匪婆，受到打击，无以为生。幸而获得一个农民同情，乃改嫁。可在 1949 年土改中，她的丈夫又被评为富农。她第三次打入另册。

可惜，她没有活到改革开放的年代。

一切都过去了，但是，我并不像普希金那样轻松地自慰，那过去了的一切，固然可以成为亲切的怀念，同时更应该成为对红土地之梦的更深邃的理解。

红土地之梦并不是戴着白手套实现的，为了实现梦想，需要付出的不仅是义薄云天的生命、终于得以昭雪的冤屈，而且还有不可挽回的无奈。

对于红土地伟大的梦想来说，这一切都是必要的代价。

正是因为懂得了这一切，红土地的儿女，不管在什么样的逆境下，都不改初心，把从容通过血与火的洗礼的故事，作为精神遗产留给后代。

2017 年 9 月 16 日

德化小城童话

“文化大革命”浩劫时期，华侨大学解散了，像我这样的准右派，只能到德化跟“穷山恶水”亲近。幸而还可以拿工资，当然，尾巴是要夹起来的。当时的权势人物有点官僚主义，没有权势的我们，也有一点兵僚主义，都把德化看成了《水浒传》里只配脸上刺上字的犯人安生的“远恶军州”。但是这几年，对德化的记忆，随着德化发现了金矿，也提高了含金量。

快到德化的时候，我不禁激动起来，当年寒碜的城关历历如在目前。

把唯一的一条街叫作“三角街”，表现了德化人的数学天才。明明并不存在三角街的美好组合，就那么一条街，还是残缺不全的，不超过 50 米，称之为三角街，居然在十多万父老乡亲中没有任何争议。最大的百货商店不过两层的土木建筑，在德化人心目中，尤其是那些远在山沟里、几年才进一回城的、为了几尺红布而伤透脑筋的少女，绝对不亚于梦中的南京路。一家饮食店是最阔绰的农民才敢进去的地方。古老的“干打垒”的土墙和德化人一样留恋故土，从 20 世纪 50 年代到 70 年代，不肯从德化城市的历史上撤退。在大街上，在县政府，在德化政治、商业中心，“干打垒”的泥墙和青砖墙与其说是互相亲热地紧接着，不如说是互相警惕地僵持着。历史发展得竟如此缓慢，顶牛的形势居然持续了 20 多年。在那靠比赛伟大口号为生的年代，德化人最大的苦恼就是许多伟大的标语没有与之相称的砖墙。在德化人的所有才能之中，最使我惊讶的莫过于用糨糊把 5 米高“毛主席万岁”的标语贴在泥沙剥落得连石灰也很难糊上去的土墙上。

惊人的奇观还要数微型的农具店，完全是手工制品，簸箕、牛绳、锄头、扁担、斗笠，和童话中玩具商店的规模差不多，但是残破得妨碍着童话的感觉。牛和猪没有童话里那么聪明，也没有童话里那么纯洁，它们在街上自由地漫步的时候没有仙女陪伴着，但是，却有一种不可侵犯的庄严，就是汽车喇叭在后面使劲鸣响，它们也不改团级干部的从容，说不定还留下一堆冒着热气的纪念品。德化人见怪不怪，优哉游哉，脚底像长着眼睛似的，看也不看，就惊险地从上面掠了过去。德化人有大山一样的沉稳风度，守着古老的、安贫乐道的传统的小日子。他们不欣赏三元人刻薄地调侃自己的小城的民谣："小小三元县，只有三家豆腐店，城里磨豆腐，城外听得见。"德化城关人的生活节奏和他们四周相依为命的山一样，把平静和谐融化在街上行人自得其乐的步伐中，一点也不为生活在这个闽南最微型的小城而感到委屈，就是比城关小得多的、连一条街道都不具备的上涌小村，也被称为"小上海"。

接近城关的时候，公路正好在山坡上，司机特地提醒我们从远处眺望新德化的全景。这个小伙子有着德化传统的美好的自豪感。

在东南亚金融风暴席卷全球之时，德化却岿然不动。正值傍晚，辉煌的落日的余晖照在高低错落的玻璃钢筋大厦的立面上，傲然显示一种大城市的繁华。高层楼群的窗户上铝合金的窗框，蓝色的玻璃，坦诚地表现着德化人和大城市一比高低的决心。当年街道上的主角——牛和猪，当然是消失了。随之远逝的，还有那种古老的节奏。想凭吊一下当年最高的二层建筑——百货商店，可是却被野心勃勃争夺高空的楼群淹没了。车流如潮，胁迫着我们的耳朵和脚跟，摩托车像小蝌蚪一样，风风火火地在人缝中乱钻，街上的行人，也和摩托车一样，失去了世代祖居的老黄牛那样的从容。

喇叭声急，车轮声乱，德化的节奏变得紧张了。

到处都有一点乱得美好的感觉。银行、保险公司、外贸公司、酒楼、歌舞厅，好像在争夺陌生客人的目光和惊叹。吃过饭，天色已经黑了，星空亲切地低垂下来，眼花缭乱的霓虹灯闪烁着，好像在和夜总会的卡拉 OK 构成色彩和声音的交响。可以感叹一番的事情太多。无意间发现河对面，当年最为"豪华"的电影院，在许多大楼的挤迫下，都显得十分寒碜了。每一座新楼，每一扇落地窗户上即使没有任何广告，也都写着两个字：炫耀。但是这并不俗气，我在窗户背后看到了驱赶贫困的自豪和自信。

导游小伙子对每一处新建筑都如数家珍，他的滔滔不绝有点咄咄逼人，多少有点缺乏礼貌，叫我这个老资格的德化通有点妒忌。许多赞叹的话，让我从回忆和现实的对比中抽绎出来才有味，让他讲出来就显得缺乏深度了。但他仍口若悬河，我承认自己老了：我的德化自豪感，缺乏青春的激情。

如果我是一个局外人，可以从现代建筑艺术和城市园林的布局观念来挑剔德化的建筑。我曾经教过英语的中学，当年就在孔庙里，如今剩下的唯一文物就是一棵不显眼的柏树，历史的沧桑感无影无踪。整齐一律的校舍，美国式的草坪，而当年的泮宫水池上，古色古香、满身沧桑的石拱桥无影无踪，只剩下有点抽象意味的池塘，还有一道过分现代化的桥。

我不禁想起，当年脱光了膀子在那大殿里打乒乓球的情景。我很难想象，那么粗大的木头圆柱，外面裹着剥落的泥金，怎么会被没来由的天火烧掉。但是目睹前进的历史的人，来不及遗憾，只能为这个与我有特殊精神联系的山城而感到欢欣。

晚上，我们和县长谈话，举座皆欢。他告诉我们，德化今年经济不但没有萎缩，而且大有增长，原因是打开了西欧市场。目前国民生产总值达到 19 个亿，已经超过了江西的景德镇。县长的口气略带“地瓜腔”，自豪、自信、自尊，带着山里杂木、青草气息的淳朴和石头的坚定，一点没有沿海城市领导常有的那种斯文。但是，要说他们土气，就错了。后来，我在德化瓷器博物馆里看到一系列的出口欧洲圣诞瓷器：花篮、储蓄罐、西洋娃娃、圣诞老人，把我的想象带到西欧圣诞节的欢乐市场中去。参观了几个民间瓷雕艺术家的作品，尤其是那陈桂玉女士的玉兰座中的一个少女，令人印象深刻。上海人选择了玉兰为市花，这个在德化并不算很出色的艺术瓷雕竟意外地征服了上海人。

我从这里找到了当年童话的色调。不过已经不是老黄牛为主角的那种古老色调，而是充满了大山外面、大洋彼岸那种现代化的明快，从陈桂玉一系列瓷雕中，从那流畅的线条中，我感到了比之童话更为神奇的音乐：那飞流直泻的弧线，令我想起了京戏中急急风的节拍。童话式的微型小城已经变成了一座现代化的城市，童话世界，再也容纳不下他们的雄心了，他们的眼光已经越过山山水水，用景德镇所缺乏的艺术家的雕刀，挑起了上海市场，甚至欧洲市场低垂的红色丝绒帐幕。

1998 年 11 月 26 日

论福州美女与闽南美女

一位外地女士写了篇文章，说福州女人又土、又懒、又冷、又好奴役丈夫，还说不准普通话，把“福州”说成“胡诌”，作为城市“名片”的福州女士“太没层次”了。这使我深深感到诧异。

从外地初来福州的女人有两只眼睛，一只用来审视自己已经拥有了的丈夫，一只用来挑剔可能吸引自己丈夫的福州女人。福州女性在外地男人眼中是水灵的，可是在外地女人眼中却是成了精的。中华人民共和国成立前，上海人问起女士的长相，不好直说时，用一个外交术语：那只“照会”如何？而今，福州女性的长相成了旅游者眼中福州的“名片”。

福州的“名片”，或者“照会”，并不是只有一种，而是多种多样。大体可以归纳为两类。

一类是清秀的，似乎是把闽江的水色都集中在眼神中，吹弹可破的白净皮肤衬得唇边的汗毛都显得有点黑了，不管是樱桃小口还是南方常见的厚唇，都注定她们的风貌几乎和苏州、上海、杭州的女性差不了多少。研究过一点福州历史的人都会知道，这是三国时代东吴来的移民的后代，说不定有貂蝉、二乔的遗传基因，温文尔雅，娴静与端庄，显示着古典美的传承。其最好的证明就是，20世纪福州出过美女、才女林徽因，曾经和浪漫才子徐志摩搞过一场震撼了半个世纪以上的轰轰烈烈的恋爱。福州方言把少女叫作“姿娘”，此言不虚，其美学趣味比之北方人把年轻的女性叫作“妞儿”要高雅多了。

另外一种脸型，据考证是属于马来人种。面色黝黑，眉棱突出，眼窝深陷，皮肤紧紧绷在脸上，一寸也不浪费。天生丽质当然算不上，但用当代新的美学原则来衡量，却拥有省级、至少是地区级模特儿的身材，浑身上下没有一丝肥肉，永远不会为减肥而费心。说起话来都有关牧村的深沉和田震的磁性，这种阴性的“酷”，不但具有当代性，而且不缺乏国际性。

福州女性说起话来，把“福州”叫作“胡诌”，有一种特殊的古典风味。孔夫子说话的时候，汉人讲话并没有今天的唇齿音摩擦音f，在汉语韵学史上，这叫作“古无轻唇音”。哪怕是半老徐娘说话都接近当年刘备的太太孙夫人的古汉语韵味，绝对有吴侬软语的意境。福州人为什么把走路叫作“行”路，吃饭叫作“食”饭，晒太阳叫作“曝日头”？没有思考过这个问题的外地人，不是太没有文化修养，就是太马大哈了。

美女天生是要被异性欣赏，同时又注定了要被同性挑剔的。福州女人越是美丽，越是被外地，尤其是厦门女士看不顺眼。东北女性和她们比人高马大的身材，四川女娃子和她们比眉眼端正，湘妹子和她们比曲折柔媚的语调——有一条定律似乎是放之四海而皆准的：女人美丽与她被挑剔的程度成正比。

福州女性越是被外地同性挑剔得凶，就越是证明她的美丽。

能公平地欣赏另一个女人的美的女性，就不是真正的女性。宋祖英是绝色的，电视机前男士即使在太太面前也敢由衷地赞美，太太们口头上不得不敷衍一下，在内心有哪一个是没有一点保留呢？毕竟小宋的眼睛比之小燕子的要小得多了，要挑毛病还不容易吗？

把福州女性说得一无是处，说她们“冷”“精”“懒”“没层次”，这话太不公平。世界上的事，不公平是很容易的，要公平是很困难的。天上星多月不明，地上人多心不平。

人心不平，有如哈哈镜，不管什么事实都会受到歪曲。

为什么觉得福州女性“冷”呢？马来脸型的女性目光带着古闽粤族的强悍和精明，混合着猴和鹰的机敏，是超越古典美的。这种目光无声地宣告，女儿城的垣墙和三坊七巷的风火墙一样高筑，固若金汤，想占便宜（上海话：“吃豆腐”）的外地花花公子，识相些，不要轻举妄动。伊索寓言中的狐狸说，吃不到的葡萄是酸的。得不到福州女郎的青睐，背脊上才有“冷”飕飕的感觉。

其实，福州女性只是对于那些轻浮的目光十分冷淡，这在金庸的小说中，叫作“冷艳”。这种冷美人一旦找到她们心仪的梦中偶像，冷艳的神色就变成了不设防的招徕。

记得20世纪60年代，鄙人年轻的时候，在泉州华侨大学当助教。当年的同事一个个唇红齿白，清一色都是重点大学的高才生，虽然觉得自己多情而且纯情，可是就是得不到闽南女郎的青睐。闽南女郎纵有1000条好处，如贤惠，如泼辣，如能干，如普通话讲得不三不四，却能大冷的冬天，光脚上拖香港寄来的人字塑料拖鞋。在那经商就是犯罪的极“左”时期，她们公然摆个摊子什么都敢卖。在这种风气熏陶下，年轻女郎哪能把外来的书生当作终生依靠的对象？改革开放以后，普通话说不好，外语一窍不通，居然把生意做到匈牙利，做到罗马尼亚去。胸怀着这种传统的姑娘找对象，根本不怕当时在其他地区犯忌的“海外关系”，未见面就单刀直入：“是不是华侨？有没有侨汇？”当然，一旦被她选中，她就把你看得比她的生命还重要。闽南男人的大男子主义可能仅次于客家人，也只有闽南妇女能够消受，闽南妇女的恪尽妇道和福州妇女相比，绝对有过之而无不及。什么家务都不让老公做，我的朋友颜纯钧一次在门口洗一件汗衫，他的闽南太太非常紧张地把他叫回来，怕让邻居看到，自己难为情，人家也会笑话她懒惰。

这样的老婆多么精彩，可惜的是，你就是过不了她最起码的及格线，进不了她的门槛。

外地来的小伙子当然没有海外关系。中文系唯一的青年讲师，好不容易和一个南安的小学女教师拉上了关系，折腾了许多时日，100 张一版的 8 分邮票，花了好几版，还是突然获得对方一纸通知——到此为止。晋江的一个女售货员把我们上海华东纺织工学院的毕业生的爱情之火点燃之后，远距离地欣赏了几个月就烦了，接着又把就在隔壁的武汉大学的研究生折腾得要死要活，在甩袖子脱身之前，还让人家买了一件毛衣，也许是对 3 个月青春损失的补偿吧。

同样是这帮小伙子，“文革”期间大串连，一到福州，省物资厅的女士们马上就喧腾起来。当天晚上，该厅第一号时髦女郎，梳妆打扮，送上门来，自我介绍：年龄、籍贯、出身、学历、独女、无负担，最后是未婚。虽然市面上流行的对象排行榜，用福州话说起来是押韵的：一宰猪（可以吃到比较多的猪肉）、二嘟嘟（汽车司机——可以从外地带来平价的食物）、三支书（掌握一点购买自行车票之类的特权），但是她最瞧不起等等。

等到福建师大把小伙子们调到福州，附近最水灵的妙龄女郎，闻风就排着队来哄抢新郎。得手者喜不自胜，以当时很有点奢华的自行车作为陪嫁。三坊七巷那高高的风火围墙，号称风吹不进、火烧不透，小伙子一抖重点大学文凭，就通行无阻；走过一进天井，就增加了一分老九的豪气。而在仓山那五口通商时代使领馆区，第一代传教士翻译的西洋式客厅，点上了白蜡烛，欢迎候补女婿。不久那荷兰式壁炉上放上了特地寄到阿姆斯特丹去扩印的彩色结婚照。西式老房子往昔多少荣华的传说，都不如新郎略带上海口音惹人眼红。

消息不够灵通的女士遗憾了，拥有重点大学文凭的小伙子已宣告脱销。

别忘记，这是 20 世纪 70 年代，正是“读书无用论”席卷五湖四海的时候。

福州女郎和闽南女郎的根本不同就在于她们把文化水平当作最高准则，正因为此，她们才有马来猴一样深邃的目光，穿透时间隧道，像王宝钏一样，洞察了当代薛平贵的未来。当时最为流行的是唯成分论，而她们实行的却是唯文化论。等到泉州女士们感到后悔的时候，已经是 20 年后了。

当然，做福州女士的男朋友容易，做福州女婿困难。

福州是个出京官的地方，从来紫坊、光禄坊、衣锦坊里走出来的都是世家大族的后裔。但是，毕竟清朝和民国的显赫记忆已经和斑驳的墙壁一样暗淡了，大家闺秀变成了小家碧玉，家道中落，光靠男性的力量不足以撑持门面，女性的才干就自然而然地磨炼了出来。久而久之，在主持家政方面，才干和责任心同步增长。在当家理财方面，女性在精神的坚韧和办事的干练上超越男性，成了一种普遍现象，这在《红楼梦》里叫作“牝鸡司晨”，也就是母鸡代替公鸡报告天明的意思。曹雪芹此等说法免不了有一点大男子沙文主义的烙印，但是福州的公鸡们，在出门打拼之前，落得个清净，也就渐渐失去了在家的绝对权威的地位。

如此沉重的历史任务，逼得榕城女士精神上超越常规地壮丽起来，也许可以使探春和王熙凤式的家政改革家相形见绌。当然，这不是说福州的男人就都蜕化为贾琏式的浪荡公子和孙绍祖式的中山狼。失去家庭内部权威的男性不管在社会上多么神气活现，一回到家里，除了承担起给老婆打下手的角色，别无选择。

福州女婿在这方面显得特别可怜。结婚前要给丈母娘打工，洗衣裳、擦地板；结婚后要负责为小姨子装修新房；小舅子谈恋爱到了一定火候，得赶紧把全部存折举过头顶虔诚地奉上；等到小外甥长大，要上动物园，得让他骑在脖子上，尿淋到脖子里还要笑容满面；太太家里，有事没事，大事小事，红白喜事，事事都得一马当先。北方人说，长嫂为母，福州人则是长姊为尊。有刁钻的家伙补充说：榕城人家，长婿为孙。

当女婿就是当孙子，肩膀上扛着深沉的历史文化传统。

大姐就是家长，承担起照顾弟妹的一切义务，代行母亲的一切职责。

有一个故事说是，一家人家父母早故，14 岁的大姐背着 6 岁的弟弟上学，自己却成了文盲。弟弟在路上闹着要小便，姐姐怕不雅观，就用手挡着那细细的水流，回家洗手，那掌心里，只留下了温暖，闻一闻，一点味道也没有留下。

在那插队落户的浩劫时期，有多少榕城女郎为了成全兄弟的终身大事，而牺牲了自己生生死死的爱情，抱恨终生，可如今独身的大姐抱着兄弟的孩子还是满面春风。在困难时期，有多少女士把苹果削给丈夫，把皮留给自己。就是眼下，下岗女工家中，如果只有一只螃蟹，最好的红膏是给丈夫的，剩下的是儿子的，自己把看着他们吃得津津有味当成乐趣。

不管如今女权主义者提供了多少和男性辩论的理论，但是在她们心中，总是给男性保留着特殊的重要地位。

福州人家女儿比儿子更孝敬父母，挑你当女婿，就是看中你能忠于职守。

如此说来，做福州女婿都是窝囊废、妻管严、怕老婆吗？非也。

太太也并没有闲着，忙得比你还凶，早上起得比你早，晚上睡得比你迟。给你买袜子，为了几角钱的差价，不辞劳苦多跑了几家商店，明明是乘出租车也花不了几个钱，偏偏说乘公共汽车更能体验平民生涯，何况钱又不是抢来的。

网上有个帖子，告诫福州男人：“老婆洗澡时，要量好水温。老婆睡觉时，要炎夏扇风。老婆不在时，要守身如玉。”得出的结论是：“欲娶福州女，先学当仆人。”话说得如此耸人听闻，其实，张敞画眉，全心全意为老婆服务，正是伉俪情笃、爱情高度成熟的表现；时时刻刻有当仆人的冲动，正是爱情炽热的明证。如果太太不让你画眉，你也没有兴致给太太量水温，太太不在，你就心猿意马，说明爱情已经被婚姻埋葬。相反，结婚多年，仍然有永不生锈的服务热情，正说明榕城女士的情感和容貌都经得起时间考验。人到中年，和太太在一起，仍然诚惶诚恐，有古代大臣“伴君如伴虎”的紧张，正说明经过榕城女郎的感情洗礼、熏陶，福州女婿在精神上已经升华。

这样的女性不是一般的女性，而是女神。

有多少令人尊敬的福州男人就有多少品格高尚的女人。谁能否认举世公认的一条定律：每一个成功的男人背后都有一个做出牺牲的女人。依此类推，有多少把“怕老婆”当荣誉勋章的男人，就有多少永葆爱情青春的女神站在他背后。

福州女人，五花八门。不可否认，有丑八怪、烂眼皮，有成天打麻将的，舌头长得很长、专门搬弄是非的，有水性杨花、谋杀亲夫的，有以色事人、傍大款的，有贪污盗窃的，有搞假冒伪劣的，只要到女监里去调查一下，就可得到一个大致的概念。所有这一切女人虽然都是福州籍，但是并不是标准的福州女性，因为这些女人，都不是正常的榕城女神，而是被打出生活常规的女人。要公平评价福州女人，得有三个条件：第一，不要问女人；第二，要问男人，尤其是外地男人；第三，要和闽南女性比，不怕不识货，就怕货比货。

从这个意义上来说，我最有发言权。因为第一，我是外地男性，而且在厦门、泉州居住过，有过十年的历史比较眼光。第二，我是福州女婿。第三，我是专门研究美学的。

当然，我也不是十全十美，不可否认的是，我是个不称职的福州女婿。因为我至今仍然只是在理论上承认全心全意为老婆服务的崇高。我也认识到，福州女婿身上沉重的责任是伟大的，但是我却有一种决不动摇的信条：当甩手掌柜，更有精神的自由。

一位福州女郎熏陶了我 20 多年，每天都在批评我，我虚心接受，坚决不改，至今在行动上没有任何效果。她不但不恼火，相反倒是越来越多情地欣赏我的赖皮。

2001 年 1 月 28 日

妈妈政府

自从当上了教授，年资日益增长，连我自己也感到无端地受到分外的尊重。在学校里随便走到什么公共场合，都有学生，上过我的课的和没有上过课的，对我让路。到外面开会，常常有人把我从角落里拉到中座，像婚礼中的新郎一样安排在最醒目的地方。其实这几年，我和过去作为小字号的充当放大炮的角色的时候，水平没有多大变化。除了顶部头发越来越沙漠化，不得不调动四周的植被来实行农村包围城市、地方支持中央以外，其他方面并没有多大的提高。但是我仍然乐于享受着我们礼仪之邦对于我的资格特别丰厚的尊重和微笑，还有对于我怪脾气的迁就。

但是一回到家里，事情就颠倒过来。

首先，对我不买账的就是我的女儿，在她面前，我几乎没有什么本钱可以骄傲。身为文学教授把一辈子最美好的年华奉献给了文学，可是，从她小学高年级升到高中，我对她的语文考卷、练习不但不能辅导，而且不断造成误导，使她的自尊心受到不止一次的打击。说实在的，当前中学语文考题，那些刁钻古怪的选择题放在我的面前，我是非常可怜的。我对于那些隐蔽着的陷阱的警惕性比她差远了，在几次失败以后，她对我由不相信发展到嗤之以鼻。我呢，除了暗暗诅咒那些出题的家伙阴险毒辣之外，别无他法。有时想到这些出题者之中，有一些就是我的学生，心中就未免恨恨不已，扪心自问，我并没有在考试时刁难过他们，为什么他们要这样刁难报复我呢？

由这里开始，我在女儿面前，威信日益低落，在学校的权威感和在家庭里的自卑感形成对照。我的话，女儿越来越不当一回事。有时简直弄到叫她上东、她偏要上西，要打狗、她偏要骂鸡的程度。

我多少有点不甘心。有一天，我随便提起的样子，问她："你爸爸是不是很民主？"她头也不抬地回答："凑合。"我又问："民主是不是多了一点？"她还是漫不经心地回答：

“凑合。”我有点火了，说：“我看我们家有一点无政府主义。”

她十分惊讶地抬起头来说：“什么无政府！妈妈就是政府！”

我以为她是和我开玩笑，但是她却没有笑，表情是非常严肃的。

事后我想了很久，孩子的话，是很有道理的，我们家中根本没有无政府主义的混乱痕迹，一切都是井井有条，纪律严明的。

就说吃饭吧，孩子妈妈一回来，就展开了短促的突击战，紧张地削、切、剁、剥，如进军的小铜鼓；烹、炒、煮、炸，如凯旋的鞭炮。煤气在左，电炉在右，原料居先，佐料后续，穆桂英高坐中军之帐，学诸葛用兵布阵。东方属青，甲乙木之属，有葱、菜、芜菁之色；西方属金，丙丁火之质，有酱醋蛋肉之香。调和鼎鼐之妙，在方寸之内，驱遣闽粤之味，全在顾盼之间。胸中自有百味翻新，手下不劳运筹帷幄。须臾之间，菜香满室，一声令下：开饭！此时，不管女儿之数学作业才做及半，本人为文之灵感隐隐若现，全都得在 30 秒之内就座，否则就有遭受埋怨，乃至声讨之虞。原因是拖拖拉拉，不利于饭后迅速、彻底、全面地将锅碗瓢盆桌椅板凳一齐洗擦干净。

有时女儿恳求：题目正做及半，稍待即来。即遭严词拒绝。女儿提出承担饭后洗碗擦桌之任务，即被驳斥：“此乃吾之权利，不得侵犯！”然后是第二次警告：上桌！军令如山，岂容商品社会讨价还价之风污染！

我问女儿：“此等政府有如军管会，是否过分，几近希特勒之独裁？”女儿摇头曰：“否！妈妈实行的是民主专制。以绝对公仆的姿态，执行无产阶级铁的纪律。而且非常注重从群众中来，到群众中去。”头一天晚上反复调查研究：明天早上吃什么？

我想起来，这种民主最可怕。不仅我的想象力不行，就是女儿也无法在到达市场之前，凭空想象出可供选择的菜谱。稀饭、馒头早说吃腻了，牛奶、面包更是吃怕了。好不容易想象出煮麦片加光饼这样土洋结合的新花样，没想到没有几天，一看到就没有胃口了。对于妈妈的问题，孩子的天才早已使用殆尽，每当她感到山穷水尽的时候，就把这样的哥德巴赫猜想推到我头上。但是在食谱方面，我的创造力，是绝对贫困的。李白说，蜀道之难，难于上青天，在我看来，回答太太这样的问题则是难于下商海。尤其是当这种问题是在一家人兴致勃勃地看电视屏幕上的幽默小品的时候，我的回答绝对是违反逻辑起码的规律的。不是文不对题，就是“你说呢”。这事自然引起她的气恼，把和谐的气氛破坏。后来为了避免让她的热心遭到我们的冷遇，我就随便说一声就吃光饼加麦片吧。结果是第二天早上，女儿什么也没有吃就上学去了。于是整整一天，孩子的妈妈心事重重，再过一天就未免有点形容憔悴起来。孩子也发现了自己闯下一个不大不小的祸，于是和我做出决定：过一天早上，把前一天所剩下的东西以自我牺牲的精神，以狼吞虎咽的姿态一下子消灭个干干净净。自然过后胃部少不得有些骚乱之声，但是孩子妈妈的脸色却渐渐恢复了红润。

吃饭本来是为了自己，现在却变成为了别人的一种牺牲，对于这样的爱的专制，女儿显然是比我有更加聪慧的理解力，但是有时也不免牢骚满腹。有一次，她感慨万分地对我说，她有一个理想，我问是什么样的理想，她说，什么时候能不为妈妈的情绪吃饭就好了。我说，这恐怕很难，人总是免不了要为别人活着的。女儿万分无奈长叹一声，我不胜同情地短叹一声。

没想到女儿理想的日子居然在没有几天以后，不期而至。孩子的妈妈去医院照料岳父大人去了，吃什么完全由我们这两个向往自由的臣民自己决定。而且这样的日子竟然长达一天。令人开怀的绝对自由，终于来到了。

女儿欢呼不已。

第二天一早，孩子提上买菜的篮子拉上我的手，直往市场奔。自由的风在我们两个人的耳边歌唱，终于可以不用动脑筋，不用挖空心思地去想什么劳什子的菜谱，碰到什么就买什么，两个人脚底生风，在市场转悠了一圈，却没有发现什么特别好吃的早餐。好在市场上的水果很是新鲜，先是尝了尝杧果，接着又吃了一点荔枝，无花果、番石榴刚上市，端的是齿角留香。两个人尽情地在市场转了一圈又一圈，等到回来的时候，才发现菜篮子里除了水果以外不但什么菜也没有，而且连早餐的主食也忘记买了。于是，又重新奔回市场，可是除了光饼、麦片、面包、牛奶之外还有什么呢？只好随便买了一点东西胡乱吃了一通，孩子叹了一口气说："纯粹为了自己的自由的早餐，比之不自由的为了他人吃的早餐要差多了，而且，中午那一顿还不知道怎么混呢！"

原来绝对自由的味道竟是这样的！

专制政府才撤离几个小时，两个被统治的臣民已经在盼望着早日恢复它专制的统治了。

我不禁想起了小时念过左拉的一篇小说，叫作《猫》。写的是一只猫被一个很富有的家庭养着，吃的是牛奶、鱼类，睡的是鸭绒被，女主人关怀备至，稍有不适，便百般呵护。弄得它百无聊赖，毫无自由，以致厌倦了，终于逃亡，去享受那可贵的自由。但是，在垃圾堆和阴沟之间流浪了多天，受尽了饥寒和歧视，最后还是选择了回到女主人的家里去。我记得左拉最后的一句话是："我说的是猫。"

当我正在为午饭而忧心忡忡的时候，忽然门一响，孩子欢呼起来："妈妈归来也！"孩子妈妈的两只手里，提着沉甸甸的菜肉鱼蛋。原来是她在医院听人说，她的两个臣民，逛了半天市场只买了一点水果，不放心，赶紧买一点菜回来解救她的臣民于水火。

我禁不住和孩子一起鼓起掌来。

这时，我忽然想到左拉的那篇小说的最后一句，应该改为："我写的不是猫。"

我和女儿

1978 年 9 月，中国作家协会在粉碎“四人帮”后，第一次组织作家“亮相”，由于某种机缘，居然有我。去大庆、鞍山访问期间，新华社的电讯里还向海内外发表每一个成员的名字。这在我的亲友中，颇引起了一些激动，我自己也为这意外的殊荣而感到春风得意。回到福州，下了火车，王光明来接我。这时，我才知道，妻子已经提前分娩。40 岁了，才当了父亲，在辈分上高升一级，心情不禁为之一振。我随便问了一句，是男的还是女的。王光明不胜同情，又略带幸灾乐祸地一笑：“是女的。”

我还没有来得及分析王光明笑容里藏着的诡秘，也来不及细想是否有幸灾乐祸的成分，但是，自己心里却“咯噔”一下。没想到，我潜意识里冒出来的失落比王光明的更强烈。我自认为是一个思想非常开明的人，在生男还是生女上，是坚定的平权主义者。居然，在我心灵深处还有一种埋得很深的重男轻女的意识。

但是在看到我女儿第一眼以后，我就忘了男女之轻重，只觉得非常欣赏她的长相。我认为她非常美丽，而且很爱听别人夸她漂亮，尤其喜欢听人家说她很像父亲，当我向朋友们夸耀我女儿的容貌时，许多人都不胜同情地附和我。只有我的朋友林可夫这个超额当了三回爸爸的家伙非常冷淡而又非常坚定地说，刚生下来的孩子，根本看不出美丑来，我争辩，他坚持，我太太怕伤了朋友和气，把话题扯开了，我当时非常恼火，不但恨林可夫，而且有点恼我的太太不支持我。

这是我第一次体会到亲子之爱是十分狭隘、偏执，而且以不公平为特点的，不管是一时为不公平的情绪所主宰，还是事后意识到自己不公而解脱，都是人生一大幸事。由于有了这个小东西，我才更多地体验到生命的奇妙。我甚至非常开心地发现我变得自私了。在没有自己的孩子之前，我是很喜欢邻居的孩子的。我住在集体宿舍里，孩子们总是吵吵嚷嚷，有时吵到我房间里来，甚至偷吃了我的糖果，弄坏了我的小玩意儿，我都无所谓，我很欣赏一些孩子别出心裁的破坏欲，出差不管多忙，都会记得给我最喜欢的孩子们带点礼物。我喜欢那种一到家就有孩子围过来的气氛，被孩子们期待的、贪婪的目光包围着，是一大享受。

自从有了自己的女儿以后，我发现自己出差的时候，再也不想到别人家的孩子了。只要看到美妙的、好玩的、好吃的，我首先想到的总是让自己的女儿高兴，只要一想到她喜欢得跳起来，不管付出多大代价也是我最高的享受。这时，我再看别人的孩子，不管多可爱，连我自己都感到莫名其妙的无动于衷了。我甚至不理解，为什么我的太太每晚都要到她姐姐家去看看姐姐的小外孙，有时还要拿点东西去讨好他，虽然往往也碰一鼻子灰，可回来还是津津乐道。

自我审察使我感觉到，由于这个小生命的出现，我的生命、我的感觉、我的精神的某一个方面的版图似乎是在萎缩。我的生命中无私的、宽宏的一面好像被她剥夺了。然而，奇怪的是我并未因此而感到痛苦，也许是因为，我生命的另一方面的版图正在喜气洋洋地膨胀着。

我本来是一个很懒散的人，但是为了女儿的一些任性的要求，我可以不辞劳苦。许多事我自己都记不得了，因为在我看来十分自然，脑海里不可能留下印象。倒是我的学生多年以后写信给我，提起那些场景，常常引起我会心的微笑。我记得有一个学生在信中说，20多年前他在我家和我谈话，他注意到我的女儿从幼儿园回来，一直不断吃东西，好像是一连吃了好几个苹果，嘴巴才停了一会儿，突然大叫道："爸爸，我好久没有吃东西了。"我诚惶诚恐起来说："那怎么办呢？"她大叫："我要吃冰棍！"于是我马上向学生抱歉，把女儿抱起来跑到校园以外去买冰棍，来去足足花了20分钟。学生说，他绝没有想到他所敬畏的师长在一个毛孩子面前竟如此唯命是从。

回想起来，这种爱是很肤浅的。但是，我却把它当作一种自我发现，而且觉得好玩。爱会使一个懒人变得这么勤快，也许这是改造天下二流子的最佳法门。如果能把这种服务的喜悦，扩展到生活的一切方面去，我想全世界的人都有望变成圣徒。

当然，这种爱也有比较深刻的方面，那就是眼看孩子在精神上而且在气质的某些方面和自己很相似，几乎所有的朋友都知道我乐意看到人家惊异于她如此像我。但是，有一个朋友问我："你觉得你女儿在哪些方面继承了你的素质？"我很轻松地回答："考试粗枝大叶！"其实在我内心，我常常感到，她像我一样机智和幽默。还是在她很小的时候，她妈妈每天去幼儿园接她回家。本来，天天都走大路，但有一天，她提出要走小路。走了一段，她妈妈才发现，原来在转弯角有一个卖炸糕的。她妈妈故意装作没有看见的样子。眼睁睁要走过那个关键地方了，她忽然问妈妈："我不吃油炸糕是好孩子吗？"她妈妈笑了，买了一块炸糕奖赏她的机智。还有一次，我去开会，有很好吃的东西留在房间里给她。她非常高兴地坐在我的自行车后座，想到那美味的食品她不禁手脚飞舞起来。谁知乐极生悲，一只脚插进了车轮子，她尽情地大哭起来。我一看，吓了一跳，连袜子都被血浸湿了。我连忙把她送到我们学校医院，外科医生说要缝几针，她哭得就更惨了，简直是哀哀欲绝，一面哭还一面求医生不要缝了。医生含糊应之，径直把她按到手术台上非常果断地飞针走线。她的哀哭引得许多妇女为之动容，其中有一些是我们的邻居。手术很快过去了，她的哭声也就像自动化的机器一样戛然而止。她妈妈把她背起来。她挂着泪珠的脸上有了隐忍的笑容，显然是为刚才夸张的哭叫而害羞。这时一个邻居跟她开玩笑，问她："你刚才在干什么？"她非常爽快地答道："我刚才在唱歌！"大家都笑了。

我当时的感觉是，这才像我呢，能把乐观和幽默遗传给她，我感到无比的满足。有时我想，如果没有这种在困境中的幽默感，我在"文革"的灾难中早吃了安眠药了。自然，她是不可能碰到我青年时代那样的厄运了。但是生活是严峻的，优越的生活条件，对她在意志和性格的培养上也许是不利的。在她走向生活的过程中，肯定要遇到许多挫折和痛苦，没有挫折和痛苦的考验，越是优越的生活条件，越容易使孩子的精神脆弱。但是，我又不可能人为地制造一些灾难让她去经受锻炼。而她又没有我少年时代那种浪漫的革命热情，老是遗憾自己没有在革命红旗上染上自己的鲜血的荣幸。好在，她很单纯，最好的是，她没有世俗的虚荣。

有一次，她告诉我，她小学的体育老师问她："你爸爸是教授还是副教授呀？"她明明知道我早已是教授了，可是她答："我不知道。"她的回答使我很感安慰，我表扬了她，说这才潇洒。

在她的生活中，虽然没有我当年那些灾难，但是却承受了比我当年更沉重更持久的压力，那就是考试的压力。由于中国的特殊情况，孩子们的天性遭到分数主义的无情摧残，中国家长的爱在这里变成了无情的专制。每次考试卷子发下来，她都紧张得一下子不敢睁开眼睛。她告诉我，全班同学都受到家长的爱的压迫。她一个同学考到 95 分还给妈妈骂。有一回孩子考了个 99 分，心想这下子妈妈该有笑容了，谁知妈妈一看考卷，声色俱厉地说："你为什么就是拿不下那一分！"的确她的压力太大了。往往就是一分半分之差，进不了省重点中学，就要进那人人谈之色变的区办中学。每一次考试都是关键，考得好，回来的时候，老远就喊"爸爸——"；考不好，就悄悄钻到自己房间里去发愣，流泪。每逢她不声不响回来，我事先提心吊胆不算，事后还得想出花言巧语去安慰她："没关系，考试的目的是检查教学，一方面是查老师，看什么地方成功，什么地方失败。另一方面也是查学生，看哪里有进步，哪里还有问题，找到了问题难点，才可能进步。从这个意义说，考 100 分，就什么问题也查不出，查不出，日后就没有进步；考 60 分，才知道问题一大堆，八九十分问题不多。问题越多，日后的目标越明确，进步也就越大。”

说这种话，我自己都知道是诡辩，但是我需要用诡辩来让她笑起来，解放她的精神，恢复她的童真，和她沟通感情，共同承担考不好的重压，而且和她一起设法用“逐步透露法”来减缓来自妈妈的疑惑和追究的压力。虽然，我知道分数是小觑不得的，它的功能不亚于金钱，但是我却不能为了它牺牲健康的精神环境，不管考不好后果多么严重，我都要想尽一切方法创造一种轻松的心理气候。

有时候，分数考不好，实在连我自己都轻松不起来。尤其是在她妈妈忍不住责备她的时候，我知道，我是不能公然护着她的，越是护短，气氛越糟。总结了多次失败的经验以后，我终于找到了一种让自己从紧张氛围中解脱出来的方法。我在孩子走了以后，对她妈妈说：“孩子考不好，无非是两个原因。第一个，是方法不好，这也许是老师教得不好。如果真是这样，那就全班都学不好；但是明明有些孩子学得很好，这就说明老师的教法没有问题，而是我们两个的辅导方法有问题。第二个原因，是孩子脑袋瓜子笨。这肯定是遗传基因不好，不是我有问题，就是你有问题。如果你有问题，你就不该怪她，如果是我有问题，也只能怪你，因为，孩子没有选择爸爸的权利，是你代她选的。谁让你当年不找一个更聪明的对象。”

我的诡辩往往能逗妻子一笑，使沮丧的气氛缓和。

但是我的诡辩只能在不重要的考试时奏效。遇到关键的考试，例如小学考初中，哪怕极小的失误都可能造成严重的后果。碰上了那一年“划片”的改革大潮，考试成绩上不了保送重点线，就可能被划分到质量非常差的中学去。当这个方案公布下来，周围的家长都激动了，一个个义愤填膺。当了这么多年的穷教书匠，居然连自己的孩子都保不住，要拿去当牺牲品，这是绝对不能容忍的。不久，区教育局召开座谈会。我向来懒得开会，这一回却自告奋勇去。在会上，我声色俱厉地斥责了教育局的工作人员，说他们完全陷入“冒险主义”“盲动主义”的泥坑。我充分发挥了能言善辩的特长，把会场搞成个“一面倒”，几乎百分之八十几的反对。这是一次全市性的民意测验。后来，我在另一个会议上得知，其他会场，支持划片的高达百分之八十几，而我所在那个会场，支持的只有百分之十几，我怀疑那百分之十几大都是来自区教育部门的工作人员。

真正的灾难还在后头。待到最后一天考数学，本来 11 点多孩子就该回来的，但到了 12 点还没有回来。这个不良的预兆使得她妈妈沉不住气，便去学校接孩子。去了半个多小时，还不见回来，忐忑不安的我便下楼迎出去。才走到门口，一个朋友对我说：“快去接你孩子吧，她正哭着呢！”我知道大事不好，还没走几步，就见母女二人哭得像泪人儿似的。原来是已经核对过，有一题答案后面少写一个零。这时，我拿手的诡辩、机智和幽默早已飞到九霄云外，除了干巴巴、空洞洞的“没关系，没关系”就什么话也说不出来了。我一下子变得笨嘴笨舌起来。

形势变得相当严峻，特别是在分数正式公布以后，虽然平均在95分以上，但距离“保送线”还是差了2分。这条“保送线”真是一条“龙门线”，上了线就可念全省第一流的中学，上不了线就得分配到全省末流的中学去。一想到我的女儿将要在新村门口和她的同学往不同的生活道路走去，我的心都碎了。难道这就是给我这个干了几十年的教书匠的报偿吗?

在那决定命运的二三十天中，我变得有点神经质，但在表面上，作为整个家庭的精神支柱，我又必须十分镇定。孩子和她母亲受到的精神挫伤够重的了，她妈妈有时一人独坐也要流泪。而孩子在得知分数落败那一天晚上倒表现得比我想象的更坚强，她妈妈问她要不要陪她睡，她流着泪说：“不要，我一会儿睡着了就忘了。”但是，在第二天，她妈妈上班以后，她忽然抱住我的脖子说：“爸爸，如果我考不取师大附中，怎么办啊?”我说：“考得取，是我的好女儿；考不取也是我的好女儿。”孩子轻松了一点。但是她还不放心，轻轻地对着我的耳朵说：“如果考不上附中，我也绝不去那个区办中学。”这正是我的一块心病，我很怕孩子的自尊心受不了。这时，我对市里规定不许寄读十分恼火，但也无可奈何。就在女儿期待地看着我的时候，一个决心形成了。我作好了最坏的打算，实在不行，我就放弃我在福州的事业，到还没有开始改革、允许寄读的福清去工作，好在那里有个师专，我可以到那里去教书，女儿可以到福清一中去，那所学校也是省重点。我把这个主意告诉了女儿，她开朗地笑了。

到了那一天，该到学校去取成绩单了，她一个人本来不愿去，要我陪她，这么一说，她改了主意，自己一个人去了。临走时，像平时那样背上书包，还把一个毛绒大白兔放在书包里。后来，她老师告诉我，拿了成绩单以后她就和小朋友奔跑着抛掷大白兔，我感到无限安慰。

我的老师王力先生在一篇散文中说过，中国人对子女的爱“是一种宗教”。他的文章写在20世纪40年代，没想到到了90年代，我才真正体会到了这种宗教的虔诚和疯狂。我居然开始打听如何调往福清的种种门路和手续，设想如何克服学校阻挠的谋略。

同时我又并不死心，想尽一切办法扩大师大附小保送名额，我时而变得顽强无畏，时而变得足智多谋，时而面对有关人员勃然大怒，时而独自沉入痛苦的呻吟。既然我连事业都在所不惜了，还有什么不可牺牲的呢，面子和风度当然微不足道。表面上我时常处于亢奋之中，但实际上深感心力交瘁，一连两三个星期夜不成眠，白天哪怕是在研究生的毕业论文答辩会上也神思恍惚，以致北大教授谢冕看到我形容憔悴的样子也不胜惋叹：“高谈雄辩的孙绍振都快变成了祥林嫂。”

我毫不奇怪我向来引以为自豪的潇洒飞往何处去了。

这时，我才体会到亲子之爱的深厚内涵，这种爱表面上是充满了欢乐，好似看一粒种子的发芽，惊异于它每一叶的细微变化，并且满怀着最美好的期望。但是，这种期望完全是主观的浪漫的，根本没有考虑到不可避免的风风雨雨，正因为这样，这种爱是脆弱的。在不期而至的风雨到来的时候，爱的欢乐有多强烈，失落的痛苦就有多沉重。这种痛苦几乎把我压碎了。但正是在这种痛苦中，我和我女儿的精神联系更深化了。我深深体会到患难比之安乐更能使人变得纯洁。自然，在当时，我是很难体验到这一切的。

不久以后，正式保送的名单公布了，我女儿的名字赫然上榜，生活好像给我开了一个大玩笑，然而，我仍然感谢生活给我上了爱的一课。

美男子和老奶奶

真正认真照相，而且照得还不算少，是在做大学生的时候。

那时青春焕发，突然觉得自己的形象长得还不俗，于是就有了几张得意的，还在照片背面题些词之类。记得有一张照片，是和一个朝鲜族同学合照的，上面题的词是模仿20世纪50年代法国共产党员现代派诗人艾吕雅的诗风，写上“在时间的唇上刻上一朵永恒的微笑”等等。

所有这一切都很符合我的真实心情，但是不知为什么留下来的却很少。

后来，照相机普及了，照相成为一件很普通的事，尤其是到了华侨大学，很容易借到，有一度我还荣任这所大学的摄影学会主席。这时保存下来的相片就比较多了。正是二十四五的年纪，可谓风华正茂。总觉得光在镜子里自我欣赏还不过瘾，便有一段时间颇为热衷于照相。这类相片留下的相当多，有一些至今还令我的太太欣赏不已。照片上的我，衣着虽然朴素，但是，风度翩翩，笑容是多种多样的：天真的、调皮的、自信的、庄重的，给人一种春风得意的印象。其中有一张，是在华侨大学外语楼旋转扶梯上照的，躯体侧旋，和盘旋而上的扶手的方向交叉，形成很丰富的动势，而回顾的面部又和躯体的背侧面错开，很经得起欣赏。当《福建文学》要我青年时代的相片，拿去发表在封二上的时候，连他们的美术编辑都不禁赞叹，断定我是在一艘游艇的甲板上悠然自得。其实，这一段时期，我正经历着人生最大的危机。由于我天性好发怪论，在华侨大学那种极“左”氛围中，差不多每过一个星期，都要被当时的领导在会上点名或者不点名地“刮胡子”，动不动就上纲到反党、反社会主义的程度，有一段时间我脑子里老是盘旋着哈姆雷特王子的一句台词，“To be，or not to be，that is the question.”（活下去，还是去死，这可成了问题）。然而到了“文化大革命”开始的几天，全校2000张大字报，本人就独享了1000多张。那一段时期，我真是破帽遮颜，走在路上，眼睛都不敢看人，有一次甚至都偷偷地准备了整整一瓶安眠药

（180 粒）放在口袋里。到了所谓清理阶级队伍那个阶段，我连遗书都寄出了，只是由于一个偶然的原因，才没有走上绝路。

不可理解的是，当我走到照相馆去的时候，我却能做出分外风流潇洒的姿态和甜得流蜜的笑容，更不可理解的是，我从来没感到过虚伪。也许，照相机本身就隐含着一种暗示，人在这里，特别需要面具。在那浩劫年代，在大庭广众之间，面具是为了掩护自己，为了使自己至少表面上不让别人看出来是个被歧视的角色；而在自己一个人对着照片时，却是以自己长得不俗，来欺骗自己，或者鼓舞自己吧。

但是，这是不是浩劫年代所特有的现象呢？

这几年翻翻旧相片，我时时产生一种怀疑：照片的功能，究竟是真实地记录着人生的履痕，还是一种灵魂的化装和篡改。

往照相机面前一站，就意味着变换角色。明明是一肚子苦水，也要做出满脸笑容来，即使觉得这个社会害了他，也不会放在脸上。绝对不会有一个伪君子在照相时做出虚伪的笑容来，也不会有任何一个大淫棍脸上露出一脸色狼的贪婪。正是因为这样，就是在通缉卷款潜逃的贪污犯的照片中，也常常发现一些英俊小生，着实气宇不凡的。再说那些个大腕儿明星，没一个不是装扮得天姿国色，英气勃勃，风度翩翩，光彩照人。但是一对照他们假唱、罢演、要挟提价等“艺德”，就免不了叫人倒抽一口冷气了。

就是我自己，在告别了浩劫时期以后，照相时的心态也不能说完全是真实的。前几年我到过欧美，很奇怪那些西洋人，每到之处，举起相机大都不照人，光照风景。而我却非得请一个不认识的洋人，替我往傻瓜机上按快门。尽管我在西德孤独到几乎要发疯的程度，可是在照相的时候还是做出了一脸的笑容。这实在是不可思议。为了纪念到此一游吗？似乎并非完全有这个必要，我曾经摄下了克林顿在一所大学争取民主党候选人发表演说的场面，其中就没有我自己。有谁会怀疑我曾经亲眼目睹呢？为了掩饰当时的痛苦心情吗？自己对自己隐瞒是绝对不可能的。但是我仍然觉得，到一个地方，不管是国内还是国外，仅仅摄下风光，是不够的，总要郑重其事地做出一副优美伪姿态——以便日后骄人。

有一回在巴黎的拿破仑金顶墓前，一位留学瑞士的年轻的物理博士为我拍了一张头部很大的照片，说是日后可以用之于某本书的封面上。我自己也觉得此照颇有点男子汉的大家风度，又不那么张扬。双方都颇为得意。正好回国以后，我那《幽默答辩五十法》封面上的照片，因为笑容太花哨，受到朋友的嘲笑，有一位老友从北京来信说，该书封面上，“明星玉照，光彩照人”。因而在再版时，我坚持用巴黎照的那一张。其结果是大出乎我的意料。不止一个远在穷乡僻壤的小读者看了我的照片，给我的来信的开头是：“敬爱的孙奶奶。”这使我的女儿大为开怀。

不过我还是坚持每到一处，凡有留影，必反西方人之道而行之。因为风光只是一个背景，在背景前面，还有我的朋友、家人。更重要的是，当时的神采，即使多多少少有些装腔作势，在时间流逝以后，也会引起我深深的思绪。人总不能像孩子一样永远把全部真实的心态在任何场合都赤裸裸地摆在脸上，弗洛伊德的门生荣格说过，人总是有“人格面具”的。诗人们说，戴着面具和人交往是虚伪的。但是，不要面具，有时也就等于不要面子，不要面子也就是不要脸，没有自尊心，没有一点自我约束能力。完全不戴面具，人类不是都成了天真的儿童（说声要巧克力，马上就得到手，不然就躺在地上），就是退化为野兽（白刀子进，红刀子出，不用羞羞答答），那个日子恐怕也很难过。

面具也并非完全可恶。至少它也是对人的本能的一种约束。

自然，面具也给人带来了很可怕的后果。即使心心相印的情人，也并不是开诚布公的。别看人类只把躯体用布和皮毛裹得紧紧的！其实他们把自己的灵魂也同样裹得死死的。有时候，在情人那里，他们宁愿向对方公开肉体，也不肯公开其全部灵魂。也许人的本性就是与开诚布公相矛盾的，正因为这样，林黛玉和贾宝玉、崔莺莺和张生、安娜和伏隆斯基，就不能不互相折磨、互相猜疑、互相摧残，不把对方折磨到肝肠寸断，死去活来，好像就不能称其为爱情，而是动物的性欲似的。更古怪的是，人类不但自己不断制造着这样的痛苦，而且以欣赏这样的痛苦为乐。以前，我在上海，时时听老年女性谈论当天的越剧广告，一听说当天演的是“苦戏”，往往就要带着手绢争着去看的。

在西方心理学里有所谓受虐狂和虐待狂的说法，但是至今还没有“视虐狂”的说法，难道看戏的人也是戴着面具去的吗？

谁不希望人类在这方面变得更加理性一些，采取一些比较现代化的办法，来代替这种代价太大的面具？例如，发明一种仪器，使它能把自己的情感变成一种密码。情感相投的人一旦接近这个仪器，那密码就会自动地响起某种无声的音乐，只有真正情投意合的心灵频率，才能和这种无声的音乐共鸣，同时把自己的心灵密码发射出去，以同样的频率去和它发生交响。然后他们就会自动地相视而笑，一见钟情，一锤定音。这样就会省去谈恋爱的许多麻烦，至少可以节约许多在公园闲逛中浪费了的工作日，同时还可以减少每年不计其数的悲剧，那些令千古痴男怨女肝肠寸断的故事就会停止重复性地生产，一举消灭那些上吊的、投河的、服食氰化钾的、进入精神病院的社会畸形形象。从消极方面说，在枉死城中，多少也会少几个无辜的移民；从积极方面说，在人间，也会增加许多宝贵的生命和闪光的青春，用来“扫黄打非”也是好的。

但是人类还是舍不得废弃面具，似乎他们并不觉得年复一年、代复一代付出的代价过分奢侈。最近我读到我的一个学生的一篇小说，写一个少女总是不由自主地在对自己有吸引力的男性面前，以种种的面具来伪装自己。一旦忍不住要把自己的面具脱下来的时候，就不由自主地感到恐怖，终于又把面具戴上了，其结果是错失机缘，造成不可挽回的千古遗恨。我把我关于心灵密码仪器的设想告诉作者，她仔细考虑了一下，说：“这样还不如把自己的心思告诉媒婆呢。那跟包办婚姻还有什么两样？”

我哑口无言。

看来人类天性中就是有一些与自己过不去的成分的。人是不能离开面具，而成为玻璃人的。人一旦成为玻璃人，什么给别人看得清清楚楚，也许会像脱光全部衣服一样手足无措的。所以到了现在，面具在公关社交生活中变得更加精致，更加不可缺少了，以至于产生了一门专业，包含着许多门学问，让白发苍苍的教授去讲授，让豪情满怀的研究生去为它的奥秘奉献出自己的学位论文。事情弄到这种程度，大概也足以说明人类是多么不值得同情，实在是自作孽，不可活。

庄子说过别小看没有用的东西，其实没有用的东西是最有用的。比如你走路，你脚底下碰到的那些泥土自然是有用的，你脚接触不到的地方当然是没用的。但是你设想一下，把你鞋底接触不到的地方全部取消，看看你还能不能走路？面具之用，也是这个道理。不要说用它来对付别人，就是对付自己，它还有游戏的功能。想想看一个不会游戏的孩子，日后会有什么出息？别以为游戏仅仅是小孩子的事情。就是长大了，老了，社交面具已经戴腻了，回来休息，翻翻照片，自我欣赏，好比小孩子在自己脸上乱画以后照镜子，在自我恐吓中自我陶醉。年轻时的作态，经过漫长时间，拉开了距离，就像有情人重温旧梦，普希金诗曰：“那过去了的一切，都将成为亲切的怀恋。”梦，能够重温当然很有味道，但是有一个缺点，不能招之即来，照片却能随时翻阅。看到自己年轻时庄严地、一本正经地装腔作势，甚至看到自己儿童时代穿开裆裤，露出日后一定要重点遮挡起来的部位，难道不比等待不听将令的旧梦更能令人莞尔吗？

自认为英俊潇洒的美男子，却被真诚的小读者当作“敬爱的孙奶奶”，这种幸福，没有装腔作势的照片，是不可能享受得到的。

做猪的理想

《西游记》中有王母娘娘的蟠桃，吃一个就可以延年益寿，还有一种人参果，则更令人神往，食之可以返老还童。但是，这是神话，是不能给任何一个成年人以儿童的感觉的。如今科学如此之昌明，连吴刚、嫦娥住的地方都有人去过了，甚至连《封神演义》上祭法宝的幻想，也由洲际导弹实现了。但是对任何一个成年人来说，童心一旦失去了，就像流星脱离了轨道，就永远消失在没有声音、没有光明，只有永恒的宁静和黑暗之中了。这对于人类来说，不能不算是一种无可奈何的遗憾。

但是，在我们这个时代，在我们这个国家，什么样的奇迹没有啊。不管你是离休干部还是老教授、老工程师，真要向上帝索回童稚的感觉，只要去参加一次小学六年级学生家长会就绝对能够如愿以偿。那种时光倒流，返老还童、枯木逢春之感实在是无与伦比的享受。

谁到了这里年纪都会一下子变得小了几十岁。不管你来自高楼华屋还是别墅游艇，到了这里一律平等，任务都是一样：聆听训示。几句话听下来，你不由得变得天真、幼稚，甚至傻乎乎。

那姗姗来迟走上讲台的不过是一个黄毛丫头，算起辈分来可能算作你学生的学生，说起年龄来也只能算你的一个小孙女。你必须时时刻刻记住，此刻的任务就是以一个小学生天真无邪的眼光看着她，把她的每一句话都当作绝对不可怀疑的真理。你的一切身份地位通通必须忘得光光，你所拥有的一切成就，在这两个小时之内必须消散。虽然你早已习惯了你在台上讲话，别人在台下记录，但是到了这里，你的那种成熟的、权威的、高瞻远瞩的感觉，一下子就如《封神演义》中的人物报销的时候，化作一道清烟往封神台去也。你的孩子不用功，晚上10点就睡了，这还有什么竞争力！你这样宠孩子不是毁了他一辈子吗？你是不是想和她争论一番？还有孩子的健康，还有学习的效率，等等。但是你有这个胆吗？你嗫嚅着舌头打了个结，脸上不知是做出笑容比较恰当还是装作虔敬比较得体。

你是不是想起了，自己小时候，每逢和父母发生争论时，理直气壮地宣称的那样：老师讲的！当她说话的时候，你不能不拿出笔来，一个字一个字地记下来。哪怕是一句最简单的话，也不能放过，也许你学过教育学，学过心理学，这一切都是废话，关乎你孩子的命运的，不是你的知识，你绝对不能流露出丝毫怀疑的表情。

此刻，教室里鸦雀无声，连窗外花瓣上溜过的风都停止了，植物的根须都停止了吸水，以免发出噪音干扰你们神圣的听觉。

那狭窄的桌距，提醒你挺起胸膛，你的腰不由自主地直起来，让你产生一种希望，但愿你的认真不被这黄毛丫头忽略。因为如果她忽略了，你的这种郑重其事就白白浪费了。这样是不是隐隐约约唤醒了你小学生时代唯恐得不到老师表扬的感觉？这种遥远的缥缥缈缈的感觉居然就一下子来了，来自老师对你孩子的表扬。让你的记忆一下子活跃了起来，使你想起那少年时代最后一次这种醍醐灌顶的体验，那是你在小学五年级的算术课上享受到的。你是记得的，那天，你正在削铅笔，不料突然隐隐约约听到老师提到自己的名字，接着就是许多热辣辣的目光集中到自己脸上甚至背上来的感觉，你的脸腾地一下子就从脖子底下热了起来。这是一种很精彩的感觉，它既叫人害羞，又叫人害怕，弄得你不敢抬起头来迎接朋友的目光。这种混合的、柔软的感觉又是那么令人心旷神怡。这是你第一次受到老师表扬，而且可能也是第一次鼓起了你的信心或者是虚荣心吧。后来你长大了，回想起来，事情真是微不足道——不过就是你作业本子第一次写得这么清洁，老师本以为你是个不可救药的家伙。从那以后，你在书写整洁方面，就保持了一贯优秀的记录，你就享受了相当长一段时间的荣誉。

然而，忽然这种感觉被另一种可怕的感觉代替了，你听到你孩子的名字，并且是和字迹潦草联系在一起的。于是你听到“家长的责任”这样的字眼。的确，都怪你，同情孩子，已经 11 点半了，你让孩子潦草一点可以早一点睡觉。周围的家长虽然没有把头转向你，但是你却感到了无形的目光包围你。你忽然感到害羞，脸上有点发热。多少年了，这童稚的感觉，你差不多已经忘却了。你还没有来得及弄清楚是怎么一回事，你已经被留下了。

于是你童稚的自尊心又一次忍受了欣然离去的家长们似乎是漫不经心的一瞥。

当你正准备忍受更大羞辱的时候，没想到这位老师并没有追究你孩子的过失，而且弄到后来，你发现，刚才她批评的那个孩子并不是你的孩子，而是名字和你的孩子相近的一个调皮鬼。她哈哈大笑，你如释重负地赔笑。她非常谦虚地请你坐下，给你倒茶，大大地表扬了你的孩子，说他“有理想”。你自然是受宠若惊。她的热情使你手足无措，最后，终于明白了：她要你帮一个忙，为她的丈夫走一无伤大雅的后门。你受宠若惊地答应了。于是老师更加热情地夸奖你的孩子：非常有理想。你自然非常得意。一直回到家里还沉浸在心灵的音乐之中，孩子还在埋头苦读。一直耐心等到 11 点半以后，你才告诉他老师夸奖他“有理想”。

没想到他轻松地耸耸肩说：我什么理想也没有，要说有什么理想的话，那就是每一个月当四回猪——24 小时只是睡觉、睡觉……

天堂和地狱之间：陈希我

我曾把所教过的学生分成两类，一类是可爱的，大都是日后可能为我增光的；一类是可恨的，不少是日后可能为我添麻烦的。对于那些有才气的，日后可能为我增光的苗子，我特别器重。他们之中也有一些日后果然不负我的厚望，成了作家的，我特别引以为豪，这当然是属于可爱的一类。但是其中有一个，虽然很有才气，却不但没有给我增光，反而以他的行为向我的划分标准提出了挑战。在好长一段时期里，他带给我的是一大堆久久萦绕心头的疑问。我一直弄不清，他究竟是可爱还是可恨。

这是一个清瘦得有点苍白的少年。第一次做作业，我就看出他的才气不凡。他小小年纪，就把人性描写得很有一点阴冷，就连亲子之间都有一些叫人心灵颤惊的自私。我看出来，他对于生活有个人化的、私有的感觉的。

什么是才气？这就是才气。上帝对人是很不公平的，他在一切方面都很大度，不惜把最美好的品行给予人类，但是在才气方面却很吝啬。而所有那些稀有的才子，大抵都有一点怪，不为世俗所容。也正因为这样，伯乐才比千里马更为难得。我觉得自己不是什么天才，但是能发现、培养一个比我有出息的天才，一辈子只要能当一回伯乐，也不枉我七尺男子在人世走了一遭。

毕业的时候我特别关照了有关方面，要把他留下来当助教，作为有望为我们学校（其实也包括我自己）增光的苗子加以培养。有关方面便通知他去考外语，这种考试是走过场性质的，但是他的外语特别不行，他以为是故意为难他，气得当场拿起墨水瓶子一扔，就哗啦啦砸碎了一扇玻璃门。把我气得个一佛出世，二佛升天，但也无可奈何。其结果是被学校记了一大过，被分配到福州市郊区一所中学去吃粉笔灰去了。

为了不埋没这个人才，我又把他的小说介绍到《福建文学》编辑部去，编辑也很欣赏，就请他到一个风景区去修改稿子。不知道是怎的，他又不守规矩，把衬衫的下摆打成一个英雄结，和一个什么英雄打了一架，其结果是，当时的《福建文学》主编给了他一句评语："有其师必有其徒。"

过了两三年，他来找我了，说是现在经过生活的磨炼，已经变得很是正统了。我自然高兴万分。他提出希望我帮他一个忙，调一个学校。我说福建省一所中专学校正好有我一个调皮鬼学生，改邪归正了，也和他一样变得正统，现在那里当一个教务主任之类的官，他们在一起工作可能有更多共同语言。我们谈得很是入兴，他自然喜之不尽，我马上为他努力联系。但是不知为什么，我等了他许多天，他竟没有再来找我落实这件事。直到很久以后，那个当官的调皮鬼来看我，我顺便提起了他师弟的事。他大笑起来。原来是，他听了我的介绍，马不停蹄地奔波，结果了解到，这位师弟，在那所郊区中学竟有一番颇为惊人的作为：和一个相当顽劣的学生不知因为什么发生了口角，他禁不住怒火中烧，便把老拳挥舞了一番，那学生自知不敌，好汉不吃眼前亏，落荒而逃。他觉得让一个蠢劣的鼠辈在自己手下逃掉，有损英名，便呐喊一声，脚下生风，穷追不舍，直至宿舍，浑身解数还没有使够三分，哪知学生并不经打，早已经如《水浒传》中鲁提辖拳下的镇关西，只有出的气没有入的气了。他当然不可能过瘾，又把学生的被子，以力拔泰山之雄姿，扔之于十数米开外的池塘里，出了一口鸟气，才拂拂袖子，踱着方步而去。

我怎么也想象不出来，像他这样一个感觉精致而且很有审美天赋的才子，怎么会有李逵的气质？虽然是我的老面子很大，调皮鬼也相信师弟是个人才，但有这样出格的记录，人事部门绝对不可能通过，所以此事也就不了了之。他今日一来是向我道歉，二来是附带向我进言，以后对于有才气的门生，除了才气之外，还要注意其是否有李逵气质才是。

我不得不把他从可爱的一类忍痛转入可恨的一类。

这个武功和萧军可以比美的才子，才气一时还没有达到萧军的水平，在国内肯定是混不下去了。只好远走东瀛，在那里他奋斗了 6 年。其艰苦卓绝，为我所难以想象。他在信上说，除了才去那半年，找不到工作，每天可以睡 8 个小时以外，其余的 5 年半，每天大抵只能睡 4 个小时左右。终于他事业有成，结了婚。不管日本有关方面如何以高薪挽留，他还是忘不了他的中国文学之梦，这是在日本绝对不可能完成的，因而他坚决拒绝了。

他带了一笔钱归来，买了一套房子。武功虽然还没有什么长进，但他在文学创作上追赶萧军的雄心不死。成日关起门来，除了献身于艺术，埋头写长篇小说以外，什么也不干。终于他拿着两公斤的原稿又来找我了，请我推荐出版。我自然拿出最大的力量为他效劳，虽然也捏着一把汗，不知他还有什么鬼花样。但是事实胜于雄辩，他这一次拿出了货真价实的东西。

当我拿着他沉甸甸的稿子，我想也许是我对他还不够理解，当年他的顽劣，不过是因为才气得不到正常的发挥，受到扭曲而已。

这样，我想，按照我的好坏二分法，他大概可以归入可爱的一类。就在他的大作即将出版之时，我不无玩笑地和他谈起他当年的英雄事迹。

他相当轻松地说了如下的话：“我这个人，不知怎么的，有时会突然失去理智，神经不正常。事后，自己想想，也觉得不可思议。前几天，我太太说我的头理得不够水平，她一定要给我重新理过。我勉强同意了。但是在她给我洗头的时候，我突然觉得心里别扭，不可抑制地发起火来，大叫一声就把桌子踢翻了。我太太是很了解我的。她什么也没有说，把桌子扶了起来。

“她是个善良的淑女，不动声色，继续为我剪发，但是显然渐渐地失去了情趣。我们之间谁也没有说什么，剪刀的切切嚓声使沉默变得沉重起来，可是我却没有勇气来向她道歉，这时的每一秒钟都变得令人难熬。在这以后的一两天里，太太仍然和往常一样和我说话，连语调都没有改变。但是她越是若无其事，我越是感到不自然。我多么希望自己能鼓起勇气说一些表示抱歉的话，然而我就是说不出。

“不过，随着时间的推移，事情慢慢淡化了。不知道过了多久我们才恢复了正常的调笑。这是一场真正的危机，与其说是我们的，不如说是我一个人的，它令我在很长一段时期里感到无法排解的隐忧。每一次这样的发作，都带来持续的若有所失。我多么希望把它通通忘掉。然而，心头有一种空空的胀痛，又像有小虫一样在蠕动。不管是胀痛还是蠕动都令我感到我所不敢表达的后悔，每一次都给我带来悔恨的痛楚，但是到了下一次，又是旧病复发，每隔一段时间，我就要折磨一下太太，接着就折磨一下自己。”

他说着就笑了起来，令我惊异的是，他的笑声里没有多少沉重之感。

我又觉得把他归入可恨的一类比较恰当。

但是读他的小说，充满了对在日本的留学生沉迷于物欲的追求、背离中国传统文化的价值观念的批判，这无疑可以充分说明，他的审美情感追求绝对是超越世俗的。从作品看来我当年对他的期待绝对没有任何错误，他应该属于可爱的一类才是。

可有时，我又忍不住设想，如果我是他的太太，我会不会有一种和猴子相处的感觉？也许我会提出离异的吧。

过了一段时间，我又想，我的这种想法像第六根手指一样是多余的。也许，我的困惑，是由于我总是习惯于把人分成可爱的和可恨的。其实，人是太复杂了。我的那个二分法，对于复杂的人来说是太狭隘、太可笑了。

写到这里，我想起了吉柏林的一首长诗（这首诗好像还没有翻成中文），说是一个人死了，来到天堂门口，守门的问他，这一辈子做过什么好事没有？他说，没有。他被天堂拒绝了。他又来到地狱门口，人家又问他这一辈子做过什么坏事没有，他说没有。而他又被地狱拒绝了。这个人大概以后就成了永远流浪的孤魂野鬼，在天堂和地狱之间。

但是我觉得这个调皮鬼和吉柏林笔下的那个倒霉蛋不同。

要对他进行好坏二分法的划分，是太困难了。也许正因为他可爱，他才更加可恨，也许他因为可恨，才更加可爱。别的没有把握，有一点是我是相信的：他日后不可能落得个在天堂和地狱间流浪的下场，他无疑是一个天堂和地狱都欢迎的家伙。

关键台阶：陈晓明

陈晓明终于被北大中文系成功引进了，这是他的学术成就得到高度肯定的一个标志。他已经走上了他生命的高度，达到这个高度，在我看来，他至少付出了20年的生命。

陈晓明在福建师大中文系攻读文艺理论硕士学位的时候，正是20世纪80年代初期，思想领域里，阴晴不定，乍暖还寒，知识界不时传递着的小道新闻，是真是假，并不重要，重要的是由此表达对于思想解放的期待和对于倒退动向的厌恶。福州不是全国性的文化中心，但是，比之陈晓明生长的闽北来说，毕竟大不相同，起码天天都有刺激思想的信息，他天生就不安分，具有过剩的思考力和想象力，来到福州无疑使他感到生活的精彩。很快，明眼人就看出，福建师大校园的思想空间，对于他来说，需要扩展。结束了初入学的拘谨阶段以后，他放心大胆地活跃起来，广泛参与校内外的流动，在各式各样的集会上发表高论。他的口才和交际能力，使他在校内外成为活跃分子。有一次还在一个大学生的演说竞赛中得了第一名，引起许多同学（包括女性）意味深长的注目，这当然使他感到颇为快意。发表高见和读书一样，成为他的一种享受。当然，福州地处一个小小的盆地之中，四面高山，挡住了许多同学的目光，但是，对他说来，这里总算不赖。比起其他省会城市来说，至少还是思想解放的一个突出的前沿——朦胧诗的论战还没有结束，三个“崛起”正被绑在一起受到批判。他给我的印象是：在某种压力中做出漫不经心、大大咧咧的姿态，表现出一种潇洒是很过瘾的。当然，我也知道，比起北京来说，他并不觉得这里的空间足够他的思想驰骋，可是，比起其他省会，福州还算是比较自由的，这里是当时闽派文论的中心。就在他活跃起来以后不久，作为闽派论坛的《当代文艺探索》创刊了。这当然要感谢当时的省委书记项南，对于本省的文坛新秀，包括挨批的人物（如本人），呵护有加。有一次一位来自北方的文联领导，强迫我参加批判我的大会。项南知道了，当场发出狠话来：“我还没有调走，你们就批判孙绍振啦？”于是会议宣布草草收场。因而，在三个“崛起”之中，数我受到的压力最小。项南像一座大山把寒流挡在了武夷山以外，批判的雷声再大，也是天边隐隐的蚊子的呻吟。

陈晓明当时正处在世界观和文艺观念形成的初期，在这样的文化氛围中，加上他原本的反叛气质，形成了他日后善于挑战和怀疑、好唱反调的性格。对他来说，用文字展现自我毕竟是太正规了，不如在聚会上发表异端的议论——对于某些人的侧目，他根本不在乎，以一种风流才子的粗心大意的风姿把人家忽略过去，这也许是他追求的一种境界。

现在看来，他真是生逢其时，意识形态大厦解构和重构的时代，为他提供了丰富的思想资源。20 世纪 80 年代初期，正是大学里读书狂热的时代，曾经被视为可疑的、有毒的书籍被笼统地称为“新学科”，如雨后春笋般地出现。但是，从严格意义上来说，这种“新”是要打上引号的。因为有些学术思想并不新，例如像弗洛伊德、索绪尔的理论，明明是 20 世纪早期的东西。在 20 世纪 80 年代，把这些思想当作“新”的，正说明中国的思想界是如何长期为旧的教条所束缚。他和许多为思想解放寻求理论依据的学子一样，饥不择食，狼吞虎咽。稍有不同的是，他更关注那些西方前卫性的思想信息。面对这些思想资源，以他的理论敏感，生活中的一些苗头、动向，往往不由自主地成为理论思考的刺激。而理论本身也正在发生着犬牙交错的搏斗。和一般研究生不同，他并不满足于惊叹理论大厦的崩塌和重建，而是情不自禁地卷入思想解放的热潮中去。他的活动能力、交际能力和他滔滔不绝的口才帮了他的大忙，也带来了非议。一些对他并非怀有恶意的人们，总觉得这个小青年有点“夸夸其谈”。我当然是比较欣赏他的，对于用这样的语言把人一笔抹杀，我觉得很不公平。这倒不是我有多么深刻的先见之明，而是因为自己也曾深受其害；再说，他的一些文章，那的确不是一般的研究生，甚至是当时的教授能够写得出来的。其中有一篇，题目好像是对中国传统思想模式的批判，我并不满意文章的逻辑结构，记得还给他提了一些意见。但是，后来《新华文摘》却很快转载了。我当时就感到，我对他的估计有些保守。

事实证明，我对他的估计不足不仅表现在学术研究方面，而且还表现在另一些方面。

他和我谈天的时候，总是口若悬河，不知从哪里来的新异的念头，层出不穷。每逢他滔滔不绝，眉飞色舞，我就想起新文学史上一位前驱对胡秋原的描述，“眼花缭乱”，他的语速有时跟不上思想，连我这个有名的快嘴，都不能不耐着性子，故意停下来，欣赏他忘情的神态。

有一次，学生来请我做个讲座，我懒于做系统的准备，又不好意思完全拒绝。正好他在场，就随口说：“那就让晓明和我一起讲吧。我开个头，他主讲。”他答应了。到了那天，梯形教室里水泄不通，过道上、讲台上，坐满了红男绿女。我和他一走进去，掌声就如台湾诗人所说，如四起的鸽群。场上饱和的热情，对于一个演说内行来说，是难得的好机遇，听众和演讲者有一种心领神会的交流，哪怕是一举手，一投足，甚至一个口误，都会引起热烈的欢笑和掌声。我受到时时响起的掌声的鼓舞，就信口发挥起来，不知不觉讲了四五十分钟。在享受完掌声以后，把剩下的时间完全留给了他。

他开讲以后，从激起的掌声和欢笑中，我觉察到，原来这个令人眼花缭乱的陈晓明，也是一个演说家。他的现场瞬时反应很机敏，而这正是具有演说成功的起码条件。

后来，过了十几二十年，他和我讲起那次的演说，他说，当时，我讲得“如痴如醉”，完全忘记了他的存在，到快讲完了，才回头看看他：“嗯，你怎么还没有走？”

我想，事情有多大出入，已经无法查证了。但是，有两点是很真实的：第一，我当时的确有点“如痴如醉”，低估了他的演说才华；第二，他技痒难忍，一定是等得心急火燎了。

对于一个有思想又有良好口头表达力的人来说，福州这种地方，思想空间毕竟是比较狭小的。到了快毕业的那年，他已经游窜到北京大学的研究生宿舍里去，和一些只能在报纸上看到的事情和人，拉近了距离。他并不是只带了耳朵，而是带去了他那永远不想偷闲的嘴巴。他在那里发表了一些在当时被认为有点惊世骇俗的见解，还引起一个重量级人士的内部批评。当他把事情告诉我的时候，毫无惧色，好像是说着另外一个人的事。

当时的青年知识分子，尤其是其中的佼佼者，一个个都有一种冲击意识形态网罗的使命感。越是春寒料峭，越是勇猛精进。和一般学子不同的是，他的文章，所用的语言术语，带着某种诡异的味道。他以这种诡异而自豪，整整三年，不管旁人有什么议论，他都安之若素，旁若无人。

但是，也有一次例外。

毕业论文答辩在即，万事俱备，只欠东风。当天早晨 6 点钟，他匆匆闯到了我的床前，脸上失去了往常惯有的漫不经心的神色，满脸恐惧，用福州话来形容，可以说是“脸都发绿了”。原来是他获得消息，从外校来的答辩主席和一位权威教授头一天晚上发出话来：“陈晓明的论文，看不懂。”这无异于是提前宣判了死刑，但是，留下了余地，说是要听孙先生的“公论”。其实，我对于他文章中那些在当时还算是“前卫”的术语，例如七八年后，已经成为常识的“召唤结构”，也只能从感觉上去理解，但是凭直觉就能感到他的才气和胆识，而有些地方，只能说是一知半解，甚至可以说是不太懂。当然，凭良心说，我也不想妄自菲薄，这和他当年的文风多少有些生涩，对于西方文论还不能自由驾驭，也有一些关系。但是，在当时，具有前卫性的知识结构而文风不生涩的到哪里去找呢？正是由于这样，我告诉他，不管人家怎么说，我会庄严地、理直气壮地宣告：我不但看得懂，而且在我的著作《论变异》中引用了他精彩的论点（这一点是真的）。

我这样做，并不是有意降低学术水准，而是因为，作为一个曾经为朦胧诗“看不懂”辩护的人物，我常常禁不住对于自己不能充分理解的理论有一种神往，而且痛切地意识到在福建这个人才并不多的地方，我有一种保护人才，包括有毛病、有缺点、不成熟的人才，甚至是怪才的使命。

答辩不算太顺利，有人提出了什么叫作“结构”。晓明的回答，是皮亚杰的那一套，而一般人所理解的却是贝塔郎菲的要素、结构、功能的观念。可喜的是，我和他配合得很好，加上主持答辩的先生是个忠厚长者，看见我们一唱一和，加上晓明口若悬河，就无心恋战，放他过关了。但是，这并不意味着他立即就能得到学术体制的认可。那时，我们福建师大并不像现在有八九个学科的博士学位授予权，而是连文学理论的硕士学位的授予权都没有。我通过刘再复和何西来的关系，说通了中国社会科学院研究生院，他们居然网开一面，连外语和政治的考试都免了。重新组织答辩委员会的时候，老问题又出现了，一些资深委员还是表示，论文难以看懂。但是，他们都感到论文的分量。我记得，只有钱中文先生表示，他完全看得懂，并且很欣赏。他让我转告晓明，建议他投考他的博士。晓明可能第一次遇到了真正意义上的知音，从此他的学术生命开始了一个新阶段。

这是 1986 年底的事。

奇迹似的谢有顺

对于谢有顺的成长，我是见证人之一，在我的心灵中，有一系列精彩的感受要与读者共享，但是，当我拿起笔来，又觉得充分展开这个主题有我力所不能及之处。纷纭的闪光的思想，读者完全可以从他的文章中感悟，根本不需要我来饶舌；而在文章以外，活在他心灵中的宝贵的体验，又不是套用现成的话语所能够表达的；而找到恰当的说法，可能还需要待以时日。但是，我还是决定尽可能把我感觉中最成熟的东西表达出来。

在我近 40 年的教学生涯中，谢有顺的出现，是一个奇迹。

他第一次到我家里，具体情景我已经记不得了，但是他的才气给我的震动，我心灵受到的冲击，至今记忆犹新。这是因为，在很长一段时间里，我已经习惯了面对平庸和麻木，见怪不怪。

20 世纪 60 年代初，我从北京大学被放逐，经过一番沉浮转辗，70 年代初，流落到不太著名的福建师范大学。20 多年以来，我对于这所给我安身立命之地的校园逐步形成了一种复杂的感情，虽然戴着这所大学的校徽，在省外，并不能给我增光，但是，与省级同等大学相比，由三所老大学合并的历史优越感却还没有消磨殆尽。我周围的同人，包括教育界和文艺界的，水准和全国一样良莠不齐，杰出的当然不在话下，但是缺乏独立思想和艺术见地成了通病。教了一辈子文学，搞了一辈子创作，精神却并不因为与审美价值有职业性的亲近而变得分外地清洁起来，司空见惯的是，贬值的职称为堕落的心灵戴上了光圈，在极其个别的人那里，甚至打分的权力也与商品交换搭上了关系。

如此斯文扫地，如此滑稽，但是，已经不再可笑。我多年以来已经习惯了和世俗妥协，懒得叹息，甚至不屑于悲天悯人。我在青年时代是一个本性浪漫的人，从中年向老年过渡的阶段，锐气已经消磨，不指望从事文学工作的人，有更高尚的精神追求。说实在的，所谓“不好不坏，又好又坏的芸芸众生”，也并不是没有权利把文学当成一种职业，当作谋生的手段。但是，在教育和文学职业圈子里，灵魂卑污，追名逐利，本能放纵，市侩心态，为蝇头微利而恬不知耻地明争暗斗，因屡见不鲜而淡化了我的悲哀。不知不觉，我降低了对文学从业人员的要求，不管他精神状态如何，只要有一点艺术感觉，有一点思维的活力，多少也可以从精神上获得共鸣和鼓舞。

不知从什么时候起，我形成了一种可能会得罪人的想法，戴着这个学校的红色校徽的人，从根本上说可以分成两类：第一，以其品格和业绩为学校增光的，这是少数；第二，学校以其历史和成就为他们增光的，这是多数，其中包括那些获得了最高级职称的。

等到谢有顺出现了，我才感到这个想法还要加以补充：为校徽增加含金量的不仅仅是那些权威教师，而且还应该包括谢有顺这样杰出的学生。如果说，在我们这个多山的省份，人们的艺术和学术的目光，免不了为高耸的武夷山和太姥山所阻挡，乡土观念奇重的福建人一辈子把大王峰当作喜马拉雅山的大有人在，而谢有顺却以1.73米的个子，站在大学本科嘈杂的宿舍窗口，目光一下子就超越了武夷山的大王峰，到达了天安门广场，到达了中国当代知识分子精神危机的核心。谁还能说，这不是一个奇迹？当他早在权威的《文学评论》上有声有色地对当代先锋小说的前途做出分析的时候，其深邃的文风和高瞻远瞩的气度，往往使粗心的读者误以为是资深的评论家的手笔，而对他的才华熟视无睹，习惯于随俗。而百般挑剔他的教师，包括那些并不是没有任何成就的教授，虽积多年的努力，却未能攀登上全国性权威的学术论坛的，也还不在少数。

我向来以善于在萌芽时期，发现拔尖人才而自豪。我在选拔人才方面的敏锐直觉，历来也得到公认。但是，发现谢有顺，却比较晚，在他出现在中文系两年以后，我才意识到这是一个会成大器的苗子。

直至今日，我还没有弄清为什么我没有更早地注意到他非同凡响的素质，也许他入学的时候，我正好出访德国，不久我又到美国去了。出访多少使我对于20世纪90年代初的中国当代文学有所疏离，而这恰恰是谢有顺崭露头角而且在校园里引起了惊喜的时候。正如北村后来在一篇文章中所说的，我并没有仔细研读他的文章，仅仅是凭着直觉，找到了他，告诉他我几年来都在物色助教，一直未能如愿。我问他想不想留在学校工作。

那时，我只是把他作为一个拔尖的学生。

但是后来，有几件事，给我以更大的震动，我逐渐意识到他的素质，他禀赋的潜在量，在许多方面比我当年要高出许多。还是在《废都》闹得满城风雨的时候，一家电视台请我和另一位教授去讲讲《废都》的问题，我把他带了去。我的口才在福建省算是有点权威的了。但是那次侃下来，普遍的反映是“那个年轻人讲得最好”。我自然感到无限的欢欣。从此，我有了更加充分的理由去宣传，他作为一个大学生所写的文章，我当年是绝对写不出的，我们这些老资格，花了许多年的努力才达到的高度，轻易地成了他的起点。当然，我有些文章，是他写不出的。有一次，《文艺理论研究》主编徐中玉老师约我写一篇文章，写了亲笔信来。我刚刚从美国回来，对于中国当代文论，一时有些生疏。不得已请他来试试，用我们两个人的名字合作一篇文章。他交来的稿子，不管我以如何挑剔的眼光去推敲，也只改动了两个字。稿子寄出的时候，本来是把他的名字放在前面的。但是编者张德林先生来信说，出于某种不成文的规矩，必须把我的名字放在前面。我很为难，他却爽快地同意了。后来，《小说评论》的王愚先生又约请我为他们写评论专栏。由于连续出访，我对于中国当代小说的熟悉程度已经远不如前了。我又一次请他代笔。这一次，由于是连续性的专栏，而他当时大学本科还未毕业，用两个人合作的名义，怕在编辑部很难通过，暂时就用了我的名字。

文章一发出来，立即引起各方面的热烈反响，编者李星、李国平立即来信大加赞扬。文章一写就是十几篇，而我却隐隐感到不安。于是，我在学校的高层会议上，坦率地说：有这样一个学生，用我的名字写作连续性的文学评论文章，不但没有给我丢脸，反而为我争光。

在两三年的时间中，他的文章已经覆盖了全国各种大小文艺刊物。每当我出差到外省参加一些学术会议，总是有一些研究生来打探：你们那里有个硕士生（或博士生）叫作谢有顺的，你认识吗？我深深体会到这就叫作给校徽增加含金量。我总是莞尔而笑，从容地告诉他们：这个人连大学本科都还没有毕业。他接触文学评论时间短到令人难以置信。四年前，作为一所山区中等师范的学生，他除了《人民文学》和《福建文学》以外，其他文学刊物都没有见过。

造化真是待人不公，有人对文学忠心耿耿，数十年如一日，但是，终其一生，难窥艺术的奥秘；对于这个只有 20 岁左右的孩子，竟赋予了这样的禀赋，在许多资深的教授看来还是乳臭未干的时候，就独具了在论坛上纵横驰骋的能耐。在我近 40 年的教学生涯中，出现这样的才子，绝对是空前的。

这样的早熟，再加上少有的勤奋，肯定有成大器的希望。

我曾经把他和经由我的手送出武夷山的陈晓明作了比较。我觉得也许他日后的成就可能在后者之上，他实际上已经成熟了，只是世俗的因素使他的名字有时在我的庇荫之下。

终于来了一个机会，《小说评论》的编者来信，征询我能否请谢有顺为他们的刊物独立写作专栏。

我终于完成了开路的任务。

这个下台阶的机会，不论对于谢有顺，还是对于我来说，无疑是一个庆典。这个庆典的主题是他的自我实现，虽然还是一个大学刚刚毕业的学生，但是，他作为一个独立的文学评论家，他的一家之言，已经得到了文学评论界的承认。从此以后，为师的职责，就并不总是固定在我的头上，应该是像孔夫子“三人行”中所包含的那种交互转化的关系。

我这样说，并不是出于某种礼貌和谦虚。促使我产生这样想法的是，1996 年，他在《当代作家评论》第 4 期上对我的评论。虽然有一些由于师生一场而难免的偏爱之词，但是，他并没有庸俗地捧场。在所有评论我的文章中，是他第一个提出了对我的真善美三维错位理论体系的深刻批评。

我的文艺思想的核心是：真善美并不是像传统所反复强调的那样是天经地义的统一的，也不是仅仅在量上只有某种差异（如半径不同的同心圆）。真善美三者，属于不同范畴，其主要内涵与其说是统一的，不如说是相异的。如果要作比方的话，应该是一种圆心不同，但是又不完全脱离的“错位”的三个圆。在不相互脱离的前提下，三者拉开的距离越大，审美的价值越高，反之，则导致审美价值的贬值。多年来，学者们对我的这个说法，赞扬者不无夸张地渲染，质疑者则往往顾左右而言他，我也意识到所有的朋友都多少有一点孟夫子所说的“私我也”的意味。

然而谢有顺却在他的文章中，对于我的真善美“错位”的理论，只在文学创作的层次上予以肯定，他指出：作为人生理想，在更高的层次上，真善美三者还是有可能达到统一的。他反问了我一个问题：那个圆心不同但又不完全脱离的“错位”的三个圆，它们互相重叠（即统一）的部分是什么，该作怎样的解释？

当我读到这样的文字的时候，真有豁然开朗的感觉。

本来在康德的美学体系中，审美超越功利和道德的实用价值，只在较低层次上是对立的，到了最高的理想层次上，就达到统一了。这就是所谓头上的星空（自然律）和胸中的道德律的统一。但是，我的理论向来把重点放在文学审美的特殊性上，视域不免囿于创作实践，对于更高的彼岸境界有所忽视。我对于劝善惩恶的倾向，有一种天然的抗拒感。虽然我对于文学界，当代社会，在商品大潮冲击下的人欲横流，时时投出警惕的目光，但是由于着迷于文学艺术的纯审美，因而，在真善美三者拉开距离之后，对更高的层次就疏于探求了。这是我的理论的内在矛盾，我一直没有意识到，因而也没有想去寻求统一。

后来，我读了他更多的文章，才深深领悟到他对我的批评，并非偶然，因为它来自一个更高的精神殿堂。

统观谢有顺的全部文学评论文章，其根本精神，和我们相比，也许可以找出许多的不同来，但是最根本的区别可以说只有一点，那就是他从来不轻易赞成为文学本身而文学，他不像我有时有某种为艺术而艺术的倾向。他的出发点和终极目标，不但有现实的苦难

（“一张张被苦难、压迫、不公正舔干了生气的脸”），而且有人的心灵的苦难。他总是不倦地对于人的存在发出质疑、追询，对于人的精神价值反复地探寻。他毫不掩饰，在他的心灵里，有一个最高的境界，有一个我们感到渺远的精神的彼岸。

他以小小二十几岁的年纪，为什么就有了对中国当代文学条分缕析、挥斥方遒的气魄？只有从这里才能获得答案。他发出的，不是世俗的人生的感叹，而是从精神天国投射向世俗人生的一道救赎之光。那个精神的彼岸，是那样纯洁、崇高，风烟俱净。

正是因为这个精神向度的存在，谢有顺的文章中，才有我们所缺少的对于精神救赎的追求。他的诚惶诚恐，抵制谎言，拒绝游戏，为真实所折磨，为怯懦所折磨，为烦恼所折磨的主题，正是他的信念真诚而自然地流泻，也正是因为自然、真诚，他的文章才有了理论文章难能可贵的激情，或者叫作情采。他那种行云流水的气势，纷纭的思绪，像不择而出的奔流，绝不随物赋形，而是充满浩然之气，横空出世，天马行空，行于所当行，止于所不得不止，来不及作学院式的引经据典，好像他自己汹涌的思路已经流布了他整个篇幅，舍不得把有限的空间再让给那些已经死去了的权威哲人。

每当我读到他的文章，尤其是他最近对于20世纪90年代新诗所作的为数不多，却引起了某些同人注目的篇章的时候，我往往来不及在学术上作任何挑剔，一种心灵的宴饮和精神洗礼之感，使我忘却了学院式的规范。

榕树和项南

30 多年以前，初来福建的时候，每逢见到茂盛的榕树，我常常驻足流连。对于一个在北方平原上长大的人来说，面对那一棵树冠常常要赛过北方一片森林的生命的奇迹，我经历了一次又一次视觉的震撼，禁不住久久地向那投下 10 亩浓荫的壮观的生命致意。然而长期与之相处，就有点视觉瘫痪了。倒是前些日子我发现，在马尾的罗星塔下面，有一堵墙，墙面被暴突的榕根覆盖着；那屈曲的虬枝，从虎皮墙的细小缝隙中挣扎出来，通常纤细的根须居然变成粗壮的枝干，把整个墙面严严实实地覆盖了。它使我想起老人手掌上的突起的血管，不过血管不可能重叠交织，立体相交，我感到不是视觉的，而是心灵的震撼。这不仅是生理的自然景观，而且是精神的搏斗，在困境中用超乎寻常的节拍奏出一支不屈地把根须深入大地的交响曲。原来，那浓荫覆盖的树冠，它动人的奥秘，不在它的枝叶，而在根须，即使没有足够的土壤，不能不暴露在地表，它也会变成铁枝铜杆式的网络。

我之所以感动万分，还因为它使我想起了一位最近才逝世的政治家项南。

天道无常，有作为的人往往比庸人更容易受伤。他是中华人民共和国福建省最得民心的一位书记，然而却在离任的时候受了党内的处分。黄仁宇先生在他的《万历十五年》中说：当历史错误地对待一个人物的时候，也许，在当时是有着某种必要的。但是，在时间证明这种对待是不公平的时候，历史却往往并不对这个人物道歉。张居正身后、戚继光晚年乃至海瑞罢官，都是这样。我年轻时候写过一句诗：早发的真理之花，往往孤独地凋零。然而项南并不孤独。在福州的《海峡都市报》上，在《福建广播电视报》上，我看到人们自发写作的怀念文章。我为自己没有赶上用文章在他的灵前献上心香一炷而遗憾。在那几天里，几乎所有见到的朋友都谈论着他，唏嘘者有之，赞叹者有之。

历史事实上在向他道歉了。我还敢说，当年那些不公平地对待他的人，也有悔意并设法表达。这使我感到安慰，毕竟时代不同了。

他来到福建的时候，说要发挥福建的山和海的优势，要把福建经济推向全国的前列。身处海防前线，习惯于经济上自卑的福建人，包括我自己，都觉得这种“大话”有点好笑。那时福建和广西结成兄弟省区，我们在广西人面前都自愧不如。

而他去世的时候，我想起了李瑛的诗：“你来的时候，正漫漫冬日，如今在你背后，却留下了一片灿烂的金秋。”福建人和东北人、四川人、武汉人，走在天安门前，已经没有自惭形秽之感，就是和上海人、广州人在异国相遇的时候，也完全有双手插在裤袋里的从容。当我经过福日电视机厂门口，和那些穿着GEORDANO、FUN等名牌服装的女工擦肩而过的时候，从她们的青春笑容中，我感觉到了历史已经为当年的争执做出了最雄辩的答案：这里只有文明的自豪，不存在什么“殖民地”的屈辱。那些把项南所独立支持的合资当成殖民地的人，在正式的文件上，也许并没有正式检讨，但是，这并不妨碍中华大地上遍布大江南北的合资企业流水线正在向他唱着颂歌。

当我从车窗口，望着晋江市那把城市和农村联结起来的现代化建筑长廊的时候，我想到了他在一篇文章里把这里比作“一枝花”，当时曾经有点骇世惊俗，被一些人当作罪名，给他扣上了帽子的，而现在江南大地上这样的花已经是千枝万枝了。每一簇花都是他理想的象征。他那超前的思想真正是最有志气的福建人灵魂的花朵，它并没有像历史上那些先行者那样由于早发而孤独地凋零，他活在厦门人花园一样的街道上，他活在莆田人、石狮人、福清人手把着崭新的轿车方向盘从容的姿势里，他活在福州人为忽然拓宽的街道的惊讶里。当福建省第一条高速公路姗姗来迟的时候，人们没有遗忘，是他在中国第一个提出高速公路的设想。今天看来，我们的想象力居然落后了他差不多10年。他虽然文采风流，但是他没有我们这些当作家的幸运，能够把名字写在自己的作品上。

在泉厦高速公路的护坡上用鲜花和观赏植物组成他的名字也许并不是最恰当的办法。

最好的象征并不是鲜花，而是福建到处可见的大自然的奇迹，每当我看到那榕树的扎根，不管从屋顶的墙缝中蜿蜒而下，还是粗壮如铜枝铁杆，把庞然大石严严包络，都使人分外感动，这不仅仅因为生命壮观，而且因为我终于找到了对他的人格、他的精神最好的形容。

和余光中面对面

早在余光中来到之前几个月，我就接到一次又一次的通知，说是他第一次到故乡，将有余光中散文诗歌的学术讨论会和诗歌朗诵会。会议的主办方面希望我主持一场讨论，我立即产生一种欣逢盛会的感觉。到了那天，虽然要主持一个论文答辩会，但还是利用权力，答辩会被提前结束了。

临行，女儿嘱咐我，把家里的《余光中文集》带上一本请他签名留念。

赶到会场，幸好，会议还没有结束。就悄悄坐在后排静听。远远看到余先生坐前排拿着笔在记录。所有的发言都是对于余先生的赞扬。特别是一位研究台湾、香港文学的专家，把余先生封为“两岸文学的单打冠军”。底下有点哗然。接着上来的几个发言者，水准不同，但多少有面谀之嫌。南帆来得比较晚，他后来对我说，大部分发言者，说话都无趣，够不上和余光中对话的水准。要不是等着听你的发言，我就溜之大吉了。

下午第一场，发言仍然以赞扬为主。几乎没有一个提及余光中先生的局限。我觉得，一味赞扬是情感疏远，不敢真诚的表现。

正好，轮到我是讲评人，我不能不发难了。我说：本来学术讨论会，就是因为有不同意见，如果都只有一种意见，大家千里迢迢跑到这里来干什么？在西方学术会议上，评讲人的任务就是向做报告人提出挑战和质疑。研究是一种对话，应该是平等的，不应该跪着读书，而应该站着对话。我不赞成我的朋友把他奉为中国文坛的“单打冠军”。球类冠军是排他的，何况又不是梁山泊排座次。其实，我们有些赞扬，也并不一定很到位，例如对于他的“乡愁”主题，我们往往过多地政治性地同化了，实际上，他的乡愁，更多的是文化的乡愁。台湾文学研究已经有了 20 年的历史，满足于礼节性的歌颂只能是学术队伍不成熟的表现。

这时，我注意到，台下的听者都竖起了耳朵。

我想说一点余光中先生诗歌和散文的局限，但是，有点犹豫。当时想到的是女儿的嘱咐，要请余先生题字。说得太重了，会弄僵氛围，自己也不好意思。但是，这种念头只是一刹那。我的嘴巴，没有听指挥，按着话语的逻辑不由自主地演绎下去：“刚才一位很有见解的先生讲到先生的《白玉苦瓜》的好处之一，是活用了汉语文字的特异潜能，以读古代回文诗的方法，把它一句一句倒过来念，还拿它与戴望舒的一首诗相比。戴诗的第一节的大意是：说是辽远的海的忧愁，说是寂寞的秋的相思，假如有人问我为什么，我不敢说出你的名字。第二节是：我不敢说出你的名字，假如有人问我为什么，说是寂寞的秋的相思，说是辽远的海的忧愁。戴望舒的诗倒过来读，不但不损失其韵味，反倒增加了，而余光中先生的《白玉苦瓜》一倒过来，大部分意味就损失了。”

说到这里，我稍稍停顿，似乎在寻找词句，想想，能不能说得有分量，又不失礼貌。似乎没有什么好犹豫的，就接着说下去：“其实余先生这首诗，也不是没有不足。主要是过分强调意象的密度。每行都有大量同类的意象，浓得化不开，情绪缺乏节奏，读来吃力，反而把主导思绪窒息了。”

听众一个个都来了神，连刚才还在交头接耳的人都把下巴从报纸里露出来了。

我还想说，余光中之所以不能成为一个更大的作家，主要的原因在于，他对于哲学缺乏关注，他对于世界人生没有一套自己形而上的思考，如果说，他是一个大师，我觉得很有点为难。但是，我突然觉得怯懦起来，话已经到了嘴边，又缩了回去。后来，我想到，虽然近在咫尺，但疏离感使我不敢真诚，也不敢直面平等。

余光中在答词中，幽默而又豁达。首先讲到与会的蔡其矫老先生，说他“老得很漂亮”，马上引发了掌声。后来说，“本来，我是等待着诸位的解剖的，但是，就是孙先生的解剖刀，举了起来，也只是虚晃一刀。”会场上响起了掌声。我也笑了，这是一种感动的笑。随即引发了一个念头，把没有说出来的话和他细谈，但是，他却像明星一样被簇拥走了。

虽然《余光中选集》上有他工整的签名，但是，热情的礼节却妨碍人交流。

晚上，东南电视台策划了一个余光中诗歌散文的朗诵会，我算是嘉宾之一。在我之前是余先生和他的夫人对话，余先生的幽默和亲情，博得满堂彩声。我在后台，真有点紧张。很怕自己水准不够，把欢乐的氛围破坏了。轮到我的时候，编导设计的是，以余先生的《四个假想敌》为题。文章写的是，余先生的四个女儿长大了，少不得有些追求者，余先生以他所擅长的自我调侃，写自己担忧这些小伙子偷偷袭来，把女儿永远夺走。等到我上台的时候。主持人问我，“余先生有四个假想敌，你只有一个女儿，这种忧虑是不是会少一点？”我说，“这个要保密。”主持人问为什么。我说：“余先生用的是军事术语，军事上是要严加保密的。”主持人问：“哪些是要保密的呢？”我说：“主要是数量问题。”底下大笑，鼓掌。我说：“从一个排到一个连队，都有可能。”底下又鼓掌，大笑。余先生含蓄地笑了。主持人问余先生：“那你的假想敌后来怎样了呢？”他说：“后来，就是一家人了。”主持人问：“他们和你关系怎样呢？有了冲突怎么办呢？”余先生从容地说：“那也不用我直接处置，自有人会来收拾他们。”一个“收拾”，把底下逗笑了。他接着说：“以后假想敌在数量上有什么变化，不管是4个还是14个，我就不去管它了。”

我感到余先生是在接着我的数量保密的话头了。我突然感到一种心灵的舒畅，虽然，在会上，我和余先生并没有达到平等的沟通，但是，在这里，幽默话语却使我们共享心有灵犀了。

主持人又问我：“女儿有没有给你带来什么烦恼呢？”我说，“我的烦恼，不来自假想敌，而来自女儿本身，主要是她老是瞧不起我，说我不够漂亮。又埋怨她妈妈，说，如果当年更加严格筛选的话，她现在的相貌就要翻上一个档次。”底下又掌声大作。我注意到余先生的笑容更加明亮了。

主持人又问了些什么，我已经记不得了，只记得自己神采飞扬起来，说：“我承认女儿比我漂亮，但是，她的脸蛋，是我的克隆，有朝一日，假想敌变成一家人，我就要向法院起诉，女儿侵犯了我的肖像权。至于索赔多少，目前还处于保密阶段。”

余先生又笑了，并不是大笑，而是一种智力和趣味水平相距不远的人之间会心的笑。

在这种笑容里，我们心灵的距离缩短了。

什么时候和他倾心交谈，似乎一下子变得有点不重要了。

舒婷性格的注解

舒婷的诗是很美的，但舒婷作为女人却并不算漂亮，一些从遥远的北国西陲慕名而到厦门鼓浪屿去拜访她的小伙子不免为之遗憾。

我曾经和他们开过玩笑说："如果舒婷漂亮得像女影星，福建文艺界就不太平了。"

许多处在多梦年华的诗迷，往往把舒婷想象成一个多愁善感的，面孔泛出苍白颜色的女人，好像她成天都皱着眉头，因人心之不能沟通，因人生之不能美满而痛苦，而消瘦，而憔悴。其实，在日常生活中，舒婷经常是嘻嘻哈哈的。只要舒婷在场，朋友间的闲谈就很难正经得起来。她总是轻而易举地从朋友，甚至从被她称之为老师的长辈身上找到好玩的、可笑的、可爱而又可恨的话题，把友好的气氛搞得浓浓的。

要了解真正的舒婷，光读那些一本正经的诗是不够的，最好是读读她的散文。在散文中的舒婷更接近于她的日常生活中的风格。读者更能领略她的幽默、她的调皮，她作为妻子、作为家庭主妇、作为作家、作为世俗的女人的操劳，她以操劳为苦，以操劳为乐。

在她笔下，她最亲近的人是可爱的，又是多少有点可笑的。越是她看重的朋友，越是可能成为她嘲弄的对象。她的幽默，在散文中是抒情性的，总是在调侃中带着欣赏。最能代表这种风格的要算描写诗友傅天琳的一篇。她把傅天琳写得那么善良，那么软弱，连发现小偷抓走了她的钱包，她都不会上火，反而下车追着小偷，求他留一点零钱，让她乘车回家，而那在舒婷笔下的小偷居然是非常从容地拂袖而去。接下去舒婷还称赞小偷心好，竟没有把傅天琳一刀子捅了。

自然，舒婷的幽默并不永远都这样"软"，有时也露出颇为锐利的锋芒。每逢朋友中发现有悖文人基本品性之事，大家碍于情面，心照不宣，最多相视一笑而已。这时，舒婷就可能吐出一两句很尖刻又很幽默的话来。也许舒婷自己也意识到了这一点。在一篇散文中她坦然宣示，有一个朋友说她和另一个女孩子同样聪明，正当她十分开心之时，这位朋友补充了一句：“不同的是，人家的幽默不伤人。”

也许，这里有舒婷的自谦和自嘲，但是了解舒婷的人从这里可以感到她的幽默中有严肃甚至严峻的为人之道。往往到了关键时刻，她的原则就颇使人震惊了。小而言之，她对世俗名利的追求相当淡泊，连福建省每年一度的文学评奖都从不报名，即使一些评委们反复动员，她也常常无动于衷。两次得奖都是评委会上破例推荐，一致通过的。大而言之，在危急时刻，她能挺身而出。几年前，我们和菲律宾华裔作家代表团去武夷山，遇到一个乱收费的关卡，十分蛮横，坚持要收买路钱，争执起来，镁光灯一闪，场面被摄入了镜头。那些山民十分凶悍，便挥起醋钵似的大拳头，殴打我们工作人员，把照相机都砸坏了。我们这些须眉男子一时不知所措，而舒婷却挺出瘦弱的身子拦上前去，并且大声呵斥。说也奇怪，那些山民居然被她尖厉的声音震住了。

更加令我深思的是，她在散文中写了那么多婆婆妈妈的、鸡毛蒜皮的小事，而对这件在我看来可以作为她性格注解的事却只字不提。

郭风不老的童心

人生易老，岁月无情，我已经不是一个毛头小伙子，开会时常常“放炮”，如今变成晚生华发，经常可以坐在主席台上。回想起来，这里有郭风一分培育的辛劳。

当年阿拉伯式大鼻子的英俊潇洒的郭风，变成了中国式的仙风道骨，然而，他的艺术却没有老，郭风先生保持着创造的活力，甚至到了80高龄，还不断有新作问世，难得的是相当一部分，保持着当年的童心。

这是一个奇迹。

20世纪70年代，我第一次和他接触的时候，就怀着景仰的，甚至有点畏惧的心情。

最初的感觉是他离我那么遥远。但是，他和我谈起了他年轻时所受到的艺术熏陶，谈到西班牙的阿佐林，谈到光和色，音和味，用身体立体去感触世界。那么高深的理论，他却说得那么朴素。他还说起凡尔哈仑，只是可惜，一直没有得到任何一种的译本，我当即说：“我有，叫作《原野和城市》，是艾青翻译的。”这位诗人在中国的读者比较少，在20世纪50年代，只印了800本。后来，我把这个涂满我的批语、画满插图的“孤本”寄给了他。再次相见的时候，他的脸上露出了儿童的微笑。

也许就是从这里开始，我受到他的某些启蒙式熏陶。在不知不觉之间，他和我的距离缩短了，亲近了。他还和我说到了他所发现的感受原则：五官开放。不但用视觉，而且用全部感觉，去营造形象。我有一种醍醐灌顶的感觉。世界在我面前变得具体了，似乎可以用手去触摸，用鼻子去闻，耳朵去听，用舌头去舐了。

后来，我还写了一篇文章，叫作《谈五官开放》。

他读了以后，居然引我为知音，说：“我可以当老朋友讲，你是我最好的朋友。”

也许他并不知道，他的这句话给我以多大的鼓舞。

回想起来，至少在许多方面，我变得有自信多了。

正是因为他的感觉受过真正的艺术的熏陶，所以他的艺术生命特别经得起时间的考验。一些和他同年代的作家，20 世纪五六十年代，名噪一时的，比他的名声大得多的，艺术的光彩暗淡下去了，有的甚至变得味同嚼蜡了。其中的大部分已经垂垂老矣，失去了创作的生命力。然而郭风的作品，经历了半个多世纪淘洗，却保持着艺术的光彩。

我这话，不完全是溢美。我是有证据的。

我正在编写新的中学语文课本，这是在教育部立了项的，要向全中国发行的课本。当我把郭风的作品选入课本的时候，从福建到北京、上海的专家们没有一个提出异议，而另一些诗人，包括当年红极一时的诗人的作品，却遭到来自各方面的反对，只得从课本中删除。

刚才美丽的吕纯辉向郭风献了印度式的花环，我不是美女，我也没有带来花环。但是，我带给郭风先生的礼物可能比花环更美丽。今后每年当新学期开学的时候，将有上百万的青少年翻开散发着油墨香气的新课本，他们将会和郭风的童心对话。

一年又一年，哪怕是再过半个乃至一个世纪，他的读者永远是年轻的，那些在课堂里朗诵的声音永远是童稚的，郭风将和他的读者一起用纯洁的眼睛欣赏这美丽的世界，他的艺术将和他的读者一样永远保持着童真。

王性初变成美国人以后

老友王性初，本为榕城诗人，20世纪80年代末，离乡去美，入住旧金山加利福尼亚大街公寓，和一个不会讲中国话的华人娘子，过红火小日子，一眨眼20年。华发晚生，异国沧桑难掩正在逝去的精壮。考其背井离乡，乃因横飞太平洋之安琪儿自天而降，诗人惊诧莫名，与密友研讨多方，不得确解。或曰：物欲横流之美利坚，纯情女子视诗为神，非一见钟情，乃一见钟神也。然而，一介书生，诗不在脸上，脸上没有神气，一见之刹那，只有呆气。此一谜团遂留于20世纪中国当代诗歌史，有望成为21世纪诗歌博士探索的课题。此节按下慢表。

且说20年来，王氏之浪漫诗情与异国文化见识同步，节节攀高，抒情遂带几分冷峻，然毕竟华夏血统，温良恭谦而不火，智趣深邃而不酷。海内外编辑慧眼识珠，不约而同于“王性初”前以括号特注“美国”。身价虽未百倍，男女粉丝却批量产生，期盼一睹风姿者每每有之。然见面之际，却难掩失望之情，诗人脸上没有横断太平洋的浪漫，亦无跨越中西文化的神秘，看到的只是一脸呆气。然能于其突然爆发的大笑中洞见其智慧的深沉和厚重，除榕城孙某外，百不得其一也。

常言文如其人，其实此言颇玄，性初诗文两栖，其情其志，其神其貌，若仅读其诗，只能窥见其侧面，侧面即片面；读其诗，并读其文，两侧则相得益彰，方得哲学意义上之全面。古希腊先哲曰，男人的一半是女人，而于性初，则是：诗的一半是散文。诗是形而上的密斯特王，散文是形而下的王缪斯。读其诗，虽不用焚香沐浴，起码也得凝神聚气，不放过一个字眼，方可追随王氏入不食人间烟火之境界。读其散文，大可轻松自在，如美国小说家言“随风飘去”，漫游于太平洋两岸市井之间，看大千世界，望红尘滚滚，分享其灵魂深处微妙的困惑、颤动和顿悟。

王氏于星条旗下，旧金山麓，食汉堡包，饮巴西咖啡，嚼奶油爆米花，看好莱坞大腿，长达7500多昼夜，从骨子里到骨子外，不管西装革履，还是唐装芒鞋，不改华人本色，说美国话亦以带福州腔为荣。双脚往来两大洲之间，一心徜徉于华洋之界，酌奇于民俗之联翩，玩华于寸心之惊诧，其阅世之广，潜心之深，非内地香港专栏作家可比。观感变幻无穷，而万变不离其宗，于洋人习以为常之景观中，反思中西文化之差异。虽年近花甲，初恋之女神入梦，然，此等小儿女抒情笔墨，似乎稀见，王氏所执着者，乃是跨文化比较和分析。如中国乞丐与美国乞丐之异在追与不追，然而在锲而不舍上，又异曲同工；中国游行之政治化的庄严与美国游行等同于游戏和庆祝，美国选票上"打洞"之神圣与中国欢场中"打洞"之猥亵，等等，不一而足，均表现出诗人善于在荒谬中揭示出民族文化深层的真实，在机智和冷峻的幽默之中，渗透乡土文化的执着。如睹山姆大叔盲目自豪，斥华人随地吐痰为不文明，王氏乃反诘曰："君家嚼口香糖，吐于公园中，马路上，甚至黏公车上，'随地吐糖'，不为五十步笑百步邪？"痰（tán）糖（táng）不分，乃福州话之专利，虽于万里之外，亦不敢改其祖宗乡音于万一也。于此可见王氏中华文化血脉之深厚，亦可知王氏散文之冷峻智性幽默，胜于诗歌之浪漫抒情也。处于中西文化之交，王式机智常常于不经意间如电光石火之激发，如，述及中国丧礼之悲痛与眼泪，美国丧礼之幽默与笑声，乃坦然顿悟"加入骷髅的行列"之不可避免，"高唱骷髅之歌，开始另外一种志趣的新生活"，势所必然。如此人生之大彻大悟，非智贯中西者不臻也。王氏专栏，每篇不足千字，麻雀虽小，五脏俱全。其可观乃在情致纷纭，出奇制胜，不独嬉笑怒骂，而且甜酸苦辣，往往于顾盼之中，有所触动，一顾称奇，再顾不怪，三顾则顿悟焉。中美两洲之熙熙攘攘，芸芸众生之风风雨雨，均如李贺所言"遥望齐州九点烟"，以宁静致远之态，默然审视，独得奇趣，虽不如钱锺书之欣然独笑，林语堂之纳芥子于须弥，然亦能以小见大，以小见深，发人深思而默会，引人含笑而悲悯，敏慧读者不难神思飞越，默悟其思绪之丰富，其概括之深广。

专栏天地狭小，迫使诗人苦心经营，为文一如为诗之苦吟，诚如上海话所谓"螺蛳壳里做道场"，难得在道场做得大方，每每有情智交融佳境，往往于神来之笔显无奈，尤其在结尾，屡屡有提神警语，其锦心绣口之言，更富妙手自得之趣，读者不可不深察也。

孙绍振写于2010年3月6日星期六福州寓中

泉州汉子蔡芳本

芳本在我的印象中是条汉子。很有点小伙子的神采，尤其有泉州人那种又可爱又可恨的气质。可爱的是他的直率单纯、真实、虎虎有生气，可恨的是他的不假思索、不要命的意气用事。但是我仍喜欢他，他大学毕业后，我们常有些来往，我觉得他回到泉州十多年，身上那股泉州气质更浓了，浓得扑面而来。因此，我一见他就想和他开开玩笑，完全从那种师道尊严气氛中解放出来。

但是，他在我面前却有一点拘谨，甚至有一点腼腆，好像隐隐约约在他的气质中，有一点女性的东西，这让我在潜意识里闪烁了一下，但是人事纷繁，潜意识存续的时间是很短的，不久就忘了。

但是，今天，那种潜意识又复活了。

在他的诗里，有那么多阴柔的成分。不论是歌唱爱情的，还是歌唱友情的，都相当天真，都十分单纯。

许多诗作的情调使我想起了何其芳早期的作品，但是芳本没有何其芳那样繁复的意象和精细的文字，芳本的风格近于何其芳晚期（我是指20世纪40年代写《夜歌与白天的歌》的时期，不是他生命的晚期——70年代末）的诗，那种纯洁得透明的情绪和语言，我在读中学和大学时曾经长期沉醉于其中。

那是20世纪50年代，而且那时我才20岁上下。

芳本令我惊奇的是在20世纪90年代，他居然保持了50年代的单纯，这是他的可爱之处，又是他的可恨之处。

可爱的是因为在20世纪八九十年代，在商品经济繁荣的泉州，芳本居然还是那样天真烂漫，那样傻不愣登，生活在童话一样的诗情中。

这不但可爱，而且可贵！

人总得有一点超凡脱俗的东西才像个人样!

但芳本的诗也有可恨之处，那就是他没有写出他自己在人欲横流的世界中如何奋斗挣扎，有时沉闷、有时兴奋的心态。他没有写出他作为泉州汉子的风貌。他是不敢写吗?

好像不是。

也许是他还不大会写这类又丑又美的东西，现在他写的是最好最美的东西，但是他的世界被过分美化了，好像是伊甸园。可是何其芳早在20世纪40年代就说过，“我们已经失去了19世纪的单纯”。而密尔顿更早地宣告了人类精神乐园的失落。

芳本的问题在于，他写出了他一部分的感觉，还有一部分天天感到时时摸到的，他还没有写出来。

看来，他自己也有点感到自己局限了。

他说他的诗不够“新潮”。

但这是一个表面现象，真正的内在原因是，他还不善于写出新潮诗人所擅长的那种意识深层的奥秘。

当然，他也没有新潮诗人的乖张和诡异。

芳本要写下去，就得找到一个更深刻的、更生动的、更丰富的、更复杂的，甚至是有一点为朋友激动起来要打架，在领导面前又懒洋洋的芳本，一个20世纪90年代的泉州汉子!

然后把它写成诗。

哪怕是不用新潮派的语言也好。

哪怕是不像新潮派那样诡异也好!

芳本珍重。

尴尬礼品

拿当教书匠和当官比，最大的缺点倒不是发不了财，而是没有当官的神气。几个同事一当了官，虽然尊容不怎么样，可在电视上亮相的机会，比赵本山、葛优还多。再加上出出进进都是屁股不冒烟的高级小车。下车有人拉门，上主席台坐当中，还有整齐划一的鼓掌，等等。同样是人，又差不多是同届毕业的，凭良心说，谁比谁差到哪里去啊！每思及此，要说自个儿眼睛没有发过一秒钟热，妒忌心没有像萤火虫那么一闪一闪，那绝对是假话，鬼都不相信。

人生在世，过去讲的是吃穿二字，现在，谁还为吃饱和穿暖犯愁？吃要比个阔气，穿要比个洋气。说话，比个级别的底气，就是停顿，也要比那听的人是不是屏着一口气。至于说，自己发了脾气，就要看谁能吓得他们上气接不上下气，中间要不要断气。

为官一任，就是贪赃枉法的事不沾，没有什么实惠，也得把这神气的瘾过足了。但是，让我当个把官我还是不太乐意，因为它有个很大的局限性，别的不说，在人情上，他就没有我自由、自在、自如、自得。比如，一到当官的朋友家里，看他老婆把人家送的礼品忙不迭地往里藏，我就觉得好笑。其实，有的就是亲戚、朋友的一点意思。人之常情，有什么见不得人的呢？

这么一比，就觉得教书的行当，真还有点优越性。至少收学生的礼品比之当官的要坦然，堂而皇之拿下，挺着肚子享用，有朋友来的时候，还可以夸耀一番，吹吹那些发了财的、当了官的学生好玩的、好笑的，可爱的、可恨的，精彩的、煞风景的轶事；让那些教了多年书而没有学生送礼的人惭愧好几个晚上。其实呢，那些个礼物，最可宝贵的不是它们有多值钱，实用价值是很有限的。酒，托 20 世纪 50 年代党的教育的福，我是不喝的，至于烟，又托了 90 年代媒体宣传的福，再名牌的，也是转送了别人。所以，到现在为止，我对心脏病、肺癌竟“免疫”了六十二载矣。茶叶，倒是留下了，已经多得可以开孙记茶庄了。还有一个不可忽略的好处是，让我对福建的名贵的茶种如数家珍。密友颜纯钧、南帆、王光明、华孚生来的时候，我可以一连泡上几个不同品种、不同颜色、不同香味的茶，让这些土包子惊讶得下巴好久都归不了位。

严格地琢磨字眼儿，“学生的礼品”，并不确切，应该说成“校友的礼品”。当学生的时候，一个个都穷得叮当响，上顿吃了一个红烧鱼，下顿就得在回锅肉的菜牌面前噎几口唾沫，不义无反顾地背过身去，就有破产的危险。正在读书的学生，送礼大抵是一些贺年卡之类的，用过一次，除了夹在旧报纸里称斤卖掉，实在也没有更为实惠的用处。毕业以后，少不了有些个阔气起来的学生来送礼。既不是为了让你改卷高抬贵手，也不是为了给他儿子取名字，纯粹出于对灵魂形成期的怀旧，出于一种柏拉图式的感情。这种感情非常纯粹，比之善男信女敬神仙要纯洁得多了。中国并不像中亚、西欧，有那么多宗教狂热分子，也没有多少感情至上论者。中国人只给那些很灵的菩萨奉献忠心。灵也者，就是我先给你送礼，你照我的吩咐（或者请托）把事办了，我就给你做免费广告；你办事要是猫猫虎虎，我就和你绝交，再也不上你的门不说，还要劝朋友和朋友的老婆碰上多大的灾难也不到你的山门里边点香火。别看厦门南普陀、香港黄大仙庙前穿汉装的、西装的男男女女跪倒一大片，虔诚得好像灵魂就在西天和菩萨亲近的样子，其实是和做买卖、走后门没有什么两样。给你点一炉香，明年你保佑我老婆生一个带茶壶嘴儿的孩子，要是生了个没茶壶嘴儿的赔钱货，就拜拜了。

但是，最纯洁的，往往是最不实用的，最诚挚的也可能最叫人恼火。

有一个得意门生，当年在我的名下，会折腾一点诗。就是因为诗，把一个女孩子迷住了。在决定命运的关键时刻，我曾经参与决策，最后的结局是花好月圆。毕业以后，常来常往。过一阵就给我带一点土产来。后来他当了一个有一万多人的农场场长，他的台湾凤梨，一到夏天，那留在我记忆里的香气就缭绕起来、蒸腾起来、漫溢起来，比他那诗歌，比当年他定情那天脸上幸福的颜色，还令人难以忘怀。

这次出差到他家乡，早就谋划好了，到他那里去大啖一通台湾凤梨。还准备了一个袋子，带一点回来，给我那些馋鬼朋友，如颜钝钧、林焱之类解解馋，以免他们像《水浒传》中人物，成天嚷嚷“嘴巴里淡出鸟来”。可是在他那会客室里的沙发里埋了好久，话都谈了半筐子了，却仍然没有搬出凤梨筐子来送我上车样子。

我的惊讶大大超过了失望。心里忙不迭地安慰自己，在廉政风暴席卷神州大地之时，此次又是省纪律检查委员会行业作风评议的代表，出来明察暗访，也许他是为我着想，故意不送任何礼品，以免污我的清名。但是，我想：此次出差，查访的对象与他无关。这个家伙，当了芝麻绿豆大个官，就把人情放在万分之一的可能性的官场误解之上，可见：第一，当官没有意思；第二，这个家伙日后要好好修理修理。

直到临上汽车的时候，他才把司机支开，从他的汽车尾部，以迅雷不及掩耳之势，拿出一个用旧报纸包得严严实实的长盒子，说："这个，给你。"

我有点莫名其妙。大声问："什么呀？"

这时司机来了。他赶紧把纸包往我的车里一放。

我说："干吗呀，这么鬼鬼祟祟的？"

他脸上露出了当年定情时的幸福颜色，不过多了一点高深莫测。他的官不大，却有一点高级领导喜怒不形于色的从容，只是淡淡地说："没什么，没什么啦……"一面说，一面还对我使着鬼祟的眼色。

我想我又不是当官的，收受学生的礼物没有什么见不得人的，便不理会他的神秘。学着美国人的风格，当面打开纸包。

这是一个装潢得辉煌灿烂的玻璃盒子，盒子里面是一条牛筋似的东西，足足有一尺来长。文字说明是：鹿鞭。我虽然并不太懂中医，可是对于中医吃动物什么部位就补人的什么部位的药理还是有所了解的，就凛然正色说："你这是有点开玩笑了。我不要这个。"

他朝着正在向我们走来的司机斜了一眼，轻轻地说："你这样的年纪，正好需要这个。"说完朝司机一挥手，把我往车子里一推。汽车嘟的一声，我就不得不把鹿鞭放在旅行包里了。可惜的是，旅行包是为凤梨准备的，而盒子的长度大大超过了3个凤梨。不管怎么颠来倒去地安放，总是露出来一截。

回到招待所，碰到一个好奇心比虚荣心还重的女同事。我连忙把手提包里冒出来的那一截按下去。她就开玩笑说我收受了什么女孩子的信物，我说不是，她就拉长声音说，能不能拿出来看看？

我只好笑而不答。

这样一来，一些心眼比较多的人，眼神里就有了更加意味深长的神色。

虽然我也很想澄清问题，但是，一想到拿出来以后，那女人打破砂锅问到底的情景，谁有本事能用比较文雅的语言把这玩意儿的药性和功能说清？

还不如来个电影家颜纯钧常说的：沉默是金。

三个不开口，神仙难下手。

反正身正不怕影子歪。你就是组织起专案组来查访，老子都不怕。

终于安全到达家中。收拾衣物时，老婆看我鬼鬼祟祟地藏着、掖着，就非常警惕地走过来，问："藏什么啊？"

我说："没有什么，一个学生送的礼。"

她一把抢了过去。一看那说明，就骂我老不正经，说什么也不相信是人家送的，一口咬定是我买的。

呜呼，只好再度沉默。

鲁迅先生说，不在沉默中爆发，就在沉默中灭亡。

我却既不能爆发，又不能灭亡，只能在爆发与灭亡之间的精神炼狱里经受折磨。

从此以后，这个宝贝就成了个心病。干脆丢掉罢，又有点暴殄天物，有悖于朱伯庐、曾文正公治家格言中对于任何细物当思来之不易的教导。送人罢，有点以邻为壑的嫌疑，一下子也找不到合适的对象。有同事丧偶，续弦再娶。此人平时嘴巴比较损人，把这个东西糊里糊涂地给他塞到一大堆礼品中，到他发现，要退也来不及了。日后，他那张吐不出象牙的嘴巴再开动，我就可以调侃他了。可是，想想自己拿到此等礼品以后所遭遇的狼狈，就想起孔夫子己所不欲，勿施于人的圣训，我的人道主义又复活了。

天气渐渐热了，要不要拿出来晒晒呢？

要晒，应该选个什么安全所在呢？

家里还有个尚未成年的女儿，还有不时来讨论问题的研究生，男女都有，而且都非常纯洁……

终于下了个决心，特地起了个大早，把那个玻璃盒，偷偷丢进了垃圾箱。当完成了这个历史任务，吹着口哨抬头看天的时候，心情便似晴朗的天空一样透明，顿感崇高了许多。回到家里，兴致勃勃地帮着老婆把自己冬天的大衣之类拿到阳台上晒。马克思不是说过吗？到了共产主义社会，劳动将不是谋生（当然也不是讨好老婆）的手段，而是人生的第一需要。

哦，阳光灿烂，哦，灿烂阳光。

正在这个时候，门铃突然响了起来。

清脆的声音和着轻快的脚步一齐闯了进来。是隔壁邻居的女孩子，脖子上围着红领巾，还没有说话，先是一个举手礼："伯伯，喏，这个花盒子，是你的。"

我一看，不是那个冤家是什么？要不要把这个叫人尴尬的东西收下来？我一时拿不定主意，只好先支吾着："是吗？是吗？你，你怎么知道这是我，我家的呢？"

"我拿到好多人家去问了。"

我的天哪！一家还不够，还要好多家。

"好几家叔叔、阿姨都说他们家不会买这种东西，很贵的。后来一个叔叔说，刚才看见你把一个花花的盒子丢到垃圾箱里了。"

"我，我丢的是这个吗？"

“那叔叔说，只有你才会买这个。”

毛泽东说过群众的眼睛是雪亮的，此话端的不假。此刻，我的否认比克林顿在大陪审团前还要软弱，“我，没，没……”

孩子纯净的眼睛出现了迟疑的乌云。我紧张地期待着。

我看到迟疑变成了犹豫，而且终于消失了。她松松爽爽地说：“对不起，伯伯，那我就再到别的人家去问，再见。”

我的天哪！一家一家地问，还不等于是上了大字报。我一把把她拦住：“别忙，让我再看看……是不是我的……”

古人云：天作孽，犹可活，自作孽，不可活。虽然我懂得辩证法，精通黑格尔的小逻辑，还学过穆勒的名学，墨子的推理，佛家的因明，波普尔的证伪说，但是，哪一位先贤能帮我把这个道理说清？除了把它收下，还有什么办法来消除扩大影响的危机呢？

呜呼！人生多难，世事多乖。贤者招谤，忠臣俎醢，锦贝之灿，苍蝇污之，小事酿成尴尬，比大事造成的痛苦不但更加难以摆脱，且难以自明也。

从此以后，再到当官的朋友家中，看其太太不着痕迹地收拾满地板的礼品，就不免肃然起敬起来。毕竟是当官的，太太的水平亦非我等草民可比。《诗》云：如履薄冰，如临深渊。为师之道，一如为官之道。官场如战场，人生亦不例外，细事不谨，身败名裂。凡事当如阿庆嫂，处沙家浜，对刁德一，滴水不漏，八面玲珑，切不可以大大咧咧，有背圣贤、先辈之遗烈也。

哀悼门牙

我开始记事的时候，还是抗日战争后期，那时逃难到乡下，大米饭不是经常能吃得到的，到了青黄不接的时候，就常吃大麦粉煮的稀饭，那叫“穆子粥”，很稀，很滑，喝下去很快，可几场小便一拉，肚子就饿得叽里咕噜。饥饿迫使我经常溜到油菜田里去偷油菜心生吃，把外面的皮一剥，虽然有一点生味，但很嫩，挺可口的。最好吃的当然是桑葚，尤其是那红得发黑的，甜中略带一点酸味，每一回采到一大口袋，都要坐在家乡特有的立式风车上享受一番。一回到家，妈妈看到衣服口袋上，脸上满是桑葚的紫斑，就少不得数落我一顿，她唠唠叨叨说了一大阵子，我都忘了，其中只有一句最为难听，我至今未忘，那就是“鸭子掏阴沟——好吃不要脸”。

说我好吃，我并不觉得是什么冤假错案，但是我很要脸。那时，大家都馋，哥哥姐姐们也都一样。五六岁的孩子，还根本没有吃过零食，玩具就更是天方夜谭了。只有大哥是例外，他有一次跟着父亲到镇上去，带回来一包五香花生米。他一进门，我就闻到一股妙不可言的香气，舌下的口水便汹涌起来。我便用一种哀求的目光长时间地盯着他动着的嘴巴，不管他多么狠心地装作无动于衷，我还是目不转睛，以无限的专注和虔诚的期待，等待着他的怜悯。但是我有伟大的自尊，我决不开口向他乞讨，他显然非常理解我的心思，但就是要逼我开口。我们就这样四目相对了不知多久，我那不争气的口水终于汹涌到冲破了嘴唇，他胜利了，得意地用三个指头撮给我大约 5 颗花生米。我一颗一颗放进嘴巴，不敢用板牙大嚼大咬，而是用门牙细细地摩擦，那种奇妙的异香从舌尖便扩散到整个口腔，然后向全身渗透，最后直至脚跟。那种美妙令人身心俱轻俱净、欲仙欲神。但是，五颗花生米很快被我的门牙消灭了，一种齿颊留香之感逼迫我又用同样虔诚的期待的目光盯着哥哥，他似乎很意外，摆出一副很冷漠的样子说：“花生米，花生米，就是给你‘眯眯’的，你怎么那么馋，一下子大口大口嚼光了！”我知道争辩无效，只是装出无限可怜、无限悔恨的样子去感动他。他中了我的苦肉计，于是又撮给我3颗半花生米，我把那半颗和他一起“眯”了好久，却把那3颗藏了起来，等到弄准他已经“眯”完了以后，我就故意在他身前身后让他享受我口角的香气。他自然气坏了，恶狠狠地说：“我以后有好东西再不给你吃！”我胜利了。

但是我胜利的欢乐没有持续多久，几天以后，他和爸爸从镇上归来，带进屋子里的是一种比五香花生米更为令人销魂荡魄的香甜之气。我又用我那虔诚注视法来感动他了，他说：“你不用盯着我看，我嘴巴里是最后一块水果糖，你要吃，”他把那半块糖吐在手上，“就吃这个。”我还是第一次看到这种碧绿、透明、晶莹如玉，而且散发清凉鲜美香味的糖果，虽然那上面沾着哥哥的唾沫，很煞风景，但我也顾不得一切了，拿起来就往嘴里一放，那鲜美的甜味中有花的芳香，草的清新，我浑身的每一个细胞中都膨胀着花香。从此我就得了一个“馋鬼”的绰号。不过这个绰号只在兄弟间偶尔叫叫，绰号固定下来还在以后。

那年夏天，我头上生了好几个疖子，起初只鼓起红而硬的疙瘩，后来疙瘩变软了，而且在当中突出了黄色的脓头，乡间的土医生说疖子“熟”了，要放脓，就是拿一把小尖刀在火上烧红了，把脓头划破。我一听吓得魂飞天外，一见那土老头就溜。可是有一次，哥哥突然从屋子里跑出来大叫，爸爸从镇上带来一卷“大王水果糖”，赶快去吃。我立即飞奔而去，然而非常不幸的是在牛绳上绊了一跤，一颗门牙掉了下来不算，而且还被父亲，哥哥按着，让那土老头子用烧红的小刀放疖子上的脓。

这以后，我的缺齿就变成了我的耻辱，每逢有什么生人，亲戚或者小朋友问起我的牙齿时，我哥哥，有时甚至是我妈妈都把我那丢脸的故事叙述一遍，尤其可恨的是我哥哥，他还绘声绘色地加上一些可笑的细节，如口水流得比脓水还多之类。“馋鬼”的绰号就此固定了下来。

为了避免在生人面前出丑，我逐渐学会了在他们面前不笑，不管多开心的事，都不开怀大笑，实在忍不住，就用两个手指按着嘴唇。我这一手很成功，连我母亲都奇怪我怎么一下子变得文雅了。

那时正是我换牙齿的年纪，很快新牙长出来了，我又可以纵声大笑，把嘴巴咧到耳朵根都不怕。然而50年后，一次偶然的事故，我的门牙又碰断了，去找牙医，说是牙根还在，但最好拔掉，镶上铬、镍、银合金的牙齿。我倒抽一口冷气，在我印象中，一笑就露出一排人造银牙的都是一些投机商，黑社会人物之类的角色，便去找另一位牙医，他认为可以不装银牙，而在牙根打上铁钉，接上骨牙，但这种牙不坚固，不能咬硬东西，连苹果都要削成薄片吃。有什么办法呢？人为了漂亮一些总是要付出代价的。

来到香港以后，发现香港有一种现代民俗，那就是：有朋自远方来，不亦吃乎。我的朋友、学生甚多，轮流请我吃饭，而香港的美味远远胜过美国的中餐馆和内地各式菜系，我一面享受着珍馐百味，一面担心着我那装饰功能大于实用功能的门牙。

终于，在吃到第26餐时，我发现牙齿感觉有异，用手指去试探了一下，幸而没有动摇之感。就在这以后，又一个邀请来了，而且来自一位写诗的女士，我犹豫了一番以后，实在顶不住美味的诱惑，还是去了，终于在啃一种说不出什么名字的东西时门牙不祥地响了一下，那脆弱的门牙便和一块坚强无比的骨头一齐吐了出来。我那比门牙更脆弱的爱美的心此时是何等悲痛呀！香港的牙医费是昂贵的，而在内地我治牙完全是免费的，我绝不想把我微薄的工薪轻易奉送给牙医，又不想立即乘飞机回去就治，唯一的办法就是适当使用我童年运用过的战略，决不在女士面前大笑，实在忍不住内心的欢乐时，就遵循《女儿经》上的规范——笑不露齿，直到5个月后回到内地为止。

不老的长安山
——福建师大九十周年校庆致辞

参加校庆这样的仪式，是为了和大家一起来享受回忆。回忆是老年人的专利，但是共同的回忆却能使人年轻。尤其是现场的、面对面的共同回忆更能使人心灵致富。不单是美好的青春，还有坎坷的噩梦，在互相唤醒、互相交流的回忆中，变成一种享受。成功和挫折从两个方面使人精神充实，使精神沟通具有深度。

回忆像聚光的透镜，把漫长的生命历程凝聚在这小小的空间，让心灵集中在一个焦点上。在纵观生命历史的时刻，精神会得到自由升华，可以摆脱琐碎的庸人的谋虑，站在生命的最辉煌的制高点上，俯视我们灵魂的征程，从我们的生命和血液中去默读自己和八闽大地的，甚至是我们民族历史的那一份联系。

普希金说，那过去了的一切都将成为亲切的怀恋。

而俯视历史和生命的曲折更能体会到生命的价值和意义。

对我们年轻时代所作的一切选择，不论是暂时带来的灾难还是永远迎着朝霞的道路，我们都无愧无悔。无愧于我们的时代，无悔于我们只有一次的生命。

没有记忆的心灵是贫困的。谁的记忆丰富，谁就是我们这里的精神大款。谁的记忆匮乏，谁就是我们今天精神的扶贫对象。

我不会忘记，当我来到这所大学的时候，我还是非常年轻的，如法国诗人艾吕雅所说的：像新下的鸡蛋一样新鲜。今天，我从这个会场上最生气勃勃的同学的脸上，看到了我的过去传神的肖像。当然，我的同辈人的苍苍白发也在提醒着我现在的年龄。

我生命中最美好的年华是和长安山联系在一起的。逝去的年华像歌曲上所说的：美丽的小鸟，一去不返。但是我的收获肯定比失去的更多。20 年前，第一次走到我面前的还是土得掉渣的，来自山区的孩子成了教授、书记；在大洋彼岸，在偏僻的山区，不止一对在长安山播下了爱情的种子的同学，现在已经儿女成群了，虽然当年我曾经为他们萌芽的爱情做过悲观的估计，做了不称职的“爱情顾问”，全凭他们的顽强，成就美满的姻缘，但是他们见面仍然称我为老师。其实，我深深感到他们百折不挠的精神才是我的老师。在这方面被他们超过比在任何其他方面更加令我怡然自得、心悦诚服。就在这个会场上，我注意到：一些当年非常美丽的、校花级的女同学，脸上只有限地残存着正在逝去的美丽，这一切并不令我感到遗憾，因为我可以看到在她们的内心，正在孕育着成熟的美。尤其仅仅一米之外，那些 20 世纪 70 年代、80 年代非常调皮的捣乱鬼，有了稳重而从容的、永远适合于在开会的时候坐主席台中央的表情。

长安山下正是一片生命的丰收季节。请记住：这是 1997 年 11 月 8 日。感谢生活，让我的生命在长安山度过了最美好的时光。人生易老，长安山却青山不老，每年夏秋之交，走出长安山的和走进长安山的青年，同样青春焕发、神采飞扬。我深感荣幸，我比我的同事得到了更多的信任：我知道他们在图书馆和林荫小道上留下了多少美妙的故事和歌曲，而走进来的又带来多少崭新的梦想。就这样，每过一年，长安山的空气里就增加了一份浪漫的诗意的浓度。在这越来越浓的浪漫、温馨的气息中呼吸着，人就是活到 100 岁也是不会衰老的。长安山永不停息的上课下课的铃声，给了我这样一名普通教师以最庄严的意义上不老的青春。我和每一个青年一样，未来总是从今天开始。

当然，比起许多职业来说，教师也许注定是清寒的。但是，我们最大的财富就是你们，正是你们的成就使我们永不缺乏富饶之感。

这些年来，虽然自知并没有多大的长进，但是我却在各种场合受到了更多的尊重。每当我在一个陌生的地方参加一个会议，突然被彬彬有礼的小姐从会场的角落请到了会场的中央，像婚礼中的新郎一样受到众目睽睽的尊重，我就意识到一定是有一个当年的学生在这里身居高位了。

我曾经把学校和学生的关系分成两类，一类是校徽为他增光的，另一类是他们为校徽增光的。我想，出了福建省，我们这所学校，大概并不一定给你们多少光彩。在一些名牌大学教授面前，我的自尊心也许不能从校徽上得到充分的满足。但是每当在报刊上看到了有关你们业绩的消息，我就可以在那些重点大学的学者面前挺起肚子。因为，他们不过是在山顶培育了壮苗，而我们则是在山沟里培养了高耸入云的青松。他们是从军官里培养了将军，而我们是从小兵中培养元帅。每当你们的名字被人在我面前称颂，我就有了以含蓄的微笑来表现我谦逊、从容的机会。我乐于平静地说：“这是我的学生。”如果这个学生出现在我面前，我能说出他的名字，甚至能记起他年轻时代的一个或者两个可爱而又可恨的事，我就更加有了表现我有教无类的大师风度的机会。如果我不能叫出他的名字，那我也不感到惭愧。我反而可以说，我的优秀学生如此之多，我已经不可能把他们一一记住。

你们的成就，时时刻刻地增加着我这个教授的含金量，这跟我在保险公司进行了荣誉保险一样的幸运，时间越长，所享受的福利越是丰厚。我十分珍惜我这种沾沾自喜的感觉。当然我也会鞭策自己，用自己的成绩来增加你们文凭的含金量。

但是这不是一种恒等的方程式，由于我们东方的尊师传统，我们的奉献永远超过了你们给我们的报偿。

不管是给我增光的还是令我不满意的学生，常常出乎意料地使我体会到做教师的精彩。

1990年，我在德国，由于不能忍受德国南部天主教区特有的孤寂而决意回国。一个远在大洋洲的学生居然打了半个小时的洲际电话劝我改变主意。我的理由在他看来是绝对不能成立的。我不得不撒谎说，因为我的胃有一点毛病。他说，那就更加没有理由回国了。你到大洋洲来，到我这里来，全部是公费医疗。于是我就说，我得的是肿瘤，他吓了一大跳，说你赶快来大洋洲，这里的外科条件比之国内要好得多。我只好说，不是恶性的，而是良性的，不用手术。他说，那就更不用回去了。反正我无法自圆其说，最后我要了个诡计说，电话是房东的，人家要用，不能再打了，才免得把他的电话费无限度地浪费下去。

回到福州以后，才发现，家人神情紧张。连校党委书记都来存问，面部都有某种绝别的表情。原来是他早把我临时编造的借口，当作噩耗传到了长安山。

在洛杉矶又有了类似的经历。突然一个青年人开了车来，要带我到迪斯尼去玩。我并不认识他，而且又不能不顺从他，虽然内心并没有被绑架的恐惧。只是任他非常亲热地叫我老师，我缺乏勇气问他叫什么，是哪一届的，又不能不装作和他还很熟的样子。

在尽量避免问及他的名字的技巧方面，我并不缺乏赵本山式的狡猾。

他告诉我，他在拉斯维加斯大赌城附近，经营着一家饭馆，每逢周末，都要到大赌城去，而且每赌必赢。为了我，他不但放弃了这种合法抢劫的乐趣，而且牺牲了本来唾手可得的几百甚至上千美元。

他带着我玩了两天，我才顺利地要了一个花招，终于弄清了他是1977级的。从那以后，他的名字才第一次进入了我的记忆。

时间真像孔夫子所说的如一条河流，不舍昼夜，奔流而去。

不过我要补充的是，它并不像孔夫子想象的那样单纯。它经历了惊天动地的变迁，有的甚至还可以用黄河改道、泾渭合流那样的生命的重组来形容。但是一切的比喻都是蹩脚的，河流不管多么变迁，河床还是存在，而我们现在看到的校舍却已经没有90年前的任何痕迹了。

90年的校史，是漫长的，它也许会超过了我们在座的人生命的长度。我们已经不可能看到当年为我们确立传统的先贤。校史上说是最后一个皇帝的老师创立了这所学校。名人当然会为校徽增添光彩，但是，历史是更为光辉的，名人只是历史银河中点点星光而已。而我的名字只要和我学生的名字联系在一起也同样会发出光华。

个人的生命短暂而且平凡，并不是我们气短的理由。当我站在这个讲台上，并没有陈子昂那种前不见古人后不见来者的悲凉。在我们背后的是 90 年的历史，我甚至可以感到：我是站在几代先贤的目光的顶点，同时，我又能够听到，我们处于次第出现的后代的歌曲的中心。

这就是我们常说的，所谓历史的定位。这是一个人自觉的哲学意识达到一定高度的表现，也是一个摆脱自发的生活、精神升华的表现。只有在这种自觉中才能真正体会到生命的意义和光辉。

春风桃李，芳草天涯，从你们离开的那一刻起，每一个有关你们的成就，包括你们过去闹的笑话，都是我们永恒的话题、心灵的诗篇、精神的财富的矿藏。你们的每一个新的成功，都使长安山的海拔提高。你们的高度就是我们脚下的高度。

相聚的时间总是很短很短，而分别的时间则常常是很长很长。天南地北，咫尺千里，在你们取得成绩的时候，如果有一阵风吹过你们的耳边，那就是我们向你们发出的问候。当你们取得进展的时候，如果有一片云飘过长安山的上空，那就是对你们的祝贺。空间距离是不可克服的，但春花秋月，风起云飞，长安山的路是不平凡的路，每一寸都重叠着前辈的脚印；从长安山出来的人，都有某种不安的性格，他们喜欢在前辈脚印的延长线上，在还没有路的地方铺下第一层脚印。

1997 年 11 月 8 日

江南文化：铁琴和书香的启示

从千里之外的闽江入海口，第一次来到常熟的古里，一切都是这样新鲜，然而又那样亲切，黛瓦粉墙，平湖绿野，烟波石桥，无不养眼，从记忆深层萌动起来的是感恩，早春蚕豆花和油菜花的颜色正是我童年的梦痕的颜色。而百里之外的古镇朱家角，是我少年的乐园。象征我人生起步的放生桥和古里的每一座石拱桥均有孪生的相似性。连古里这样的地名也和朱家角蕴含着血脉相连的意味。朱家角有许多叫法，比较文雅的叫作“珠溪”，我就读的小学叫作“珠溪中心小学”。这样诗化的语言几乎只出现在正规的文书上。老朱家角人觉得它有点拗口，说起自己家园，最自然说法是“角里”。那些到朱家角来旅游的外地人是很难体会到“角里”中的乡土密码的。以角里眼光看古里，不能不产生一种“梦里不知身是客”的韵味。

这不仅仅是因为古里是古的，角里也是古的，而且也是因为，角里是鱼米之乡，古里当然也是。古里的辞源是罟里，罟者网也。

一方水土养一方人，古里人的气质，就像我70年不变的角里尾音一样，与我白头偕老。

这里迢迢的水，养育着吴侬软语，这里隐隐的山，蕴含着墨香诗韵。当然，这里不是关西大汉的故乡，没有执绰板唱大江东去的粗豪，然而，这里的白茆山歌和才子佳人传奇一样古色古香。物华天宝，书香弥漫，丰饶的物质和深厚的文化传承，在角里人的眼光中并不新异。然而令我仰慕的却是这里的书香，居然历百年国难浩劫，却端然凝聚在一座深达四进的藏书楼之中。楼主瞿氏住宅历经兵灾战火，荡然无存，独藏书楼安谧静立。

对于古里人的文化气质来说，这颇有一点象征意味。

更有象征意味的是，它的命名：“铁琴铜剑楼”，端的名不虚传，铁琴和铜剑，赫然在目。这实在不能不令人沉思，化书香的氤氲为不朽的金属，只有古里人才想象得出。

笔墨纸砚，书琴棋画，江南才子施展才华的天地，不可不为广阔，然而，在古里人看来似乎并不全面。在书琴棋画之外，还要有剑胆琴心。而且这琴不是俞伯牙那种只弹给一个人听的琴，也不是李商隐的《锦瑟》，抒写秘密爱情的绝望的缠绵的琴。琴是铁的，不是庄子所说的是梧桐的，琴之贵不在凤凰，而是金属的铿锵，它只能和铜剑相谐。也许在古里人想象中，苏州评弹缺乏某种刚性，要以一种刚柔相济的旋律，开拓另外一种精神风貌，这种风貌，就储存在表面上是沉默的、冰冷的铁琴之中。古里人的想象力真是横空出世。谁说江南人，没有关西大汉的雄风呢?

文化典籍毕竟是脆弱的，它须要冷兵器来保卫。这就是铁琴之旁还得有铜剑的缘由。联系到清末百年来亡国灭种的危机，不难理解，这位以纸质媒体为生命的古里人的内心的玄机。也许，他理想中的古里文化应该超越吴越文化的柔性优雅，注入一些金属的刚性吧。这种玄机并非来自瞬间的灵感，用这里的方言来说，不是冷锅子爆出的热栗子，而是源远流长的。从一系列的乡贤的事迹中，不难获得源远流长的阐释，从元末刘元善不满官场腐败而归隐，到明初的钱甦被诬入狱，子代而免死的传说，还有万历年间为阉党陷害的顾大章都是古里刚柔相济的人文风骨的注解。

这种文而不弱，书剑一体的风骨，并不仅仅静止凝固于书楼之中，其衍脉流芳直至 20 世纪 50 年代，甚至扩散到我的身边。

当时，我在昆山中学读书，一位来自古里农家的同学，与我甚为友善，一个角里，一个古里，被同学戏称为“古里角里”(苏联小说《静静的顿河》中的主角格里高利谐音)。他支持我献身文学，秘密告诉我邻居老太家中藏书颇丰，可以借阅。不久，他就带来了线装的《订正白香词谱》，在那《钢铁是怎样炼成的》风行天下的时代，我第一次为李后主和白居易的词着迷，不由自主地背诵，真是一种终生不忘的语言宴飨。后来他又为我借了郭沫若的《女神》，那是 1921 年上海泰东书店的初版本。很久以后，我才知道，后来流行的版本是郭沫若在 1927 年参加南昌起义以后作了许多修改的，那是一个很珍贵的原始版本。再后来带来的是 4 本《金瓶梅》，那是 20 世纪 30 年代施蛰存先生的删节本，多处有“以下删节……字”(后来贾平凹《废都》的“以下删节……字”就是从这里学来的)。但是，所删节之文字，均有蝇头小楷补写于书页空白处。对我这个为红色文艺英雄主义熏陶的青年来说可谓一种魔鬼的诱惑。我偷偷读了一本半，禁不住满脸发热，耳朵发烫，不断有某种生理冲动的犯罪感。作为一个共青团员，我深深自谴，不能这样堕落下去，就以保尔 · 柯察金式的果断，把这本书还给了他，从此再也不敢请他借书。这位成绩不俗的同学，后来，不知为什么，中断了学业，参军去了。当时，我曾经反对他的决策。他对我的友情一笑置之。我想他也许真是向往葛里高里那种跃马扬刀、驰骋疆场的生活吧。可惜的是，以后天各一方，我们失去了联系。

此番来到古里，自然想起葛里高里。领略铁琴铜剑书香之际，我对这位同学当年的选择似乎有了某种领悟，同时，不无敬意地想象那位农村老太，她该是一个怎样的藏书迷啊。在他们身上书剑一体的文化血脉不是隐约可感吗？可惜的是，不论是我还是那位古里同学，并没有全面地继承，我毕生只以一介书生而自得，他也许只实现了跃马扬刀的理想。严格说来，我们都没有达到铁琴铜剑的水乳交融的高度。

频频回首这屹立 200 年不倒的书楼，我隐约感到惭愧。这种惭愧一直如古里河上的烟波一直萦绕在心头，直到看到古里一个小裁缝创造了波司顿这样世界驰名品牌的辉煌，才为古里刚性心曲的新发展，寻找到了新的阐释，心头的惭愧才为某种顿悟的欣慰所代替。

2011 年 3 月 23 日星期三

乡村寿宴

一个学生，送来了大红请柬，很郑重地写着是为了他父亲的七十大寿举行庆典，地点是在郊区一个县的村子里。细看学生的名字，很是陌生，要不要去呢？去吧，往下一坐，周围的都是陌生面孔，明明很别扭，不自然，还要装得很自如雍容的样子，可是，每一句话都要斟酌，既不要太随便，又不能太俗气。一顿饭吃下来，不把脸上管笑容的肌肉累得发僵才怪。

当然，海边村子里鱼虾是新鲜的，但是不管龙虾在盘子里怎样生动，没有人和我高谈阔论，也是白白让血管壁上增加胆固醇。再说，如今，公款吃喝虽然并不很多，但是，私人的宴请应酬，不能说少。而且，早就过了看见珍馐百味就流口水的年纪。

想想还是不去为上，但是人家郑重其事地送了帖子来，而且满脸的虔诚和期待。推辞肯定是很费周折的，为了免得虚构理由的痛苦，就想，去吧。

但是转而一想，有些细节落实起来并不轻松，要不要送礼呢？送什么礼，在如今的这个世道，是个很大的学问，我虽然号称学者，而且如贾宝玉一样“杂学旁收”，可就是没有钻研过送礼的民俗程序和相应的表情。人生六十，古来未稀。学问不足，以经验补之，经验不足，以想象补之。好在我是师长辈。省里来的教授，送点什么，够他炫耀一个历史时期的了。

最怕的是送钱，按现代行情，发了帖子的，要给货真价实的红包。包里放多少呢？太多了，未免有影响养家糊口之虞，太少了，有损师道尊严；弄不好给人家退回来，表面上说是老师的一概不收，到头来落个笑柄给乡下人，丢了新时期那已经相当尊贵了的教授的范儿，后果无法挽回倒也罢了，可是留在心头的那种滋味，却足够好些年想起来就暗暗不是滋味。

还是找个借口不去。

但是人家说了到时会有车子来接的，不去也尴尬。

临到快要赴宴的日子，心里真够折腾的，直到车子来了，才知道此时要坚决拒绝，连适当的表情都没有事前设计好。不要说，送礼的事没法考量，连行动都因为被过分的尊重而失去自主，精神被绑架的感觉比之躯体被绑架的感觉要复杂多了。

等到恢复平静，才匆匆忙忙让司机转到一家花店门口，买了一个花篮。可是那花篮太大，拿上车子，只能搂在怀里，还得虚虚的，想想这种身不由己的样子，越发觉得自己的傻气。但是，要说难过就夸张了，不过就是被尊重得身不由己而已。

享受被尊重的荣耀，也不是没有代价的，那就是体验当傀儡的感觉。

上了车子，就努力安慰自己，当教师的，尤其是出了点名的，总是有一大堆不认识、不熟悉的门徒。自己的名字能给他们的身份增加一点含金量，就是人生的一种价值。一个系，少说也有上百的教师，偏偏什么人都不请，就请你一个，这种光荣，谁能比你享受得更多?

要说享受，并不是一种很自由的、舒服的感觉。例如，那些百万富翁，每一出行，有那么多的保镖，当官的每小时活动日程，其实都是他的秘书安排的。连讲话稿都是由别人给写就的，他不过是拿来朗诵一番而已。他们有自由突然宣布：老子不干了，不当这个朗诵员吗?

这样说来，我还是比较自由的。我随时随地都可以不干。当然可以委婉一些，例如，肚子疼啦，心脏病发作啦，做两眼昏花状，做一头栽倒状，所需的表演技巧，并不太复杂。只是我的心情，还没有弄到不可忍受，非要个性解放一下，给他们一个无法赴行的理由的地步。

到了那个近来显然是暴发的村子里，车子不往住宅，却是往一所小学里开。

请的人太多，多达 500 人，即使请客的已经爆满，却没有预先设计一个能容纳 500 人的大厅。一个小姐，可能是乡村里最为时髦的，把我怀里抱着的花篮提到了一个教室里，那里早有几十人在嗑瓜子。坐相并不雅观，有点像郁达夫笔下的人物，都是横歪竖倒的，懒洋洋的，但是，能够侧身此等盛会的荣耀感在他们的脸上泛滥。

几乎所有的人都从眼角里打量了我一下，但是没有一个人表示特别的关注。在潜意识里，至少有一秒钟，他们把自己和我比较了一下，显然共同的结论是：为保持他们身份的尊贵，对我不能显出特别关注的表情。

我被冷落在一旁，体验着既不认识一个人，也没有任何一个人来搭理我的那种感觉。

时间过得特别从容，嗑瓜子的声音却分外匆忙。

不久学生来了，他连忙把我让到一间装修过的房间里，是校长的办公室，几个当地显赫人物立即站起来，随即来了几个人，说是专门来陪我的。

我的尊严感，得到了满足，身子也轻松起来。对于四面的笑脸，报以谦和的表情。

没有多久，通知说是出发去吃酒。我被架到楼下，满眼都是穿着不亚于省城的男女。陪伴我的人（其实是不由分说地架着我的人）告诉我：这是公安局派出所的所长，那是县委办公室的秘书，还有工商局的副级科员、区妇联的副主任、报道组的干事等。无疑这是一场本村当代英雄的聚会。小学的操场上，停着好几辆轿车、旅行车、吉普车。

宴会厅是一家祖宗祠堂里，前后三进，连同走廊上，都摆满了桌子，人声鼎沸。一问，共50桌。

我被拥到第一进厅堂的靠近中间的一桌，为了让我坐当中，主人以一种毫不含蓄的动作把一个早已入座的客人拉到了边上。

全桌都是陌生人。有人向我举杯，我就举杯，有人示意吃菜，我立即把筷子伸出去，当然，不忘保持很高兴的表情。

不久，一个司仪模样的人，拿着半导体喇叭，用我听不懂的土话宣布寿星向大家致谢。

于是大家举杯，我又举杯。接着，一大堆男女来到我们桌前，把许多香烟和红包丢下来，丢香烟的还有一些才四五岁的小孩子。

从几个看来有点文化的客人的谈话中，我渐渐明白，这些人都是寿星的儿女和孙子孙女辈，还有一些是他老人家的徒弟，我问一个能说一点普通话的同桌，寿星年轻的时候，干什么营生。答曰：修自行车的。

我忽然想到在中国为人师者，不仅仅是我等大学教授，连修自行车的都受到如此之尊重。要让美国人达到这种自觉的程度，除非让孔夫子通过托福考试。

桌上东西啖得差不多的时候，鞭炮惊天动地地响了起来。

在火药的香气和萦绕的烟雾中，我看到大厅堆放的豪华爆竹整齐地码到屋梁。

突然想起，市政府禁止燃放烟花、爆竹的规定。想问问，然而，无法开口。

大家不约而同地站了起来。我也站了起来。有人递给我一个塑料提包，原来是分装礼品的，桌子上的香烟和红包按绝对平均的原理分配。

人声鼎沸，欢声震天，这才是乡村寿礼真正的高潮。

我随着大流，把包伸出，让自动出来分配的人，把香烟之类放到自己的包里去。

我并不抽烟，但满耳的欢笑，容不得细想分到52包香烟对我有什么用处。

仪式是一种强大的力量，它以整齐一律的动作规范，在没有任何强制的情况下，让你笑容满面地，把自由和意志作为代价去换取这集体的、忘却自我的欢乐。

当我和大家一样把满满一袋礼品提着出门的时候，已经一点也没有不自然的感觉了，而且还微笑着向主人道谢。

发财的感觉

突然收到来自某非洲国家的一封信，是一个不认识的人发来的，说是由于政治上的动乱，发信人的一笔款项（2600 万美元）卡在该国中央银行里了。只要我提供一个账户，就可以把款项提出，其中的 20% 就属于我。算了一下，500 多万美元。凭良心说，我想象不出，这么多钱对我有什么用处，像我这样的人，无论如何浪费，一辈子也花不完这么大一笔钱。

绝大多数小百姓忙忙碌碌，疲于奔命，不管是嘻嘻哈哈还是哭哭闹闹，不外是为了钱。为什么这么执迷不悟呢？无非是钱不够用。正是因为不够，铤而走险者有之，出卖灵魂者有之，不要脸者有之，不要命者有之。人类进化到今天，许多毛病都可能改掉，但就是一点总是改不了，那就是贪财，总是觉得钱不够。每月拿几百元下岗津贴的觉得钱不够，年薪 10 万元的经理和年轻的教授也感到钱不够。钱不够似乎成了人性的一部分。

钱不够花是一种苦恼，人生也就是一种苦恼。

活了这么大年纪，还没有一个人告诉我，钱太多了，是一种什么感觉。

只有一次，我从间接渠道得到消息，一个在深圳的朋友，炒股票发了一笔，大约是 60 万元吧。那是 20 世纪 90 年代初，在当时可是许多人一辈子都赚不到的一个天文数字。我们没有机会见面，因而无从直接得知，口袋里鼓着 60 万元是一种什么感觉。只是从他太太写的一篇文章里得到讯息，有了那么多钱，第一个感觉是轻松，生活的重负一下子消失了。

这个感觉太抽象。买了件便宜东西，打赢了一场球，考了好分数，得到理想单位的录用通知，都会轻松。但是发财，那种轻松感显然与之不同。

在我周围还没有一个发横财的大款。

一下子，这样的幸运光临到我的头上了。

我并不需要那么多钱。按严格的逻辑推理，只取其中足够我挥霍一辈子的就行了。钱太多，会变成坏事，小偷、劫匪不会把穷鬼作为重点目标。报纸上绑票，甚至是撕票的对象，都是钱多得用不完的财主。如果轮到我，岂不哀哉？

鸟为食亡，尚可同情，人为财死，在佛家来看，就是“妄执无明”。

这么一想，钱是个坏东西。

但是，我想起了当代中国一句著名格言：钱不是万能的，但没有钱却是万万不能的。

学校当局正在为没有钱建造教学大楼而发愁，我可以拿来送给学校，成立基金会，造最豪华的大楼，剩下的奖励穷困而好学的大学生。实在太多，我可以到东街口百货公司大楼上，把100元钞票成把地往下撒，其飘飘洒洒的景色，其壮观的程度，大概可以进入吉尼斯世界纪录。

和有关方面商量的结果是，把一个亏本得一塌糊涂的公司放在我名下，让我当个挂名的董事长。我就以董事长的名义向尼日利亚方面发了传真，表示同意。

一个月内，很是顺利。对方的“总统特别偿债委员会”还给我发了几次传真，核查情况。我都依照发信人的嘱咐，一一应付了。至于交纳税金，在该国保险公司投保的费用，都由对方解决了。

眼看那500多万美元就要入账，免不了盘算起来：

除了挽救那个濒临破产的公司，还会剩下3000万元人民币。成立基金会吧，谁来当会长呢？我来当，会不会给人一种狂妄的感觉呢？在我给有关方面贡献了这么大一笔款子以后，德高望重的头衔放在我的头上不是名副其实吗？最伤脑筋的是，造一座大楼，还是造两座？体育馆花上200多万美元，造得民族化一点，把梁思成的理想付诸实现，岂不妙哉！在招标投标的过程中，有人贿赂我怎么办？大喝一声吗？这太夸张了，有点像电影上的英雄人物。买材料，搞安装，拿3%到5%的回扣是公开的秘密。这可要让心灵充分设防的人负责，比如我的那些老同事，在20世纪50年代形成世界观的，至少看过革命电影《钢铁战士》和苏联小说《钢铁是怎样炼成的》。这事要上下奔波，当然得给人家一些补贴费；为了国家的利益，还要适当地吹牛骗人，吹牛的事，这些哥们绝对外行，一吹就露馅。还是派我门下口才好的研究生去，歪理也能吹出18点来，滔滔不绝的演说，天下无敌。吹牛成功的要不要给予补贴呢？不给吧，不平等，跑破鞋子的和吹牛的，要一碗水端平。但是我的那些研究生，一个个写论文才华横溢，一到生意场面上，会不会稀里糊涂，傻不愣登，被那些奸商糊弄呢？

腐败分子，什么手段使不出来啊。那些年轻人，什么都顶得住，碰到美人计就可能败下阵来。要是落下个艾滋病怎么对得起人家太太？那可真是作孽了……

最可忧虑的是，到时许多人来求职，有些是亲戚，有些是朋友的孩子，还有朋友的邻居，邻居的朋友，那些人常常是缺乏竞争力，又仗着我的来头，如果把事情搞砸了，能不能追究责任，要不要和老朋友老邻居翻脸呢？

日日夜夜地思虑竟然弄得我失了眠。

起先是吃一粒安眠药，后来就变成了两粒，再后来就是三粒也不成了。想吃四粒遭到太太的反对，说是将来会弄成老年痴呆症——就这样，一天天地形容憔悴起来。

突然想起来，我那朋友发财的感觉是一身轻松，可是我却相反，相当沉重。

晚上睡不着，白天也昏昏沉沉。

正日夜烦恼，对方忽然来了传真，该国财政部要收取管理费 8500 美元，指定要从我们这里途经纽约的一家银行——利亚德的一家银行，然后到拉各斯他们指定的银行户头上。

请示了有关方面，说是款项不大，可以汇出。

如果是我自己，这一笔不能说太大的钱，是亏得起的。但是，公司户头上的，毕竟是公家的钱，白丢了，良心上、名声上都不好交代。

这时，女儿比我多长了个心眼，她的英语考过了六级，深信美国人所说，“没有免费的午餐”的名言，力主慎重。于是我找到了正在香港经商的学生林子坚，他说，这可能是骗子，尼日利亚腐败得不得了，骗子横行，他自己就被尼国商人骗了 4 万港币。信用证开了，都没有用，反正是外汇出不了国。这引起了我的警惕，正好我的一个学生当了副省长，我就求他通过我们国家在该国的商务代办，请求核实。

发个传真，并不是难事。

8 天之后，回音来了：这是一个典型的国际诈骗案。

发财当然是不能了，但是，人却得到了解脱，沉重感消失，失眠症也消失了。

几年以后，遇到我那位发了财的朋友，很想和他聊聊，讨论一个心理学问题，为什么他发财的感觉是一身轻松，而我发财的感觉则是沉重不堪，失去了发财的机会倒是轻松愉快。

我本想对他说，人说，无官一身轻，我想说，无财更是一身轻。

但是，他又发了一笔新的财，没有工夫和我谈心理学问题，我话说到嘴边，又缩了回去。

不浪漫的爱情

每逢她走过我的面前，看着她已经花白了的头发，却剪得短短的，短得像小男孩。正是这短发，让我想起她年轻时代的故事。

20世纪50年代初期，年轻的共和国的儿女们都沉浸在革命浪漫主义的激情之中。才十四五岁的她，最向往的就是把短发塞进军帽里，奔走在战火纷飞的疆场上。

如今她自己也觉得奇怪，哪来那么大胆子，一个人就找部队了。那支前进的部队缠不过她，只好给她戴上一顶特大的军帽，才把她那一头秀发遮掩住了。

在后来的几年中，她没有注意到自己已经出落得十分灵秀了。

这并不奇怪，战争是男人的事业，进入部队就意味着性别的中止。在没有差别的军帽和制服中，所有的人都是中性的。

有一天，一个敬爱的前辈来找她谈话了。谈的是工作、学习、理想的追求，他们谈得非常好，非常投机，以至于她所喜爱的当窗的明月的清辉都忘了去欣赏。在谈话快结束的时候，那位前辈似乎顺便问起她要不要有个亲密的战友，以便“互相帮助，共同进步”。她当然同意了。前辈告诉她，同一个部门的一个年轻的干事，愿意和她做这样的朋友。于是相约：每逢星期六的傍晚，她和他去谈理想和追求，当然还有工作中的欢乐和苦恼。有时是在下班以后，在林荫道，有时也到公园去走一走。

一年以后，那个前辈来找她谈话，说不久以后，那个干事，要调到另外一个城市去工作，她的工作也要相应调动。

她诧异了，她愤怒了。为什么她要随他的调动呢？这不是太莫名其妙了吗？

她终于意识到她和他已经属于她还没有来得及想的那种关系了。她觉得受了侮辱，于是哭了。她是那么委屈，甚至对那个干事十分恼火。

然而一想到从此以后，就再也见不到他了，每逢星期六，她只能一个人度过了，她就哭得更厉害了。她索性痛痛快快哭了一夜。第二天，去找那个前辈，表示愿和那个干事一起调动。

后来他们自然是结了婚。从20世纪50年代到今天，她一直随着他一次次的调动，从浙东平原，到中原大地，从武夷山下，到闽江之畔，自然，他们也共同经受了“文化大革命”浩劫的考验。

在她的丈夫几年前接受了癌症的治疗以后，我看到他们仍然保持着青春时代“互相帮助”的习惯，双双漫步，不过已不是在周末的黄昏，而是在宁静的早晨，风雨无阻地陪他去公园做气功。每逢我默默注视他们蹒跚地走向公园的时候，都不禁驻足，面对那40年的生命历程，却讲不出什么故事。也许爱情并不一定轰轰烈烈地浪漫，但是这并不妨碍他们拥有灵魂的同盟。

他的文化水平并不高，但是，曾经担任过相当高的行政领导职务，而她是一个天赋非常高的女孩子，20世纪60年代从大学毕业，这以后的数十年，他们的精神世界产生过错位吗？如果有，他们是怎么磨合的？他们吵过架吗？有过危机吗？在心灵深处有动摇过吗？这一切也许都曾经发生过，也许连脸都没有红过？

这一切没有人想过，当然也没有人敢问过。

他们都老了，退休多年了，所有关于他们的故事，只能让他们自己回想了。

对于这个世界，是一种损失？还是必要的淘汰？如果把所有这类的故事都写成书，这个世界的书是不是太多了？如果就写下来，不必出版，只是像司马迁那样，藏诸名山，传诸后世，也许在1000年后，成为研究20世纪50年代中国婚姻状况的重要文献。然而，这除了成全一位博士的学位论文，对那个时代，对于他们又有多大意义呢？

八中回忆报

普希金说，那过去了的一切，都将成为亲切的怀恋。回忆是老年人的专利，对于年过花甲的老知青来说，更是这样。但是，并不是所有的回忆都能引起群体的共鸣，只有共同的坎坷中奋起的经历，在回忆中蓦然唤醒，在无言的默契中，才能使人心灵致富，享受会心的莞尔。

福州八中同学对“文革”经历的回忆，读来真是回肠荡气。在当代青少年看来，他们所承受的苦难不可思议。如今的同龄人，谁能想象，十七八岁的花季，正当意气风发，壮志凌云，大道青天，前程似锦，然而突发浩劫，让他们遭遇了严酷的磨砺。在那狂热初期，也许一度让他们盲目地狂欢，但是，劫难突如其来，一夜之间，双亲被冤者有之，殒命者有之。更有“黑九类”子女从豪情满怀沦落到破帽遮颜，比精神屈辱更严酷的考验还在上山下乡。失去双亲的呵护，来到偏僻的山村，以身心俱疲的劳作获得简单生存的保障。现实如此严峻，别无选择，必须在漂着薄冰的山垄田挥锄，在180斤的担子的压力下翻山，砍伐山林折断手指还得坚持，除夕之夜思乡的眼泪只能往肚子咽，如此沉重的压力对于他们稚嫩的心灵来说，是超重的，更难以言说的是前景茫茫，生命归宿何在，个别过于软弱的，在孤独中自绝于山野之中。

他们所承受的压力不是“苦难”二字所能概括的。

然而，苦难固然让他们失去了温室里的幸福和安逸，也让他们不得不提前承担起对自己对亲人的责任。父母亲被拘押了，维持弟妹们的生存的重担压到未成年的姐姐肩上。然而厄运却奇迹似的让他们的情感提前成长。对于农村艰苦的劳作，他们也不单是被动地承受，而是从中获得了精神的营养。一个同学晕倒了，使他最难忘的却是：

> 刚抬下山时，迷迷糊糊中觉得有人端来红参丝汤，灌给我喝。那时红参丝汤是当地农民最好的补品。至今我回想当时情景，口中就有一股淡淡的红参丝味，心中总是升起一股甜滋滋的暖流，感激之情油然而生。

在他乡，居然享受到这样的温暖，物质上的贫困，就显得微不足道了。这不是个别的，严酷的磨砺激发了深邃的体悟，一点一滴积累着，这一代人就这样在精神上潜移默化地成长。艰巨的体力劳动可能压垮他们躯体于一时，却也催化了他们的精神长期的成长。瘫倒病床的经历变成奉献的机遇。如果是在父母身边，被呵护是天经地义的，但是，在这里却升华为奉献的激情。

> 近百斤挑在肩上只觉得脖子上的血管在啪啪地响，像要爆裂似的，回到宿舍就瘫倒在床了。晚上伙伴们用板车拉二十里山路才到公社卫生院就医，再拉回村里时已半夜三更。我深深地感受到农村是这样的缺医少药，我决心要学些医药知识，为知青伙伴和村民们做些防治工作。我凭着一本《农村医生手册》当起了赤脚医生。公社送我到保健院培训，学打针、简易包扎，了解一般小毛病对症的常用药等，还学习了针灸。就这样，在缺医少药的村庄里，我成了最受农民欢迎的知识青年。

孟子说："天将降大任于是人也，必先苦其心志，劳其筋骨，饿其体肤，空乏其身，行拂乱其所为，所以动心忍性，曾益其所不能。"有什么比苦难更有效地磨炼意志，增强生命的质量？这样在春来秋去的单调重复的劳动中，一代人的精神在默默成熟。

无可讳言，长达10年，他们有过迷茫，但是更多的是脚踏实地，抵抗绝望，仰望星空，每一个人内心都有一番惊心动魄的搏斗，荡气回肠的故事各不相同，但是，精神积累使得他们在改革开放40年的岁月中，各自找到了最适合自己的生命的坐标：或者在平凡的工作中坚持着默默无闻的奉献，或者被历史选中，走上了某种领导岗位。不管命运差异多么悬殊，但是，每个人的心灵都毫无例外地打上了民族兴衰的历史烙印。

最为难能可贵的是，他们没有放弃大学梦，在时间的缝隙里，以超量的生命负荷，时刻准备着。时代没有辜负他们，历史翻开新的一页，天佑英才，付出5角钱的报名费，在近三十分之一的淘汰率中，居然能够脱颖而出。

乘着新时期的长风，劳燕纷飞，碧空万里，闽江东去，天涯远影，涛声中，响起纷至沓来的捷报，在三尺讲坛，在行政单位，在高等学府，八中老知青在生命的华彩交相辉映，当然更为耀眼的是，被委以重任，留学苏联，为国家工业化增添光彩。

浩劫十载，改革开放四十春秋，聚焦着如此深邃的精神和才智，他们所代表的这一代，成为我们民族复兴的主力。他们的故事千差万别，但是，当年留在山区田埂上，崎岖石阶上的脚印和歌声，眼泪和梦想，历史永远不会忘记。

他们的生命理所当然地增加了老知青这个称号的含金量，即使年过花甲，回首往事，也不停留于亲切的怀恋，而是老当益壮，不坠青云之志，精心奉献出这一本回忆录，作为精神财富，留给后世莘莘学子，作为非物质文化遗产代代相传。

临文为序，有如登临历史制高点，回顾惊心动魄的来路，惊叹其初心不改，始终保持与八闽大地和江河血脉的那份传承，当然还有那份不可忽略的不可磨灭的奉献，油然而生的是返老还童之感。未来的日子，不论面对的是暂时的灾异，还是春风朝霞的大道，让我们以老知青的名义，在与祖国共命运的征程中，永不停息地提升只有一次的生命的价值和民族大义的担当。

2018 年 9 月 29 日星期六

以 1977 级的名义

从 1960 年从教至今，我已经与 58 届学子共享他们的青春年华。半个世纪以来，栽花似锦，插柳成荫。习惯于看着他们带着十载寒窗的胜利喜气而来，又怀着饱含日月精华的硕果而去，在迎新与送别的周期中，58 届学子们风采各异，然而，严格说来，并不是每一届都踏着徐志摩式轻轻的诗意的脚步，满面春风而来，潇洒挥手而去。最难忘的无疑是 1977 级，他们的生命经历了最严酷的磨砺，他们曾经失去寒窗奋斗的权利，在不下十载的迷茫中，抵抗着绝望，义无反顾地坚守，最后，在几十分之一的淘汰性考试中胜出，每一个人都有一番惊心动魄的搏斗，荡气回肠的故事各不相同，但是，不同的命运却打上了民族命运的共同烙印。

1977 级入学本身就是一个崭新历史开端，标志着中华复兴的转折，一代民族栋梁预备队的入列。

四十春秋，弹指一挥，我已经从一个爱发议论的，总是叽叽喳喳发着歪论小伙子变成了一头鹤发的“元老”，而他们也大都过了花甲之年。但是，他们在长安山小径和石阶上留下的故事和歌声充实了我生命的质量。更使我永葆幸福之感的，是目送他们从长安山出发，劳燕分飞，长空万里，天涯远影，闽江东去，倏忽之间，涛声中，响起纷至沓来的捷报，不但增加了福建师大校徽的含金量，而且提高了长安山的海拔高度。

普希金说，那过去了的一切，都将成为亲切的怀恋。对于年过花甲的人来说，更可以说是专利。

读着他们的“华年忆往”“艺海泛舟”“文学创作（散文、小说、剧本）”“学林拾萃”“杏坛储宝”，往事历历如在目前。那是一个金秋迟到为早春的日子，时代为他们打开了生命的天宇，不过是四个春秋，不管是少不更世的，还是土得掉渣的，精神都迅速登上了长安山的高度；那少年老成的，那天真烂漫的，都迈开了豪迈的大步。眼看他们活跃在历史的征程上，不论是走上了领导岗位的，雄视学海的，在商界声名显赫的，在大洋彼岸创业有成的，抑或在偏僻山区坚守平凡的，有关他们的信息、文字和图像，纷纷呈现在我面前，一切的一切，都使我感到温馨，我便有了诗的冲动：如果有阵风吹过你的耳边，那就是我的问候。

我要说，并不是所有的回忆都能引起亲切的怀恋，只有共同的回忆才能，美好的青春，坎坷的噩梦，在蓦然唤醒、无言的共享中，才能使人心灵致富，享受亲切的莞尔。

临文浩叹，有如登临历史制高点，俯视一代青年的心灵的征程，和他们一起，确认与八闽大地、黄河长江、民族历史的那一份联系，那份责任，那份担当，当然还有那一份不可忽略的、值得自豪的贡献。未来的日子，不论面对的是暂时的灾难，还是永远迎着朝霞的道路，都坚定不移地，以 1977 级的名义，在与祖国共命运的征程中，寻求自我只有一次的生命的价值和意义。

2018 年 8 月 3 日

第三辑　异域回眸

花园文化和草坪文化
——德国人和美国人

初到美国，走出旧金山国际机场，第一个印象就很令我惊异，好像不是到了美国，满眼都是亚洲人的脸，还有就是黑人，白人倒成了少数。这和我在德国的印象恰恰相反，那里几乎清一色的白种人，偶尔能看到几个土耳其人，至于东亚人那更是罕见了。1990 年我初去德国，首都还在波恩，只有 20 万人，那火车站小得像中国内地二等城市的长途汽车站，问询处的柜台比旧式乡村杂货店还小。

我用英语问工作人员，去特里尔大学如何走，没想到那家伙叽里咕噜十分庄重地用德语宣布，这里不讲英语，只讲德语。我坦然说，德语表达不了我的思想，他显然听懂了我的英语，但仍然用更加庄重的神态把原来的话重申了一遍。我仔细观察这个家伙的脸，胖乎乎的，胡子刮得干干净净，两颊雪青，那一副自信的神态，令我想起捷克作家哈谢克笔下的那个一片好心却往往把事情办糟的好兵帅克。日耳曼人那种傻乎乎的民族自尊自信，后来我在签证去巴黎时又领教了一次。那个德国雇员明明是可以听懂英语的，可仍然用德语给我解释如何填写一系列表格，弄得我一头雾水，直到我威胁他，如果他真不会讲英语，我就要向法国领事馆投诉他不合格，他才用英语结结巴巴很讨好地和我谈话。

德国人太爱他们的德语了，太爱他们的民族语言了。整个德国没有一份英文报纸。全世界凡有华侨的地方都有唐人街。可就是德国没有。这是他们的土地，他们不能容忍其他民族在他们的土地上聚居。对此最愤愤不平的要算是土耳其侨民了。他们是在 20 世纪 40 年代末被招募来德国的。那时的德国满目疮痍，目前号称欧洲建筑博物馆的法兰克福，一片瓦砾，只有一排三层楼的房子和一个教堂的塔尖由于在城市边缘而幸免于难。德国的男劳动力奇缺，从土耳其山区招来了粗工，为他们修路造房，言明日后可以永久定居德国。从那时起差不多 50 年过去了，土耳其人在德国已达 300 万，第二代、第三代都在德国出生，他们仍然得不到德国的国籍，哪怕他们游行也罢，抗议也罢，反正就是没有选举权，大日耳曼民族不可能忍受在德国议会里有任何一个土耳其的议员，当然，最后迫于形势，大日耳曼还是作了让步，不过这是经过了许多曲折以后的事了。

然而，不管你喜欢不喜欢这种大民族主义，你却不能不惊叹，德国人把他们的国家建设得太美了，最能代表这个民族心灵的，也许不是永远色彩鲜明、古色古香的哥特式教堂，也不是把黑色桁架和彩色的窗框都精心地构架成立面图案的民居和商店，而是那遍处可见的鲜花。在城市的广场，鲜花像广阔无垠的地毯，自不必说，就是在公墓里，那鲜花也像歌声起伏。我到汉堡去看朋友，第一个旅游点就是汉堡公墓，我欣赏的不仅仅是大理石墓碑的光洁度可以照清我们的眉毛和胡茬和那大大小小的金属圣母像，而是像山一样起伏，像波涛一样汹涌的花墙。那真是一个奇迹，处处充满着鲜丽的生命、辉煌的色彩，哪有一点死亡的气息！你能不对这个民族肃然起敬吗？这个把公墓都建设得像花园的民族，不管你多么不喜欢他的古板，但在那么狭窄的天地里，他们把大自然侍弄得多么精致啊。

后来我到了德国南部，不论是在城市还是在乡村，家家户户都有花园，房东有时把花园和房子一起租给房客，我的房东西蒙夫妇是退休工人，他们一天到晚忙忙碌碌，把全部生命都奉献给了他们花园的玫瑰、郁金香和一些姿态茁壮的树。那年夏天欧洲大旱，巴黎大街上的树叶大半都枯黄，风一吹铮铮作响，英国的理发室限制用水，德国大学的草坪一片片发黄了。西蒙先生和太太就用小拖拉机到莫隆河运水，家家户户忙得不可开交，教堂门前，商店货架上，居民的白色窗帘下，露天阳台上的花都定时喷水。

花不仅是德国人爱美的象征，而且是德国人劳作一丝不苟的民族性格的标志，如果要用一个意象来象征德国人的文化心理，我想最适合的就是花园，这是个花园的国家。虽然在这花园中的单一民族，是多么古板啊，要交到个朋友是多么困难啊，虽然连六七岁的孩子都彬彬有礼，只要眼睛和你一接触，就会向你问好。但是，要想随便找个人吹吹牛，发发牢骚，却如李白所说的，难于上青天。在德国人中生活最强烈的感觉是：既没有人爱你，又没有人恨你，有时寂寞起来，想找一个人吵一架都困难。

习惯了德国的花园文化，一下子来到美国，尤其是美国的所谓公园乃至国家公园，你会怀疑，这算什么公园呢？连门、围墙都没有，有的只是沿着山坡、河流的一片森林和广阔得叫人感到渺小的草地。这里的公园是没有花的，有的只是草地、草地、草地。亚洲人、墨西哥人、黑人、白人都是，或将是美国的公民，在这里，野餐、露营、烧烤的炭火和油烟发出刺鼻的气味。

我能把这不同肤色的人比成德国花园里的鲜花吗？看来没有必要。美国地广人稀，中产阶级的庭院中，有的是比德国人的花园大上好几倍乃至几十倍的草坪，他们不可能有那么多时间和精力去服侍鲜花，让它们开遍草坪。他们不屑以鲜艳的花朵自豪，花园的空间太狭小，他们以草坪的开阔而自得。没有围墙，什么风都可以长驱直入，不管什么肤色的人都可以把他们的歌声和语言带进来，以主人的姿态在这里放声歌唱，尽情跳舞。耗费那么多精力拿去种花，从早到晚，大汗淋漓，那太沉闷（boring）了。

美国人干什么都喜欢轻松，于是他们在自己的草坪上栽起了姿态独异的树，更考究一些的，像在西部俄勒冈州，他们选择四季叶子不同的树，连春天展示酱红嫩叶的红枫都从日本运来了。至于那些嫩黄的、娇紫的、说不清什么颜色的树叶就更受青睐了。不过这些色彩艳丽的树在美国似乎并不太普及。虽然美国人的衣着花样翻新，但草坪上的树却很少变化，大都以常绿树点缀。连在白宫，那总统举行记者招待会的地方，可算举世瞩目，也只是一片朴素的草坪；就连国会大厦和华盛顿纪念碑的地基，那微微隆起的斜坡上，连通向林肯纪念堂两侧的林荫道上，都只是像丝绒一样，细软的绿草，精致但没有贵族气，令人想在上面打滚。

丝绒似的草坪，巴黎也有的，但那两侧有多少鲜花组成的立体的图案呀！平坦的，看来并不珍贵的绿色的草坪虽然没有给眼睛以豪华的款待，但却给脚步以无限的自由，眼睛看着天，阔步前进也好，信步徘徊也好，哪怕闭着眼睛瞎蹦，绝对不用担心践踏了什么珍贵的娇嫩的生命。草坪和天空一样广阔，平凡得像草一样的人，可以在这里找到空间。怪不得惠特曼把他的诗集称之为《草叶集》。

在草地上，不拘欧洲式礼法的少女，可以戴上太阳眼镜躺下来让阳光晒红皮肤；参加学术会议的教授们可以拿着工作盒饭到草地上坐卜来和小松鼠共享午餐。何必像德国人那样正规呢？为什么一定要在客人到来的时候，大白天都点上蜡烛，拿出 19 世纪的银餐具呢？支起炉架到草坪上去烧烤好了。不用椅子，拿着纸盘子坐在草坪上或歪躺，或半跪，随意自便好了。对于这样的自由、自在、自如、自然的姿态，我本想把它比作花的，风姿各异的花的精神不正是这样的吗？但是我不愿，因为这两个民族太不相同了。

德国精致的花园固然狭小，甚至封闭，对异族冷漠，但是它是和平安宁的，很少暴力，夜晚，女郎们从夜总会跳舞归来，不管多么晚，都悠然自得，而在美国，哪怕是大白天，在开放的草坪上却不止一次地让我看到了血渍。在纽约的中央公园，在依阿华大学的校园，枪声引起了人们一阵恐慌之后很快就被忘记了。对于几乎人人拥有一支枪的国家来说，人们在这方面的感觉已经瘫痪了；但是我不能忘记，尤其是当我在一家中学的草坪上看到朋友孩子的鲜血从绷带中渗出来滴到我手上的时候，那温热的、黏糊糊的感觉使我对美国草坪充满了困惑。

艾滋病虚惊

西德当局很怪，不管你申请多长时间的签证，他都只给你 3 个月，然后就等着你去续签。这时，德国式的文牍主义就来折磨你了。

首先是健康检查。我向那位主管官员用英语声明，我在中国已经检查过了，现有中国卫生部颁发的“国际旅行健康证明书”，另有“国际预防接种证书”，均放到他桌上。谁知他看也不看，用德语讲了一长串话，那神情很是严肃，而且有点固执。我连忙向他说明，我初到德国不懂德语，请他用英语回答。

他眼也不眨，又用同样的德语，以更高的声调把刚才的话重复了一遍，这时我才仔细观察了这位官员，胖胖的脸上一对圆圆的眼睛，射出来的并不是大国沙文主义的傲慢，而是某种善良的自信。看着他那刮得铁青的圆下巴，我不由得想到捷克作家哈谢克笔下的好兵帅克。世界上这样的人多得很：明明做着蠢事，可是却满怀着庄严、神圣的感觉。

没有办法，只好请来一位走廊上的德国大学生，经他解释才知道，西德政府不信任任何外国医生。明白了这一点，也就没话可说，我不再争辩，做一个屈服的手势。我看到他不胜同情地笑了。到了指定的检查机关，还算顺利，抽了血，进行了胸部 X 光透视。女技师还让我在那只容一人的小房间等一下，让她看了片子我再走。我惊讶，不过几分钟的工夫，那么大的一张片子就出来了，女技师仔细看了片子说没有问题，你可以走了。我说，要不要给我一个证明？她说：“不用，我直接通知移民局。”

我从这家医疗机关走出来的时候，直为我那白白花去的马克心疼。申请一架电话不过 60 马克，我为了节约，去和一西德大学生合用，可这眼一眨，45 马克就白扔了。不过这毕竟是短暂的，因为通过了健康检查，就意味着我可以把签证期延长 9 个月，心中不禁升起一种怡然自得之感。

回去以后，我对几个中国留学生叙述这一事情时，虽然夹杂着牢骚和夸张的怨言，但是这时已经没有任何苦恼，而只感到某种智慧高出洋人的心灵愉悦，甚至是享受了。

不过在国外的人，最大的享受不是这些，而是一遍又一遍地读家信。第二天一早，我到信箱去看信，没有，很是扫兴，压抑着失望的心情，上街去买东西，心里还安慰自己：今天去看得太早了，买完东西回去，肯定有。

果然。

但都是德文的，仔细辨认了好久，才发现是健康检查机关发来的。我很奇怪，不是说不给证明吗？怎么又寄了这个来？再仔细研究了一下里面的文字，查了字典，不禁吓出一身冷汗。原来是通知我下星期三到他们那里去，理由是一个德国字，我查了德英字典，英语是“recall”，是回忆、召回、撤销的意思。莫不是要叫我回国，撤销对我居留的签证？这说明，我的健康出了问题。什么问题呢？胸部是已经说了，没问题的，成为问题的自然是血液检查，可那是查艾滋病呀。我怎么可能有艾滋病？但是，没有问题，他们叫我去干什么？这真是太恐怖了。

我没有心思吃饭，也没心思做事了。连来访的朋友我都不敢握手了，我不想把艾滋病传染给这花朵一样的青年，可是我自己又是从哪里染上这毛病的呢？扪心自问，出国一个多月，并没有和任何外国女人发生过接吻拥抱之事，就是那一天，一个大学时代的老同学带我到汉堡的红灯区去游览，在圣·波力看着妓女在一排橱窗里等待顾客，我都觉得那是对人性尊严的亵渎，至于朋友问我要不要到性商店花十几个马克去看性表演，我简直打了一个寒噤，连忙说：“精神上承受不了。”同时加快了脚步。

我午饭也没有吃，躺在床上，完全被恐惧压倒了。

这艾滋病究竟从哪里来的呢？想来想去，只有一条可能，那就是我住的地方洗澡间有浴盆，我洗了几次，洗澡间是三人合用的，一个西德人，一个埃及人。我的天哪，如果他们中有一个人这方面有问题，哪怕只有万分之一的传染可能，如落到我的头上，这在我，就变成了万分之万。

我得了艾滋病吗？所有去美洲、大洋洲的计划，所有人生之乐，对我来说都已成为痛苦的回忆，未来留给我的则是一连串的苦恼，我将成为人们歧视的对象。我记得临出国前夜，一个年轻的朋友开玩笑说：“我别的不怕，就怕你回来得了艾滋病。”大家一笑。可现在这样的玩笑如果无意间开了起来，那就太残酷了。

偏偏这个时候来了两封信，一封是妻子来的，说不尽的相思情，最后还写了一个挺长的“吻”。信内还附有才12岁的女儿的信，她告诉我她描写自己想念父亲的信得到语文老师表扬，还在班上朗读了。

另一封来自大洋洲，一个学生说，已经为我弄好了经济担保人，趁西德大学放假这三个月之机，请我到大洋洲去逛逛，散散心。最后还说让我见信后挂个电话给他，以便确定日期。

我拿着信只有发呆的份儿。

这时最巴望的就是赶快到那个检察机关问个究竟，是死是活，见个分晓也好。可是，收到信的那天是星期五。星期六、星期天都是假日，星期一、星期二都工作，可是该死的德国人偏偏约我星期三才去。这就是说我还得忍受5天的苦刑。

人生真是太漫长了。

在这5天中，一切都失去意义，可是偏偏又逢复活节，一大早一些德国人都一桌一桌地聚集在花园里，平时很少看到人的路上停满了汽车，随家长出来的小孩子们四面八方地飞奔。

铜管乐队在教堂前面的花园没完没了地奏着叫人难以忍受的乐曲。这些要命的德国人，一个个都笑得不可开交。

最糟的是房东来了，硬是把我拉到他们的圈子中，和他们一起唱，一起跳。

我不得不以最大的克制力让自己和他们一起笑。笑，本来不难，只要看他们笑了，你就露露门牙，他们大笑了，你就露出全部牙齿就是了，可是可怕的是你怎么笑也忘不了内心的恐怖。那天，我体会到不管笑还是不笑，活着都成为一件很苦的差事。

终于熬过了那恐怖的5天。我硬着头皮来到那家检察机关。一位小姐很有礼貌地看了我交给她的那封“召唤文书”，用最优雅的西方美女的姿态从档案中抽出了我的胸部透视片，我看到上面有一张德文条子，便紧张地审视上面有没有AIDS之类的字，当然没有。

我根据小姐的指点，又来到体检室，那位管透视的技师和管血液检验的便拿着我的透视片讨论起来，由于讲的是德语，我一句也听不懂，只是两眼愣愣地望着她们。也许我目光恐惧的神情很叫她们诧异，她们一边谈着，一边不时地、情不自禁地望我一眼，后来，她们可能实在忍受不住我的目光了，便领我到门外休息室的椅子上，叫我等等。

这时，一种不祥之兆更加严峻地笼罩在我的头上，我只觉得自己耳朵嗡嗡地响，心里像有一种冷空气在不断膨胀，一直胀到胸脯发痛的程度。

我曾经念过一本书，是讲废除死刑了，作者认为死刑并不可怕，最可怕的是在宣判死刑之后到执行死刑以前这一段时间。我当时的情况就是这样，我在恐惧中忍受的痛苦越深也就越是希望这一切都不过是一场误会，例如医生弄错了号码等。然而，当我听着她们在讨论自己的时候，就连这一点希望都没有了。

好容易那位女技师出来了，把我领到原来的房间去，重新拍了一张，并且像上一次一样，叫我等在那只容一个人的小房间里，让她看了片子再说。

那小房间和死刑犯人的单人囚房有什么不同？

我听到她拿了片子又去讨论，声音很大，可是听不懂，我的心都被恐怖感压痛了。终于她回来了，我屏住气问："有什么问题吗？"

"没有问题。原来那张有一个角落不清楚，医生要求重照。现在这张很好！"她把片子一扬，"你可以走了。"

她的英语虽然词汇量不多，但语调好极了，简直像唱歌一样。到这时，我才仔细看了她，原来这位头发已经发白的中年女人，脸上还残留着那正在逝去的美。同时，我忽然意识到，我紧张得昏了头，既然是照X光，就不可能是艾滋病。我的第一感觉是我可以给我妻子和女儿写信了，而且要把这个历险的过程写得幽默，让她们在万里之外分享我心灵获得解放的欢乐。

信在第二天写好，还没有来得及寄，谁知第三天，又收到这个医疗机关的一封信，我又感到恐惧。打开一看，跟前一封一样，只是这回的理由，不是"RECALL"了，莫非是刚刚照好的那张照片……

我的心房再一次被焦虑灼痛了。

这次肯定不是艾滋病了。胸部透视最大的问题是什么呢？不是肺结核，就是肺癌。不管哪一种，我都得回家。

我的第一反应就是把已经写成的给妻子的信撕了，虽然那封信写得很幽默、很调皮，可是我只能在事情的后果并不严重的时候幽默，事情的后果严重了，死到临头了，我就幽默不起来。据说金圣叹有此才能，西方人也有绞刑架下的幽默，然而我没有这种黑色幽默的心理素质。心灵已经完全为焦灼所充满，剩下的就只是一种卑微之希望：但愿是肺结核，如果是肺癌呢？那么，上帝留给我的时间最多只有一年了。

好不容易又熬到该到那个鬼门关去的日子了。

一进去，一位白发苍苍的老头子正在把我的两张胸部透视片放在屏幕上审视，并且指着一两个地方用德语说"不好""好"，其他的我就听不懂了。在我跑到走廊上去找懂英语的人翻译的时候，我的焦灼已达到绝望的程度。通过翻译，老爷子问我是不是得过肺病，我说"得过"。"什么时候？""35年前。"他笑了，讲了一句德语"涅希马拉德"，词汇是和法语一样的，我悟出来是"没有毛病"的意思，心跳得自己也听到了。我反复问了翻译的人，是不是没有毛病，翻译再三肯定。我突然感到一阵轻松，以致没有力气再讲任何话语，便走出门去。待我到了门口，才发觉还没有和医生握手道谢，于是再返回去。这时翻译正走出来，我把整个过程都讲给他听了。翻译笑了，说："这个医生，是非常认真的。他刚才告诉我，为你年轻时的胸部钙化点，他研究了三个晚上。"我能说什么呢？只是反复地用才学会的德语说：“非常感谢，非常感谢。”

和医生道别之后，我想到许多好心往往带来灾难的悲剧和喜剧。

第二天我到移民局顺利地办了续签手续，没有什么意外，只是，没有想到还要交 30 马克的签证费。

然而这回交出 30 马克，心理上愉快多了。唯一的遗憾是回到住处看到那已经撕掉的给妻子的信还在桌子上。

医疗保险风波

初到德国特里尔大学，有一件讨厌的事，那就是延长签证。本来国家给我的经济担保是半年，可是德国不管是谁进来都先给3个月，在逼你去续签的时候再找你的茬子。好在特里尔大学的乔威教授很热心，他看出我有些惴惴不安的样子，就不声不响地在介绍信上把我访问学者的身份写成了客座教授。

我自然高兴，我有过经验，德国人对于教授是相当尊重的。才入境去移民局报到的时候，起初，那位主管的官员拿给我一张完全是德文的表。我用英语向他说明，我初来德国，不懂德语，能否用英文作为解释，否则我无法填表。

那位主管官员看都不看我，把手一挥，也不知道嘀咕了些什么，看他的脸色显然是不屑一顾的样子。我只好落荒而逃。幸而在走廊里遇到一个很有耐心的大学生，帮我把表填好了，拿进去交给那位主管官员，他一看我的职务原来是教授，就有点肃然起敬起来，马上站起来对我说："行，在3个月期满之前再延长签证。"

到了时限，为了保险起见，我请武汉大学在特里尔大学访问的专攻德语文学的赵教授和我一起去。

两个教授驾临，果然使这位官员变得特别爽快，表示马上可以签证，笔已经拿起来了，可是少了一样东西：医疗保险。

本来，我觉得在此时间不长，自己身体又挺结实，就想省下这笔钱，希望能混就混过去。现在看来混不过去了，只好马上表示：立即去办。

赵教授是熟门熟路，他说德国医疗保险单位很多，价钱也不一样，有个叫"AOK"的保险公司比较便宜，一般大学生只60多马克，看我们这样的至多200马克。

事到如此，钱不管花得多冤枉，也得出，只好跟着赵教授到了AOK。很快有彬彬有礼的接待人员，把我们带到一个主管人员那里。由于有了德语专家在场，我就不动脑筋地观察公司的室内装饰和电子仪器设备。

然而他们谈了很久，仍然没有结束的样子，我只见那位主管的人士反复地看我们交上去的那张乔教授的介绍信，并且在一张表格上记上我的名字，出生年月日，地址最后写上了个阿拉伯数字：660 马克。我心中甚喜，原来以为 6 个月要 1000 多，现在只要 660，真是幸运。

赵教授和那位德国人说得挺投机，好像和他介绍到我的专业和成就等，我虽然不懂德语，但由于德语与英语许多词根是相同的，而且又明知谈的是我，自然不难猜出赵教授在乘机吹捧我，好像是说，我的名声很大，因而才被特里尔大学请来当客座教授。

我看时间不早，就向赵教授示意结束漫谈。赵教授笑了笑，便站起了身，开始礼节性地告别。我接过了那位德国人交给我的合同，便要签字，慎重起见，便请问赵教授那上面写的 660 马克，是 1 个月的，还是 6 个月的，赵教授轻轻对我说："我还没有好意思问呢，德国人一切都照章办事，问不问都一样。"可是我总有点不放心，便非常坚决地说："还是问一下，不然我这个字没法签下去。"

赵教授觉得也对。我在一旁观察他的脸色，看到他一听对方的回答脸上显出大为惊讶的样子，我就知道坏了。最可怕的事情发生了：原来每个月要收我 660 马克。可国家每月一共才给我 1130 马克，这等于我月收入的 50% 以上。赵教授也有点着急了，他已经失去了刚才那种谈天时的从容风度，有点紧张地加以说明。

但是对方的回答很干脆："按照我们公司的规章，教授一级的保险金额最低的是 660 马克。"

赵教授连忙解释说实际上我是中国一个大学的教授，并不是特里尔大学的教授，不拿特里尔大学的工资，只是在这里做自己的研究工作，等等。

然而已无济于事，那张称我为客座教授的介绍信还在他手上。

赵教授仗着自己流利的德语，尽一切可能力图缓解危机。然而对方就是无动于衷。

说到最后，他站起来："如果你没有拿特里尔大学的薪金，那么，你的保险费就应该由他们补贴一半，另一半则应该由中国大使馆补贴。"最后还加上一句，"根据我们的规章制度，只能这样。"

当我们垂头丧气地走出 AOK 保险公司大门时，两个人都后悔不该把那张开给移民局的介绍信，拿到保险公司。赵教授神色有点沉重，慢慢地说："德国人一切都照章办事，他可不管那个章程有没有漏洞。"

我问他怎么办，他说第一，干脆不办了，但是，那就意味着不能延长签证，马上准备回国。他想了一想说："这样吧，你请特里尔大学的乔教授再给你开个证明说特里尔大学并没有给你任何经济资助。”

一想到又要去麻烦乔教授，我的心情就沉重起来，自从去年和他联系上以后，信件、电报、邀请信、更改访问期限，来了以后找房子、借书，打扰人家太多了。现在又把这不上不下的问题拿去叫人家伤脑筋，真是不好意思。

在等公共汽车的时候，赵教授和我一样心情郁闷。我想起许多德国人非常可恨的事情，简直是不让人活。就在最郁闷的候，我突然想起，乔教授原来发约的正式邀请信还在我这里，这份有公章的正式函件上明确提出特里尔大学不提供任何资助。

我把信拿出来给赵教授看了，请他陪我再去 AOK 公司一次，看看他们有无通融的可能。

赵沉吟良久，最后说：“德国人办事，都是按照规章，而且说一不二，很难改口。”

事情的紧急程度使我一下子顾不得自己的身份了。我几乎是用哀求的口吻说：“今天就偏偏阴差阳错让我碰上德国式的文牍主义了，看在上帝的份上，你就救我一驾吧。”

然而，赵对德国式的文牍主义的僵化程度是很有看法的，对于我的哀求无动于衷地摇头。凭良心说，我一向认为赵和我是同辈人，在发生小的争端时，我可以开玩笑地强制他服从我的要求，然而今天赵的脸色分外严肃，使我连玩笑的强求也不敢。然而想到下次还得来，还得请他当翻译，还不如这次解决了好，我的心简直为焦躁灼痛了。

我终于无话可说。

赵也无话可说，然而他的神色自若使我伤心。

最后我只好背水一战了：“那么，让我自己去试试吧。”我尽量把语气放得平和，不带任何顶牛的意味。

他说：“好，你自己去试试也好。”他说话的声音是那样干巴，我隐隐感到他也在克制自己，不让他的情绪流露出来。

我们分手的时候说了比平时更正式的告别词语。

我抱着绝望的情绪找到了刚才那位主管人员，把乔教授邀请函件上不提供财政担保的英语原文指给他看。他看得很认真，并且沉思一会儿，用结结巴巴的英语对我说，“我替你请示一下。”于是他把我带到另一个办公桌边和一个看来级别较高的官员用德语交谈了很久。

我听到了好几个表示“不”的词，就知道完了。

这位职员还是非常耐心地用他那断断续续的英语向我解释上级的指示：按照规章，适合我身份的只有两种规格，一个是大学生，一个是大学教授。因而毫无通融余地，不过，他拍拍我的肩，我们可以推荐你到别的保险公司去，也许他们那里有 200 马克左右的保险。

他翻开一本很厚的书，给我查了一个地址，他怕我不懂德语还给我画了一张地图。

我就凭着这张地图练出了我的自信心，原来用英语，不用德语翻译也可以找到地方。

当然，每一个询问都是对习惯于依赖他人的惰性的一次冲击。

我一进门，正要问这里是不是保险公司，早有一个中年人操着流利的英语说："你是不是孙先生？"

"是！"我惊讶了。

"AOK 方面已经把你的情况在电话中通告我们了。"

我悲伤地说："我遇到麻烦了。"

他把我引入另一个没有任何人的房间，让我坐下来说："没有关系，我们这里会帮你摆脱麻烦。"

接着他告诉我，他们这里有好多价目，不知道我对什么样的感兴趣，我坦率地说："最便宜的。"

他笑了，于是按我的年龄，找到一栏：每个月 90 马克。

我心花怒放，不知从哪里来的一股灵感使我对他说了许多得体的感谢的话。

只花了 5 分钟，一切手续齐备，在 10 点钟以前我还来得及到移民局去把延长签证的手续也办了。

当我走到大街上的时候，想起了许许多多热情友好的德国人的事，就是昨天，我在特里尔大学图书馆里迷了路的时候，一个非常漂亮的小姐放下了她手中的电脑打字机一直领我找到了大门口。

我怀着近来很少有的轻松心情，到咖啡馆去喝一杯，可是不巧碰到了赵教授。

他立刻就问："怎么样？保险的事。"

我尽可能不带感情轻描淡写地告诉他一切都很顺利。

然后，我们一起喝咖啡。

本来我想请他吃一点东西，然而他突然说有事走掉了，怎么留也留不住。

看着他消失在人群中的背影，我感到，我们之间的心理距离无法一时就消失。

从那以后，我就再没有和他开玩笑，"强迫"他为我做什么事情。

“电话疗法”

如果有人要问我，生平最痛苦的记忆是什么？也许，不少朋友会以为我要回答，“文化大革命”那段受审查的日子。然而，比起1990年夏天我在德国特里尔大学那3个多月的暑假来说，简直算不了什么。我这个人好聊天爱乱吹，在朋友赞赏的眼神中，我的智慧会达到一种出神入化的境界，有时我自己都很惊讶，我怎么会把很普通的话讲得那么有趣。有朋友开玩笑说，乱吹，并且有听众，是我生命最煌辉的时刻！去德国之前我很难想象如果没有智慧相应的朋友和我聊天，那日子该怎么过！可到了德国不久，做梦也想不到的灾难发生了，一到6月底，大学放暑假，德国的大学生都去打工或者旅游了，整整一座小楼只剩下我一个人。起初，我还只是感到有点寂寞，后来就觉得有点闷，过了一个星期，就感到有点难受，这种持续性的难受是非常可怕的。因为它还伴随着某种绝望。不管怎样你都不可能在厨房里或者在走廊里碰到一个人和你点头微笑，或者寒暄致意，从早到晚，日复一日，像在一个寂静的无底的深渊中不断下沉，心永远悬浮着，永远孤独，不可能有人和我交谈，哪怕是谈谈孤独的痛苦也好。几个星期下来，没有机会讲任何一句话，我甚至怀疑自己的舌头是不是退化了，于是便大叫一声，听到房间里分外响亮的回音才庆幸自己的发音器官没有致残。

生活变得十分沉重，早上起来，再也闻不到隔壁房间里透出来的咖啡味，中午进厨房再也看不到那个留着大胡子的温文尔雅的大学生就着矿泉水吃面包夹火腿了。连那个很爱讲话的房东太太都和她丈夫开车到法兰克福汉莎航空公司去看儿子和媳妇了。窗子外面是空空的花园，不时可以听到成熟的苹果和梨掉在地上的声音。要在往常，房东家那条很有灵性的小狗菲利克斯早就欢乐地叫起来，拉着房东太太的衣裙去拣果子，而我就在阳台上和房东交谈，讲几句夸奖菲利克斯的话，房东太太就心花怒放地笑起来，把一盆一盆的苹果和梨拿来送我，有时还有家制的果酱。然而现在连菲利克斯都走了，掉在花园草坪上的苹果和梨都开始烂了，我也没有兴趣去拣，苹果既不值钱又不会讲话。

漫长的孤独实在不亚于单独囚禁，与囚禁唯一的不同是我可以自由地走到街上去，可是街上行人稀少，绝大多数德国人都开着车风驰电掣地往来。只有公共汽车站上有一个人站在那里瞧公共汽车停靠的时刻表。为了得到一个说话的机会，我不由自主地走向车站，当我发现那个人长着亚洲人的脸时，高兴极了。很显然，他是刚来德国，对德国公共汽车运行不了解，由于家家有汽车，公共汽车开得很少，一般都像火车那样按固定班次运行。我准备以一个老住客的身份向他介绍一下这里的公共汽车的特点，我想，这起码可以让我过上5分钟讲话的瘾。

那人见我也很高兴，随即对我讲了一大串话，非常可恨的是我一句也听不懂，我用英语试问了一下，他只能结结巴巴地说几个字，原来他是个韩国来的留学生，真是扫兴透了。

只好回到房间里去忍受那无边的孤独的煎熬。这可是真正意义上的煎熬。在绝望的寂静中，你会觉得这个世界真是太可恨了，而生命又是太漫长了。更可怕的是心理孤独产生了一种生理反应，那就是失眠。每当夜晚到来之时，我就害怕失眠症的光顾，它的先兆是寂静到耳朵里产生一种很细微然而又很尖锐的耳鸣，待你认真辨别时，它又消失了。可是这时头脑却变得异常清醒，不论你是默默数数字还是戴上耳机听一种气功催眠录音带，都无济于事。

孤独，变成了亢奋，亢奋变成了对自己健康的忧虑。在这一杆子打不到一个鬼的地方，这样失眠下去，健康恶化生了病，不是一件很恐怖的事吗？

于是我便坐起来，读一阵书，又到花园里去散一回步，任夜晚清新的空气爱抚我有点发烫的脸。月色是朦胧的，发烂的苹果时时被我踩得噗噗出声。花园很小，转一转只要两分钟，我默默数着转了100圈，似乎已经颇有倦意了，可回到房间又变得清醒万分，而耳朵里那从寂静的深渊中发出来的尖锐而微细的耳鸣却不断响起。

凭我那粗浅的医学常识我知道，这是一种神经官能症，是语言机能长期抑制的结果，治疗这样的症候，最好的方法是找人谈话，眼前没人可谈，何不打电话呢？但是，半夜三更，不管是给什么人打电话，也会被视为神经病的。唯一的办法是往时差大的国家打，像中国、美国、澳大利亚。虽然，国际长途价格较高，但是为了缓解我的病情，也就顾不上了。首先是往家里打，太太正上班，和她一面聊着，一面看着那电话机上的数字计价器飞快闪动，也顾不得心疼钱了，一聊就是10分钟，几十马克花掉了，心情也自在多了。最奇妙的是，往床上一倒耳鸣居然没有发作，不久便呼呼大睡，直到第二天10点才醒来。这种“电话疗法”太可爱了，不过就是昂贵了一些。

第二天我故意晚些睡，而且不等耳鸣发作，就往澳大利亚一个学生林茂生那里打。他很惊喜，我向他诉说孤独的恐怖，他说没关系，他可在悉尼大学为我谋到讲座。这一下，我的精神大为振奋，居然和他在电话里开起玩笑来，至于那计价器如何飞快闪动就不去管它了。打完了，一看20多分钟，花了100多马克我也并不感到冤枉，因为我的舌间留着越洋谈话的心旷神怡之感，那是比喝了铁观音，吃了鲜荔枝还精彩的快感。

待到我躺到床上，那种口角留香的快感还浮游在舌根，我就静静地享受着那快感的余韵。

这一天自然是睡得十分酣畅。

第二天一到夜间，我那失眠的预感又袭来了，澳大利亚来了电话，说是那里东亚系的系主任克拉克，一个日本教授，愿意邀请我。正式邀请函不日邮寄。我又和他大侃了一番受寂寞的痛苦，甚至夸张地说，我几次走到莫萨河边想自杀，就是由于看到那每天都浮游在河面上的3只天鹅，才觉得生活并不是那么可恶。

这一夜不但睡得好，而且愉快的心情留到了第二天，我居然一个人在房间里独唱了几首流行歌曲。

电话疗法是如此有效，如此可爱，可是毕竟代价太大了，我的收入不高，每天都这么阔绰地打越洋电话，连吃饭付房租都要成问题了。

为了节省开支，我试行一种新的办法，那就是模拟电话，一个人在房间设想着和朋友家人通话，而且把声音故意放大，好像太轻了不能越过千山万水似的。然而，非常不幸的是，这种模拟对话，由于没有对方的反应，我的舌头上没有回肠荡气的快感，其结果是那一天，我又失眠了，不但有尖锐持久的耳鸣，而且有不规则的心悸。

第二天，我起来照照镜子，人几乎瘦了一圈，端的是形容憔悴。

为了拯救自己，我决定每晚到街上去散步，只要碰见什么人就和他讲话。但是德国人一个个彬彬有礼，只要你眼睛朝他一看他就问候一声“晚安”，径自走了。街上走路的人又是那么稀少，偶尔碰到一个人往往又是醉汉，偶然和一个正经人比肩而过，常常又是挽着女士的手臂，连看都没有看到你，就飘然而过。

好容易看到一个人悠悠荡荡地走过来了，看样子也是在散步，我心中大喜，这下子可要抓住他和他至少谈上3分钟。待他走近一看，我更是心花怒放。原来这家伙就是那个韩国人，他居然不认识我了，还直瞪着眼睛走了过去。我十分恼火，心想这家伙实在不可饶恕，哪怕是和他打一架，和他吵上几句就算没有白搭。于是赶紧回过头来故意撞了他一下，那家伙哎了一声，摇摇欲倒，在倒在地上之前，一手抓住了我，那手火一样的烫人。

他也认出来是我，于是用他那蹩脚的borken English（不通的英语）对我说，他病了，又不懂德语，也不知道如何去找医生。我问他有没有办医疗保险，他也听不懂，我把他领到住处把医疗保险合同拿给他看，他摇摇头。我便打电话叫了一辆出租车陪他一起到一家私人医院去，他把医疗保险合同拿给护士看，她点点头，在电脑上打字了一番，就叫我们在候诊室等候。在医生检查的时候，我就替他当翻译，取了药以后，我问护士要不要付款，护士说暂时不用，日后寄上账单。

这一天晚上，我把他留在房间里住下，替他烧茶弄水，忙忙碌碌。由于这位韩国人的英语太差，有时为了交换一个简单的信息，都弄得我满头大汗，但是我的舌头却在空前忙碌中得到了新异的快感。

我的失眠症、耳鸣、心悸自然消失得无影无踪。

韩国人的病折腾了一个星期，终于好了一些，正巧有另一个韩国人经过这里，便来访问他，为他服务，为他端菜、弄水，和他叽里咕噜，把我完全丢在一边，我怀着无可奈何的嫉妒，眼睁睁地看着韩国人把他接走了。

于是，我又陷入了失眠、耳鸣、心悸的忧虑。

但是，这一切却是多余的。

原因是韩国人走后的第二天，医生的账单寄来了，一共1000多马克，账单上居然写的是我的名字和地址。于是我赶紧到医院去声明，看病的不是我，但是我的医疗保险合同，却在医院的电脑中登录在案，那上面地址和姓名都是我的。而且由于我的医疗保险合同是十分廉价的，只能在保险公司指定的医院住院，随意选择门诊医院是要自己付款的。

我向护士、医生反复说明，这是一场误会。

然而德国人的文牍主义是十分可怕的，他们只相信文件，绝对不相信活人，而且他们看亚洲人的脸都是一样的。我申述再三，第二天信箱里寄来的仍然是医院的催款通知，我再次去说明，他们再次通知，这样的拉锯战持续了一个多月。我每天早上一醒，就出去奔波于保险公司与医院之间。到了一个月以后，居然医院方面用中文给我写了一封措辞严厉的信，如不付款到银行某某账户，将采取法律手段，而且这封信是从我工作的特里尔大学转来的。

于是我每天又增加了往大学去交涉的任务。

对于这一切，我并不感到痛苦，相反感到十分心情舒畅。因为每天都变得有目标，每一单位时间都有一大堆重要的话要讲，而且每讲一句都有对方的反应，这比之打越洋电话不但便宜，而且充满战斗的豪情。虽然往返奔波要花不少的公共汽车费，但后来我买了一张月票就便宜多了。

我的生命变得充实，我的舌头也享受到发音的欢乐。我知道，我的奔波，不仅仅为了保护我的存款和名誉，而且有利于治疗我那可怕的失眠症。

两个多月奔波下来，我的面色恢复了红润，我对着镜子欣赏自己，那简直是青春焕发。

更值得庆祝的是我的申诉胜利了，医院方面终于弄清楚了两个亚洲人形象的区别，恰巧韩国人来看望我，很爽快地付清了医疗费。

然而我却并未因此而产生了失眠的忧虑，因为暑假结束了，菲利克斯又在花园里欢乐地叫了起来，隔壁大学生的房间一大早又透出了咖啡的香味，在厨房里我们又可以一面用餐一面有一搭没一搭地闲扯了。

同时，从澳大利亚那边寄来了悉尼大学东亚研究中心的邀请函，连每次讲座近 200 澳元的价码都写得一清二楚。我自然十分开心，打了电话到波恩澳大利亚驻德大使馆去，对方的答复是像我这样的情况签证大约需要等三四个月以上。

我随即给悉尼大学的那位好心的克拉克教授写了一封抱歉的信，说是我病了，不能去澳大利亚。之后我的学生林茂生从澳大利亚打来电话，十分惊讶地问我为什么变卦，我花了半个小时，才把问题说清楚。接着另一个学生范希健又打了半个小时的电话，来说服我，我也千方百计地婉谢了。

那是因为 4 个月后，就是为期一个月的假期，我不能再度在这座空楼中忍受孤独的折磨和失眠耳鸣的摧残，可以肯定那绝对不会再冒出一个生病的韩国人来让我操心了。

不久以后，尽管在德签证期还有三四个月，我毅然启程回到福州。

德国孩子的“爱情”

中国传统教育把性当作禁忌，在20世纪五六十年代，许多上了高中的女孩子对于青春期和第二性征，还有恐惧感，束胸是普遍的。我太太告诉过我，她18岁的时候，有一次坐到了一张木头椅子上，感到那椅面有点温暖的感觉。她想起来这是一个男教师刚刚坐过的，她感到了恐惧，担心就此怀孕。

传统的性别恐惧，我本以为早已成了过去。没想到，20世纪90年代初，在德国，在一个留学生朋友家里作客还会继续看到。他们家的女孩子一面在室内趟着溜冰鞋，一面闹着要转学。

原因是，这个才9岁的女孩子，到一家德国小学里读书。第一个黄皮肤、黑头发的女孩子的出现，在班上引起了不小的轰动。不到一个学期，居然有一个德国男孩子宣称他爱上了她。这在德国学校里是常见的事，可在这个中国小女孩身上，她的反应不是像西方小女孩子那样得意，而是很愤怒。她断然地、千方百计地远离他。

而那德国男孩却坦然地找尽一切机会来对她表示亲密。

有一天，小女孩生病了，请了假没有去上学。德国小男孩居然在班上大哭起来，说是没有这个中国女孩子，他就不能继续上课，他要回家。老师既没有批评他，也没有阻挡他。到了家里，他哭着对母亲说，他要和一个中国女孩子结婚。

发生了这样可笑的事，在中国，家长就是不引以为羞，也会有深深的忧虑的。

我问中国女孩子的父母，那德国孩子的家长如何反应？

朋友告诉我：“那孩子的母亲说，很好啊。但是结婚要有礼服、婚纱、戒指，还要有自己的房子、花园，这要花很多、很多的钱。可是你现在什么也没有，连玩具都是妈妈给你买的。你要和这位可爱的中国女孩子结婚，从现在起，就得努力学习，将来拿上博士文凭，才有希望得到这一切。”

那男孩子居然擦干了眼泪，从此就十分用功起来。

当时朋友的女儿就在旁边，她一直很紧张地阻止着父母亲讲述这个故事。但是故事实在是太有趣了，父母亲还是快速地讲完了。

我非常有兴致地问她，对这个德国小男孩有什么感觉?

她把嘴一撇，说：“神经病！”

我并不觉得非常扫兴，接着问她：那男孩子的母亲呢，她不是很开明吗?

她更加不屑一顾地说：“更是个神经病！”

西蒙先生和太太

初到马克思的家乡特里尔市，最原始的印象是：每一所民居都惊人的美，家家户户门前、窗帘下、阳台上盛开着鲜花，房前房后的草坪上栽培着姿态各异的树。哪怕是最普通的篱笆，上面都有纠缠成拱形的玫瑰花藤，那十数朵成一簇的玫瑰花，也叫你的眼睛感到一种可以终生回味的享受，何况还有门前那彩色的郁金香呢。那黑色雕花的钢栏和门廊呀，那门廊外草坪上白色的露天家具呀，使你像穿行在安徒生和格林的童话世界之中。

乔威教授的助手开车把我带到一个住房介绍所去。

那里有全城的待租房屋卡片，我们挑选了几间，看来价钱还算合适的，可不是离学校太远就是厨房不便，最后挑到这一家什么都好，每月才 220 马克。

电话打过去，接电话的是女主人马利亚，她对我的教授身份十分满意，但是不能马上接纳我。原因是出租房子是她丈夫管的事，要待她丈夫回来。什么时候回来？ 4 天以后。

我和教授的助手相视，他耸耸肩说，这里是德国南部天主教区域，老百姓特别古板，什么事情都有一定之规，无可奈何。

来德之前，一个朋友告诉我，德国人古怪刻板，不讲人情，果然不错。把我派到这个不讲人情的国度，算我倒霉，除了去住旅馆，别无良策。好在教授助手为我联系到一家乡村旅馆，独居一间，还有一顿丰美的早餐：一小篮子各式新鲜面包、一碟火腿、果酱、一盘烤面包、一杯牛奶，还有一个放在漂亮底座上的鸡蛋，连房租加在一起才 20 马克。

3 天以后马利亚的丈夫西蒙回来了，请我过去。

听说我还住在旅馆，他立即提议让我搬到他们卧室隔壁的空房间里暂住一天，这是为他的小孙子来探看准备的。白得耀眼的床罩，熨得笔挺，那德国式的清洁整齐使我好久都不忍往床上坐。

不久，西蒙先生敲门进来，在桌上放一瓶鲜花。

吃饭的时候，西蒙先生来请我和他们共餐，殷勤地问我是否习惯。虽然语言有障碍，我用英语夹着德语和他们对话，倒也能交流基本信息。我送他们一些福州的木画，莆田的竹制小动物摆饰，夫妻俩天真地鼓起掌来，把它们和儿子从南美带回的工艺品放在一起。看起来，两口子人情通达，十分热情友好。

第二天早晨，西蒙先生在花园里劳作，我去交房租。他说，这是我太太管的事，你应该交给她。

西蒙太太就在楼上，他也不告诉我，害得我找了半天。这下又给我一个不通人情的感觉。

但是，我渐渐发现这种感觉不太对头。

每逢他家来了重要客人，西蒙先生都要请我去作陪。他把我引到花园，到达一个一半是露天葡萄架，一半是玻璃墙的厨房里，拿出30年前他们结婚那年窖藏的葡萄酒来。那酒瓶是放在一只木盒里的，外面包着当天的地方报纸，木盒上写着窖藏的日期。酒瓶取出以后，轮流传阅盒子，大家赞叹一番。然后男主人拿出一瓶新酒来，请我放进木盒，由我写上当天的年月日，钉死木盒，他再拿到地窖去。西蒙太太对大家严肃认真地说，再过30年请我再给你们换一瓶。我一算年纪，那时西蒙先生和太太都已经100多岁了，而且，西蒙先生有心脏病，一旦发作，白天就不出门；西蒙太太患过什么癌症，动过手术，两个人都退休了。

可是他们却照顾着自家两个花园，花园里有些庄严的树是刻上了名字的，为了纪念他们死去的朋友或朋友夫妻。这种纪念碑，令我非常感动。提起死去的朋友，西蒙十分动情，拿出照相册给我看。但是非常奇怪的是，照相册的最初页却是属于一条狗的。说起这条狗，还有一些故事。它原来是无家可归的，西蒙先生去“动物流浪中心”领养时，给它治了病，获得了健康证书，这才成了他们家庭的一员。从照片上看，这只狗十分威武，目光炯炯，做出各种和主人情投意合的姿态。西蒙先生每年都给它注射疫苗，连出国旅游都带着它。

它甚至还有一张狗校训练文凭，成绩优异。西蒙先生很为他们的狗的成绩而骄傲，文凭和他们的结婚证珍藏在一个古老的珠宝盒之中。当西蒙先生把文凭拿给我看的时候，西蒙太太却流出了眼泪。

在德国，狗像孩子一样受到普遍的宠爱，刻薄的中国人说，德国人养的狗比孩子还多。在德文中，狗绝对没有汉语中侮辱人的意思。狗娘养的、狗东西、狼心狗肺、狗头狗脸、狗嘴里吐不出象牙来，这些骂人的话，德国人是很难理解的。德国的城市和乡村，处处一尘不染，比美国、法国、英国不知要干净多少倍。可是在花园里如茵的绿草坪上，在莱茵河大桥上，在河旁边的小路上，随处可见晒干了的狗屎，而且没有一个德国人会感到奇怪。

据说有对主人罚款的规定，不知为何仍然没有改变狗特有的自由主义。

但是西蒙先生的狗却有一个毛病，对陌生人很凶恶，偶尔还咬人。虽然是注射过狂犬病疫苗，但仍然不能将爱狗泛化到不计人权的程度。医生建议打一针，让它安乐死，这只狗就被安葬在花园里，上面种了一棵圣诞树。西蒙太太含泪领我去仔细观察了一下，树干上刻着“海尔曼”，这是那狗的名字，下面是它的生卒年。

后来，他们又从动物流浪中心领养了一条小狗，全身黑毛，但缺乏光泽，比那条高大英武的海尔曼差多了。但是，它很活泼，很调皮，又很规矩，从来不随便在沙发上睡觉，不像一些美国人把狗宠得在床上沙发上乱睡，到处留下狗毛，弄得我到美国人家去都不敢随便往下坐。特别是穿毛衣的时候，一不留神，回来以后不得不花一两个小时清理衣服上的狗毛，不然浑身就可能有一种隐约可辨的狗的气味。

那年夏天，欧洲大旱，巴黎大街许多树都成排成排地枯了。伦敦的理发店限制用水，德国南部大学校园里成片的草坪也都枯黄了。

为了照顾两个花园，西蒙夫妻早上 6 点钟便起身了。西蒙先生负责用一辆小拖拉机载着几个大水桶到背后的莫隆河去运水。而西蒙太太则戴着橡皮手套去整理花木，尤其是那几棵有朋友名字的树，还有那些生菜、葡萄、玫瑰、郁金香。整整两个月，夫妻俩从早上忙到晚上 9 点，有时我打开电视了，老太太还没有回家，还在给家门口的花草坪浇水。待老太太回来了，老先生又出动了，我问他干什么，他说，去遛狗。幸亏在德国，夏天晚上九点钟还有明丽的阳光，还有人在河边钓鱼。

小狗活蹦乱跳，老先生却步履蹒跚。

第二天，他病倒了，可一到晚上 9 点，又出去遛狗了。我要替他遛，他坚决不肯。老太太说：“你不让他遛，他就更加病了。”

夫妻俩就这么为了花园，为了狗操劳着，虽然有疾病的威胁，但是并未影响他们忙忙碌碌的兴致，他们的自豪全在这种德国式的勤劳中得到实现。和我相处久了，他们把我也包括到操心的范围去。老太太时常跑到厨房里，把我已经擦洗过的餐具重新擦洗一遍，把餐巾洗得干干净净，洒上香水，悄悄地放在餐桌的抽屉里。连洗手间和楼梯上的小块地毯，每过一两个礼拜她都要在洗衣机里洗一下然后晒干，给我铺好。有时，我漫不经心地对每天发来的广告上某一东西表示感兴趣，不久，老先生就会开车带我去寻觅。暑假期间，我一个人闷在空空的小楼里十分孤寂，甚至感觉生命都太漫长了，书也读不下去，差不多每过半小时就跑到花园里去转悠一次。才从儿子处回来的老太太注意到我的神情异常，就让老先生开车带我到一个叫特拉本－特拉巴赫的地方旅游，去看那里的售货集市和地方乐队的演奏。

老太太知道我想家，就把报纸上有关中国的报道，特别是照片，剪下来，放在洒了香水的餐巾里给我。

我很惊异这位老太太对人的理解力。

我在老先生心脏病发作的时候也主动帮助她浇水。她做了什么好吃的、稀罕的，也会不声不响地放一点在我的冰箱中。这真使我产生了亲如一家的感觉。不过，这感觉却在我快要离开的时候，遭到了损害。

本来，我们签订合同时，多付了一个月的房租，按规定在我结束租约时，是应该还给我的。但是在临近启程时，一个朋友要求我提前两星期出发，当时正好有一个中国留学生急于要住房，我一走，他就住了进去。我本以为虽然我提前离开，但我已介绍了别人，西蒙先生是会把整个月的房租退还给我的。

我临行时西蒙夫妻热情招待了一天，还开了车送我到火车站，把我的大箱子拎上火车，又买了一点零食给我路上吃，还要我代他们向我妻子孩子问候。

但在快下车时，他却只退给我半个月的房租。我当时觉得意外，又觉得不解，按他给我的好意和种种赠予，远远不止半月房租的价值，可为什么要这样“抠门”呢？这引起了我的不快。虽然事情已经过去了好几年，我也曾把这事拿来和一些长住德国的教授和留学生讨论过，但没有一个人能给我圆满的答案。

戴牛仔帽的金发女郎

第一次到美国大学英语系课堂里讲中国新诗，心中不免惴惴。首先，我对自己的英语是否流利到可以滔滔不绝50分钟，没有把握；其次，开头那堂课，讲的是早期郭沫若和徐志摩的浪漫主义爱情诗，不要说浪漫主义的激情倾泻，在美国人看来已经成为陈词滥调，就是戴望舒那些略带象征主义色彩的诗，在美国诗坛也早已过时了。

语言没有把握，问题倒不太大，我可以用点功，把讲稿写得详细一些，实在不行，照着稿子念就是了。为了第一堂课，我写了26页讲义。上课之前，我去看看美国教授是怎样上的。我意料之外的是，一位女教授一走进课堂，并不去理会那讲台背后的椅子，而是一屁股坐到讲台上，她讲的是中国现代小说，只花了四五十分钟就把中国现代历史从“五四”讲到了1990年。在我想象中，这起码要讲上三五倍的时间才能有个粗浅的轮廓的。

而那些学生，有带着饮料、水果的，甚至有女学生带着布片、衣物来缝纫的。教师一面讲，学生一面发问，也不举手，也不站起来，完全是谈天。下课铃一响，也不管教师有没有宣布下课，学生就可以自动离去，根本没有我在德国大学中看到的那种严肃到叫人透不过气来的气氛。美国人做什么都强调轻松。

不过我倒因此而放松了下来。

第一天上课，一面讲，一面和学生聊，才讲了6页讲义，已经下课了。按照中国的习惯，我又继续讲了四五分钟。下课以后，和我合作的桑德拉教授告诉我，我讲得太成功了，下课了，居然没有一个学生站起来就走。

我不记得讲了些什么特别引人的东西，好像只是讲了一些通识，介绍了中国五四时期的浪漫主义思潮和中国古典诗歌的某些联系。我说，浪漫的爱情诗在中国古典诗歌中有深厚的传统，一般以绝对化、永恒的情感为特色，例如唐明皇和杨贵妃的爱情在历史上是有波折的，但在白居易的诗中则是绝对心心相印的。“在天愿作比翼鸟，在地愿为连理枝”，这从哲学上来讲，就是不受空间变化的限制，哪怕你到了北冰洋或者撒哈拉大沙漠，我的心都和你永远在一起。这时我注意到一些男同学开始猛记笔记而一些女同学则开始喝彩“great（棒）”。我又讲到中国古代，诗人们不管孔夫子的教条，常常表现出对恋人的无限深情，有一句诗说，因为我恋人的裙子是绿的，所以我爱世界上所有的青草——记得绿罗裙，处处怜芳草。这时一个女同学欢呼起来，而且举起了双手。

我在中国的几所大学里也讲过这样的意思，发挥得更详尽，而且带着幽默感，可没有一个中国女大学生对我发出过欢呼。我去问一位学英语的中国学者。他说，这很自然，因为自 20 世纪 60 年代以来，美国青年人受到性解放思潮的影响，从中学时代就把性关系看得比较随便了，因而你讲的那种古典浪漫主义已经好像是天方夜谭了。

他的话不错，我后来注意到，住在我公寓里，和我隔壁的两个男大学生，差不多每隔两三个星期便换一个姑娘同居。电视上有一个节目，讨论在结婚之前是否应该保持处女的贞操，其结果只有少数女孩子公开表示支持。

课上多了，办公时间里便不免有一些女孩子求访，其中之一就是那位在课堂欢呼的姑娘。她有时头上戴着一顶草编的牛仔帽来，除了谈诗以外，有时也谈别的，她告诉我，她养了两匹马，有时遛马，也觉得挺浪漫。我记得曾经看到过她戴着那种西部草帽，在郊外围着栅栏的草地上遛马，那的确使我想起了许多西部影片中的浪漫故事。

她还说，如果我感兴趣，她可以请我到她家的草场去遛一遛。

我自然想去体验一下这种浪漫情调，但是出于中国人的含蓄，我不置可否地笑了笑。

后来我把这事告诉一位早我一年到达这所学校的朋友，他很紧张地问我，有没有去和她遛过马。他的神情是那么严肃，我以为他是故意神秘，开玩笑，便说，是呀，我还和她骑在一匹马上呢。他大惊失色，直到我弄清楚，他是真的紧张了，才告诉他，这是吓唬他，他才松了一口气，以十二万分的慎重告诫我：以后千万小心，不要和女学生往来。要知道，这在美国大学是一个敏感问题，每一个学期，校长都要重申一切男女教师都不得与异性学生约会，这是一条纪律，违反者，弄不好会被开除。

这以后，我才注意到美国社会生活中有一个字眼叫作性骚扰（Sexual harassment），表面上有一点接近汉语中的“调戏妇女”，但实际上不同，调戏妇女是低级流氓活动，而性骚扰往往来自衣冠楚楚者之流。凡握有权力，面对异性有所企图者均属此类。教授对学生的分数和毕业生之工作推荐拥有绝对权力，因而学生即使内心并不愿意，可是口头上无法做出拒绝。这在大学中是典型的性骚扰形式，尤其敏感的是男教授与女学生的关系。我对这女孩子的邀请，想起来都有点害怕。

从此以后，我开始对她保持着有分寸的距离。

然而她仍然在我上课时，兴之所至地喝彩，而且时常戴着那顶草编牛仔帽，在我办公时间和我谈中国新诗，尤其是爱情诗中的浪漫主义问题，她对此表示了无限的神往。

有时也谈马，谈她的马微微斜着身子以舞蹈步伐踏过雨后的草场的感觉。然而，不管我怎样掩饰，她已经看出我对马失去了兴趣。

她谈了一阵，好像对马也失去了兴趣。

她长着一头金黄色头发，目光笔直地看人，一直看到你眼睛中去，一直看到你顶不住、垂下眼帘为止。

以后，她还是来，但似乎没有那么勤了。

有时候学生的聚会上遇到她，她挽着男朋友的手，拍拍我的肩膀："我很喜欢你的课！"

学期结束，我上最后一堂课，她跑到课堂里来，送我一个手工缝纫的布垫子，还有一块天然石英石，她复印了一页字典给我，说明这种石头是象征品性坚定真诚的。

她把东西交给我就走了，并没有坐下来听课，直到她走出教室以后，我才想到应该送件礼物给她。

然而已经来不及了，这使我十分遗憾。

我分析过我遗憾的由来。我是一个好奇心很强的人，总觉得她对浪漫主义的爱情有一种异乎寻常的神往，这应该是有原因的。莫非她有过特别浪漫的经历，那种美好的感觉，她一直表达不出，终于被中国古代和现代诗人唤醒了？莫非是她有什么受欺骗的内心伤痛，在我所分析的诗中得到抚慰？莫非什么也不是，她就是天真的浪漫主义诗迷？

所有这一切本来是不难弄清楚的，然而现在对于我都成了永恒之谜了。

虽然这是一个微不足道的淡淡的遗憾，奇怪的是，它却相当久地留在我的记忆之中。

女权主义者桑德拉

还没有开始上课，朋友就郑重地告诫我：和我合作的女教授桑德拉是一位女权主义者，而且颇具进攻性（aggressive），用中国话说就是很泼辣的。

我自然感到要十分小心。

美国的女权主义在大学里盛行。系办公室外面、校园里，随处可见女权主义的俱乐部、座谈会、活动小组的布告。有张布告很奇怪，只收那些在青少年时期受到过性虐待的“幸存者”为会员，而且人数不超过 8 个，还声明是保密的。

第一次见桑德拉是在飞机场，她和七八个美国朋友来接我。

40 多岁，脸上还残留着尚未消失的青春的美。讲起话来滔滔不绝，我必须全神贯注，否则就可能漏掉一些关键的字眼。我很担心，这种中国男子在陌生女性面前的拘谨会给人家一种傻乎乎的感觉。

好在她笑起来很调皮，很生动，我想她当小姑娘的时候就是这样笑的。这使我拘谨的心情稍有缓解。

第一天上课，我和她一起走进教室，没有想到，她居然不顾讲台后面的椅子，一屁股坐到了讲台上，讲台不高，但她的脚仍然悬着，讲课时双脚不时作自由的摆动。

这是有悖于“师道尊严”的，我惊异不已。

我到她办公室里，见墙上镜框里是两幅中国民间剪纸，一幅是花木兰，一幅是穆桂英。她十分热爱中国文化，很显然，她从中国古代超越男性的女英雄形象中得到鼓舞。

但是她不识汉字。我告诉她镜框中的花木兰贴反了，因为旗帜上的“花”是反的。她十分高兴地感谢了我。

后来，她请我到她家吃饭。

我惊讶，她家的房子比一般教授的要豪华些。朋友们告诉我，这是因为她丈夫马可先生在香港中文大学当过 8 年教授，香港教授的薪金要比美国教授一般高出一倍以上。

我想起来，她曾经告诉我她十分喜爱香港。我猜想这大概是因为香港的大都会气氛和她的家乡纽约有许多近似之处吧！

但是，她终于离开香港。原因是，香港中文大学不接受她，只接受她丈夫。她只好到一所专科学院去教书。朋友们告诉我，她感到香港多少有点性别歧视，再加上考虑到儿女总得受美国教育，她和她丈夫终于放弃了香港的优厚待遇。

但是，回到了美国，她丈夫却不能像她一样在南俄勒冈学院英语系获得永久性的工作，而且在今年教育经费削减以后失去了英语系教席。虽然，马可先生是一个诗人，诗写得挺漂亮，而且学术修养并不亚于她。

好在马可先生后来在本校的成人学院获得了一份工作，当然是临时的。

在她家里，我认识了温文尔雅的马可先生，由于我也曾经是个诗人，而且曾由于一篇诗评引起过轰动，马可先生想来是看到了美国学术界对我的评论的，因而对我特别亲切。

我们谈得十分投机。

而桑德拉却在厨房里准备晚宴，看来她兴致很高，她不采取那种美国常见的庭院烤肉的野餐的形式（大家随意取，盘坐在草地上就餐），而是把成套的银质器皿和玻璃酒杯都拿到客厅的桌子上来，还点了几支白色的蜡烛，宴会就显得更隆重了。餐桌上菜多得都很难安置。

其中最隆重的一道，是一种美国西海岸特产的鱼，叫作萨门鱼（中文有译成大马哈鱼的，也有译成鲈鱼的，在我看来都有不对头）。一个硕大的盘子上，完整的一条鱼，头和尾都伸到盘子外面。虽然美国人吃鱼是不吃头的，但没有头的鱼却难以招待客人。她说过一个笑话，有人在市场买了一条鱼回来招待客人，但却没有头，只好到别人的冰箱里去借一个鱼头来求得外观的完美。

她显然很热衷于自己拿手的烹调艺术。

后来知道，她曾参加过当地一个家庭主妇的烹调比赛，她的萨门鱼居然还得了一个奖，奖金 500 美元。

我很惊讶，进攻性很强的女权主义者居然自豪地以家庭主妇的身份出现。

女权主义者的理想形象看来并不是花木兰和穆桂英，花木兰肯定是不善于烹调的，而穆桂英生擒其意中人于沙场的威风也肯定不是桑德拉所向往的。很明显，在她身上不但有充分的妻性，而且有充分的母性。

我们告辞出来，在台阶上，她突然向一位客人要一支烟，她笑着说：“我不敢在家里抽烟，我一抽，我儿子就夸张地喊叫起来：‘妈妈，妈妈——你呀！’”

她又那么调皮地笑了起来，好像这是一种享受，又是一种自豪。

她非常爱她 10 岁的儿子。她到福建师大英语系给研究生讲课时，把儿子随身带来。她希望儿子像她一样热爱中国文化。由于不懂中文，她不能参加许多重要而有趣的学术会议，她希望儿子能懂一点普通话，因而她想把儿子送到福建师大附小五年级去听课。可孩子一句中文也不懂，她很是忧虑。没想到孩子去了一个上午，回来以后兴高采烈。她告诉我这个消息的时候比她孩子更开心。

有时，她给研究生上课，把孩子带到课堂上。孩子坐在后排，静静地看科幻小说。看累了，就站起来和她耳语要出去玩玩。她欣然同意。

那天下课，她和我一起去邮局给她丈夫寄信。一封信厚厚的，不知道她写了多长，花了 8 块钱邮费。看来电话容纳不下她要说的话。

不论在美国还是在中国，我们都合作得很好。我从来没有感到她“厉害”，也没有感觉到她的“进攻性”，这使我怀疑：是不是人们对女权主义有些偏激？或者他们认识的是偏激的女权主义者？

桑德拉使我对女权主义增加了些新认识。但是后来在她给我的信中时时抱怨由于她的女权主义名声，她遇到很多麻烦甚至被朋友出卖，这一切，我至今无法理解。

凯斯比尔系主任

俄勒冈州最著名的风景是瀑布和雪山。出波特兰市不到半小时，那1400英尺的瀑布，飘飘洒洒，回望远在天边的荷德山有如日本的富士山，终年积雪，令人有飘飘欲仙之感。

不知怎的，当我第一次见到南俄勒冈学院英语系主任凯斯比尔先生的时候，有种肃然起敬之感——我仔细想了一下，也许是因为他那下颌浓密的白胡子和一头的白发，白得庄严而神圣，而他结实的身躯，使我不由自主地想起了终年积雪的荷德山。

他那么高大，我必须踮起脚尖来和他说话，我感到话要说得从容、高雅、一字一板。

他一开口，简直是滔滔不绝，飞流直下，而且做着各种手势，不管你是否听懂，反正他就是不让你插嘴。我想起了波特兰市外的那1400英尺落差的大瀑布，永不停息地倾泻，真是“海风吹不断，江月照还空”。

当地的报上登有关于他的报道：20世纪50年代，他作为军人到过朝鲜。我不禁失笑，我的大哥曾经参加过中国人民志愿军，按当时的观念来说，他是美国少爷兵。可今天，大家相视一笑。他还是个诗人，名字曾经入过世界诗人名录。

他的庄严风度中有诗人的激情。然而他很随便，他的风度完全是西部美国人特有的。

中午，我们在教师休息室吃饭，那里有电炉、微波炉。大家带一些三明治、午餐肉、水果去。而他却在橱柜的抽屉里放上一大堆1块美金能买6包的那种快食面，每顿吃一包，在打开之前，他总要用他那又粗又大的拳头就着塑料包把面条稍稍锤碎。因为他不会用筷子，光是刀叉无法把很长的面条控制住。

他以此种发明而得意。

有时他带我去日本餐馆吃午饭，吃完后，一边谈，一边用手指把掉在桌面上的面包屑黏起来放在嘴里。

他的上衣口袋里放着几支廉价的签名笔，煮好咖啡加糖时，他就把签名笔倒过来在杯子里一搅。

他自在得很，完全是美国西部知识分子独有的一种悠然自得。他告诉我，上溯八代，他家是印第安人。说着，他让我看他的眼睛，以证实他确有一点印第安人的血统。然后，他眉飞色舞，哈哈大笑。

我表示想看看印第安人居住的小镇。他一口答应开车带我去。在去小镇的路上，他兴致勃勃地告诉我，小镇外表看来和白人的市镇差不多，还是先去看天然石桥、国家森林公园、火山湖。他打开地图，飞快地转动着手指，在他一旁的夫人热情地加以补充。

上了高速公路，他把车开得飞快，滔滔不绝的话语如同风驰电掣的汽车，我坐在后排，只能听清一些片言只语，为了不扫他的豪兴，我随便应和着，在听得比较清楚的地方故意笑出声来。

他受了鼓舞，不但把对家乡的赞许更加兴奋地发挥，而且加上了手势，完全忘记了这是在高速公路上驾车。

坐在一旁的夫人，提醒似的把他的手按下去。

他领会了，停止了手势，把全部热情集中在语言上。然而不久，他又感到语言之不足，手又挥舞起来补充语言。

中午，他请我到一个乡村饭店吃饭，女服务员戴着20世纪西部牛仔的草帽。他向我介绍那墙上一个箱子里的七八个21世纪初的玻璃瓶子，说是“古董”。午饭以后，继续开车，他仍然是滔滔不绝，原野上不断闪过红色墙壁的谷仓、豪华别墅、高尔夫球场、退伍军人的养老院、山区厚达7英尺的积雪、印第安人的庙会和油炸饼。

也许是从中国带来的午睡习惯，我开始昏昏欲睡，同行的一个年轻人已在身旁发出微微的鼾声。我却不敢放任自己的睡意，勉强和仍是滔滔不绝的凯斯比尔对话，这更加增加了他的谈兴，苦了眼皮沉重撑不开的我。

最后到火山湖，那湖岸是几千年前火山爆发的熔岩，是赭黄色的，岸的四周是密密的森林，衬着一片碧蓝，蓝得透明、清纯，湖水甚似童话境界。山脚已夏季了，可以游泳，可这时的山坡上还积着雪，阳光是热烈的，但是风却是冷飕飕的。

我们流连忘返，教授替我照了相。

夜晚7点，他把我送回宿舍。我累得像一堆泥，一到家就躺下睡着了，连晚饭都没有吃。

第二天，他依然没有一点累乏感地出现在我面前，兴致勃勃地告诉我，今天他喷了发胶，所以头发很整齐，说着他把头低下来，让我用手摸摸他的头发，果然有一点硬度。

于是他又爽朗地笑了起来，这笑声令我想起昨天火山顶上的湖水。

肝胆的美国人

来美国之前，一个过去的学生对我说，在香港他和美国人打过交道，他们跟你合作干事的时候挺热情，但是事情一过就 bye bye 了。

这句话，很叫我扫兴。

因为我有两个美国朋友，虽然交往不深，但我却是认真的。他们夫妇在福建师范大学访问时，我尽了全力帮助他们：带他们去访问福建省作家协会，作家协会主席郭风接待了他们，副主席袁和平和我还陪他们游玩了两日，并正式宴请他们一次。后来，他们到了厦门，很想见见舒婷，我让我在厦大的朋友带他们去见舒婷，舒婷夫妇宴请了他们，他们都挺感动。

这两位朋友都是教授，都是研究汉学的。夫人研究社会语言学，正在对中国的姓氏进行研究，很想得到一些原始材料。校方把一本幼儿园的名册给他们参考，他们很受感动。

当时，我想应该给他们更多的帮助，便注意新出版的有关姓名学的书。但是虽看到目录，却买不到，原因是一本是广西民族出版社出的，一本是四川出的，都太远，没法买。正巧广西一群年轻诗人要出一套“凤凰诗丛”，请我作序，我欣然答应，但提出一个要求，把广西出版的那本姓名学的书弄一本给我。很快，书寄来了。另外一本四川出的，也由我一个过去的学生寄到，我把它交给另一个美国朋友，请她带给他们。

这是 1989 年春夏之交的事。

他们回了美国后，很为我去加州大学做访问学者出了一点力，可惜，由于种种原因，我未能去成，却去了西德。

在西德我由于不谙德语，十分苦闷，写信给他们。没想到，过了几个月才收到他们的一封回信，信封大得惊人。打开看，原来是夫人的论文，很长，是研究客家人和政治的关系的，很有一些功力。

我对于论文挺有兴趣，但对于他们这样怠慢我的信（拖了好几个月）有一些不快。看来，我过去那个学生对美国人的评断没有错。

民族不同，人情观念也不同，这有什么好说的？

后来，我还为夫人的论文写了一篇评论，发表在香港的《新晚报》读书版上。

一年多过去了，翻检香港寄来的剪报，发现那篇评论写得还可以，遂寄给了她。但寄前颇为犹豫。第一，我在文章后面对她的论文提出了一些批评意见，说她有些地方故意含糊其词，例如对于胡耀邦究竟是不是客家人，就有点心虚，只说胡在客家人聚居之地出生，并不说明究竟。我很怕她为此生气，但是又想，反正离得那么远，她生气也不关我的事。其次，我近期就要出访美国，所在大学的英语系离他们那所大学不远，给他们写信尽讲好话怕被认为是有求于他们，坚持对夫人文章的批评，也有点不好意思。因而寄剪报给他们时，只写了简单的几个字。

到了阿希伦，明明知道距他们只有两三百公里，我也没有打电话问候一下。倒是另一个美国朋友告诉我，夫人打电话来问起我了，我才感到自己不礼貌。

正好一个朋友开车去波特兰，途经他们所住的地方尤金。他们在电话中说非常欢迎我去，可我又惴惴不安起来。首先，我的另一个朋友要求我问问他能不能和我一起住在他们家中玩几天，这是个难题：美国人和中国人不一样，一般是很难接受朋友的朋友去住的。其次，夫人又寄了一篇论文给我，正是讲姓名学的那篇，很长，我一下子没法念完。因而在已经告诉他们我要去玩几天以后，又决定不去了。没想到突然收到他们的信，不但欢迎我，而且欢迎我的朋友在他家住。

这颇使我有一点感动。

看来，这不仅仅是一般的客气，而且是有一点友情了。

那一天从波特兰返途至尤金，我的朋友突然不想在尤金玩了。正是下午一点多，我不敢贸然就闯到了他们家去，只是在饭店里打了一个电话，说开车的朋友弄不清他们家的街在何处。

他们马上提出开车来接我。

一到他们家，什么都准备好了。他们家的房子并不大，只有两间卧室，我想原本夫妇各占一间，现在让出一间给了我，心里有点过意不去。

当晚，他们特别带我到一家地地道道的美国餐馆吃饭，从陈设到服务都是美国式的。他们特意让我坐在面对玻璃廊外小河转弯的地方，在落日余晖中，水中倒映着两岸的灌木和小桥，我觉得饭菜的味道是西方的，可环境的风格却是东方的。他们听了笑了起来，说，早就料到你会喜欢这种中西合璧的情调。

第二天，他们夫妇都要上班，先是由丈夫陪同我去大学图书馆，在他坚持下，居然在电脑中检索到藏书中还有我的一本《美的结构》。他比我还要高兴，碰到他的同事总是想方设法提到这一点。我自然感到一点小小的得意。

这时，我觉得和他有了一点亲近感。

到了中午，他却不见了，再由他夫人陪我到另外一家美国餐馆吃饭。餐馆在学校中心，生意很好。在闲谈中，才知道，她丈夫是该校政治系的主任，中午要去参加一个午餐会，欢迎哈佛大学一位教授来演讲。

虽然他不在，我却觉得他和我更亲近了。晚上，为了我，请了一位客人作陪举行家宴。这位客人，是研究中国现代新诗的，在一篇论文中引用了我好几段文章，于是我们两个大吹起来，不知吹了多久，直至我发现我们毫无礼貌地把他们夫妇完全搁在一边。

当我向他们致歉时，他们笑了，说，我们正在欣赏你们的兴奋。

夫妇俩一直轮流陪着我，并且提出，请我多留一天，开车去野营。我好不容易才说服了他们让我早点回去。

临走的时候，他们又提出再过两个星期，他们学校在全美有关于研究亚洲学方法的学术讨论会，希望我能去参加，我随便答应了一下，到时再说吧。

但没有想到，才过了一个星期，他们的电话来了，很希望我能去，并且主动提出路费由他们大会报销。

这真使我有点惊讶了，我一下子想到福建人经常讲的所谓“肝胆”，我总以为“肝胆”这种情分只有中国人才有，这一回人家居然把我当作真正的朋友，实在是一种发现，当然也是一种享受。

而且他们实在很是尽心，我想起来，上次临走的那天上午，丈夫有课，又是夫人陪我，她把我带到附近一所小公园中，那是一座杜鹃公园，全是杜鹃花。我欣赏着异国奇花，夫人跟着我谈美国大学里的种种问题，包括性骚扰和学费上涨、买房子分期付款、债务压力，完全是谈家常。我感到好像不是在美国，而是回到了福建的武夷山下。

临别时，她告诉我关于胡耀邦是否是客家人已经得到了证实，她把复印资料拿给我看。这时，我想到自己曾经有过的不快和担忧，不禁笑了。而且来美国以后，才知道美国人是很懒得写信的，她的信虽回得慢，但每一回都是手写，总是先用一张贺卡写，然后接着写上几张纸，也许，她本不想多写，但一写就手不由己，长篇大论起来。

明天，我又要去见他们了，这次去的心情和上次大大不同了，不像是去一个美国朋友家，而像去一个中国朋友家了。

他们的确也有中国式的姓名，丈夫取名高乐，妻子取名艾玛丽。

中国师生情

我一向对所谓一日为师，终身为父的说法持保留态度；我比较相信亦师亦友。我有个“学生”叫林子坚，分别近30年后在香港见面，按照香港的民俗，都是到酒楼去叙谈一番。但是他却例外，一定要把我请到他家中。我到香港好几次，在他家第一次体验到在香港朋友家里做客的隆重中的轻松。虽然他比我的年纪小不了多少，不管我多么自然地把他当作朋友，他仍然很诚恳地老师长老师短地叫我。就连我已经离开了香港，我的一个朋友到香港，他也以师礼相待。他们相约在海洋公园相见。由他当向导，朋友车子误了时间，他居然在细雨中等候了将近一个小时。他们此前从未见过面，他那惊人的耐心，不过就是因为我曾经是他的老师。

说实在的，我想不出对他在学业上有过多大的恩惠值得他这么回报不尽。其实，20世纪60年代，他在华侨大学读书的时候，我正经历着一生最大的晦气，上了一年的课，就被发配到当时为一般教师所不屑一顾的写作教研组，给一个年轻的讲师改作业，回想起来我总共不过就是为林子坚改了十来篇作文而已。

印象最深的是在他家中，就没有做客的感觉。30年的时光并没有在我们之间造成陌生感，这要感谢他的太太陈丽斌发自内心的亲切。

她是个少见的福州美人，把闽江水中最细腻的成分都凝聚到了她的肌肤上，真可以用美得耀眼来形容。他显然很以妻子的美丽而骄傲。我本以为他是特地让我开开眼界，现在想来固然不能完全排除这样的可能，但是更多的事实可以说明，炫耀妻子的美貌只不过是顺带而已。主要的是，他在香港生活多年，仍然保持着内地的习惯，喜欢把重要的朋友请到家里，充分享受久别重逢的欢乐，也让朋友体验他家庭的温馨。

他太太和他一样，喜欢那种朋友在一起的随意和自然的气氛，有时，她在一旁默默地倾听我们谈话，有时就轻盈地离开我们去照顾孩子。有老师辈的客人在场，他们之间讲话显然比较少了，但是光凭眼睛就配合得很默契。当子坚下厨时，她忙着她的家务，子坚有什么需要，她会像受到感应似的，走过去协助。

太太下厨的时候，也是一样，子坚能在漫不经心之间自如地分心照料。在这样的家庭里作客，主人没有过分的忙乱，客人却能在进入的那一刻，就能解除拘束，享受到亲切、自由、自如之感。

这种亲切自如的氛围，使我这个身在异乡的人，忘却了许多漂泊之感。尤其是，有一天晚上，我从岭南学院宿舍带上门出来，不小心把钥匙丢在房间里了，正是星期日，找不到任何一个工作人员，住旅馆连护照都没有。幸而口袋里还有他家的电话号码，我不过是病急乱投医，死马当活马医而已，没想到他竟立刻邀请我到他家小住。夜深了，我道路不熟，他就在皇后大道的转弯角等我。等到我见到他的时候，他手里还抱着孩子。

在他妻子面前，我不免感到十二万分的歉意，但是她和他一样脸上表现出的不仅是助人为乐，而且有一种义不容辞的义务感。直到第二天，离去的时候，我很难说出流行的客套话语，在当时，就是我这个算是能说会道的人，也感到语言是太缺乏表达力了。

亦师亦友——说起来容易，可是要把那种感觉说出来是很困难的。

哈罗尔德教授

美国西部知识分子穿着比较随便，就连大学教授上讲坛都有穿着牛仔裤、旅游鞋的，绝对不像东部教授那样神态庄严，更不像纽约第五大道上来去匆匆的上班族那样衣冠楚楚，连夏天也打着领带、穿着黑色西装去上班，这在西部人看来是可笑的。

一位西部教授对我说："那些'纽约佬'真像天天都赶着去参加葬礼似的。"

哈罗尔德教授虽然身在西部的俄勒冈州阿希伦小城，但却有东部大城市的整饬风度，不但衣着如此，就连头发也好像每一根都有固定位置。才 50 岁出头，便蓄了小胡子，修剪得非常整齐，似乎每天都用一把精致的小梳子仔细地梳过。

第一次见他，给我一种古板的感觉，说话一字一板，十分精练，没有任何多余的字眼。他虽不像英语系主任凯斯比尔教授那样滔滔不绝，但绝不给人冷漠之感。

有一次，他开车送我回旅馆，路上，看到一个坐轮椅的，我告诉他，不久前在民主党中和克林顿竞争总统候选人提名的杰列·勃朗来大学演讲，在所有的听众之中，杰列·勃朗只和一个人握了手，就是坐在轮椅上的这个人。

他想了一下说："那他一辈子不用洗手了。"

他很幽默，但是像许多美国有高度文化修养的知识分子一样，不喜欢那种在公众场合中饱含热情的通俗的幽默，而爱好一种包含曲折推理的嘲讽性的幽默，他的幽默有点尖刻，有点冷，美国人叫"干幽默"，但是有智慧，发人深思。

他的古板中有一点睿智，我怀疑，这种古板和睿智来自欧洲，我问过别人，他是不是德国移民的后裔，得到肯定的回答。

但是他好像对德意志民族并无特殊的好感。我和他谈美国的幽默和欧洲的幽默，他显然以美国的幽默而自豪，而对德国的幽默很藐视，他说："世界上最薄的书，是德国的幽默书，而最厚的则是美国的幽默书。"

我笑了。他说，你到过德国，你对德国有什么印象。我举了一个例子。我初到德国时找住房，好容易在一个宗教性的住所介绍所挑出一张住房卡，面积、设备、价钱也都满意，电话打过去，女主人说，租房子是她丈夫管的事，请过半小时，再打电话来。后来，我交房租，正好丈夫在花园里浇花，便交给他，他说，收房租是他太太的事，请明天交给她。

哈罗尔德先生很有节制地微微笑了一下，赞叹道："日耳曼人总是那么有条理(orderly)。"

他在大学图书馆工作，我在英语系，我们本不认识，但和我同来的一位中国副教授在图书馆工作，他便每天早晨不开车上班，而是邀中国教授散步上班。然而我的那位朋友早晨热爱诸葛亮早年的那种高卧，但他并不见怪。

复活节那天，他买了票把我们请到学校餐厅享受美国特有的复活节早餐，但是那早餐却成了对我的一种折磨。一大早吃那么腻的东西，我不习惯。尤其是那两片美国式的"火腿"，已使我这个习惯吃一点稀饭面包的人觉得难以对付。而坐在对面的一位老太太出于好心叫我去加上"佐料"，我没有听清什么"佐料"，便加上两三勺，一吃，原来是糖浆，咸咸的火腿加上浓浓的糖浆，可能是世界上最难以下咽的早餐。那些糖浆到了喉咙口好像变得生机勃勃，伸出一系列蜗牛式的触角在那里慢吞吞地游转。

中午，我们在路上相遇，他问我对早餐印象如何，我老实告诉他，实在有一点受不了，不如中国早餐甚远。他听了颇为严肃地沉思了一下说："几乎所有的美国人都喜欢中国的饭菜，除了中国的早餐。"

他走后好久，我反复斟酌他的这句话，很是怀疑自己对美国早餐的贬抑是不是太直率了，以致引起他的不快。

经过反复观察，我才明白他对我的心胸坦荡很欣赏，他绝不是小心眼的人，他像绝大多数美国知识分子一样，把诚实看得很重要，他不喜欢，甚至可以说厌恶不诚实的言行。

有一次，我们谈起美国对日本贸易赤字，谈到许多美国人不喜欢日本人。我告诉他，我在巴黎的时候，看到好多法国人也公然表示不喜欢日本人。他问我自己的意见如何，我更直率地说："我从记事起，就讨厌日本鬼子。"

而他却说："我很喜欢日本人。"

我很惊奇于他说这话时的平静，而且温文尔雅。

他曾经来福建师范大学访问，对于 1949 年以前的外国领事馆和外国教会的文化设施有过很有趣的考证，其中有许多事情很让我吃惊。例如我几乎时常经过的福州卫生学校竟是原来的美国领事馆。

他显然很喜欢中国文化。他的妻子就是 20 世纪 60 年代从中国台湾到美国去的留学生。他告诉我，他喜欢中国的饮食，但是一看到闽江中那混浊的水流就有一点倒胃了。起初，我感到被冒犯，在我看来，一切大江都只能浊浪滚滚的。后来我去了俄勒冈州立大学所在地尤金，在一家饭馆的玻璃廊外，被碧蓝的河水中的长桥和树木清晰的倒影所吸引，主人告诉我：20 年前，这条河也是浊浪滚滚的，经过长期的环境保护，才变成这个样子。

我很尊重哈罗尔德先生的诚实，但是仍然不能和他亲近起来，他却十分热心地开车带我和我的朋友出去玩，到海边的集市去吃螃蟹，去当年法国人和印第安人交换皮毛的故址，去原子能发电站，去其他城市的图书馆，他热切地希望能引起我的朋友对美国文化的好奇心，但是我的朋友却无动于衷。他在日夜盘算如何在访问期满以后继续留下来，寻找工作机会，而这样就可能使后续交流人员的日程受到影响。

我的朋友在纷纷寄出求职信时，曾经询问过我，要不要让哈罗尔德先生知道，我经过仔细考虑，建议秘密进行。后来我的朋友经过一番曲折终于在暑假开始时提前离校求职去了。

这一天晚上，我到哈罗尔德先生家去做客，他的妻子非常热情地招待了我，吃饭的时候，他妻子非常自然地告诉我哈罗尔德先生对我朋友的不满，尤其是他这么鬼鬼祟祟地求职，跟谁也不招呼，在电脑上打求职信，哈罗尔德一进办公室，他便立即关掉电脑。

她说的一切我都能理解，我的朋友的做法的确很不恰当，但是我的朋友家境不富裕，想在美国赚一点钱，这一点，他们夫妇是不能理解的。对于一个穷困的人来说，在异国他乡为了赚一点改善生活条件的资金，自然要付出代价的，很可惜，这个代价是对东道主的不诚实。而帮他果断做出决策的不是别人，就是我。

这时候哈罗尔德夫妇把我当作一个诚实的人倾诉他们内心的不快，可我却没有勇气把一切都诚实地和盘托出。

事情已经过去好久，留在我记忆中最强烈的印象是：那天我笑得很吃力。

草坪上的日本红枫

在欧洲的时候，尤其在德国的时候，我惊讶于那么多花。随处可见的家庭花园里，城市的广场上，布满了鲜花，就是家门口，阳台上，窗帘下，都少不了花，色彩那么鲜艳，那么浓烈，给人一种印象：花成了欧洲生活的象征。有些地方花店比超级市场还多。有些人家自己有花园，可桌子上却放着从花店里买来的花。

本以为美国会比欧洲花更多、更美、更丰富的，没想到失望了。美国人的庭院以大草坪为主，远望过去，碧草芊绵，甚为壮观；但是很少有花。这总有点单调吧。但是看得多了，看惯了，也就辨析出一种滋味来。在这个地广人稀的国家，草坪的广阔平坦表现了一种开阔的文化。华盛顿纪念碑、林肯纪念碑、国会山、白宫，都在一片片草地的包围之中，显示出一种气派。

难道他们只爱朴素的绿色而不爱大自然艳丽的色彩吗?

自然不是，美国的土地太辽阔，美国人太爱轻松了，花需要太多的时间去弄，所以他们爱在草坪上种那种姿态庄严的树，其雍容沉着的风姿常常令我驻足良久，但是也不是绝对没有非常艳丽的，艳丽得比花还叫人惊奇的树。

我说的是我房东草坪上的枫树。

一开春就是满树酱红的嫩叶，嫩得都有点儿透明，远看过去像一束硕大无比的珊瑚，宁静地伫立在草坪上，令人不由得不惊叹大自然如此神奇多彩。

房东老太太说，这是日本枫树，来自东方，只有东方的树才可能这么瑰丽。

她还告诉我，这不是她移栽来的，而是一个东方女郎带来的，还给她栽在草坪上的。这的确令人惊讶，一棵东方的树万里迢迢移栽到异国他乡，生命力仍然这么旺盛，对异国的水土、异国的风雨，居然很快就适应了，它焕发出的青春的色彩可能比在本土上还更动人。

我想起来了，送树的是一个韩国女郎，二十出头，美得耀眼，不可逼视。最美丽的姑娘，又在最美丽的年龄，这倒真有点像这棵树，但是她没有表情，脸上没有任何生命，冷若冰霜哪里有这么热烈的色彩呢？

老太太一个人住在这草坪当中的房子里。她太老了，而草坪却没有老，青草仍然像她年轻的时候那样猛长，有时来不及剪，未免略显荒芜。有了这棵树，草坪在它妖娆风姿下显得更加荒芜了。

那一次我去造访老太太，正下着纷纷细雨。

走过草坪，听着脚下吱吱的响声，好像大自然在叹息。斑驳的平台上有飘落的红枫叶，湿淋淋的，有的已发出霉斑，有的已经发黑腐烂了。

按了好久的门铃，出来开门的竟是一个亚洲姑娘，起初我以为她是中国人，但她却不懂中国话，她有一种东方古典的优雅，但缺乏生命力。她使我想起一部金庸小说里形容这种美人的两个字“冷艳”。我只好对冷美人说英语，她显然是听懂了，但是毫无兴趣作答，扭头径自走了。

我好生尴尬，也好生恼火。

好在老太太很快一拐一拐地出来了。一连串的抱歉。

我注意到她的腿，问她怎么了。

她却把手放在嘴唇上，要我说话轻声，并且指着韩国姑娘走去的房间。

她把我领到楼上，才露出一点调皮的神色问我：“你发现那姑娘有什么奇怪的地方没有？”我很坦率地说：“我觉得她很粗鲁。”

老太太说：“你这样太不宽容了，她是一个不幸的人，也许是最不幸的人。现在，她好像是个聋子，哪怕失了火，大火烧了她的手指头，她的眉毛都不会颤动一下，太不幸了。”这倒引起了我的兴趣。

这个女郎本来在汉城一家酒吧工作，她很有语言天分，英语口语相当流利，人又漂亮，很快引起一个美国驻军的同情。她告诉他，她曾受过正规高等教育。两个人很快坠入爱河。美国军人就把她带回来，结了婚以后才发现，她虽然会讲英语，可是一个英文字也不会写，对朝鲜文自然同样也是目不识丁。

美国人是不能忍受这样的欺骗的，就和她离婚了。

虽然她每个月都能得到一笔生活费，来养活她自己和一个孩子，但是她却无法使用这些钱。她连阿拉伯数字都不会写，是个完全的文盲，她既不会去银行存款，又不会开支票；更严重的是，她虽然持有绿卡，却不可能找到工作。

幸而她是一个基督教徒，当地的教友们在教堂做礼拜之前都要站着喝一杯咖啡，有人谈起了她的遭遇，于是把教她认字、写字的任务交给了老太太。“这完全是义务的，需要有特殊的教学才能。”老太太说到这里，显然兴奋起来，一拐一拐地走到隔壁书房里找出了一大堆儿童练习册，那正是韩国美人最初练习写字的本子。

我不禁感叹：“教这样的学生一定是很难的。”

老太太笑起来说：“不难，比这个更难的我都教过，你知道我曾经教过从坦桑尼亚来的妇女学英文。不懂就画圆，就比画。她们带来一本带插图的课本，两年以后，她们都学会了说美国英语。这种教学没有什么可怕，最可怕的是女郎的孩子，才三四岁，他一进门就要大肆破坏一通，根本上不了课，我不得不雇一个中国大学生来看住他。有一天，中国大学生没有来，我们就把他关在厨房里，让他吃东西。也不知为什么，忽然听得他大叫起来，我连忙冲过去，小孩跌倒了，一张椅子压住了他的手，没受什么伤。送走了他们以后，我却发现我的腿不能自由活动了，不得不去住了两天的医院。”

她非常骄傲地卷起裤腿让我看那一次事故留下的伤疤，颇有一点不胜荣幸的样子。

老太太固然有充分的理由感到自豪，可是那个冷美人有什么理由对生活抱着冷淡甚至敌视态度呢？

我这一问，老太太的脸色沉重起来。“她在我这里学会了认支票、开支票，认识了一些简单的英语单词以后，又到了教会成人英语班去学习了两年，终于找到了工作，而且结了婚。像她那样的东方美人，是很容易吸引美国小伙子的心的。

“那一天，她开着新买的车来了，咯噔咯噔地跳过我的平台，连电铃也不按就冲进我的家，什么话也不说，就使劲亲我，我还是第一次看见她笑得那么漂亮。她着了魔似的什么话也来不及说又跑了出去，说是她要赶着去教堂结婚。

“我不知道为她多么高兴。

“但是好景不长，不过一年以后，她半夜打电话给我说，她丈夫死了，得的是艾滋病，更严重的是医生说她是否带上了HIV病毒要等三四个月以后才能断定。她没有哭，可是又变得冰冷了，对任何人的招呼，包括我的，一概不理，她在公司里变成了一个会行走的‘植物人’。那一双非常美丽的黑眼睛变成了白天没有阳光、夜晚没有灯光的黑洞，连她的孩子都忍受不起她的乖张，离开她，去他父亲那里了。

“她没有地方住，也支付不起房租，只好来找我，我也把地下室腾出来让她住。

“她说，她是一个等待死刑宣判的犯人，我不知道该对她说什么，也不知道怎样才能帮助她。”

老太太深沉地叹息了好几声。

我也深深地受了感染，什么话也说不出来。

沉默了好一会儿，老太太才想起来，很抱歉地告诉我，今天之所以请我来，是因为那位韩国女郎想请教我一个问题，那就是中国的星相术是如何占卜人的命运的。我很坦率地说，对此我一窍不通。但是，老太太说，你应该多少知道一点你们古代的《变经》《易经》，就随便给她讲一点。我婉拒再三，老太太坚持再三，她的意思是，这也许是她一生中最后一个愿望了，拒绝她是太残忍了。我被她逼得没法，只好答应她随便讲一点。

老太太很高兴地站起来，到地下室叫她，过了不久，她非常抱歉地告诉我，那个冷美人觉得没有必要问我了。我的心颤了一下，不知该说什么好。

又是一个细雨蒙蒙的日子，我去拜访老太太，她非常悲哀地对我说，那个韩国姑娘已经证实 HIV 阳性，这就是说，她注定要在她最美丽的年华死去。

从老太太家告别出来的时候，我特地绕到那棵日本红枫下去徘徊一番。在春天的细雨中它每片叶子都焕发着透明的光彩，和绿草坪相映，红枫显出异常耀眼的娇艳。在这异国的土地上，它发育得很充分，亭亭玉立，朝气蓬勃，在微风中摇曳作态，尽情享受着异国风雨的滋润和过往行人的倾慕。

它怎么能活得这么欣欣向荣，美得这么热烈？实在有一点不可思议。美有时也会成为悲剧的根源的，可这枫树居然没有给我任何悲剧的暗示，我不禁觉得悲哀，对这样的美，我难以接受。

我甚至狠狠地猛摇了一下它的树干，任树叶上冰凉的水滴淋了我一脸，然后无可奈何地离去。

校花凋落在依阿华校园

在德国和美国，我和西方朋友都讨论过究竟是西方女性美还是东方女性美的问题，一直没有统一的看法。西方人的审美观，和我们有很深刻的分歧，最明显的就是，他们追求的中国姑娘，在我们看来常常是很不起眼，甚至说有一点丑八怪味道的。但是在坦率的讨论中，有一点我们是取得一致意见的，那就是西方女性的牙齿一般要比中国女性的美。在中国，哪怕是歌星、影星，都不乏牙齿不整齐的遗憾，小虎牙乃至门牙凹折并不罕见。反观西方女性，哪怕是平民百姓，一个个都齿如瓠犀，锦贝灿然。这是因为在中国内地牙科矫形美容还很不发达，而在西方则是很普及的。我的一个朋友和一个美国姑娘结婚之后，对方竟花了一万美元为他做牙齿矫形的美容。我们见面时，开玩笑说他“一笑万金”。

但是一个美国朋友告诉我，“你们中国也有非常绝色，牙齿也非常美丽的女性的。”我以为他是开玩笑，他说：“你见过的，就是在前天朋友家的聚会上，那个中国小姑娘。”

我想起来了，那个江西姑娘，其实已经二十七八岁了，可看起来却像十六七岁的小姑娘，满脸天真的神色，尤其是那双眼睛对任何人都充满信任地逼视着，眼神是那么纯洁，纯洁得使你自己好像一下子变得超凡脱俗起来，在和她对视的一刹那，你会忘了把她当作异性的美来欣赏，当然也就没有感到潜意识中有什么特殊的萌动。我的记忆浮动起来，当时最深的印象是她笑得特别灿烂，我当时还以为是纯洁青春的光辉，现在回想起来，更鲜明的是她那细密的牙齿发出珠贝式的银辉。一个美国朋友说，她那笑容里有甜味。

很显然，不管是男性还是女性都乐意欣赏她的笑容里闪耀着的生命的光华，她的眼睛也很活，可以说顾盼生姿，灵活到几乎让每个人感到她的目光和你在交流。

当时，我们讨论到欧洲文化和美国文化的区别，一个美国研究生和一个法国研究生正热烈争论，可是她却插进来说：“在我看来法国文化和美国文化没有什么不同，因为你们两个人的鼻子都一样大。”她的这个玩笑也许开得有一点过火，但是在美国，漂亮的女性有权利对男性任性，美人的任性可以被欣赏，被宠爱。美人的特权就是武断甚至专制、不讲理。聚会以后我了解到她丈夫是依阿华大学的研究生。她是以陪读的身份来的。想来，她一定很受丈夫宠爱。

然而我错了。

就在几个星期以后的一个深夜，从她家里传来尖锐的哭喊声，人们在仔细倾听以后，还听到她丈夫殴打她的声音。在美国，丈夫打老婆是违法的，要坐班房，这属于“家庭暴力”（Domestic violence）。美国人对于这种事情是很敏感的，大概是邻居打电话通知警察局，肯定加上了夸张的形容，五分钟以后警察骑了摩托车来了，不是一辆，而是好几辆，把宿舍团团围住。

门被敲开以后，江西美人出来了，头发虽然有点散乱，却矢口否认丈夫有任何暴力行为，一个警察指着她眼角的青块问：“那是什么？”她立刻搂着丈夫的肩膀说，那是他们在开玩笑，练中国的武术“散打”碰伤的。虽然警察难以相信她的话，却不能怀疑她那天真无邪的眼睛，不能不在她那不可抗拒的甜蜜笑容的压力下，软化了执法的意志。

最后的结果是警察以深夜喧闹为由罚他们50美元。

我们以为小两口吵架，没有什么了不起，不久就淡忘了。但是细心的美国邻居告诉我，他们怀疑江西美人房间里的“家庭暴力”仍在继续，他们往往在深夜听到某种尽力克制的叫声。

白天，我观察她的脸色，没有什么异样，在校园里遇到，打招呼，她的笑容还是那样灿然，但是有一点不同，那就是笑容浮现得很快，消失得也同样的快。

虽然我非常好奇，这时却学着美国人尊重别人的隐私，有意不去探究其中的奥秘。

然而她却来找我了。

那是一个多星期以后，她打电话问我当地有没有一种叫作“妇女救援中心”的机关。我说：“有，但那是妻子遭到丈夫虐待、殴打、强奸，而又无处可逃的人去的。”

她非常平静地说：“我要去的就是这个地方。”

我第一次看到她不带甜蜜笑容的神色，应该说，她的眼睛不再旋转，眼神带着深沉的凝视，专注地看着地上，她的嘴唇轻轻地抿住的时候，另有一种端庄的美，这比之那从前的张扬要动人多了。

她说，她本来爱面子爱到病态的程度，如今只好撕破脸皮，不要脸了。不管在一个陌生男人面前承认自己被丈夫殴打是多么艰难，但是她别无选择。

我觉得吸进肺部的空气膨胀起来，而且变得有重量了。

她说，这几个月来她一直忍受着丈夫的殴打和虐待，但却不敢声张。她原本是江西一所大学的校花，身边簇拥着连她自己也数不清的追求者，每周都收到一些不相识的仰慕者的来信。爱来得太轻易了，自然也就得不到珍视。在她床头、枕边、书架上到处散乱着无法记清的情书；一些女同学戏称她的房间是“编辑部”，不相识的“投稿者”来自四面八方，多少小伙子的希望被她轻率地拨弄着，她为自己能吸引这么多人围着她团团转而觉得好玩，对于那些失望者的痛苦她只觉得好笑。她习惯了被奉承，习惯了被谄媚，也习惯了对男性专制，乐意看到他们像狗一样驯顺的眼神。

然而就在这个时候，他来了，来自北京，行色匆匆，完全是一个白马王子，而且马上就要离去，去美国，国家公派的访问学者。这一回轮到她去主动奉献热情了，而他也为她的美貌震惊，于是以闪电的速度，他们结婚了，又以闪电的速度，她以探亲为名义来到美国南方一所大学，一切都是美妙的，甚至比她童年的梦幻还要璀璨。国家给予她丈夫的公费是很可怜的，美国大学的教授就非常慷慨地雇用她在实验室洗洗试管烧杯，每个月居然也能赚到 1000 美元。小日子过得分外火红，童话式的爱情加上神话式的命运。她出现在任何晚会上都受到比在国内更多的崇拜，鲜花，甚至诗篇，昏头昏脑的追求者的昏头昏脑的诗篇都被这东方女神丢入垃圾箱，丈夫为她的坚贞而骄傲，她为丈夫的信任而骄傲。

爱情有了结晶，她怀孕了。

然而，爱情的结晶当然不如爱情本身更宝贵。她丈夫一年的访问期快满了，如果要继续留在这童话境界之中，只有一条路，那就是改变身份，读博士学位，而这首先要过英语的托福考试关。这样，他就不能出去工作，全部生活得依靠妻子在实验室打工，而挺着大肚子工作是不可能的，于是决定打胎。在美国，人工流产是一个极其敏感的政治问题，我不知道她用什么方法避过了法律障碍，也不知道她是怎样达到了流产的目的。然而确凿无疑的是人工流产给她留下了后遗症。

她不但不能生孩子，而且不能去打工了。不但不能去赚钱，而且需要丈夫的照顾。这不但是病理的需要，而且是浪漫感情的需要。

然而这位昔日的白马王子却没有多少浪漫感情，起初他推说办公室很忙，就在她卧床不起连走路都很艰难的时候，他却早出晚归，留给她除了在美国市场上很便宜的鸡腿以外，什么都没有，而她那时不管吃什么嘴唇和舌头只有麻木的感觉。

后来她稍稍恢复，偷偷到办公室去看看，原来他什么事也没有，只是和几个朋友在聊天，那笑声简直令她心惊肉跳。更令她心惊肉跳的是她丈夫把自己的奖学金存入另一个银行账户，公开的账户上就只剩下她过去打工省下的 6000 美元。而光是检查身体就欠下医生 2000 多美元。

丈夫晚上下班以后，开始是自怨自艾，自叹白虎星当头，接下来就是摔摔打打，然后就是找岔子吵架，这一切，她都忍了，为的是不让邻居有所感觉，最令她不能忍受的是丈夫认为她是个废料、次品，既不能去打工，又不能为他生孩子。

本来她还以为丈夫是出于一种传统观念，希望有一个孩子。后来才知道，孩子可以让他获得14年在美国的监护权。

“我的羞耻超过了我的悲哀，”她的眼泪终于流了出来，用一句很俗气的话来说，“我的心碎了，我的脸皮也撕破了。”

感到了绝望以后，她做出了一个决定，首先把公开账户的钱转了5000美元到自己的账户上去。这就是说，发出一个准备分手的信号。

矛盾终于爆发，于是他就天天晚上折磨她，使劲打她，怕有声音，就把她的手反拧在背后，直到她疼得求饶，逼迫她把钱重新存入公开账户。可是她已欠了医院2000多美元，一旦分居，还得有点起码的生活费，她的身体健康坏到了透顶，连走路到超级市场都要中途休息一下。可继续留在那个家又天天晚上受丈夫的折磨。实在走投无路了，才顾不得面子，想到妇女救援中心去躲避一下。

我告诉她，到那里是很容易的，只要打一个电话，就有救援中心的志愿工作人员来车接，可那里最多只能住一个月，以后怎么办呢?

最理想的办法是离婚。按照美国的法律，一个有职业的丈夫和一个丧失工作能力的妻子离婚，要付出薪资的一半，养她一辈子。你干脆就这样惩罚他一辈子!

等你身体好一点，有可能，就去攻英语，争取考过托福，去读学位，念得成，气死他，念不成拖死他这个王八蛋。

她非常无力地苦笑了一下说：“这一点他早就想到了，所以，他根本就不敢和我离婚。”

“那么，你可以主动提出来离婚啊！”

“可是，我也不敢。”

我惊讶了，仔细观察她低垂的睫毛，显然是在微微地颤动。那象牙一样嫩黄的脸颊上浮出一阵羞惭的潮红，她沉默了好一会儿，我也不敢紧张追问。终于她恢复了自制，低声说：“离婚，我就没有在美国继续居留的身份了，我是以探亲的身份拿到签证的。”

我理解她的两难处境。但是，在我看来，还有一种选择，那就是回国，那里有她的父母，还有她的工作。

然而，她非常坚决地摇了摇头，眼睛露出了极其恐惧的神色。我很不理解，不管怎样，总比在这里受凌辱强吧。何况美国的医疗费是那样惊人，住一天医院常常要1000美元。没有钱，只能等死。

可是她仍然坚决选择了等待生命慢慢凋谢。

我实在忍不住了，打破了来美国以后已经习惯了的尊重隐私的习惯，追问她，为什么不怕青春在异乡客地枯萎，却害怕回到亲人的怀抱，难道每天晚上的皮肉之苦还没有受够，难道心灵的惨剧还不该结束！

她嗫嚅良久才说了一句："我太爱面子了。"说完就失声哭了起来。

虽然只是一句话，却使我充分理解了她，这个如花似玉的女郎已经习惯了被羡慕，她已经被世俗的虚荣宠坏了。她承认这一点，并且告诉我，昨天她又一次低三下四地讨好丈夫，买了他爱吃的草莓冰激凌等他，他不吃，她去喂他，然而得到的报答竟是又一次的手被反拧，嘴巴被压到沙发上，连叫喊都没有声音。

这是他的一项新技术。

这就是她终于不顾面子来打听妇女救援中心的原因。

我打通了电话，救援中心的志愿者把她接走了，第二天，我本当和几个朋友一起去看她，可是一位俄勒冈州的教授突然打来一个电话，请我去为他的一个研究生审阅一篇当代中国妇女文学的论文，我当天就离开了依阿华大学。过了一个月，我突然想起那位江西美人，就打电话问依阿华的朋友，得到的回答是，江西美人在妇女救援中心住满了一个月，不知是她自己回去了，还是她丈夫把她接回去了。

不过，邻居们再也没有听到深夜从她家里发出来的尖叫声。

他们的生活似乎恢复了平静，只是她的脸色越来越苍白了，她很少出门，偶尔见了人还是没有打招呼就灿烂地笑起来，不过却没有那眉飞色舞的眼神了。

不久，她和她丈夫就搬走了，谁也不知道去了什么地方。

同性恋者的妻子

南俄勒冈学院历史系主任请我到她家吃便宴，作陪的也是一个女士，名字很好记：塞西尔。四十开外的年纪，虽然青春已逝，但仍然可从她的身材和端庄的五官看出她年轻时肯定形象姣好。

我和她谈了几句话，便觉得分外可亲。倒不是因为她还没有完全消失的天生丽质，而是她讲话时，几乎每一字都有弹性，连轻轻带过的介词，我都听得清清楚楚。

那时，我初到美国，对于美国口语很不习惯，一些美国教授完全没有把我当作外国人，讲起话来，口若悬河，高兴起来，吐字更是如电光石火，我根本来不及听，有时一个字眼过去，稍稍愣神追索一下，一连串的句子，就如流星一样消失得无影无踪。我和美国人谈话，最怕的就是他们眉飞色舞，兴高采烈。

他们越是兴高采烈，我就越是全神贯注，越是全神贯注，就越容易傻傻地瞪着眼睛直直地看人。我朋友就笑我："你又犯傻了。"平时，非正式的聊天，我还不大紧张，大不了请人家再说一遍就是了，可在正式宴会上，有时自己是主要宾客，这种犯傻就有一点丢脸的性质，要知道周围除了熟人以外，少不了还有几个有身份的陌生人。在这种不自然的心情下，连平时讲得很流畅的话都会变得结结巴巴。

美国式的家宴以庭院烤肉为主，并不是大家围着桌子举杯，而是各取一盘，随便坐在草地上轻松地谈笑。可是我却一点都轻松不起来。我的朋友都很奇怪："为什么你平时那么谈笑风生，表情丰富，一到这种场合，就完全是一脸傻乎乎的样子！"

没想到，塞西尔第一次和我谈天，竟然解除了我犯傻的紧张。

她讲话速度适中，一旦发现你目光中掠过一丝困惑，她略重复一两个关键的词语，并非常宁静地用她那双大眼睛看着你，即使你一时没有完全听懂她的话，那目光也会抚慰你，让你感到亲切、自然、舒坦，神经放松到可以自由交谈的程度。

这完全是东方淑女才有的善解人意，怎么会出现在一个地地道道的美国女人身上！

那天，我们谈得很投机，天南海北，从中国谈到苏联、从苏联谈到了美国，不知怎么一来，我突然提出了美国中学教育一些问题，尤其是中学女生怀孕的问题（Teenage pregnancy）。我的一个朋友在一所美国中学兼课，就在他的班上不止一个女孩怀孕了，前不久她去逛“Grage Sale”（车房拍卖），还遇见一个女学生抱着非婚生的双胞胎，不但没有丝毫害羞之感，反而很大方地请我的朋友到家里去做客，还夸耀自己的孩子说：“你看，他们多么强壮呀！”

塞西尔叹了一口气，说这是20世纪60年代“性解放”留给美国的遗产，那一代的青年人被称为“花的一代”（flower generation），他们反抗传统道德，同时也失去了家庭的责任感，现在他们的儿女长大了，比他们更变本加厉地以自我为中心，他们虽然很恼火，可是却束手无策了，他们是自食其果。

她的分析很深刻，主人告诉我，她是社会学院的教授、院长。

过了些日子，她请我到她家做客。

她不愿住在市区，特地在距市区56公里的深山老林中建了座房屋。车子开过去，起初是高速公路，后来是一般公路，再后是不上等级的柏油路，最后竟是连柏油都没有的很狭窄的泥土路。

一座别墅式木结构房屋出现在错落的山坡之间，房子是新建的，外走廊还没有装修好，空气里弥漫着油漆刨花的味道。

这里没有自来水，水是从山顶上用铁管引来的。这里也没有电，在外走廊上有一架太阳能发电的巨大支架，玻璃护着的硅片可以自动地追随太阳旋转。

这里完全是一个与现实隔绝的世界，大厅里正放送着洞箫录音，她告诉我这是日本乐曲，可我却觉得那是中国古箫《普庵咒》的旋律，这样宁静的曲调把这个孤寂的世界衬托得更加万籁俱寂了。美国日常生活方式的喧闹与紧张一下子退到了不可知的彼岸。

站在走廊上，可以看到周围种了些蔬菜，但都用网绳护着，我问她为什么，她用手一指，叫我看对面池塘边，我仔细一看，原来是两头小鹿正在安详地饮水。没有护网，这些蔬菜早就完了。

她说，这些小鹿很守时，每逢下午5时左右，就来喝水。

她的一大乐趣，就是到时间等小鹿在草丛中露出怀疑的眼睛向她窥视良久，然后才安心喝水。

陪同我前来的一位挪威血统的教授告诉我，这个小池塘是她自己挖的，而这所房子也是她丈夫、儿子一起建造的。

但是，我却没有看到任何男人在这里居住的痕迹，朋友偷偷地告诉我，她儿子在别的城市工作，是学建筑的。而她丈夫则是一个同性恋者，在结了婚，孩子长大以后才发现自己是个同性恋者。她曾经努力和他和平共处，但终于不能忍受丈夫和他男伙伴的亲昵行为，最后离婚了，她就搬到这远离世界的深山来住。

建造这所房子的时候，她丈夫还来帮过忙。

去年暑假，她去欧洲旅游，他还陪她去。

听完这个故事，我突然觉得这座房子变得空旷了许多。晚饭时，电灯亮了。那太阳能发电板显然功率不足，灯光很暗淡，在她端庄的外表和堂皇的住宅背后，有种掩盖不住的黯淡。那至今仍然没有油漆的许多根栏杆说明了这一点。

如果让我一年到头一个人住在这样一座空房子里，我会寂寞死的。更何况，在这西部俄勒冈州，冬天的雪下起来是很吓人的。在著名的火山朔风景区积雪七英尺是平常的事，在这里呢，我问她。她说，至少也得两三英尺吧。

我想象不出，到那个时候，她怎么开车去上班。

她很平静地告诉我，她每年在银行存 200 美元，到时会有铲雪车前来清路。她说，雪下得越大，问题倒越好解决，如果只积了半英尺雪，人家不来，只好自己在汽车上装上防滑链条。

我想象得出：大雪封山又远远近近看不到一户邻居，连幼犬之声也听不到，完全是一个无声世界。想到幼犬之声，我突然问了她一句："为什么不养一条狗呢？"

她笑了，指着还在池塘喝水的小鹿说："狗一叫，它们就不来了。"

可是到了大雪封山的日子，小鹿也是绝对不会出现的呀！而且，往往一连几天不出太阳，太阳能发电板不起作用了，一到晚间，小屋就可能像沉到海底一样黑暗了。

可是她还是觉得在这种远离人世的地方好，能使她的心得到更多的休息。

难道那《普庵咒》一样的凄清的洞箫旋律，有那么大的力量能帮助她抵御住那漫长的黑夜和孤独的压力？

也许，她真是对于人生看透了，虽形体尚未如槁木，可心已如青灯古寺中的比丘了。

然而，当我告辞出来，车已发动起来，那位和我们一起来的挪威血统的教授却过了好久才来上车。

回到家里，我的朋友问我，你知道那位教授为什么迟迟不来上车吗？我说，不知道。

他说，他和塞西尔在那没有油漆的门廊上接吻，至少 5 分钟。那位教授也是个同性恋者，不久前离了婚。我问，同性恋者为什么又和异性接吻呢？

他说，许多同性恋者同时又是异性恋者。这回我虽然把每个字都听清楚了，可是我更加诧异了。

我的朋友猛拍一下我的肩膀："你犯傻了！"

他笑了起来，可是我却笑不起来。

梅德福机场奇遇记

1992年6月，我结束了在美国俄勒冈大学英语系的课程，看到了系主任凯斯比尔先生转来的学生期中评估（相当美妙的评语），心情大振，开始了向往已久的环绕美国之旅。和我合作的桑德拉教授开着车子把我送到了机场。时间还早，我们就在候机大厅里面闲谈。桑德拉教授是个女权主义者，曾经跟随丈夫马可先生在香港教过大约8年书，对中国文化尤其是花木兰式的英雄相当崇拜，但是这并不妨碍她又是一个善解人意的女性。她是犹太血统，善于理财是不必说的。在美国有许多可以省钱的事，我还没有来得及想到，她已经替我想到了。这次来机场，她提出由她开车，既是友好，也是为了替我省去至少10美元的出租车钱。她没有明说，我心领神会。

忽然扩音器里传来一则通知：由于工作不慎，本次航班多卖了3张票，如有旅客自愿推迟一天出发，航空公司方面将立即奉上300美元支票。我不免心头一动。看看美国女教授，却什么表情也没有，也许是我听错了吧，我对自学的英语并没有太大的信心，只好把胸中的骚乱姑且镇压下去。

不久，广播又响起来，这一回千真万确，只要推迟一天，立刻获得300美元。又看看美国女教授，仍然是一脸的漠然，好像莎士比亚笔下的丹麦王国——平静无事。第三次广播以后不久，我绝望了，只好随大流登机。

3分钟的路程，我竟有二万五千里长征的感觉。每一秒都有希望，可是每一秒都是更沉重的失望。我多么期盼这位平时善解人意的，善于理财的美国女性，能够向我看一眼，以表示征询，让我有个机会，做犹豫不决状，做认真沉思状，做极不愿意状，然后她再以犹太美国擅于算账的精明，热情地为我打算：比如，我住的那间公寓，一个月也不过200美元，一个月的伙食，也不会超越150美元，从旧金山到中国厦门单程的机票，在减价期间，也就是300美元左右。何乐而不为呢？而我则从容不迫地，装作出于人道主义的精神，由于被怂恿、被推搡，勉强地、被动地，虽然反抗，却力不能胜地，走向机场办公室。由于她不容分辩地代为说明，我迫于情势，别无选择，考虑了机场方面的困境，由于包围着我的美国人反复恳求，包办代替，我不得不勉强同意。我甚至想象出机场办公人员，满脸的微笑，以及握手时弓着腰的姿态来。

然而，这个死女人，平时尽管心窍玲珑，这时却形如枯木，心如死灰，脸色比修道院里的洋尼姑还要缺乏生命。

上了飞机，广播还在响。我的心脏变成了一面鼓，每一声广播都引起我从腹部到臀部的强烈震动。可奇怪的是，美国乘客大都把脸埋在报纸里，简直是像在看《花花公子》那么入神。发动机开始幸灾乐祸地哼哼起来，好像在嘲笑我死要面子活受罪。300 美元，相当于 2000 多人民币，相当于一架录像机，甚至是一架电视机的价钱啊，就这样泡汤了。如果拿了这 300 美元，我在黑人乞讨者面前潇洒地丢下 5 美元一张的钞票，整整可以丢 60 次，如果丢一美元，那就是 300 次。

看那些美国人，本来是最坦然地为了每一个硬币而据理力争的，可今天却一个个无动于衷的样子，不知是真的还是装出来的，难道就是为了和我这个中国人作精神的较量，难道他们就放弃了美国作为立国之本的实用主义？僵持就是痛苦，而且埋伏着失败。我实在不能甘心这样煎熬，就对身边的一个美国人说了这事，这个家伙立刻以乔丹空中投篮的灵敏，从座位上跳了出去，连给我道谢一下都来不及，还抢在一位女士的前面接过 300 美元的支票。粗野的美国人呐，完全没有英国绅士的骑士精神。这个粗野的西部牛仔的后代，临下飞机还向我回过头来，吹了一声口哨。这声口哨本来应该是我对他吹的才对，却让一个老美白拣了个便宜，恢复了他失落了的实用主义。

我那没有吹出来的口哨，可能是世界上最为昂贵的。

马克思说，科学最高形式是数学，那么，要科学地表示我这次的精神损失，是不是可以得出这样一个方程式：在等于符号前面是他的口哨，在等于符号后面是我的面子。后面再加一个等于符号，最后的数字是 300 美元。

是他的口哨价值太贵还是我的面子太便宜了呢？

但是，我也不是没有一点收获。此后，每当我为一件比较贵重的衣物的价格而犹豫的时候，一想，不过是几百块钱的一件 T 恤衫，何必为之斤斤计较呢，老子连 300 美元都不在乎！在许多人的瞠目诧异之下，战略决策就确定了，一件名牌衬衣的发票就很潇洒地到了我的口袋里了。

有一次到澳门去开会，时间紧急，要从广州机场打的去珠海。主办会议的朋友告诉我，从珠海到澳门的的士费，不会超过 400 元人民币。我遇到的第一个的士，开价 600，显然太离谱；等到第二架，我装作很老练的样子说：打表吧。对方欣然同意，脸上还露出狡诈的笑容。谁知，接近珠海时表上已经超过了500。到了拱北海关，还要加上过一路关卡的买路钱，竟高达800。我点着钞票的时候，眼角看到那司机狡诈的笑容。虽然多少是有些心疼的，但是一想到老子连300美元都无所谓，还在乎这三四百块钱人民币的差额吗？心情就像澳门的海面一样开阔起来了。再看那司机狡诈的笑容，就有一种悲天悯人的感觉了。

一次吃亏的感觉变成了多少次心理治疗的良药，到目前为止，也说不清了。除此之外，它还能成为和朋友在一起吹牛的资本，大笑的主题，由此我的心理健康水平提高了多少，还有我的寿命由此而延长了多少，这可是一个尖端的科学研究课题，这是我终生都无法准确地计算出来的。

几个妈妈好

人生一大享受就是和朋友抬杠，而且取得胜利。

这一次抬杠的题目是一首歌曲，名叫《世上只有妈妈好》。我很欣赏这首歌，据说这首歌来自台湾，我觉得，不管海峡风云多么变幻莫测，这首歌还是唱遍了长城内外，大江南北。可见，两岸同胞人同此心，心同此理。

爱抬杠的朋友说，阁下言之有理，但不无偏颇。此歌词甚无稽，世上只有妈妈好，如果成为真理，成为定律，那我们这些为人父的不是成了白吃干饭的了吗？这还在其次，更加不能容忍的是，这里的妈妈是个不定数，看不出是单数还是复数。妈妈当然是最好的，但是如果超出了一个，那还好不好呢？有奶便是娘，这个娘的成色就很难说了。再说，就是正正规规的妈妈，也不是像奥运会金牌那样越多越好的。

如果你亲生妈妈不在（不一定是先逝了），家里又来了一位妈妈，她的爱抚还能像亲生妈妈那样温馨吗？当你考试成绩不佳时，她的眼神还会像亲生妈妈那样含蓄得叫你自己想来就觉得温暖吗？在旧社会有过纳妾的事，在今天也还有个别“包二奶”的。他亲眼看到一个人，他自己的妈妈是二房，可他不论写信，还是谈话，都称自己的妈妈叫“姨”，反而把大房叫作妈。这是何等令人恶心的事啊！

妈妈自然是好的，但多于一个就不好了。因而这句歌词要在妈妈的数量上加以限制才好。

我明明知道，这在汉语语法上，是很困难的，但是还是运用了请君入瓮的战术，做出虚心求教的样子。他得意地说，那很简单，只要在“妈妈”前面加上“一个”，改成“世上只有一个妈妈好”就成了。余抚掌大笑。

彼惶然不解，吾请其复诵一遍：“世上只有一个妈妈好。”难道你只承认世上只有一个妈妈是好的，其他的都不好吗？

彼仍负隅，云：可适当调节词序以正其意。

我说，不管如何调节，都是白搭，不管把“一个”放在何处，除去那个不通的“世上一个只有妈妈好”以外，你就只能说“世上妈妈只有一个好”，这样你就把天下的妈妈统统得罪了。

彼大苦恼。余问：阁下愿闻苦从何来乎？彼勉强顿首。我遂侃侃而谈。

此乃因阁下语言恶性欧化之毒甚深。阁下长着一条中国人的舌头，却按照外国人的框架说话。考究名词的数量限制是英语的法则，而对于汉语来说，有些数量限制完全是画蛇添足。香港中文大学的沙田七友（包括余光中等七位著名学者）早已大声疾呼这种多余的“一个”必须加以清除，可惜未引起注意。1994 年春，在苏州大学的一次国际学术讲座会上，沙田七友之一、港台著名散文家思果又一次在一篇学术论文中抨击国人盲目追随西方人，在文章中莫名其妙地加了好些“一个”。于是，本来好好的，“这是我的想法”，就变成了“这是我的一个想法”，干干脆脆的“这是个办法”就变成了“这是一个办法”。说“我的心放了下来”，还不过瘾，非得说“我的一颗心放了下来”，才放心。难道中国人不是一颗心，而是三心二意的货色吗？说到这里，我忽然想到《哈姆雷特》的翻译，丹麦王子那句著名的台词“To be，or not to be，that is the question”。本来“问题”（Question）前面根本没有“一”（A），但是翻译家们不约而同地加上了“一个”，变成了“活下去，还是去死，这是一个问题”。其实，当时哈姆雷特用的是定冠词“The”，就是这个问题，不可能还有其他问题。盲目崇洋的结果是歪曲了洋人的经典，此类事，可谓滔滔者天下皆是。

就拿“‘一个’妈妈好”来说，用的是洋人的语法，但是其意思，洋人的孩子可并不一定认同。1992 年，我到旧金山，在福州名人陈宝琛先生的六公子陈立鸥教授家做客，他给我讲了个非常有趣的故事。

他的孩子常常带些美国同学回来，久而久之，混熟了，美国人就奇怪了，问道，你怎么只有一个爸爸，一个妈妈？陈立鸥的孩子说，妈妈爸爸只能有一个，哪能有许多？美国孩子就说，我就有三个爸爸、四个妈妈，还有五六个祖父、祖母。陈立鸥教授的孩子说，那不是非常痛苦的吗？美国孩子却说，那才叫痛快呢。几个妈妈和爸爸都在法院争夺对我的抚养权，就是争到了也不敢得罪我，怕我跑到别的妈妈爸爸那里去。只有一个妈妈的时候，我每天只能看一小时电视，现在有了四个妈妈，我每天可以看四个小时的电视。一到圣诞节，圣诞树下准有八份礼物是属于我的，这总比两份精彩得多吧。而暑假期间，他们又争执起来了，最后达成妥协，轮流带我出去旅游。到今天为止，我连爱斯基摩人的雪橇都乘过了。

对于这一切，我那平时颇为雄辩又很爱抬杠的哥们不得不承认失败。临走时，他悻悻地说：“这回算栽了，但君子报仇，三年不晚。失败乃成功之母！”

我说：“不对，应该是失败乃‘一个’成功之母。”

附录

从诙谐叙事到自我调侃再到诡辩[①]

从中学时候起，我就立志把生命作为诗，或者把诗作为生命。大学毕业后经过差不多10年的努力，我居然和一个朋友合出过一本诗集，那是1978年的事，当时出一本诗集是很不容易的。正在为自己走上了诗歌的康庄大道而得意，突然舒婷、北岛出现了，自己感觉到而不敢表达，而且表达不出来的东西，大多是假大空的俗套。年过40岁，再追随舒婷、北岛已经晚了；当时我想改写小说，试笔之后感觉还不错，在福建作家协会评委会上得了奖。不幸的是，我为朦胧诗摇旗呐喊的《新的美学原则在崛起》遭到全国性的围攻，连累到我的小说，被同是福建省籍的青年评论家扣上了“写人格分裂”的帽子，弄得我兴致全无。加上教学任务繁重，就暂时把创作丢开，去认真研究文学创作上的一些基本问题。没想到一发而不可收，出了上百万字的著作，不久又因为一个偶然的约稿，参加了当时颇为轰动的主体论论战。这么一来二去，突然发现自己居然被视为“新派理论家”了。

这是我绝对没有想到的。

在大学生时代，我的外号是猴子，我自己和我最要好的同学都认为我不是研究学问的料，以后又因为反右派中有一笔账，在北大待不下去，发配到福建前线一个连校舍都没有的华侨大学。“文革”期间，华侨大学又解散了，我就下放了。十多年间，虽然胡乱念了一点哲学、历史、美学乃至经济学的经典，没有什么系统，也没有什么明确的目的，不过是一种对“改造思想”，主要是方法的追求吧，过瘾吧，根本就没有想到当理论家什么的。

不期到了20世纪80年代参加了几次学术论战，阴差阳错，居然成了理论家，而且还是“新派”的。我起初觉得好笑，但是并没有表示坚决反对。因为总是受压抑，被人家歧

① 本文原为广东旅游出版社《孙绍振幽默文集》之序言。敏感的读者不难感到，本书的95%以上写于2003年以前，此后，除了偶然的、推不掉的约稿，我停止了对散文的探索，原因是我的主要精力转移到经典文学文本解读和美学的建构上去了。

视，瞧不起，现在弄顶桂冠戴戴也不错，至少可以像《水浒传》上所说的，“出一口鸟气”。

到了20世纪90年代，水平并没有多大提高，却到处被奉为“学者”。我有点惊讶起来，我有什么学问呀？是不是调侃我呀？但是，人家一脸真诚，如果当场就谦虚起来，倒可能被误解为虚伪，沉默就成为承认了。但是，我自知，从最高的意义上，以我景仰的老师为准则来衡量，我这样的“学者”，虽然不能算是假冒伪劣，但也很难说得上货真价实。

不管从学养上，还是从品性上讲，我更像个文人。虽然从20世纪90年代以来，教授的地位大大提高，可是我还是珍爱我年轻时候的作家梦。

既然小说诗歌似乎都不适合我，散文如何呢？我时常禁不住写作的冲动，这个冲动因为一个偶然的机遇，转化为实践。那时，我旅居德国，德国人的古板，使我寂寞得发疯。正好我年轻时代在华侨大学的难兄难弟辜健先生在香港一家报纸当文学版的编辑，在他的支持和鼓励下，我写了几篇小说之后，觉得素质上不是那块料，就集中精力于散文写作。

我几乎是本能地用幽默去反抗德国式的古板。

长期以来，我厌恶滥情，不想以异国情调取胜，于是就采取叙事方法来写人。我天性中有些诙谐的成分，在那极“左”时代，为了两句开玩笑的话被整得一佛出世，二佛升天。到了改革开放了，我本性不改，又放任起来，常常信口胡柴，我不知道那就是幽默。来德国之前，有一个出版社组织写一本幽默的书，许多人都自告奋勇，都被拒绝了，理由很简单，他们自己讲话都不幽默。经过一番推选，我被认为是讲话幽默、富于谐趣的。在一个学生的怂恿下，我全凭感性经验，用了45天的时间，写了一本幽默的小册子，没想到出版以后，甚为畅销，在香港、台湾还有了繁体字版。中央电视台的一位领导在香港看到这本书，就让一位导演把我追踪到了，请我去做了20节的《幽默漫谈》。

我对散文的感觉，似乎就是在这一段时期形成的。

华兹华斯说过，一切的好诗都是强烈的感情的自然流泻（Poetry is the spontaneous overf low of powerful feelings overf low of spontaneous feelings），我却体会到，一切最好的幽默散文都是自我调侃的有意无意的流露。

不久以后，我在美国大学英语系工作之余，又关心了一下相当发达的美国幽默理论，更加对于幽默散文情有独钟。后来又在香港当了半年的访问学者，因为要写有关幽默散文的论文，我接触了大量梁实秋、林语堂、钱锺书、王了一、余光中、梁锡华先生的幽默散文。

有了丰富的感性经验，又自以为有了一点理论，当然就产生了自觉的对幽默的追求。

理论研究对于幽默风格起了推动作用，幽默散文的创作，又促进了我的理论研究。近来有些研究幽默理念的博士生和我通信，说我的幽默理论，具有难得的可操作性的特点，我想这可能是有道理的。我的许多理论灵感，包括“二重错位逻辑律”，并不是从经典理念的阐释中演绎出来的，而是在写作和做电视节目的时候心领神会、脱口而出的，而我在理论上提出的“歪理歪推”“逻辑空白”等一系列观念，在我写幽默散文的过程中都经历过10年以上的实践检验。

也许正是因为理论与实践的结合比较紧密，我的幽默著作在香港、台湾地区和内地一样，畅销的时间比较长。而我的幽默散文，得益于有明确的理论指导，构成了某种风格。当然，这种风格是不断发展的。从最初的诙谐叙事，到稍后的自我调侃，到近期在诡辩中加深文化批判内涵，都是某种理论逼迫和驱使的结果。也许这是我与其他散文家不大相同的一个原因。

也许正是因为这样，广东旅游出版社为我出版了三卷本幽默文集，这实在是从来都不敢指望的荣幸。

文集的第一卷是幽默散文，第二卷是操作性比较强的幽默的自我训练，第三卷的理论性就比较强一些。为了避免过分抽象，在文集的下半部分加强了具体感性材料（包括故事和漫画）的分析。

这套书得以及时出版，除了感谢广东旅游出版社的魄力以外，还要感谢我的朋友汤化为我整理散乱的存稿，此外，还要感谢我的老同学楼肇明先生为文集第三卷写了很深刻的序言。

2002年2月14日—19日